D0636574

VEERTIEN

* Ook in POEMA POCKET verschenen
◈ Ook als e-book verkrijgbaar

DEAN KOONTZ

VEERTIEN

Uitgeverij Luitingh

Uitgeverij Luitingh en drukkerij Bariet vinden het belangrijk om op milieu-vriendelijke en verantwoorde wijze met natuurlijke bronnen om te gaan.

© 2010 Dean Koontz
All rights reserved
Published by arrangement with Lennart Sane Agency AB
© 2011 Nederlandse vertaling
Uitgeverij Luitingh ~ Sijthoff B.V., Amsterdam
Alle rechten voorbehouden
Oorspronkelijke titel: *What the Night Knows*
Vertaling: Jan Mellema
Omslagontwerp: Karel van Laar
Omslagfotografie: Getty Images

ISBN 978 90 245 3262 9
e-book ISBN 978 90 245 3370 1
NUR 332

www.boekenwereld.com
www.uitgeverijluitingh.nl
www.watleesjij.nu

Voor Gerda,
die vanaf de dag dat we elkaar tegenkwamen
bezit van mijn hart heeft genomen

Death, the undiscovered country
From whose bourn no traveler returns…
Shakespeare, *Hamlet*

1

IN WELK JAAR DEZE GEBEURTENISSEN PLAATSVONDEN doet er niet toe. Waar ze plaatsvonden is niet van belang. De tijd is altijd, en de plaats is overal.

Plotseling rond het middaguur, zes dagen na de moorden, vlogen vogels op naar de boomkruinen en de veiligheid van hun nest. Alsof hun vleugels de hemel hadden doorboord, volgde de regen ze op hun vlucht. De lange middag was net zo somber en vochtig als Atlantis in de schemering.

De kliniek stond op een heuvel, en de contouren ervan staken tegen de grijze regenlucht af. Het septemberlicht leek de striemende regen als een scheerriem te scherpen.

Een rij bruine, vijfentwintig meter hoge beuken scheidde de wegen van en naar de inrichting. De takken scheerden laag over de auto, hielden de regen vast en lieten het hemelwater vervolgens in dikke stralen door, zodat het kletterend tegen de voorruit tikte.

Het geluid van de ruitenwissers viel samen met de trage, zware hartslag van John Calvino. Hij had de radio niet aanstaan. De enige geluiden kwamen van de motor, de ruitenwissers, de regen, de banden die over het natte wegdek rolden, en

9

de herinnering aan de kreten van stervende vrouwen.

Bij de hoofdingang aangekomen parkeerde hij de auto op een plek waar dat niet was toegestaan, onder de zuilengalerij. Hij legde het bordje met POLITIE op het dashboard.

John werkte als rechercheur op de afdeling Moordzaken, maar was met zijn eigen auto gekomen. Eigenlijk was het niet toegestaan om het bordje buiten diensttijd te gebruiken. Maar zijn geweten worstelde met belangrijkere zaken dan het oneigenlijk gebruik van parkeerontheffingen.

Achter de balie in de hal zat een magere vrouw met een volle zwarte haardos. Ze rook naar de sigaretten die ze tijdens de lunchpauze had gerookt en die haar eetlust hadden verminderd. Haar strenge mond deed denken aan die van een leguaan.

Nadat John zich had gelegitimeerd en haar had verteld waar hij voor kwam, riep ze via de intercom iemand op die hem naar de juiste plek in het gebouw zou brengen. Met een pen in haar knokige vingers geklemd, waarbij de witte knokkels zich als gebeeldhouwde stukken marmer aftekenden, noteerde ze zijn naam en badgenummer in het bezoekersregister.

Ze zat om roddels verlegen en wilde dat hij haar meer over Billy Lucas vertelde.

In plaats daarvan liep John zwijgend naar het dichtstbijzijnde raam. Hij staarde naar de regen zonder die echt te zien.

Een paar minuten later begeleidde een boom van een vent, een verpleegkundige die Coleman Hanes heette, hem naar de tweede – bovenste – verdieping. Hanes nam zodanig bezit van de ruimte in de lift dat hij deed denken aan een stier in een kleine box die wachtte tot de deur van de rodeo-arena openging. Zijn mahoniekleurige huid glom een beetje, waardoor zijn witte uniform leek te gloeien.

Ze praatten over het teleurstellende weer: de regen en de bijna winters aandoende kou, terwijl het nog twee weken zou duren voordat de zomer officieel ten einde was. Ze hadden het niet over moord, noch over krankzinnigheid.

Het was John die het gesprek voornamelijk aan de gang hield. De verpleegkundige stelde zich uiterst terughoudend op, bijna flegmatisch.

De lift kwam uit in een hal. Achter een bureau zat een bewaker met een roze gezicht een tijdschrift te lezen.

'Draagt u een wapen?' vroeg hij.

'Mijn dienstpistool.'

'Dat zult u moeten afgeven.'

John haalde het wapen uit zijn schouderholster en gaf het aan de man.

Op het bureau stond een Crestron touchscreen. Toen de bewaker op een icoontje tikte, sprong de deur links van hen van het elektronische slot.

Coleman Hanes ging John voor naar wat op het oog een gewone ziekenhuisgang leek: grijze vinyltegels op de vloer, lichtblauwe muren, een wit plafond met reflecterende panelen.

'Komt hij uiteindelijk op een open afdeling, of houden jullie hem permanent hier?' vroeg John.

'Wat mij betreft komt hij hier nooit meer weg. Maar het is aan de doktoren om die beslissing te nemen.'

Hanes droeg een riem met opbergvakjes, waarin onder meer een klein spuitbusje traangas zat, een Taser, handboeien in de vorm van plastic strips, en een portofoon.

Alle deuren zaten op slot. Naast elke ingang hing een paneeltje waarmee de deur kon worden bediend, en alle deuren waren voorzien van een raampje.

Hanes zag John kijken en zei: 'Dubbel glas. Het ruitje aan de binnenkant is van veiligheidsglas, en het andere is van binnenuit gezien een spiegel. Maar u krijgt Billy in de gesprekskamer te zien.'

Dit bleek een vertrek van zes bij zes meter te zijn, met in het midden een scheidsmuur van zo'n zestig centimeter hoog. Vanaf die afscheiding tot aan het plafond waren panelen van dik gepantserd glas aangebracht, gevat in stalen frames.

In elk paneel zaten twee rechthoekige stalen roosters, net boven ooghoogte, om ervoor te zorgen dat men elkaar aan weerszijden van het glas kon verstaan.

Het deel van de kamer waar John werd binnengelaten, was het kleinst: zes meter lang, ongeveer tweeënhalve meter breed. Twee gemakkelijke stoelen stonden naar de glaswand toe gedraaid, met een tafeltje ertussenin.

Aan de andere kant van het glas stonden een gemakkelijke stoel en een lange bank, zodat de patiënt de keuze had om te gaan zitten of liggen.

Aan Johns kant van het glas hadden de stoelen houten poten, en de bekleding was met knopen versierd.

De stoel aan de andere kant van de scheidswand had poten die met stof waren afgewerkt. De bekleding was gestikt, zonder knoopjes of andere versiersels.

Camera's aan het plafond in het bezoekersgedeelte bestreken de hele kamer. Vanuit de bewakingspost kon Coleman Hanes de boel in de gaten houden, zonder dat hij kon horen wat er gezegd werd.

Voordat Hanes wegging, wees hij op de intercom die naast de deur in de muur was ingebouwd. 'Geef maar een seintje wanneer u klaar bent.'

John werd alleen gelaten en ging naast een van de stoelen staan wachten.

Het glas was waarschijnlijk ontspiegeld, want hij zag zichzelf er slechts als een vage gestalte in.

In de muur aan de andere kant van het glas zaten twee getraliede ramen. Buiten goot het, en donkere wolken tekenden zich als tumoren tegen de hemel af.

Links ging een deur open. Billy Lucas verscheen in het patiëntengedeelte van het vertrek. Hij droeg sloffen, een grijze katoenen pantalon met een elastieken broekband, en een grijs T-shirt met lange mouwen.

Hij had een knap gezicht, dat zo glad oogde als stijfgeklopte slagroom, en er lag een argeloze, open blik in zijn ogen. Met zijn bleke huid, zijn dikke bos zwart haar en zijn grijze outfit deed hij denken aan een glamourportret van Edward Steichen uit de jaren twintig of dertig van de twintigste eeuw.

De enige kleur die bij hem te bespeuren was, de enige kleur aan zijn kant van het glas, was het kristalheldere, opvallende blauw van zijn ogen.

Billy liep ontspannen naar het raam, niet gehaast en ook niet verdoofd alsof hij onder de medicijnen zat. Met zijn rechte schouders straalde hij een en al zelfverzekerdheid uit, en hij bewoog zich gracieus, op een bijna griezelige manier. Hij keek naar John, alleen naar John, vanaf het moment dat hij het vertrek binnenkwam tot het moment dat hij voor de glaswand bleef staan.

'U bent geen psychiater,' zei Billy. Hij drukte zich zorgvuldig uit en had een heldere, zoetgevooisde stem. Hij was voorheen lid geweest van een kerkkoor. 'U bent van de politie, hè?'

'Calvino. Moordzaken.'

'Ik heb een paar dagen geleden al bekend.'

'Dat weet ik.'

'Er is voldoende bewijs om aan te tonen dat ik het gedaan heb.'

'Dat klopt.'

'Wat komt u hier dan doen?'

'Ik wil het begrijpen.'

De jongen glimlachte niet breeduit, maar wel verscheen er een licht geamuseerde uitdrukking op zijn gezicht. Hij was veertien, had zijn familie uitgemoord zonder daarna enig berouw te tonen, was in staat gebleken onuitsprekelijke wreedheden te begaan, en toch zag hij er door het verholen lachje niet zelfvoldaan of pervers uit, maar juist nadenkend en vriendelijk, alsof hij aan een dagtocht naar een pretpark moest denken, of aan een mooi dagje aan zee.

'U wilt het begrijpen?' vroeg Billy. 'U bedoelt: wat was mijn motief?'

'Het waarom heb je nooit uitgelegd.'
'Het waarom ligt voor de hand.'
'Waarom dan?'
De jongen zei: 'Verderf.'

2

DE BLADSTILLE DAG KWAM INEENS WILD TOT LEVEN.
Regendruppels kletterden als hagelsalvo's tegen het gepantserde glas van de getraliede ramen.

De blauwe ogen van de jongen leken een zekere warmte aan
dat kille geluid te ontlenen; zijn blik lichtte op als een contro-
lelampje.

'Verderf,' zei John. 'Wat moet dat betekenen?'

Aanvankelijk leek de jongen op de vraag te willen ingaan,
maar uiteindelijk haalde hij zijn schouders op.

'Heb je me niets te vertellen?' vroeg John.

'Hebt u iets voor me meegebracht?'

'Een cadeautje, bedoel je? Nee. Niks.'

'Dat moet u de volgende keer wel doen.'

'Wat zou je dan willen hebben?'

'Ik mag hier niks hebben wat scherp of hard of zwaar is. Boeken mogen vast wel.'

De jongen deed het buitengewoon goed op school. Hij zat
bijna in het eindexamenjaar en had twee klassen overgeslagen.

'Wat voor boeken?' vroeg John.

'Maakt niet uit. Ik lees alles, herschrijf het dan in mijn hoofd en maak ervan wat ik wil. In mijn versie gaat iedereen in het boek altijd dood.'

De storm had zich aanvankelijk nog koest gehouden, maar liet nu flink van zich horen. Billy keek naar het plafond en glimlachte, alsof de donder zich speciaal tot hem richtte. Hij deed zijn hoofd naar achteren, sloot zijn ogen, en bleef zo een tijdje staan, ook toen de donderslagen al waren weggestorven.

'Heb je de moorden van tevoren beraamd, of heb je het vanuit een impuls gedaan?'

De jongen wiegde zijn hoofd heen en weer, alsof hij een blinde muzikant was die helemaal in de muziek opging, en hij zei: 'O, Johnny, ik was al een hele tijd van plan ze te vermoorden.'

'Hoe lang al?'

'Langer dan je zou geloven, Johnny. Heel erg lang al.'

'Wie heb je als eerste vermoord?'

'Wat maakt dat nou uit als ze toch allemaal dood zijn?'

'Mij maakt het wat uit,' zei John Calvino.

Bliksemflitsen lichtten op achter de ramen; dikke regendruppels gleden trillend langs de ruiten en lieten adervormige sporen na die bij elke felle bliksemschicht leken te gaan kloppen.

'Eerst heb ik mijn moeder doodgemaakt, in haar rolstoel in de keuken. Ze pakte net een pak melk uit de koelkast. Dat heeft ze laten vallen toen het mes in haar lichaam gleed.'

Billy hield zijn hoofd nu stil, maar hij had zijn gezicht nog wel naar het plafond gekeerd, zijn ogen nog steeds gesloten. Zijn mond hing open. Hij legde zijn handen op zijn borst en begon zijn lijf te strelen, steeds lager.

Hij leek in de greep van een verstilde extase.

Toen zijn handen ter hoogte van zijn heupen kwamen, hield hij ze daar even stil. Daarna gleden de handen weer naar boven, waardoor zijn t-shirt omhoogkroop.

'Mijn vader zat in zijn werkkamer, aan zijn bureau. Ik heb hem van achteren op zijn hoofd geslagen, twee keer, en daarna heb ik de klauw van de hamer gebruikt. Die ging dwars door zijn schedeldak, er zo diep in dat ik de hamer er niet meer uit kreeg.'

Billy trok zijn T-shirt over zijn hoofd en liet het kledingstuk langs zijn armen op de grond vallen.

Hij had zijn ogen nog steeds gesloten en leunde met zijn hoofd achterover. Zijn handen gleden langzaam over zijn blote buik, zijn borst, schouders en armen. Hij leek helemaal gebiologeerd te zijn door zijn huid en de contouren van zijn lichaam.

'Oma zat boven op haar kamer tv te kijken. Haar kunstgebit vloog uit toen ik haar een dreun in haar gezicht gaf. Daar schoot ik van in de lach. Ik wachtte tot ze weer bij kennis was en heb haar toen met een sjaaltje gewurgd.'

Hij hield zijn hoofd nu recht, deed zijn ogen open en bekeek zijn handpalmen, alsof hij het verleden in zijn handpalmen kon zien, niet de toekomst.

'Ik ben toen naar de keuken gegaan omdat ik dorst had gekregen. Ik heb een biertje genomen en heb het mes uit mijn moeder getrokken.'

John Calvino ging op de armleuning van de stoel zitten.

Alles wat de jongen hem vertelde, wist hij al, behalve de volgorde waarin de moorden gepleegd waren, iets wat Billy niet had verteld aan de rechercheurs die het onderzoek leidden. Op grond van het forensisch bewijsmateriaal had de lijkschouwer een plausibel scenario opgesteld; John wilde die theorie verifiëren.

Billy Lucas keek nog steeds naar zijn handen toen hij zei: 'Mijn zus, Celine, zat op haar kamer naar foute muziek te luisteren. Ik heb haar genomen voordat ik haar vermoord heb. Wist je dat ik haar genomen heb?'

'Ja.'

De jongen deed zijn armen over elkaar, begon langzaam zijn biceps te strelen en keek John weer recht in de ogen.

'Toen heb ik haar exact negen keer gestoken, hoewel ze volgens mij al bij de vierde messteek doodging. Maar zo snel wilde ik nog niet ophouden.'

De donder sloeg, de regen viel kletterend op het dak, en het was of de luchtverplaatsing te voelen was. John merkte dat de microscopisch kleine trilhaartjes in het slakkenhuis van zijn oren iets waarnamen, en hij vroeg zich af of dat met de onweersbui te maken had of met iets anders.

Hij zag dat er een uitdagende, spottende blik in de helderblauwe ogen van de jongen verscheen. '*Exact* negen keer, zei je. Hoezo?'

'Omdat ik haar niet acht keer heb gestoken, Johnny, en ook niet tien keer. Exact negen keer.'

Billy kwam zo dicht bij de scheidingswand staan dat zijn neus het glas bijna raakte. Zijn ogen waren poelen vol dreiging en haat, maar tegelijkertijd leken het troosteloze bronnen van een eenzame diepte, waarin iets was verdronken.

De rechercheur en de jongen bleven elkaar een hele tijd aankijken, tot John zei: 'Heb je nooit van ze gehouden?'

'Hoe kon ik van ze hebben gehouden als ik ze nauwelijks kende?'

'Je kende ze toch al je hele leven lang?'

'Ik ken jou beter dan dat ik hen kende.'

John had steeds een vage maar aanhoudende drang gevoeld om bij de jongen langs te gaan. Dit gesprek sterkte hem in zijn idee dat hij zich niet voor niets ongerust had gemaakt.

Hij kwam overeind.

'U gaat nu toch nog niet weg?' vroeg Billy.

'Is er dan nog meer wat je me wil vertellen?'

De jongen beet op zijn onderlip.

John bleef wachten tot dat geen zin meer leek te hebben en liep toen naar de deur.

'*Wacht. Alstublieft*,' zei de jongen. Zijn stem trilde, nu voor het eerst.

John draaide zich naar de jongen om en zag een gekwelde, wanhopige blik in zijn ogen.

'Help me alstublieft,' zei de jongen. 'U bent de enige die dat kan.'

John liep weer naar de glazen wand en zei: 'Ik kan nu niets voor je doen, ook niet als ik dat zou willen. Niemand kan je helpen.'

'Maar u weet het. U wéét het.'

'Wat denk je dat ik weet?'

Een ogenblik bleef Billy Lucas het doodsbange kind dat hij ineens was geworden, van slag en onzeker. Maar toen verscheen er een triomfantelijke blik in zijn ogen.

Hij ging met zijn rechterhand langs zijn strakke buik en stak hem onder de elastieken broekband van zijn grijze katoenen pantalon. Met zijn linkerhand trok hij zijn broek naar beneden, en met zijn rechterhand richtte hij zijn plasstraal op het laagste rooster in de glazen wand.

De stinkende urine kletterde door de stalen spijlen. John sprong achteruit om de spetters te ontwijken. Nooit had urine zo afschuwelijk geroken of zo donker geleken: geelbruin, als het sap van bedorven fruit.

Toen Billy Lucas zag dat zijn doelwit zich had teruggetrokken, mikte hij hoger en plaste hij van links naar rechts tegen de glaswand, en weer terug. Door de smerige urinestroom leek het of het gezicht van de jongen smolt en hij in het niets oploste, alsof hij een spookverschijning was geweest.

John Calvino drukte op de knop van de intercom naast de deur en zei tegen Coleman Hanes: 'Ik ben hier klaar.'

Om de bijtende urinelucht niet langer te hoeven inademen, wachtte hij niet tot de verpleegkundige verscheen maar liep hij uit eigen beweging de gang op.

De jongen riep hem na: 'Je had iets voor me mee moeten nemen, een geschenk, een offer.'

De rechercheur deed de deur achter zich dicht en bekeek zijn schoenen in het tl-schijnsel op de gang. Er was geen druppel van het smerige vocht op zijn glanzende schoenen gekomen.

Toen de deur van de bewakingspost openging, liep John ernaartoe, naar Coleman Hanes, wiens formaat en aanwezigheid hem de bijna mythologische uitstraling verleende van iemand die reuzen en draken had bevochten.

3

OP DE EERSTE VERDIEPING, EEN ETAGE LAGER DAN waar Billy Lucas zat, was de koffiekamer voor het ziekenhuispersoneel gevestigd. Er hing een prikbord, er stonden een paar snack- en frisdrankautomaten, blauwe plastic kuipstoeltjes en vleeskleurige formica tafels.

John Calvino en Coleman Hanes zaten aan een van de tafels en dronken koffie uit een kartonnen bekertje. In Calvino's koffie dreef een blind wit oog, een weerspiegeling van een spotje aan het plafond.

'Dat zijn urine zo stinkt en zo'n rare kleur heeft, komt door zijn medicijnen,' legde Hanes uit. 'Maar zoiets als dit heeft hij nooit eerder gedaan.'

'Het is te hopen dat het niet zijn nieuwe manier is om zichzelf te uiten.'

'Sinds hiv bestaat, nemen we geen enkel risico met lichaamsvloeistoffen. Als hij nog eens zoiets flikt, zullen we hem een paar dagen in een dwangbuis stoppen en een katheter inbrengen, zodat hij bij zichzelf kan nagaan of hij liever toch niet wat meer bewegingsvrijheid zou willen hebben.'

'Krijgen jullie dan geen advocaten op je dak?'

'Tuurlijk wel. Maar als hij die lieden eenmaal heeft onderge-plast, zullen ze zich niet meer zo druk maken om zijn burger-rechten.'

John zag dat de verpleegkundige op zijn rechterhandpalm een tatoeage droeg: een adelaar met wereldbol en een anker, in rood, blauw en zwart, het embleem van de Amerikaanse mari-niers.

'Hebt u buitenlandse missies gedaan?'

'Twee keer.'

'Zwaar werk.'

Hanes haalde zijn schouders op. 'Dat land daarginds is één groot psychiatrisch ziekenhuis, alleen veel groter dan deze kli-niek.'

'Vindt u dat Billy Lucas op de psychiatrie thuishoort?'

De man glimlachte en perste zijn lippen daarbij stijf op el-kaar. 'Denkt u dat hij beter naar een weeshuis overgebracht kan worden?'

'Ik probeer hem alleen maar te begrijpen. Hij is te jong om in een reguliere gevangenis gestopt te worden, en te gevaarlijk voor een jeugdgevangenis. Dus misschien zit hij hier omdat ze hem nergens anders kwijt konden. Denkt u dat hij krankzinnig is?'

Hanes dronk zijn koffie op en verfrommelde het bekertje in zijn vuist. 'Als hij niet krankzinnig is, wat is hij dan wel?'

'Dat is mijn vraag.'

'Ik dacht dat u het antwoord wist. Ik dacht dat u suggereer-de dat er iets anders aan de hand was.'

'Ik suggereer niets,' verzekerde John hem.

'Misschien is hij zelf niet krankzinnig, maar zijn daden zijn dat in elk geval wel. Als hij iets anders dan krankzinnig is, is dat een onderscheid dat verder weinig verschil maakt.' Hij gooide het verfrommelde bekertje van een afstandje naar een prullen-bak. Raak. 'Ik dacht dat jullie het onderzoek hadden afgesloten. Waarom hebben ze u hiernaartoe gestuurd?'

John was niet van plan te verklappen dat hij nooit met het onderzoek belast was. 'Heeft de jongen te horen gekregen hoe ik heette voordat ik naar hem toe ging?'

Langzaam schudde Hanes zijn hoofd, wat John deed denken aan een geschutskoepel van een tank die naar een doelwit draait. 'Nee. Ik heb hem verteld dat hij bezoek kreeg, en dat hij er niet onderuit kon. Ik had vroeger een zus, meneer Calvino. Ze is verkracht en daarna vermoord. Ik vind niet dat ik tegen Billy's soort aardig hoef te doen.'

'Die zus van u – hoe lang geleden?'

'Tweeëntwintig jaar. Maar het is als de dag van gisteren.'

'Dat is altijd zo,' zei John.

De verpleegkundige haalde zijn portefeuille uit zijn broekzak, klapte hem open en liet een foto van zijn vermoorde zus zien. 'Angela Denise.'

'Knappe meid. Hoe oud was ze op die foto?'

'Zeventien. Ouder is ze niet geworden.'

'Zijn ze erachter gekomen wie het gedaan had?'

'Ja. Die vent zit in een van de nieuwe gevangenissen. Heeft een cel voor zich alleen. Met tv. Tegenwoordig hebben ze zelfs een tv op de kamer. En ze mogen damesbezoek ontvangen. Wie weet wat voor privileges ze nog meer krijgen.'

Hanes borg zijn portefeuille op. De herinnering aan zijn zus zou hij minder gemakkelijk kunnen wegstoppen. Nu John Calvino over zijn zus had gehoord, vond hij Hanes niet zozeer flegmatisch als wel zwaarmoedig overkomen.

'Ik heb Billy verteld dat ik rechercheur Calvino ben. Mijn voornaam heb ik niet genoemd. Maar die knul noemde me op een gegeven moment Johnny. Expliciet.'

'Karen Eisler van de receptie – die heeft uw legitimatiebewijs gezien. Maar zij kan niet met Lucas gesproken hebben, want hij heeft geen telefoon op zijn kamer.'

'Is er een andere verklaring denkbaar?'

'Het zou kunnen dat ik tegen u gelogen heb.'

'Die mogelijkheid lijkt me zo onwaarschijnlijk dat ik daar geen rekening mee wil houden.' John aarzelde even. Toen: 'Meneer Hanes, ik weet niet goed hoe ik dit moet zeggen.'

Hanes wachtte roerloos als een standbeeld. Hij schoof niet heen en weer op zijn stoel. Hij zou nooit een groot gebaar maken als een opgetrokken wenkbrauw hetzelfde effect zou sorteren.

John zei: 'Ik weet dat hij hier nog maar vier dagen geleden naartoe is overgeplaatst. Maar is er niets in zijn gedrag wat u vreemd voorkomt?'

'Los van het feit dat hij geprobeerd heeft u onder te plassen?'

'Dat overkomt me niet dagelijks, maar dat is niet wat ik bedoel. Dat hij op de een of andere manier agressief zou zijn, had ik verwacht. Wat ik bedoel is of hij zich onvoorspelbaar heeft gedragen.'

Hanes dacht even na en zei toen: 'Hij praat soms in zichzelf.'

'Dat doen we allemaal wel eens in meer of mindere mate.'

'Niet in de derde persoon.'

John boog zich naar de man toe. 'De derde persoon?'

'Nou, hij praat meestal in vraagzinnen. Dan zegt hij bijvoorbeeld: "Wat is het warm, hè, Billy?" Of: "Wat is het hier lekker warm, Billy. Heb jij het ook lekker warm?" De vraag die het vaakst terugkomt, is of hij zich vermaakt.'

'Wat zegt hij dan precies?'

'"Is dit niet leuk, Billy? Vind je dit niet leuk, Billy? Leuker dan dit kan het niet worden, wel, Billy?"'

John merkte dat zijn koffie koud was geworden. Hij duwde het bekertje aan de kant. 'Geeft hij ooit hardop antwoord op zijn eigen vragen?'

Coleman Hanes dacht even na. 'Nee, volgens mij niet.'

'Dus het is geen dialoog die hij hardop uitspreekt?'

'Nee. Meestal stelt hij alleen vragen. Retorische vragen die geen antwoord behoeven. Het klinkt misschien niet zo vreemd nu ik dit zo zeg, maar u zou het zelf eens moeten horen.'

John merkte dat hij zelf constant aan zijn trouwring zat te friemelen. Uiteindelijk zei hij: 'Hij vertelde me dat hij graag boeken las.'

'Pocketboeken zijn toegestaan. We hebben een kleine bibliotheek in de kliniek.'

'Wat voor boeken leest hij zoal?'

'Daar heb ik niet op gelet.'

'*True crime*? Boeken over moorden die echt gebeurd zijn?'

Hanes schudde zijn hoofd. 'Dat soort boeken hebben we hier niet. Dat lijkt ons namelijk niet zo'n goed idee. Patiënten zoals Billy vinden dergelijke boeken... te opwindend.'

'Heeft hij om true-crime-boeken gevraagd?'

'Mij niet. Misschien wel aan iemand anders.'

John haalde een visitekaartje uit zijn portefeuille en schoof dat over de tafel. 'Het nummer van het bureau staat op de voorkant. Achterop heb ik mijn privénummer en mijn mobiele nummer geschreven. Bel me maar als er iets voorvalt.'

'Zoals wat?'

'Iets abnormaals. Iets waardoor u aan mij moet denken. Weet ik veel.'

Hanes stopte het kaartje in het zakje van zijn overhemd en zei: 'Hoe lang bent u al getrouwd?'

'In december vijftien jaar. Hoezo?'

'De hele tijd dat we hier nu zitten, hebt u aan die ring zitten te plukken, alsof u zich ervan wilde vergewissen dat hij er nog was. Alsof u zich geen raad zou weten als u die ring niet had.'

'Niet de hele tijd,' zei John, want het was hem nog maar net opgevallen dat hij met zijn trouwring zat te spelen.

'Bijna de hele tijd,' zei de verpleegkundige stellig.

'Misschien kunt u rechercheur worden.'

Toen ze overeind kwamen, had John het gevoel dat hij gebukt ging onder een ijzeren juk. Coleman torste ook een last met zich mee. John hoopte dat hij zijn eigen last met net zoveel waardigheid zou dragen als de verpleegkundige.

4

DE MOTOR GEHOORZAAMDE AAN HET AUTOSLEUTELTJE en startte in een keer, maar dat ging gepaard met een harde klap, waardoor er een trilling door de Ford ging. Verschrikt keek John Calvino in het achteruitkijkspiegeltje om te zien wat er tegen zijn achterbumper was aangekomen, maar er bleek niets achter zijn auto te staan.

De auto stond nog steeds onder de overkapping bij de hoofdingang van de kliniek. Calvino liet de motor stationair draaien, stapte uit en liep naar de achterkant van de auto. Doordat het zo koud was, kwamen er witte wolkjes uit de uitlaat, maar het was duidelijk dat er niets bijzonders te zien was.

Hij liep verder om de auto heen om de passagierskant te controleren, maar ook daar viel geen beschadiging waar te nemen. Daarna knielde hij naast de auto neer en keek onder het voertuig. Niets boog door, niets lekte.

De knal was te hard en te krachtig geweest om te negeren.

Hij deed de motorkap omhoog, maar ook aan het motorblok was niets bijzonders te zien.

Misschien was er iets in de kofferbak omgevallen, iets wat zijn vrouw Nicolette daar had achtergelaten. Hij leunde door het openstaande portier naar binnen, zette de motor uit en haalde de sleuteltjes uit het contact. Nadat hij de kofferbak had opengedaan, zag hij dat daar niets in lag.

Hij ging weer achter het stuur zitten en startte de motor. De knal en de trilling werden niet herhaald. Er leek niets aan de hand te zijn.

Hij reed weg, onder de druppelende takken van de beuken door, over het terrein van de kliniek, en daarna bijna twee kilometer over een landweg voordat de berm breed genoeg was om zijn auto te parkeren. Hij liet de motor draaien, maar zette de ruitenwissers stil.

Zijn stoel kon elektronisch worden bijgesteld. Hij zette hem zo ver mogelijk van het stuur af naar achteren.

Hij was gestopt in een landelijke omgeving. Links van de weg strekten zich vlakke landerijen uit, en rechts een glooiende weide met een paar eiken, die bijna zwart tegen het hoge vale gras afstaken. Dichterbij, tussen de berm en het grasland, stond een gammel hek te wachten tot het door houtrot en weersinvloeden uit elkaar zou vallen.

Een snerpende wind joeg kletterende regendruppels van alle kanten tegen de autoruiten. Achter het vochtige glas werd de omgeving vervormd tot vormeloze, onwerkelijke vlakken.

In zijn functie van rechercheur ging John altijd als een meubelmaker te werk. Allereerst stelde hij een theorie op, zoals een meubelmaker een werktekening maakte. Vervolgens bouwde hij zijn zaak met feiten op, die net zo goed deel uitmaakten van de werkelijkheid als hout en spijkers.

Net als bij het ontwerpen van meubels het geval was, kwam er bij een politieonderzoek veel verbeeldingskracht kijken, en veel denkwerk. Als John iemand verhoord had, ging hij het liefst naar een stil plekje, het gesprek nog vers in zijn geheugen, om in zijn eentje na te denken over wat hij te weten was gekomen, en om te controleren of de nieuwe bevindingen overeenkwamen met de informatie die al bekend was.

Hij klapte de laptop open, die op de stoel naast hem stond. Dagen geleden had hij de melding gedownload en opgeslagen die Billy zelf op die bloederige nacht aan de alarmcentrale had doorgegeven. John speelde het fragment weer af.

'U kunt maar beter komen. Ze zijn allemaal dood.'
'Wie zijn er dood, meneer?'
'Mijn moeder, vader, oma. Mijn zus.'
'Met wie spreek ik?'
'Met Billy Lucas. Ik ben veertien.'
'Op welk adres ben je?'
'Dat weet u al. Dat kwam op uw scherm toen ik belde.'
'Heb je gecontroleerd of iemand misschien nog een teken van leven gaf?'
'Ja, ik heb grondig gecontroleerd of iemand nog een teken van leven gaf.'
'Heb je ehbo gedaan?'
'Gelooft u me nou maar: ze zijn allemaal dood. Ik heb ze zelf doodgemaakt. Echt mors- en morsdood.'
'Heb jij ze vermoord? Luister eens, knul, als dit een geintje is...'
'Dit is geen geintje. Het geintje is voorbij. Het enige geinige is: ik heb ze doodgemaakt. Het is een prachtig gezicht. Tot ziens. Ik zal buiten voor het huis op jullie gaan zitten wachten.'

Over de landweg reden twee voertuigen zijn kant op. Ze hadden hun koplampen aan. Door de beregende, beslagen ramen en de stortbui waren er weinig details zichtbaar en leken ze op bathyscafen die diep onder de zeespiegel door een trog voeren.

John zag de auto's langskomen. Het natte wegdek glom toen de koplampen eroverheen gleden, het felle schijnsel werd in de beregende ruiten weerkaatst, en de middag openbaarde zich in een vervormde, bevreemdende staat. Hij was in verwarring geraakt, en het besef dat hij – iemand die in de rede geloofde – door een mist van bijgeloof doolde, verontrustte hem.

Hij had het gevoel dat hij stuurloos door de ruimte en de tijd zweefde, en dat zijn geheugen net zoveel waarde had als het moment zelf.

Twintig jaar geleden, een half continent hiervandaan, waren vier mensen in hun eigen huis om het leven gebracht. De familie Valdane.

Ze woonden op nog geen vijfhonderd meter van het huis waarin John Calvino was grootgebracht. Hij kende ze alle vier. Hij ging met Darcy Valdane naar school en was heimelijk verliefd op haar. Veertien was hij toen.

Elizabeth Valdane, de moeder, was met een slagersmes om het leven gebracht. Net als Sandra Lucas, de moeder van Billy, had men Elizabeth in levenloze staat in haar keuken aangetroffen. Beide vrouwen hadden in een rolstoel gezeten.

De man van Elizabeth, Anthony Valdane, was op brute wijze met een hamer doodgeslagen. De moordenaar had de hamer met de klauw in het schedeldak van het slachtoffer laten zitten, zoals Billy de hamer ook in het hoofd van zijn vader had laten zitten.

Anthony had aan de werkbank in zijn garage gezeten toen hij was aangevallen. Robert Lucas was in zijn werkkamer doodgeslagen. Toen de hamer op zijn hoofd neerkwam, was Anthony bezig geweest een vogelhuisje te maken. Robert schreef een cheque uit om een rekening van het elektriciteitsbedrijf te betalen. Vogels moesten het zonder huisje stellen, rekeningen werden niet voldaan.

Victoria, de zus van Elizabeth Valdane, een inwonende weduwe, had een dreun in haar gezicht gekregen en was daarna met een roodzijden sjaaltje gewurgd. Ann Lucas, Billy's oma, die onlangs haar man had verloren, was ook in haar gezicht geslagen en was vervolgens met zoveel geweld gewurgd dat het sjaaltje – ook in dit geval rood – diepe sporen in haar hals had achtergelaten. De twee vrouwen hadden niet precies dezelfde band met de overige familieleden, maar de overeenkomsten waren griezelig te noemen.

De vijftienjarige Darcy Valdane was verkracht voordat ze was doodgestoken met hetzelfde slagersmes als waarmee haar moeder was vermoord. Twintig jaar later werd Celine Lucas, zestien jaar oud, verkracht en daarna afgeslacht met hetzelfde mes waarmee *haar* moeder om het leven was gebracht.

Darcy was negen keer met het mes gestoken. Ook Celine was negen keer gestoken.

Toen heb ik haar exact negen keer gestoken...

Exact negen keer, zei je. Hoezo?

Omdat ik haar niet acht keer heb gestoken, Johnny, en ook niet tien keer. Exact negen keer.

In beide gevallen waren de moorden in dezelfde volgorde gepleegd: moeder, vader, tante/oma (weduwe), en als laatste de dochter.

Op Johns laptop stond een bestand dat 'Toen-Nu' heette. Hij had er de afgelopen paar dagen aan gewerkt, en het bestond uit een overzicht van de overeenkomsten tussen de moord op de familie Valdane en de familie Lucas. Hij hoefde het bestand niet te openen, omdat hij het uit zijn hoofd kende.

Een dieplader die een grote, ouderwetse landbouwmachine vervoerde, denderde langs en trok een spoor van opspattend, vies water. In het onheilspellende licht deed de machine denken aan een prehistorisch insect, wat eens te meer de indruk wekte dat deze regenachtige middag een onwerkelijk karakter had.

Verscholen in zijn auto, terwijl de regen onophoudelijk door de wind tegen de ruiten geblazen werd, dacht John aan de gezichten van de twee moordenaars die als manen met wisselende maanstanden door zijn hoofd spookten.

De familie Lucas was door iemand uit hun eigen gelederen afgeslacht: door de knappe Billy met de blauwe ogen, een briljante leerling, een koorknaap, een jongen met jeugdige, onschuldige gelaatstrekken.

De Valdanes, die geen zoon hadden, waren vermoord door een indringer die een veel afzichtelijker uiterlijk had dan Billy Lucas.

Die moordenaar van toen had bij drie andere gezinnen nog meer wreedheden begaan, in de maanden na de moord op de Valdanes. Bij de laatste slachtpartij was hij door een kogel om het leven gekomen.

Uit de memoires die hij had achtergelaten, honderden met de hand volgeschreven pagina's, bleek dat hij al vaker had gemoord voordat hij de Valdanes afslachtte. Meestal nam hij steeds één slachtoffer per keer. Hij vermeldde niet wie hij had vermoord, of waar dat gebeurd was. Hij schepte niet op over zijn moordlustige gedrag – tot hij complete gezinnen uitmoordde en het idee kreeg dat zijn daden bewondering zouden afdwingen. Naast het verhaal van zijn verknipte afkomst, bevatte zijn relaas vooral een warrig, filosofisch getint betoog over de dood met een kleine d, en over hoe het was om de Dood met een hoofdletter te zijn. Hij was ervan overtuigd geraakt dat hij 'een onsterfelijke kompaan' van Magere Hein was geworden.

Zijn echte naam was Alton Turner Blackwood, maar hij had zich altijd van het pseudoniem Asmodeus bediend. Hij leidde een zwervend bestaan, stapte van de ene gestolen auto in de andere, liet zich illegaal per goederenwagon vervoeren, of soms kocht hij een kaartje en ging hij een eind met de bus. Hij sliep in het voertuig dat hem op dat moment ter beschikking stond, in leegstaande panden, in opvangtehuizen voor daklozen, in riolen en onder bruggen, op de achterbank van auto's op autokerkhoven, in schuren die niet waren afgesloten, en een keer in een open grafkuil die met zeil was afgedekt en waar de volgende dag iemand in begraven zou worden. Soms sloop hij stiekem een kerk binnen om daar in de catacomben te gaan slapen.

Hij was een meter vijfennegentig lang, zo mager als een lat maar toch sterk. Hij had enorm grote handen, en door de spatelachtige vingers deden zijn handen denken aan de poten van een pad. Grote knokige polsen, als de gewrichten van een robot, en armen zo lang als die van een orang-oetan. Zijn schouderbladen waren dik en misvormd, zodat het net was of hij op zijn rug vleermuisvleugels onder zijn hemd verborgen hield.

Steeds nadat Alton Blackwood een gezin had afgeslacht, had hij het alarmnummer gebeld, niet vanuit het huis waar hij de moorden had gepleegd, maar vanuit een telefooncel. Zijn ijdelheid gebood dat de slachtoffers gevonden zouden worden als ze nog maar net om het leven gebracht waren, voordat het flamboyante ontbindingsproces zijn prestatie overschaduwde.

Het was al jaren geleden dat Blackwood was gestorven. De onderzoeken naar de vier moordpartijen waren afgesloten, en de moorden hadden plaatsgevonden in een klein plaatsje, waar men er niet zulke uitgebreide protocollen op na hield voor het archiveren van telefoontjes naar de alarmcentrale. Van de drie meldingen die de moordenaar had gedaan, was er maar één bewaard gebleven, het telefoontje naar aanleiding van de moord op het tweede gezin, de Sollenburgs.

De vorige dag had John een kopie van de opname opgevraagd, zogenaamd in het kader van het onderzoek naar de moorden die Lucas gepleegd had, en hij had per mail een mp3'tje gekregen. Dat geluidsfragment had hij op zijn laptop gezet. Nu speelde hij het nog een keer af.

Normaal gesproken klonk Blackwood als een vijl die langs een koperen spijl werd gehaald, maar toen hij de alarmcentrale belde, sprak hij sotto voce, waarschijnlijk om te voorkomen dat zijn stem herkend zou worden. Zijn fluisterstem klonk als de klanken die werden voortgebracht door een kruising van een slang en een rat.

'Ik heb de Sollenburgs vermoord. Ga naar Brandywine Lane 866.'
'Kunt u dat nog een keer zeggen? Iets harder, graag.'
'Ik ben dezelfde artiest die de Valdanes voor zijn rekening heeft genomen.'
'Het spijt me, ik kan u niet goed verstaan.'

'Denk maar niet dat je me net zolang aan de praat kunt houden tot je me getraceerd hebt.'

'Meneer, zou u misschien iets harder kunnen praten...'

'Ga maar kijken wat ik gedaan heb. Het is een prachtig gezicht.'

Toen Billy Lucas de alarmcentrale had gebeld, had hij gezegd: *Het enige geinige is: ik heb ze doodgemaakt. Het is een prachtig gezicht.*

Iedere rechercheur die deze twee misdaden met elkaar vergeleek, gepleegd met een tussenpoos van twintig jaar, zou tot de conclusie komen dat Billy Lucas over de moordpartij van Alton Turner Blackwood had gelezen en had geprobeerd de man bij wijze van hommage na te doen.

Maar Billy had het nooit over Blackwood gehad. Billy had met geen woord gerept over door wie hij zich had laten inspireren. Gevraagd naar zijn motief, had hij alleen het woord *verderf* genoemd.

Donderslagen volgden elkaar op, soms met en soms zonder bliksemflitsen. Er kwamen een paar auto's en trucks voorbij, naar het leek alsof ze in een grote waterstroom werden meegevoerd.

Van de kliniek was het een uur rijden naar de stad waar John woonde en waar hij nog een afspraak had voordat hij naar huis kon. Hij schoof de stoel weer naar voren, zette de ruitenwissers aan, deed de handrem eraf en zette de Ford in de eerste versnelling.

Hij dacht liever niet aan waar hij aan dacht, maar die gedachte was als een aanhoudende stem die zich niet het zwijgen liet opleggen. Iets of iemand vormde een grote bedreiging voor zijn vrouw en kinderen.

Zijn gezin liep ernstig gevaar, en eerder nog twee andere gezinnen. Hij wist niet of hij iemand daarvan voor het onheil kon behoeden.

5

MET TWEE LEPELS SCHEPTE MARION DUNNAWAY WAT beslag uit een stalen mengkom, maakte daar een bolletje van en legde dat op bakpapier, waar al acht andere bolletjes naast elkaar lagen.

'Als ik ooit kinderen had gekregen en nu kleinkinderen had, zou ik ze alleen maar op internet laten als ik er zelf bij was.'

Haar keuken was keurig aan kant. Geelwitte gordijnen flankeerden het zicht op de storm en leken zelfs het chaotische weer een zekere orde te verlenen.

'Er is veel te veel ziekelijke rotzooi waar ze zonder enig probleem bij kunnen. Als ze dat op zo'n jonge leeftijd te zien krijgen, kan er met gemak een obsessie ontstaan.'

Ze schepte nog wat beslag uit de kom, lepel tikte tegen lepel, en vervolgens lag het tiende koekje in wording op de bakplaat, bijna als bij toverslag.

Marion was met pensioen gegaan nadat ze zesendertig jaar als ok-verpleegkundige in het leger had gezeten. Ze was klein van stuk, compact, stevig gebouwd en leek nergens voor terug te deinzen. Elke taak trad ze met haar sterke handen vol efficiënte daadkracht tegemoet.

'Stel dat een jongen van twaalf zulke smerigheid onder ogen krijgt. De geest van een twaalfjarig kind vormt een vruchtbare bodem, rechercheur Calvino.'

'Absoluut,' zei John. Hij was aan de keukentafel gaan zitten.

'Als in die bodem een zaadje valt, gaat dat hoogstwaarschijnlijk ontkiemen, en daarom moet je altijd waken voor een kwade wind, want die zorgt ervoor dat het onkruid zich kan verspreiden.'

Marions dikke bos wit haar lag als een helm op haar hoofd. Ze leek vijftig, maar was al achtenzestig. Ze had een innemende glimlach, en John vermoedde dat ze een warme lach had, hoewel hij betwijfelde of hij die ooit zou horen.

Hij warmde zijn handen aan zijn koffiebeker en zei: 'Denkt u dat dat Billy is overkomen – onkruid van het internet?'

Ze legde het elfde bolletje op het bakpapier en vormde tot besluit een koekje van het resterende beslag, zonder iets te zeggen.

Toen draaide ze haar gezicht naar het raam en keek ze naar het huis van de buren. John nam aan dat ze in gedachten terugging naar het huis naast het huis van de buren, het pand van de familie Lucas, het huis des doods.

'Ik mag een boon zijn als ik het weet. Ze waren altijd zo'n hecht gezin. Goede mensen. Billy deed altijd heel beleefd. Was heel aardig. Zo zorgzaam voor zijn moeder, nadat ze door een ongeluk in een rolstoel terecht was gekomen.'

Ze deed de oven open. Met een gewatteerde ovenwant haalde ze er een bakblik met afgebakken koekjes uit en zette dat op het aanrecht om af te koelen.

Een warme luchtstroom verspreidde de geur van chocola, kokos en pecannoten door de keuken. Vreemd genoeg ging John er niet van watertanden, maar werd hij er heel even misselijk van.

Marion zei: 'Ik heb in veldhospitalen gewerkt, aan het front. Heb noodoperaties meegemaakt. Heb heel wat geweld gezien, te veel dood.'

Ze schoof het bakblik met de keurig gerangschikte beslagbolletjes de oven in, deed die dicht en trok de ovenwant uit.

'Na verloop van tijd kon ik in een oogopslag zien wie het zou redden en wie niet. Ik kon de dood van hun gezicht aflezen.'

Uit een la naast de koelkast haalde ze een sleutel tevoorschijn, waarmee ze naar de tafel liep.

'Bij Billy heb ik nooit de dood gezien. Totaal niet. Dat gepraat over de gevaren van internet is niets dan loos gebrabbel, rechercheur Calvino, gewoon gesnater van een oude vrouw die niet durft toe te geven dat er soms afschuwelijke dingen gebeuren waar geen zinnige verklaring voor te bedenken is.'

Ze gaf hem de sleutel, die aan een kralenkettinkje hing, met daaraan een plastic, goudkleurig bedeltje in de vorm van een grijnzende poes.

Billy's ouders waren dol op katten. Ze hadden twee gesteriliseerde Britse korthaaren, gevlekt, met groene ogen, Posh en Fluff genaamd. Speelse beestjes waren het.

Toen de moordpartij begon, waren Posh en Fluff via het poezenluikje in de keukendeur naar buiten gevlucht. Een van de overburen van de familie Lucas vond ze rillend en klagelijk miauwend onder zijn veranda aan de achterkant van het huis.

John stopte de sleutel in zijn zak en kwam overeind. 'Bedankt voor de koffie, mevrouw.'

'Ik had die sleutel meteen na die afschuwelijke gebeurtenis moeten inleveren.'

'Geen probleem, hoor,' verzekerde hij haar.

Omdat John er rekening mee hiield dat de Lucassen een reservesleutel van hun huis aan een van de buren hadden gegeven, was hij die ochtend onaangekondigd bij vier van hen langsgegaan, voordat hij bij Marion Dunnaway beet had.

'Ik geef u een paar koekjes mee voor de kinderen waar u het over had,' zei ze. 'De eerste porties zijn nu wel afgekoeld.'

Hij voelde aan dat hij niet kon weigeren.

Ze stopte zes koekjes in een plastic zakje en liep met John mee naar de voordeur. 'Ik zit erover te denken om eens bij Billy langs te gaan, als hij tenminste bezoek mag hebben. Maar wat moet ik dan zeggen?'

'Niets. Er valt niets te zeggen. U kunt maar beter het beeld bewaren van hoe u hem gekend heeft. Hij is erg veranderd. U kunt niets meer voor hem doen.'

Hij had zijn regenjas in de schommelbank op de veranda achtergelaten, trok die aan, zette de capuchon op, liep naar zijn auto, die voor het huis geparkeerd stond, en reed twee huizen verder, naar de woning van de familie Lucas, waar hij zijn auto op de oprit zette.

Het zou nog een uurtje licht blijven voordat de dag in duisternis wegregende.

Dikke slakken gleden met uitgestoken voelhoorns over het tuinpaadje, op weg van het ene gazon naar het andere. John deed zijn best er niet op te stappen.

Omdat Sandra Lucas in een rolstoel had gezeten, was de veranda niet alleen via een trapje maar ook via een hellingbaan bereikbaar.

Hij deed zijn regenjas uit, schudde de druppels ervan af en vouwde hem over zijn linkerarm, omdat hij hem verder alleen maar op een schommelbank met vlekkerige gele kussens kon neerleggen. Toen Billy zijn zus had afgeslacht en de alarmcentrale had gebeld, was hij op die schommelbank gaan zitten, naakt en besmeurd met bloed.

Juridisch gezien worden kinderen meestal vanaf hun veertiende voor hun daden verantwoordelijk gehouden. Niemand kan alleen op grond van moreel of emotioneel onvermogen – in tegenstelling tot geestelijk onvermogen – ontoerekeningsvatbaar worden verklaard.

Aan de eerste twee politieagenten die op de plek des onheils aankwamen, bood Billy zijn zus voor tien dollar per persoon aan en vertelde hun waar ze lag. 'Leg maar twintig dollar op het nachtkastje,' zei hij. 'En naderhand geen sigaretje opsteken. In dit huis mag niet gerookt worden.'

De politie had de voordeur niet langer verzegeld. Toen de technische recherche het forensisch onderzoek had afgerond, wezen alle sporen erop dat Billy de dader was, iets wat hij zelf ook steeds had beweerd. Na een psychiatrisch onderzoek was de jongen in voorarrest naar de kliniek gestuurd, met als voorlopige diagnose krankzinnigheid, een oordeel dat binnen zestig dagen moest worden bekrachtigd of weerlegd. Twee dagen geleden was het huis als plaats delict vrijgegeven.

Niemand van Johns collega's zou speciaal naar het huis zijn gegaan om de verzegeling van de buitendeuren weg te halen. Omdat de Lucassen geen familie in de buurt hadden wonen, zou het kunnen dat een advocaat die als executeur-testamentair optrad, binnen was geweest om te zien in welke staat het huis verkeerde.

John gebruikte de sleutel met het plastic poesje eraan om binnen te komen, deed de deur achter zich dicht en bleef in de hal staan luisteren naar de geluiden van dit pand, dat in zekere zin een slachthuis was geworden.

Hij had geen toestemming om hier naar binnen te gaan. Technisch gezien bleef de zaak open tot de psychiaters een definitieve diagnose hadden gesteld, binnen zestig dagen, maar niemand hield zich meer met het onderzoek bezig. John was nooit op de zaak gezet.

Als niemand van de buren een sleutel had gehad, zou hij alleen kunnen zijn binnengekomen door in te breken. Daar zou hij niet voor hebben teruggedeinsd.

Met zijn rug tegen de voordeur had hij het gevoel dat iemand hem in een van de kamers stond op te wachten, maar waarschijnlijk hield hij zichzelf voor de gek. Als hij ergens kwam waar een moord gepleegd was, nadat de lijken waren weggehaald en het sporenonderzoek was voltooid, kreeg hij wel vaker het gevoel dat er nog iemand in het huis aanwezig was, maar altijd bleek dat gevoel ongegrond te zijn.

6

HET ONWEER WAS WEGGETROKKEN, EN DE KLETTEREN-de regenstralen hadden plaatsgemaakt voor motregen, te zacht om in huis hoorbaar te zijn.

Volgens de gegevens van de taxateur had het huis zes kamers op de begane grond en vijf boven. Toen John in de schemerige hal stond, had hij de indruk dat het huis groter was dan uit de beschrijving bleek. De holle stilte klonk onmetelijk groot, als van grotten die zich kilometerslang tussen steenlagen uitstrekken.

Aan weerszijden van de voordeur zaten twee ramen van elk acht ruitjes, maar het zou niet lang meer duren voordat de gemummificeerde zon, die door grote wolken omwikkeld leek, zou ondergaan.

Hij wachtte tot zijn ogen aan het schemerduister gewend waren, omdat hij liever geen lampen wilde aandoen.

Soms raakte hij zo van slag door de zichtbare gevolgen van geweldpleging dat het hem te zwaar viel om lang op een plaats delict rond te blijven hangen. Een afrekening tussen twee straatbendes liet hem koud. Maar als er een heel gezin was uitgemoord, werd hij geestelijk aan het wankelen gebracht.

Hij was hier niet in functie. Dit was iets persoonlijks. Daarom zou hij nu geen last hebben van schaduwen. Schaduwen werkten nu geruststellend.

Het was goed om als rechercheur Moordzaken gevoelens van barmhartigheid en mededogen te koesteren, want dat werkte motiverend. Maar in sommige gevallen raakte je alleen maar gedeprimeerd en ontmoedigd als je je te zeer in je slachtoffers verplaatste.

Ondanks het feit dat John zich soms sterk met de slachtoffers identificeerde, kon hij niet anders dan zichzelf zijn. Dat hij rechercheur was geworden, kwam niet omdat hij dacht dat het vak nou zo opwindend was, of omdat hij er rijk mee zou kunnen worden. Hij voelde zich gewoon *gedwongen* om die loopbaan te volgen. Zijn carrière werd een noodzaak; er bestond geen alternatief, in gedachten noch in de praktijk.

Links voor hem deed een grijs schijnsel vermoeden dat daar een boogvormige doorgang naar de woonkamer was. Iets hoger bevond zich een raam boven het bordes van de trap, waar net voldoende daglicht doorheen viel om vaag een trapleuning met balusters te kunnen zien. Al snel waren zijn ogen zo aan het donker gewend dat hij aan de voet van de trap de hoofdbaluster kon ontwaren. Hij hing zijn regenjas eroverheen.

Uit een binnenzak van zijn sportjasje haalde hij een klein ledzaklampje, dat hij echter niet onmiddellijk aandeed.

Hij was niet op zoek naar forensische sporen die bij het proces van belang konden zijn. De plaats delict was grondig onderzocht; de sporen die waren aangetroffen, waren gedocumenteerd of inmiddels vervuild of verdwenen.

Waar het hem deze keer om ging, had meer een efemeer, vluchtig karakter: een scherpere intuïtie dan waar hij zich normaal gesproken op verliet, een inzicht, een of andere openbaring, een bepaalde notie die zijn theorie zou ondersteunen of juist afdoende zou ontkrachten, namelijk dat er na de familie Lucas nog drie gezinnen zouden worden afgeslacht.

John liep over de donkere gang naar de keuken, waar de deur en deurposten waren verwijderd om de doorgang breed genoeg te maken voor een rolstoel. De gordijnen die voor de ramen hingen, waren van een lichtdoorlatende stof die het schijnsel van buiten filterde.

Na een stap over de drempel te hebben gezet, bleef hij staan toen hij een ranzige geur rook.

In het schijnsel van zijn zaklamp zag hij een rolstoel bij de ontbijtbar staan, de rolstoel waarin Billy's moeder had gezeten toen hij haar keel met een mes doorboorde.

In het led-licht zag hij waar de stank vandaan kwam, op de grond voor de koelkast. Een liter melk had zich met het bloed van de vrouw vermengd en was gestold tot een geelachtig paarse brij, deels beschimmeld. De massa glinsterde en was nog niet helemaal opgedroogd.

Volgens Billy had zijn moeder geprobeerd iets te roepen, maar ze had niet meer dan een raspende rochel kunnen uitbrengen, een piepende fluittoon. Ze had de andere gezinsleden niet meer kunnen roepen om haar te helpen – of hen te waarschuwen.

John hoorde die geluiden, alsof de muren er een opname van hadden gemaakt. Ze klonken in zijn hoofd, maar voor hem waren ze net zo werkelijk als de donderslagen die hij eerder had waargenomen, en als de stem van zijn vrouw die hem begroette wanneer hij thuiskwam.

Sandra Lucas was door een verkeersongeval in een rolstoel terechtgekomen. Ze had goed met haar handicap leren omgaan en deed vrijwilligerswerk om lotgenoten van advies te dienen. Ze hield praatjes, waarin ze probeerde haar lotgenoten een hart onder de riem te steken. Altijd benadrukte ze de belangrijke rol die het gezin kon spelen, de ondersteuning die een huwelijkspartner kon bieden, en de voorbeeldfunctie die je voor je kinderen kon hebben door je lot waardig te dragen.

Ze was niet alleen doodgebloed maar ook verdronken, in het bloed dat in haar longen was gestroomd.

De groene lichtgevende cijfers van het digitale klokje van de oven hadden aanvankelijk de juiste tijd aangegeven. Maar nu stonden ze ineens op 12:00 en begonnen ze te knipperen.

Misschien was de stroom kortstondig uitgevallen, waardoor dat soort klokken gereset moesten worden. Omdat er verder geen lampen in huis aan waren, kon hij niet op een andere manier zien dat er een stroomstoring had plaatsgevonden.

Hij keek naar de knipperende cijfers, bleef ernaar kijken en dacht na.

De zurige geur leek nog scherper te worden.

Hij ging naar de werkkamer, maar vertoefde in gedachten nog steeds in het verleden. In dit vertrek was Robert Lucas met een hamer om het leven gebracht terwijl hij een cheque uitschreef om een rekening te betalen.

Roberts bureau stond tegen de achterste muur en keek uit op het raam, zodat hij zo nu en dan van zijn werk kon opkijken en dan de drie papierberken in de tuin zag. John ging met zijn rug naar de deur van de werkkamer staan.

Het schijnsel van de zaklantaarn verdreef de duisternis, en op het bureaublad werd een collage zichtbaar: een kunstzinnige compositie van losse enveloppen, facturen, en een vel met postzegels, alles op een groot vloeiblad, ongelijkmatig bedekt met glanzende spetters die ooit een helderrode kleur hadden maar nu roodzwart en paars en roestkleurig waren.

In de geluidscabine in zijn hoofd hoorde John Calvino niets van Roberts doodskreten, misschien omdat de man meteen al bij de eerste klap buiten bewustzijn was geraakt en hij dus geen enkel geluid meer had kunnen maken.

In het schijnsel van de zaklamp verscheen een gespikkelde pen op een witmarmeren voet, een vensterbank met spetters, gordijnen met vlekken erop. De spikkels, spetters en vlekken vormden als het ware een schreeuw, een doordringende kreet die diep vanuit Johns botten leek te komen, maar het was geen geluid dat het slachtoffer zelf had gemaakt; het was zijn eigen onhoorbare kreet en kwam voort uit morele afkeer.

Toen hij van de werkkamer naar de gang liep, dacht hij dat hij het getingel van belletjes hoorde, een kil, zilveren geluidje dat slechts heel even duurde. John hield zich zo stil als enig levend wezen zich maar stilhouden kon.

Het schijnsel van zijn zaklamp bleef op de mahoniehouten vloer rusten zonder te trillen.

In de ramen naast de voordeur waren de ruitjes bijna net zo donker als de houten tussenspijlen waarin ze gevat waren. De zon was door de storm verzwolgen.

John wist niet of hij zich het geluid had verbeeld. Misschien kwam het uit zijn geheugen, uit een herinnering die teruggreep op een gebeurtenis die twintig jaar geleden had plaatsgevonden.

Hij liep naar de woonkamer; misschien was het geluid daarvandaan gekomen. In de boogvormige doorgang zat een dubbele deur, die na Sandra's ongeluk was geplaatst, om het vertrek als slaapkamer te kunnen gebruiken. De twee deuren stonden wijd open. De dekens op het bed waren netjes teruggeslagen, maar Sandra was om het leven gebracht voordat ze was gaan slapen. Niemand, met of zonder belletjes, stond hem daar op te wachten.

John nam geen kijkje in de overige kamers op de begane grond, want daar was verder niemand om het leven gebracht. De trap kraakte niet. Op het bordes halverwege de trap bleef hij even staan om moed te verzamelen.

Het ergste kwam nog, op de eerste verdieping. De moeder en vader hadden een snelle dood gevonden. Maar boven hadden de oma en de zus een pijnlijke doodsstrijd geleverd. Hun kreten zou hij wel horen.

Aan de muur naast de trap hing een reproductie van *Carnation, Lily, Lily, Rose*, van John Singer Sargent. Zelfs in het kille led-licht was het schilderij buitengewoon indrukwekkend. Twee schattige meisjes in een witte jurk staken lampionnen aan in een zee van lelies, in een schemerachtige Engelse tuin.

Misschien was dit het meest betoverende schilderij van de hele negentiende eeuw. Vaak was er een glimlach om Johns mond gegleden wanneer hij de afbeelding in kunstboeken tegenkwam. Deze keer glimlachte hij niet.

Toen hij zich van het schilderij afwendde, kreeg hij de indruk dat het gezicht van een van de meisjes onder het bloed zat. Hij keek nog eens goed en zag dat de rode kleur op haar wangen afkomstig was van het schijnsel van de lampion die ze vasthield.

Boven aan de trap gekomen liep John door naar de slaapkamer van de oma, aan de voorkant van het huis, links van de gang. De deur stond open.

Er kwam geen sprankje licht tussen de zware gordijnen door. Het nachtlampje annex luchtverfrisser verspreidde een perzikkleurig schijnsel en de geur van anjers.

Met uitzondering van de dreun in het gezicht, waardoor haar kunstgebit uit haar mond was gevallen, tot grote hilariteit van haar kleinzoon, was er bij de aanval op Ann Lucas geen bloed gevloeid. Dit was niet de kamer waarin John vreesde geconfronteerd te worden met de nagalm van de slachtpartij. Daarvoor moest hij in de slaapkamer van de zus zijn.

Hij drukte een lichtschakelaar in, waarop een lamp aanging. De helft van de kamer van de oude vrouw bleef in het donker gehuld. In elkaar gedraaid beddengoed lag op de grond.

Op de ladekast stond een verzameling ingelijste foto's. Op zes foto's was Billy te zien, in zijn eentje of met anderen of met zijn familie. Hij had een toegankelijk gezicht, waarop geen spoortje achterbaksheid te zien was. In zijn ogen viel totaal geen geesteszwakte te bespeuren.

Celine, de zus, had een gezicht dat voor spiegels gemaakt leek te zijn, en een lach van zo'n ontwapenende onschuld dat het net was of ze niets van de dood wist, maar alles van de eeuwigheid. De foto was aan zee genomen. In haar badpak, terwijl een golf tegen haar enkels kapotsloeg, leek ze op een elfje dat uit waterspetters en zonlicht bestond. John kon het niet opbrengen lang naar haar te kijken.

Een lint op het kleed markeerde de positie waarin de oma levenloos was aangetroffen. Billy had in zijn verklaring verteld dat hij haar buiten westen had geslagen toen ze in bed tv zat te kijken. Hij had haar daarna van het bed gesleept en had gewacht tot ze bij bewustzijn was gekomen voordat hij haar had gewurgd, met zijn gezicht vlak voor het hare.

John staarde naar het lint en verwachtte wanhopige doodskreten te zullen horen, maar in plaats daarvan hoorde hij het zilveren getinkel van belletjes, ijzig en glashelder. Het ijle geluid hield langer aan dan eerst, misschien twee of zelfs drie seconden. Deze keer wist hij zeker dat het getingel echt was en dat zijn fantasie hem geen parten speelde.

In de daaropvolgende breekbare stilte liep hij terug naar de gang en deed hij het licht op de overloop aan. De bolle lamp van facet geslepen glas wierp blauwe vlakken door de ruimte.

Tegenover de slaapkamer van de oma bevond zich de slaapkamer van de zus. De deur stond op een kier. Erachter wachtte de duisternis.

Weer die belletjes. Twee seconden, drie.

Hij borg het uitgeschakelde zaklampje op en haalde het pistool uit zijn schouderholster.

45

7

HET WAS ALTIJD AFSCHUWELIJK OM EEN DEUR DOOR
te moeten waarachter mogelijk een vijand wachtte. Hij stapte
snel naar binnen, vond de lichtschakelaar, had zijn pistool in een
hand maar daarna in beide handen toen de twee lampjes naast
het bed aangingen. Van links naar rechts, hoofd en pistool bewogen zich als een geheel in dezelfde richting. De spullen die
in de kamer stonden, registreerde hij niet bewust, omdat hij alleen maar oog had voor plekken waar iemand zich verschanst
zou kunnen hebben.

De kast was de enige mogelijkheid. Twee schuifdeuren met
spiegels ervoor. Hij liep op zijn spiegelbeeld en dat van de zwarte loop af, het pistool nu weer in één hand, en stak zijn vrije
hand uit naar de deur, naar de weerspiegeling van zijn uitgestrekte hand. Hij schoof zijn tweede ik opzij. Het enige wat hij
aantrof, waren kleren aan hangertjes, schoenen, dozen op een
hoge plank.

Hij was er nog steeds van overtuigd dat hij zich het zilveren
gerinkel niet had ingebeeld.

Hij schoof de deur dicht en keek langs zijn spiegelbeeld naar
de kamer achter zich, die bijna volledig gevuld leek te zijn door

het doodsbed, door het kwaad dat zich in deze kamer had afgespeeld. Het matras was als het altaar van een slachthuisreligie.

Celine had op de rand van haar bed gezeten, een been gebogen, met haar voet op het matras, om haar teennagels te lakken. Omdat ze op haar iPod naar muziek luisterde, had ze niets meegekregen van de worsteling die in de kamer van haar oma had plaatsgevonden.

Voordat Billy de deur had opengegooid en haar was aangevlogen, had hij zijn kleren uitgedaan en die op de overloop achtergelaten. Naakt, met een mes in zijn hand, opgewonden doordat hij zijn oma net met een rood sjaaltje had gewurgd, stormde hij de kamer van zijn zus binnen en overmeesterde haar. Door de pijn, de shock en de angst kon ze zich niet adequaat verweren.

Het bed dat John Calvino in de spiegel zag, vervulde hem met afschuw, en hij merkte dat hij zwaar door zijn mond ademde om de koperachtige geur van het met bloed doordrenkte matras niet te hoeven opsnuiven. Het zou nog wel even duren voordat het bloed was opgedroogd. Maar John kreeg nu een koperachtige smaak in de mond, of misschien verbeeldde hij zich dat alleen maar, een smaak die hem meer tegenstond dan de geur die in de vochtige lucht hing. Hij klemde zijn kaken op elkaar, en zijn neusvleugels trilden.

Hij borg zijn pistool op, draaide zich om en keek rechtstreeks naar het walgelijke tafereel, wat oneindig meer impact had dan via de spiegel. Zijn afschuw werd nu vermengd met woede en medelijden, drie draden aan een naald die dit moment in zijn geheugen vastzette, niet alleen het moment, dit tafereel, maar ook de rauwe emotie die ermee gepaard ging.

Toen hoorde hij Celine, de Celine uit zijn quasi helderziende fantasie. Ze schreeuwde het uit van de pijn en de angst, huilde door de vernedering die ze gedwongen was te ondergaan, smeekte om haar leven, bad tot God om haar te hulp te komen, kreeg geen mededogen van het beest dat haar broer was, kreeg geen genade tot ze eindelijk door de laatste messteek uit haar lijden werd verlost.

John begon over zijn hele lijf te trillen. Hij hield zijn handen voor zijn oren, al had dat geen zin. Hij draaide zich van het weerzinwekkende bed af, liep terug naar de gang, ging met zijn rug tegen de muur staan, en gleed omlaag tot hij op de grond zat. Hij was op drie plekken tegelijk: op deze gang in het heden, op deze gang op de avond van de moordpartij, en in een ander huis in een plaatsje ver weg, twintig jaar terug in het verleden.

Omdat zijn vader en moeder allebei kunstenaar waren geweest en creatieve cursussen hadden gegeven, zat zijn geheugen vol beroemde beelden uit de kunstgeschiedenis. Nu kwam er een schilderij van Goya bij hem boven, het afschuwwekkende en met wanhoop doordrenkte *Saturnus verorbert een van zijn kinderen*.

John moest even tot zichzelf komen om het verleden van zich af te kunnen zetten. De afschuwelijke dingen die toen en nu ook weer gebeurd waren, waren de verlossing voorbij, maar hij bleef een wilde hoop koesteren – niet rationeel, maar hartstochtelijk – dat je een dusdanige invloed op de toekomst kon uitoefenen dat je niet meer verlost *hoefde* te worden.

Het liefst zou hij het licht in Celines kamer uitdoen en weggaan, maar uiteindelijk kwam hij overeind en ging hij weer de kamer binnen. Deze keer keek hij niet meer naar het bed van het vermoorde meisje.

Op haar bureau lagen allerlei glossy tijdschriften voor tieners, en bij wijze van onwaarschijnlijk contrast een pocketuitgave van een boek van G.K. Chesterton, *The Everlasting Man*.

Op de boekenplanken stond een bonte collectie spullen die Celine had verzameld. Twintig keramische muizen, waarvan de grootste niet groter dan vijf centimeter was. Schelpen. Glazen presse-papiers. Een sneeuwbol met een merkwaardig huisje erin.

Belletjes. Achter de muizen, achter twee pluchen konijntjes met witte hoedjes op en gekleurde jurkjes aan, op een groen doosje waar ze blijkbaar in hadden gezeten, stonden drie kleine zilveren aronskelken die uit dezelfde zilveren steel ontsproten. De bloemen waren heel fijn gevormd, maar in plaats van een gele bloeikolf zat er in elk blad een zilveren klepeltje.

De steel, die kon worden vastgepakt om met de belletjes te rinkelen, was donker verkleurd door het opgedroogde bloed en door de aanslag die door het bloed op het metaal was gekomen. Als de forensische experts de belletjes hadden gezien, zouden ze die ongetwijfeld als bewijsmateriaal hebben meegenomen.

Uit een doos Kleenex haalde John een tissue, dat hij tot een kussentje vouwde en waarmee hij de zilveren steel vastpakte, niet om bewijsmateriaal te verzamelen – want daar was het nu te laat voor – maar om het bloed niet aan te hoeven raken.

Op de deksel van het groene doosje onder de aronskelken stond in zilveren letters PIPER'S GALLERY.

Toen John het kunstwerkje oppakte, begonnen de belletjes helder te tingelen, hetzelfde ijzige geluid dat hij drie keer eerder had gehoord nadat hij het huis was binnengekomen.

Zijn handen begonnen te trillen toen hij de belletjes en het tissuepapiertje in het doosje legde. Hij deed het doosje dicht en stopte het in een zak van zijn sportjasje.

Destijds had Alton Turner Blackwood drie zilveren belletjes bij zich gehad, elk ter grootte van een vingerhoed, die door een steeltje met elkaar verbonden waren. Ze hadden niet de vorm van bloemen, en ze waren ook niet zo fijn vervaardigd als de belletjes van Celine.

Blackwood was een psychopathische ritualist geweest die er als afsluiting van zijn moorden uitvoerige ceremoniën op na hield, wat deed vermoeden dat zijn religieuze denkbeelden nogal merkwaardig waren, en dat hij obsessief-compulsieve neigingen vertoonde. Als hij een gezin had afgeslacht, ging hij nog eens bij de slachtoffers langs, in de volgorde waarin hij ze vermoord had, en legde ze op hun rug. Met wat epoxyhars lijmde hij muntjes op de ogen van zijn slachtoffers: dollarkwartjes die hij zwart geverfd had, altijd met de adelaar naar boven. In de mond, op de tong, legde hij een bruin schijfje, waarvan in het forensisch lab werd achterhaald dat het om gedroogde ontlasting ging.

Vervolgens vouwde de moordenaar de handen van zijn slachtoffers ter hoogte van hun onderbuik om een kippenei heen. Om ervoor te zorgen dat het ei er niet uit gleed, bond hij de duimen en pinken met touw aan elkaar vast.

Een paar dagen voordat hij toesloeg, prepareerde hij de eieren door aan weerszijden een gaatje te prikken en de eieren leeg te blazen. Daarna stopte hij een stijf opgerold papiertje door het gat van de inmiddels droge, holle schaal. Als het slachtoffer van het mannelijk geslacht was, schreef hij *servus* op het papiertje, bij vrouwen *serva*. Het waren de Latijnse woorden voor *slaaf* en *slavin*.

Nadat Blackwood zijn slachtoffers op de juiste manier had neergelegd, ging hij over hen heen staan en rinkelde hij met de drie belletjes.

Billy Lucas had zijn vier slachtoffers niet op een bepaalde manier neergelegd, maar had ze gewoon laten liggen nadat hij ze had vermoord. Hij had geen ritueel met zwarte muntjes of gedroogde ontlasting of leeggeblazen eieren uitgevoerd. Maar blijkbaar had hij wel de belletjes laten rinkelen.

Op de kleine aronskelken stond geen tekst gegraveerd.

Op elk van Blackwoods belletjes had het woord *verderf* gestaan.

In gedachten zag John Billy weer voor zich, met een bijna weemoedige glimlach om de mond, aan de andere kant van de glazen scheidingswand.

U bedoelt: wat was mijn motief?

Het waarom heb je nooit uitgelegd.

Het waarom ligt voor de hand.

Waarom dan?

Verderf.

John deed het licht in Celines kamer uit en liet de deur op een kier staan, zoals hij hem ook had aangetroffen.

Op de overloop bleef hij staan om te luisteren naar de geluiden van het huis. Geen vloerplanken die protesteerden, geen scharnieren die piepten. Geen schaduwen die bewogen.

Hij liep naar de kamer van Billy.

8

DE RECHERCHEURS DIE MET HET ONDERZOEK WAREN belast – Tanner en Sharp – hadden de kamer van Billy doorzocht en hadden er bijna net zo'n puinhoop van gemaakt als een inbreker gedaan zou hebben.

Een paar laden in de ladekast stonden half open. Tanner of Sharp had tussen de kleren gezocht, waardoor die door elkaar heen lagen.

Toen ze tussen het matras en de boxspring hadden gekeken, hadden ze de sprei bijna helemaal losgetrokken.

Op het nachtkastje stond een digitale wekker. De cijfers knipperden niet, zoals ze dat wel op het klokje in de keuken hadden gedaan.

John doorzocht het bureau, de kast, het nachtkastje, zonder dat hij verwachtte iets te vinden wat zijn collega's over het hoofd hadden gezien.

Voordat Billy ineens aan het moorden was geslagen, had hij heel normale interesses gehad, bleek uit wat er in zijn kamer te vinden was. Sporttijdschriften. Videospelletjes, maar niet bijzonder gewelddadige.

Op de boekenplanken stonden een paar honderd pockets.

John bekeek de rugtitels. Sciencefiction, fantasy, mainstream fiction: de jongen had een brede belangstelling, maar bezat geen enkel true-crime-boek.

De computer op het bureau stond op stand-by. Bij een moordonderzoek werden alle computerbestanden altijd gekopieerd en voor nader onderzoek meegenomen, niet de harde schijf zelf. Omdat Billy meteen een bekentenis had afgelegd en bovendien naar de psychiatrische kliniek was overgebracht, zouden zijn collega's verder niet hebben gekeken wat er op de computer stond.

Voordat John de bestanden op alfabetische volgorde afging, keek hij snel of er opvallende bestandsnamen tussen stonden. Binnen een halve minuut ontdekte hij dat de computer een bestand bevatte dat CALVINO1 heette. En daarna CALVINO2.

Het eerste bestand bevatte foto's die van een internetsite waren geplukt, een site over serie- en massamoordenaars. John zag foto's van Tom en Rachel Calvino, zijn vader en moeder. Ook stonden er foto's op van Marnie en Giselle, zijn zussen, toen ze tien en twaalf waren.

De foto's hoorden bij een artikel over het vierde en laatste gezin dat Alton Turner Blackwood had afgeslacht. Er stond geen foto van de moordenaar bij; blijkbaar was de zwerver bij leven nooit op de foto gezet. De rechter had bepaald dat de foto's die de lijkschouwer van Blackwood genomen had, niet vrijgegeven mochten worden, dit om de privacy van de jonge John te waarborgen. Dat besluit was nooit ingetrokken.

Dat was ook de reden waarom er geen foto van John te zien was. Bovendien stonden er op de site alleen maar slachtoffers; hij was de enige overlevende geweest.

Op het computerscherm zagen zijn zussen er schattig uit.

Heel wat jaren had hij het niet kunnen opbrengen om naar hun foto's te kijken. Hij had ze gewroken, als dat al enige zin had gehad. Maar als hij op die lang vervlogen avond iets anders had gedaan, als hij *niet* het achteloze had gedaan wat hij *wel* had gedaan, zou een van zijn zussen nu misschien nog in leven zijn, of misschien wel allebei.

Hoewel hij het heerlijk vond om hun gezichten weer te zien, kon hij het niet opbrengen lang naar ze te kijken. Hij sloot het bestand.

De sfeer in dit moordhuis werd elke minuut drukkender: de regen die langs de ramen stroomde, de vochtige lucht, een dodelijke stilte en toch steeds de indruk dat iemand stond te luisteren, ergens op de gang of in een ander vertrek, iemand die hem opwachtte.

Hij deed zijn ogen dicht en haalde een van zijn favoriete schilderijen voor de geest, *Jagers in de sneeuw*, van Pieter Bruegel. De beeltenis van een zestiende-eeuws Belgisch stadje in een winters landschap zat vol leven en was toch sereen, was somber en toch betoverend. John kwam altijd tot rust als hij aan het schilderij dacht. Behalve nu.

Johnny.

In de kliniek had Billy hem Johnny genoemd. Omdat de jongen over Alton Blackwood had gelezen, zou hij ook geweten hebben dat John de moordenaar om het leven had gebracht.

Dit computerbestand maakte het aannemelijk dat Billy zich bij zijn moordpartij had laten inspireren door Blackwoods moord op de familie Valdane, twintig jaar geleden.

Toen John het tweede bestand opende, CALVINO2, zag hij vijf foto's, de eerste van hemzelf. Ze maakten deel uit van een krantenartikel over een onderscheiding wegens betoonde moed die hij meer dan twee jaar geleden had gekregen, samen met een collega waar hij soms mee samenwerkte, Lionel Timmins.

Hij stond wat ongemakkelijk op de foto. Eigenlijk had hij zich opgelaten gevoeld. Omdat hij de slachtpartij had overleefd maar de rest van zijn familie niet, zou hij zijn hele leven niets kunnen doen om een dergelijke onderscheiding echt waardig te zijn.

Hij had geprobeerd onder de plechtigheid uit te komen, maar

politiecommandant Parker Moss – die aan het hoofd stond van de afdelingen Moordzaken, Vermiste Personen, en Roofovervallen, plus nog een paar andere diensten, teams en eenheden – had erop aangedrongen dat hij erbij zou zijn om de onderscheiding in ontvangst te nemen. Onderscheidingen wegens betoonde moed waren goede reclame voor de afdeling.

Op de tweede foto van CALVINO2 stond Nicolette, Nicky. De foto kwam van de website van Lannermil Galleries, het bedrijf van de kunsthandelaar die haar werk in portefeuille had. Nicky zag er stralend uit.

John merkte dat hij vochtige, klamme handen had en veegde ze aan zijn broek af.

Het computerbestand bevatte ook een foto van hun zoon, de dertienjarige Zachary, en van hun dochters, de achtjarige Minette – die altijd Minnie werd genoemd – en Naomi van elf. De drie foto's waren een maand geleden genomen, 's avonds, op de dag dat Minnie acht was geworden. De enigen die toen aanwezig waren, waren hijzelf, Nicolette, en de drie kinderen.

John snapte niet hoe deze foto's op de computer van Billy Lucas terecht waren gekomen. Een compleet raadsel.

Toch begreep hij wat het computerbestand voor betekenis had. Er straalde een zekere moordlust uit, de foto's waren foto's van toekomstige slachtoffers, het begin van een moordplakboek. Blijkbaar was Billy op een gegeven moment van plan geweest ze allemaal om het leven te brengen, zoals Alton Blackwood iedereen van de familie Calvino had uitgemoord, met uitzondering van één persoon.

John sloot het bestand af, keek naar de regen die in het laatste restje daglicht langs het raam sijpelde, en dacht aan de donkere urine die langs de glaswand tussen hem en Billy had gestroomd.

Zijn onrust sloeg om in angst. Het was warm in huis, maar hij had het koud. Hij huiverde.

Dat hij bang werd, zag hij niet als een bedreiging voor zijn mannelijkheid of voor zijn functioneren als rechercheur. Angst was nuttig voor zover het niet tot een verlammende apathie leidde. Angst kon je gedachten verhelderen en aanscherpen.

Hij ging terug naar de directory en scrolde erdoorheen, op zoek naar nog meer bestandsnamen die een achternaam bevatten. Misschien had Billy nog meer gezinnen op het oog.

Het maakte eigenlijk niet meer uit wat de jonge moordenaar van plan was geweest. De beveiliging in de kliniek was goed en betrouwbaar. Billy kon niet ontsnappen. Er zouden decennia verstrijken voordat Billy genezen werd verklaard, en misschien zou dat nooit gebeuren. Ze zouden hem niet zomaar op vrije voeten stellen.

Toch voelde John intuïtief aan dat zijn vrouw en kinderen nog steeds gevaar liepen. De strakgespannen draad van zijn overlevingsinstinct trilde, *gonsde*.

Toen hij verder geen achternamen in de directory zag staan, sloot hij het programma af en zette hij de computer uit.

Uit het bureau klonken een paar maten van een liedje dat John niet kende. Toen hij een la opentrok, hoorde hij hetzelfde riedeltje. Hij pakte het mobieltje dat daar lag en dat waarschijnlijk van Billy Lucas was geweest.

Er verscheen geen nummerweergave op het display.

John liet de ringtone veertien keer afspelen. Toen de voicemail nog steeds niet werd ingeschakeld, vond hij de beller zo vasthoudend dat hij besloot op te nemen.

'Ja?'

Niemand antwoordde.

'Met wie spreek ik?'

Geen dode lijn. De holle stilte leefde; de beller hield zich koest.

Wanneer iemand probeerde je te intimideren, kon je het spel maar het beste met dezelfde regels meespelen. John luisterde naar de luisteraar en was niet van plan als eerste iets te zeggen.

Na een halve minuut hoorde hij een woord dat gefluisterd

werd. Hij wist het niet zeker, maar hij dacht dat hij *servus* hoorde zeggen.

John wachtte nog een halve minuut voordat hij de verbinding verbrak en het mobieltje in de la teruglegde.

Toen hij naar de deur liep en met de muurschakelaar de lampjes naast het bed uitdeed, viel het hem op dat de wekkerradio een pulserend groen schijnsel uitstraalde. Bij binnenkomst had de wekker de juiste tijd aangegeven, maar nu stonden de cijfers te knipperen op 12:00, 12:00, 12:00...

Hij liep de gang op, waar hij het licht had aangelaten, en hoorde dat er achter in het huis een telefoon begon te rinkelen. Na een lichte aarzeling liep John op het geluid af, duwde een deur open, deed het licht aan, en zag dat hij in de voormalige ouderslaapkamer stond, waar nu het grootste deel van de meubels uit de woonkamer stond opgeslagen. De telefoon rinkelde maar door.

Hij wist niet wat er zou gebeuren als hij opnam. Het leek hem het beste de beller niet verder aan te moedigen, en daarom deed hij het licht uit en sloot hij de deur.

Ook op de overloop, boven aan de trap, deed hij het licht uit – waarna de duisternis hem met grote zwarte vleugels leek in te sluiten. Door het raam halverwege de trap viel nauwelijks enig licht naar binnen.

Zijn hart begon wild te bonzen toen hij naar het lampje zocht dat hij in een van de zakken van zijn jasje had opgeborgen. Het led-licht viel vlekkerig op de muren, en het was of de patronen op de traploper erdoor tot leven kwamen en zich half verscholen tussen de glimmende, mahoniehouten balusters van de trapleuning door wurmden.

Toen hij langs *Carnation, Lily, Lily, Rose* naar beneden liep, zag hij vanuit een ooghoek dat het schilderij een monstrueuze verandering had ondergaan. De lampionnen schenen te fel, hun oranje gloed nam een te groot deel van het doek in beslag, alsof de witte jurk van een of beide meisjes vlam had gevat. Toch durfde hij zich niet naar het schilderij om te draaien.

De telefoons in de woonkamer, werkkamer en keuken rinkelden doordringend. De stiltes tussen het rinkelen leken korter dan gewoonlijk, en de ringtones klonken uitzonderlijk hard en dwingend.

Bij de voet van de trap aangekomen griste hij zijn regenjas van de baluster en gunde zich niet de rust om die aan te trekken. Toen hij de voordeur optrok, hield het telefoongerinkel op.

Hij stapte naar buiten, de veranda op, die nu in het nachtelijk donker verscholen lag, en hij dacht dat er links van hem iemand op de schommelbank zat, op de plek waar Billy Lucas ooit naakt en onder het bloed op de politie had zitten wachten. Maar toen John de lichtbundel van zijn zaklamp op de bank richtte, was er niemand te bekennen.

Hij deed de voordeur op slot, trok zijn regenjas aan, pakte zijn autosleutels en liep snel de regen in. Hij was vergeten zijn capuchon op te doen. De regen die op zijn hoofd en handen viel, was ijskoud.

Achter het stuur, toen hij de motor had gestart, hoorde hij zichzelf zeggen: 'Het is begonnen', wat een uiting van een onderbewuste overtuiging moest zijn geweest, want hij had niet het voornemen gehad iets te zeggen.

Nee. Geen overtuiging. Bijgeloof. Niets was er begonnen. Wat hij vreesde, zou niet gebeuren. Dat kón gewoonweg niet. Dat was gans onmogelijk.

Hij reed achteruit de weg op. Het tuinhekje lichtte fel op, en schaduwen sprongen weg.

De ruitenwissers veegden regen in stromen van de voorruit, en het water leek smerig en vervuild.

In de inktzwarte nacht reed John Calvino terug naar huis, naar zijn vrouw en kinderen.

Uit de memoires van Alton Turner Blackwood:

Ik ben Alton Turner Blackwood, en ik herinner me...
In de stenen toren aan de zuidkant liepen uitgebeitelde
wenteltrappen vier verdiepingen omhoog, naar een ronde
kamer, vier meter in doorsnee. Vier paar glas-in-loodramen
met facetglas, sierlijke hendels om ze open te zetten. Balken
aan het plafond. Aan een daarvan had ze zich verhangen.

In de spoorwegen had de familie voor het eerst een fortuin
vergaard. Misschien ging het er in die tijd nog wel eerlijk
aan toe. Terrence James Turner Blackwood — Teejay voor
zijn naaste medewerkers, die zijn vrienden niet waren —
erfde het volledige familiekapitaal. Hij was nog maar
eenentwintig en zo ambitieus als een mestkever. Hij breidde
het imperium uit door tijdschriften op de markt te brengen,
films te maken, bouwprojecten te ontwikkelen, politici om te
kopen.

Er was één ding dat Teejay aanbad. Niet geld, om
dezelfde reden waarom een woestijnbewoner geen zand
aanbidt. Hij aanbad schoonheid.

In 1924, toen Teejay vierentwintig was, liet hij het kasteel
bouwen. Zo noemde hij het althans, maar dat klopte niet

helemaal. Het was meer een groot huis waar losse
kasteelelementen aan toegevoegd waren. Sommige kamers
waren per toeval mooi geworden. Maar van de buitenkant,
vanuit welke hoek je ook keek, was het één lelijke bende.

Hij aanbad schoonheid, maar was niet in staat zelf
schoonheid te creëren.

In één opzicht vormde het huis het tegenovergestelde van
Teejay. Hij was zo knap dat je hem aantrekkelijk kon
noemen. Hij aanbad schoonheid, maar dat was deels
zelfaanbidding. Vanbinnen was hij zo lelijk als het
aangezicht van zijn huis. Zijn ziel was niet bedekt met
edelstenen, maar met een korst. Teejay had zelf niet kunnen
vertellen uit welke behoeftes die korst was ontstaan.

Het enorme huis werd Crown Hill genoemd, naar de
heuvel waarop het stond. De 110 hectare grond eromheen
grensde in het noorden aan zee, van oudsher een gevaarlijke
kustlijn. Natuurlijk is elke kustlijn gevaarlijk: regelmatig
valt land ten prooi aan de chaos van uitgestrekte wateren.

Jillian Hathaway was de beroemdste en meest geliefde
actrice uit de tijd van de stomme film. Ze had ook twee films
met geluid gemaakt. Een was een klassieker geworden: Circle
of Evil. *Men dacht dat ze in 1926 met Terrence Blackwood*
in het huwelijk was getreden, in Acapulco. Maar in
werkelijkheid waren ze niet getrouwd. Ze ging in het kasteel
wonen dat geen kasteel was. In 1929, op achtentwintigjarige
leeftijd, trok ze zich uit de filmwereld terug.

In datzelfde jaar kreeg ze Marjorie, haar enige kind. De
ooit zo charmante filmster verhing zichzelf veertien jaar
later. Zelfs toen ze dood was, was ze nog steeds heel mooi.
Misschien vooral toen ze dood was.

De familie Blackwood bracht nieuwe generaties voort.
Tientallen jaren later beviel Anita Blackwood van de
achterkleinzoon van Teejay. Terrence, die zijn leven in dienst
van de schoonheid had gesteld, wilde dat het mismaakte kind

onmiddellijk in een instelling werd geplaatst. De vader stemde hier natuurlijk mee in. Maar Anita wilde niet dat haar zoon als oud vuil zou worden gedumpt.

Het zou kunnen dat ze uiteindelijk spijt kreeg van die beslissing, want in de loop der jaren nam ze steeds meer afstand van hem, hoewel ze hem op jonge leeftijd wel goed leerde lezen. Uiteindelijk verliet ze Crown Hill en liet hem achter, overgeleverd aan de genadeloze oude man.

Ineens was ze verdwenen. Geen afscheid. Er werd gezegd dat ze bang was geworden voor de jongen, haar eigen zoon, en dat ze een afkeer had gekregen van zijn fysiek en zijn gezicht.

Toen de misvormde jongen negen was en door zijn moeder in de steek was gelaten, werd hij van het tuinhuis, waarin hij met zijn moeder had gewoond, overgebracht naar de ronde torenkamer op het zuiden.

Die jongen was ik nog niet. In de loop der tijd zou hij mij wel worden.

De jongen had een hartgrondige hekel aan Teejay. Daar waren diverse redenen voor aan te wijzen. Zo waren er de aframmelingen.

Een andere reden was de torenkamer.

Een elektrisch kacheltje zorgde 's winters voor verwarming. Door de invloed van de zee werd het er 's nachts in de zomer zelden heel heet. Met enige moeite werd er een toilet en een douchecabine geïnstalleerd. Een matras op de grond vormde een prima bed. De jongen kon net zoveel kussens krijgen als hij wilde. Een gemakkelijke stoel en een bureau werden ter plaatse in elkaar gezet, omdat die niet langs de wenteltrap omhoog konden. Met een dienstlift werden het ontbijt en de lunch naar boven gebracht. Via de huistelefoon kon de jongen bestellen wat hij wilde. 's Nachts was hij vrij om beneden naar de kolossale bibliotheek te gaan, om boeken naar keuze uit te zoeken.

De jongen leidde een comfortabel maar eenzaam bestaan. De torenkamer lag hoog boven alles verheven, ver verwijderd van de rest van de mensheid.

's Avonds laat, als de anderen zich hadden teruggetrokken en er geen gasten waren, mocht hij naar beneden komen. In de bibliotheek werd dan een diner voor hem opgediend. Hij at van wegwerpbordjes met wegwerpbestek, om te voorkomen dat iemand in contact kwam met wat zijn mond had aangeraakt, al had hij geen besmettelijke ziekte.

Het personeel werd verboden contact met hem te hebben, en andersom. Bij overtreding van deze regel zou de bediende in kwestie worden ontslagen. De oude man betaalde hen buitengewoon goed, niet alleen om te voorkomen dat ze een woord met de jongen zouden wisselen, maar ook om ervoor te zorgen dat er naar de buitenwereld toe volledig stilzwijgen jegens hem in acht werd genomen. Ze mochten niet over hem spreken, noch over de dingen die op Crown Hill gebeurden. Niemand van het personeel wilde het risico lopen zijn of haar baan kwijt te raken.

Als de jongen probeerde een gesprek met iemand van het personeel aan te knopen, gaven ze dat aan de oude man door. Dan kreeg de jongen een aframmeling in de beslotenheid van de suite van de oude man.

De jongen had een hartgrondige hekel aan Teejay. En ook aan Regina, en Melissa. Regina was Anita's zus, een tante van de jongen, het achterkleinkind van de oude man. Melissa was Regina's dochter. Moeder en dochter waren erg knap om te zien, het tegenovergestelde van de jongen, en ze mochten gaan en staan waar ze wilden, op elk tijdstip van de dag. Regina en Melissa spraken met het personeel, en het personeel sprak met hen. Maar niemand zei ooit iets tegen de jongen, omdat Teejay dat verboden had. Ooit hoorde hij Regina met een dienstmeisje praten. Ze maakten hem belachelijk en lagen dubbel van het lachen.

Op een avond, toen hij twaalf was, vond de jongen in een van de uithoeken van de bibliotheek, op een hoge boekenplank, een album met zwart-witfoto's van Jillian Hathaway. Het boek bevatte vooral glamourfoto's, waarop de filmster in elegante jurken en kostuums gekleed ging.

De laatste foto in het album zou door de politie gemaakt kunnen zijn, maar de jongen vermoedde dat de foto door de oude Teejay genomen was, die toen nog haar jonge echtgenoot was. Op de foto hing Jillian als een engel zonder vleugels aan een van de balken van de torenkamer.

Ze had haar kleren uitgetrokken voordat ze op het keukentrapje was gestapt en de strop om haar nek had gedaan. De jongen had nog nooit een naakte vrouw gezien.

Hij voelde zich niet opgelaten toen hij werd geconfronteerd met het naakte lichaam van de vrouw van wie hij afstamde. Daar miste hij het benodigde morele bewustzijn voor. Hij schaamde zich maar voor één ding: zijn uiterlijk. Uit eigen ervaring was hij erachter gekomen dat mismaaktheid de enige zonde ter wereld was. Dat hij bestond was daarom een zonde.

In zijn ogen was ze een soort oma, maar dan een met voluptueuze vormen. Blanke borsten. Ronde heupen. Slanke benen.

Hij haalde de foto uit het album, zette het boek terug op de hoge plank en nam de foto mee naar zijn ronde torenkamer.

De jongen droomde vaak van haar. Soms hing ze dan maar wat te hangen, dood maar toch tegen hem pratend, hoewel hij zich bij het ontwaken nooit kon herinneren wat ze gezegd had.

In andere dromen kwam Jillian van de plafondbalk naar beneden als een spin aan een ragfijne draad. Ze haalde de strop van haar hals en hield die een tijdje als een halo boven haar hoofd. Daarna probeerde ze de strop om de nek van de jongen te doen.

Soms eindigde het in een nachtmerrie, als ze hem bruut probeerde te wurgen. Maar andere keren liet hij de strop om zijn nek glijden en leidde ze hem naar het keukentrapje. Hoewel ze hem nooit ophing, voelde hij zich dan bij het ontwaken steevast uitgerust.

Toen veranderden de dromen ineens, voorgoed.

Voor het eerst in zijn droom had hij zelf ook geen kleren aan. Jillian kwam naakt van de balk naar beneden, maar deze keer bleef ze niet naast zijn bed staan. Met de strop om haar nek stapte ze bij hem onder de dekens, en hij vond het opwindend om het ruwe touw over zijn lijf te voelen glijden. Ook voelde hij dat ze zich met haar borsten tegen hem aan drukte, echter dan hij ooit in een droom had meegemaakt. De jongen werd trillend wakker, nat en uitgeput.

Een tijd lang dacht hij dat zoiets alleen in een droom met een dode vrouw kon gebeuren. Maar op een gegeven moment kwam hij erachter dat de foto van de dode vrouw hetzelfde effect teweegbracht als wanneer hij over haar droomde.

Die jongen was ik nog niet. Maar hij veranderde wel in mij.

9

ZE WOONDEN IN EEN MOOI, RUIM HUIS MET TWEE VER-
diepingen – drie als je de ondergrondse garage meetelde – dat
geen enkele politierechercheur zich kon veroorloven, maar dat
ze konden bekostigen doordat Nicolette veel succes met haar
schilderijen had, iets wat in de loop van de afgelopen tien jaar
was gegroeid. Het huis stond op een dubbele kavel, met veel
grond tussen hen en de buren, zeker voor stadse begrippen. Opgetrokken uit baksteen, witgeverfd, met zwarte luiken en een
zwart leien dak, had het pand iets Georgian, al was het geen
schoolvoorbeeld van die bouwstijl.

John zette de auto in de garage onder het huis neer, naast de
terreinwagen van Nicky en de Chevy van Walter en Imogene
Nash, het echtpaar dat ervoor zorgde dat het huis aan kant bleef
en dat het gezin goed te eten kreeg. Omdat de ochtenden bij de
Calvino's heilig waren, begonnen de Nashes altijd om elf uur
's morgens te werken, vijf dagen per week, en ze vertrokken dan
's avonds meestal tegen zevenen.

Een lift vormde de verbinding tussen de garage en de drie
daarboven gelegen verdiepingen. Maar als hij die nam, zou het
geluid zijn komst verraden en zouden de kinderen meteen op

hem afkomen. Hij wilde liever eerst even een ogenblikje met Nicky alleen.

Hij had haar onderweg al gebeld. Ze stond in haar atelier toen ze opnam; blijkbaar had ze veel langer doorgewerkt dan normaal. Het atelier en hun slaapkamer namen de hele bovenverdieping van het huis in beslag.

In een hoek van de garage, waar een paar paraplu's aan een kapstok hingen, hing hij zijn regenjas aan een haakje.

Nu hij thuis was, waar het leven geen vragen opriep en de waanzin van de wereld niet kon doordringen, gleed alles van hem af wat hij in het huis van de familie Lucas had meegemaakt, alsof hij het had gedroomd. Hij stak zijn hand in de zak van zijn jasje, bijna in de veronderstelling dat de zilveren belletjes er niet meer zouden zijn.

Toen zijn vingers het kleine doosje uit Piper's Gallery vonden, hoorde John dat er drie keer werd geklopt, en daarna nog drie keer. Het geluid kwam achter uit de garage, ergens achter de auto's. Resoluut, aanhoudend, het ongedurige geluid van een bezoeker die met zijn knokkels op een deur tikt.

Ondanks het feit dat er reflecterende panelen op de muren van de garage waren aangebracht, waren hier en daar schaduwen te zien, maar niets bewoog, en geen gestalte maakte zich uit die donkere hoeken los.

Het getik begon weer, deze keer vlak boven zijn hoofd. Hij keek verschrikt omhoog naar het gepleisterde plafond – en haalde toen opgelucht adem. Gewoon luchtbellen in een koperen waterleidingbuis die het tikkende geluid veroorzaakten.

Uit zijn regenjas haalde hij de zes koekjes die Marion Dunnaway hem in een zakje had meegegeven.

Hij deed een binnendeur open en kwam uit op een bordes onder aan de voet van een trap, achter in het huis. De deur viel automatisch achter hem in het slot.

Bovenaan liep hij door naar het grote atelier van Nicolette.

Ze werkte aan een schilderij, stond met haar rug naar hem toe en had niet gemerkt dat hij er al was.

Nicky was meisjesachtig slank en had donkerbruin haar dat bijna zwart leek en in een staartje was gebonden. Ze stond op blote voeten, ging gekleed in een vale spijkerbroek en een geel T-shirt, en bewoog zich met de lenigheid en fysieke charme van een danser tussen het dansen door.

John rook terpentine, vermengd met de vage geur van standolie. Op een tafeltje rechts van Nicky stond een dampende dubbelwandige beker, die de geur van krententhee verspreidde.

Op hetzelfde tafeltje stond een vaas met twee dozijn zogeheten zwarte rozen, die in feite donkerrood waren, donkerder dan kwiksulfide dat een vermiljoentint had gekregen. Voor zover hij kon nagaan, roken de opvallende bloemen niet.

Als ze aan het schilderen was, zette Nicky altijd rozen bij zich neer, in de kleur die met haar stemming overeenkwam. Ze noemde ze 'deemoedsrozen', want als ze te zeer onder de indruk raakte van wat ze had geschilderd – en dat kon tot slordigheid leiden, als gevolg van hoogmoed – hoefde ze maar naar een bloeiende roos te kijken om zichzelf eraan te herinneren dat haar werk nooit meer kon zijn dan een zwakke afspiegeling van de ware schepping.

Ze werkte nu aan een triptiek, drie grote verticale panelen, een scène die John deed denken aan *La Place de l'Europe: temps de pluie* van Gustave Caillebotte, hoewel er op haar schilderij geen Parijs tafereel noch regen voorkwam. Caillebottes meesterwerk vormde een bron van inspiratie voor haar, maar ze had een eigen stijl en thematiek.

John vond het fijn om naar zijn vrouw te kijken wanneer ze niet in de gaten had dat hij er was. Wanneer ze zichzelf onbespied waande, bewoog ze zich zo soepel en met zoveel élégance, zo puur en natuurlijk, dat ze het toonbeeld van gratie werd, zo mooi.

Hij dacht dat hij geheel onopgemerkt was binnengeslopen,

maar dat bleek deze keer een misvatting te zijn, want ze zei: 'Waar sta je de hele tijd naar te kijken – naar het schilderij of naar mijn kont? Denk goed na voordat je antwoord geeft.'

'Wat zie je er in die spijkerbroek toch lekker uit,' zei hij. 'Het mag een wonder heten dat het je gelukt is iets te schilderen wat er net zo betoverend uitziet.'

'Ah! Je weet het als altijd weer mooi te zeggen, rechercheur Calvino.'

Hij liep naar haar toe en legde een hand op haar schouder. Ze draaide haar hoofd naar hem toe en leunde achterover, waarna hij haar zoende in haar hals, op haar sierlijk gevormde kaaklijn en in de hoek van haar mond.

'Je hebt iets met kokos gegeten,' zei ze.

'Ik niet.' Hij hield het zakje met koekjes voor haar neus. 'Het zakje zit dicht. Kon je ze toch ruiken?'

'Ik verga van de honger. Ik ben hier om elf uur naartoe gegaan en heb aan één stuk door gewerkt, zonder tussendoor te lunchen. Deze trut hier…' – ze wees naar het drieluik – '… wil me kapotmaken.'

Zo nu en dan, als een schilderij veel van haar talent vroeg, noemde ze het een trut of een eikel. Ze kon niet goed uitleggen hoe het zat, maar in haar ogen was elk schilderij duidelijk van het mannelijk of vrouwelijk geslacht.

'Een schattige legerzuster heeft deze koekjes voor de kinderen meegegeven. Maar ze zullen het vast niet erg vinden als wij er ook een nemen.'

'Dat zou ik over die kleine donderstenen niet zo stellig durven beweren. Wat moet jij trouwens met legerzusters?'

'Ze was ouder dan je moeder en net zo keurig. Ze is een soort getuige bij een onderzoek.'

John wist dat veel van zijn collega's hun werk nooit met hun vrouw bespraken, uit angst dat bewijsmateriaal in gevaar kwam doordat de echtgenote haar mond bij de schoonheidsspecialiste voorbijpraatte, of doordat ze het er met de buren over zou hebben.

Tegen Nicky kon hij alles kwijt, in het volste vertrouwen dat ze geen woord ervan aan anderen zou doorvertellen. Ze was altijd heel hartelijk en open naar anderen, maar wat betreft zijn werk als rechercheur zweeg ze altijd als het graf.

Toch had hij besloten het met haar niet over zijn huidige, onofficiële onderzoek te hebben. Voorlopig niet, althans.

Nicky zei: 'Nog beter dan een koekje: een glas *cabernet*.'

'Ik trek wel een fles open, dan ga ik me daarna nog even voor het eten opfrissen.'

'Ik moet nog heel even doorwerken en daarna nog een kwast schoonmaken, en dan ben ik voor vandaag klaar met deze trut.'

Een deur leidde van het atelier naar de grote overloop boven aan de trap voor in het huis. Daartegenover bevond zich de deur naar hun slaapkamer, met een witmarmeren haard, ingelegd met ebbenhout, en met een zithoek, twee inloopkasten en een groot bad.

Ook stond er een compact barretje met een koelkast en een wijnkoeler. John maakte een fles Cakebread cabernet *sauvignon* open en bracht die samen met twee glazen naar de slaapkamer, waar hij alles op het zwart granieten blad tussen de wasbakken zette en voor hen beiden een glas wijn inschonk.

Toen hij zichzelf in de spiegel bekeek, vond hij dat je niet aan zijn gezicht kon zien dat hij zich grote zorgen maakte.

In zijn inloopkast haalde hij het doosje met de belletjes uit de zak van zijn jasje. Hij legde ze in het laatje waar hij zijn manchetknopen, dasspelden en reservehorloge bewaarde.

Hij deed zijn schouderholster af en legde die met pistool en al op een hoge plank neer.

Zijn sportjasje hing hij aan de stang met kleren die gestreken moesten worden, en hij gooide zijn overhemd in de wasmand. Hij ging op een bankje zitten, trok zijn verregende Rockportschoenen uit en zette die weg om gepoetst te worden. Zijn sokken waren vochtig. Hij deed ze uit en trok een schoon paar aan.

Deze alledaagse handelingen drukten de bovennatuurlijke gebeurtenissen die voorgevallen waren naar de achtergrond. Hij dacht dat er misschien vanzelf een logische verklaring te vinden zou zijn voor alles wat hem vandaag bizar had geleken, en wat hem voorkwam als een consequentie van het kwaadaardig lot zou de volgende dag misschien allemaal toeval blijken te zijn.

In de badkamer waste hij zijn gezicht en handen. Het warme washandje voelde aan als een kompres en verdreef de spanning uit zijn nek.

Toen John zich afdroogde, kwam Nicky binnen. Ze pakte haar wijn en ging op de brede rand van de marmeren badkuip zitten. Ze droeg nu witte gymschoenen, waar met verf RECHTS en LINKS op geschreven stond, verkeerd om, een grapje dat ze een paar weken geleden met Minette had uitgehaald.

John pakte zijn wijn, leunde met zijn rug tegen de wastafel aan, en zei: 'Zijn Walter en Imogene er nog?'

'Ze hadden vanmorgen een kleine crisis met Preston. Hij is weer opgenomen. Daarom waren ze hier pas om twee uur.'

Preston, hun zesendertigjarige zoon, woonde bij hen in. Hij had twee keer in een afkickkliniek gezeten, maar bleef zijn illegaal verkregen medicamenten met tequila innemen.

'Ik heb gezegd dat ze wel weer naar huis konden gaan en dat dat geen probleem was,' zei Nicky, 'maar je weet hoe ze zijn.'

'Zo verantwoordelijk als de neten.'

Ze glimlachte. 'Tegenwoordig is er weinig emplooi meer voor dat soort mensen. Ik heb gezegd dat jij waarschijnlijk pas laat zou thuiskomen, maar ze wilden per se blijven om te koken en af te ruimen.'

'Heeft Minette al gegeten?'

'Niet zonder haar pappa. Geen denken aan. We zijn allemaal nachtbrakers, en misschien spant zij wat dat betreft nog wel de kroon.'

'Lekker wijntje.'

'Zalig.' Ze nam nog een slokje.

Op haar rijbewijs stond dat ze blauwe ogen had, maar eigenlijk waren ze paars. Soms hadden ze net zo'n volle, diepe kleur als de lucht bij zonsondergang. Nu leken haar irissen bloemblaadjes die in de schemering verscholen lagen.

Ze zei: 'Ik maak me veel zorgen om Preston.'

'Ik niet. Preston is een egoïstische engerd. Op een gegeven moment zal hij een overdosis nemen, of anders niet. Waar ik me meer zorgen om maak, is dat hij zijn ouders zo ontzettend tot last is.'

'Nee, ik bedoel… Walter en Imogene zijn zulke aardige mensen. Ze houden van hem. Ze hebben hem een goede opvoeding gegeven, hebben niets verkeerd gedaan. En toch is het helemaal verkeerd met hem gegaan. Je weet het dus nooit.'

'Zach, Naomi, Minnie – die redden het wel. Het zijn lieve kinderen.'

'Het zijn lieve kinderen,' zei Nicolette instemmend. 'Maar Preston was vroeger ook een lief kind. Je weet het nooit. Je kunt er alleen maar het beste van hopen.'

John dacht aan Billy Lucas, de keurige, briljante leerling die dol was op boeken. De ranzige plas melk en bloed. De stapel met rekeningen, bespat met bloed. De oma die gewurgd was, het donkerrode bed van de zus.

'Ze redden het wel. Het zijn fantastische kinderen.' Hij besloot van gespreksonderwerp te veranderen. 'Trouwens, vandaag gebeurde er iets waardoor ik moest denken aan die foto's die we op de verjaardag van Minnie gemaakt hebben. Heb je die naar je ouders gemaild?'

'Natuurlijk. Dat heb ik je toch verteld?'

'Dat moet me dan zijn ontgaan. Heb je ze ook nog naar anderen gestuurd?'

'Alleen aan Stephanie. Soms doet Minnie me aan haar denken toen ze nog klein was.'

Stephanie was de jongere zus van Nicky. Ze was tweeëndertig en werkte als souschef in een chic restaurant in Boston.

'Zou het kunnen dat Stephanie of je ouders de foto's naar iemand anders hebben gestuurd?'

Nicky haalde haar schouders op en keek hem niet-begrijpend aan. 'Hoezo? Ik krijg het gevoel dat ik in een verhoor ben beland.'

Hij wilde haar niet ongerust maken. Nog niet. Niet voordat hij zelf snapte waarom hij zich zorgen maakte.

'Op mijn werk kwam ik iemand tegen die het had over Minnie met haar konijnenmuts, toen op haar verjaardag. Hij had die foto van iemand via de mail gekregen, maar hij wist niet meer van wie.'

'Nou, ze ziet er met die konijnenoren gewoon ontzettend schattig uit, en je weet hoe het gaat met dat soort foto's. Waarschijnlijk zijn ze op internet beland. Schattige kinderen punt com, konijnenoren punt com...'

'Gevaarlijke pedofielen punt com.'

Ze stond op en zei: 'Soms ben je net iets te veel rechercheur als een ietsje minder ook stoer genoeg is.'

'Je hebt gelijk. Het probleem is dat je nooit weet of het een dag wordt waarop je helemaal rechercheur moet zijn of dat een beetje minder ook voldoende is.'

Ze tikte met haar glas tegen het zijne, een heldere klank. 'Je kunt niet altijd in de hoogste versnelling door het leven razen.'

'Je weet hoe ik ben. Ik kan niet zo goed overschakelen naar een lagere versnelling.'

'Laten we eerst maar gaan eten. Dan zal ik later wel proberen je in een lagere versnelling te krijgen.'

Ze hield haar wijnglas omhoog, alsof het een fakkel was waarmee ze hem voor zou gaan.

Hij liep met zijn glas en de fles achter haar aan, ongelofelijk dankbaar dat ze bij elkaar waren, en hij was zich er meer dan anders van bewust dat wat ineengevlochten is, onvermijdelijk uit elkaar gehaald zal worden, dat wat samengebonden is, ontrafeld zal worden, dat wat samengaat, gescheiden zal worden. Waar je voor kon bidden, was dat dat pas zou gebeuren als je oud en der dagen zat was en een heel leven achter de rug had. Heel vaak was dat niet het tijdschema dat het noodlot in gedachten had.

10

VOORDAT HET ETEN WERD OPGEDIEND, GING JOHN
naar de keuken om te kijken hoe het met Walter en Imogene
Nash ging, niet in de eerste plaats om het met hen over hun
moeilijkheden met Preston te hebben. Ze waren te onafhanke-
lijk en bezaten te veel zelfrespect om in een slachtofferrol te kruipen, en wilden anderen niet met hun problemen lastigvallen.

Walter had vierentwintig jaar lang als marinekok gewerkt,
meestal niet op een schip maar op een legerbasis, en Imogene
was mondhygiëniste geweest. Toen hij er genoeg van had steeds
te moeten koken in hoeveelheden van vijftig kilo en vijftien liter, en toen zij er genoeg van had om in opengesperde monden
te kijken, gaven ze hun baan op. Op vijftigjarige leeftijd schre-
ven ze zich in voor een cursus landgoedbeheer.

In het superrijke Montecito, Californië, kregen ze het beheer
over een landgoed van vijf hectare, met daarop een huis van 3700
vierkante meter, een tuinhuis van 450 vierkante meter, paar-
denstallen, twee zwembaden, en een reusachtige rozentuin.
Walter en Imogene deden het goed en gaven leiding aan twintig man personeel, tot Preston, die toen dertig was en zich met
zijn ouders wilde herenigen door op hun schuldgevoel in te pra-

ten om zo geld van ze los te peuteren, letterlijk in één klap hun leven binnendenderde door met zijn huurauto het huisje bij de poort te rammen, waardoor het gebouw ontwricht werd. De beveiligingsmedewerker in het huisje kwam met de schrik vrij. Preston schold de eigenaar van het landgoed de huid vol toen die probeerde hem uit de auto te halen voordat de benzinetank ontplofte en het voertuig in vlammen zou opgaan.

De Nashes namen Preston op sleeptouw en gingen van Californië terug naar waar ze vandaan kwamen. Ze trokken er een jaar voor uit om hun zoon van de drank te helpen, zodat hij weer op eigen benen kon staan. In plaats daarvan werd hij het ding dat bij hen in het souterrain woonde, tegendraads en teruggetrokken. Hij deed de hele dag niets anders dan gamen en smerigheid bekijken, en zat constant onder de drugs. Weken en zelfs maanden achtereen liet Preston zich nauwelijks zien, als een soort fantoom van de opera – tot hij net een chemische cocktail te veel tot zich nam en de vliegende paniek kreeg toen hij boosaardige clowns uit de toiletpot zag komen, of het equivalent daarvan.

Zelfs in zijn stille, teruggetrokken periodes was Preston zijn ouders tot last. Wachten op zijn volgende terugval was emotioneel bijna net zo zwaar als de omslag zelf.

Beheerders werden meestal geacht op het landgoed zelf te gaan wonen, maar geen enkele werkgever zat op de bleke en ongeschoren zoon van de Nashes te wachten. Daarom hadden Walter en Imogene nu geen functie waarin ze het personeel van een uitgestrekt landgoed aanstuurden, maar runden ze het huishouden bij de Calvino's en kookten ze voor hen, een functie die ze nu al meer dan vier jaar bekleedden. Hoewel ze meer in hun mars hadden, lieten ze nooit merken dat het werk misschien onder hun niveau lag. Ze werkten hard en waren altijd opgewekt, misschien omdat ze op die manier de zorgen om hun zoon even konden vergeten.

Toen John de keuken binnenkwam, stond Walter bij het

kookeiland salades op te maken. Hij was een meter tweeënzeventig lang, slank, met een kaarsrechte rug. Als hij tien centimeter kleiner en vijf kilo lichter was geweest, zou hij het perfecte figuur hebben gehad om jockey te worden. Doordat hij kleine, gespierde handen had en zich efficiënt bewoog, zou je denken dat hij met een subtiele kniebeweging of een klein rukje aan de teugels elk paard zou kunnen bedwingen.

'Jullie hadden echt geen eten voor ons hoeven te maken, want we krijgen geen gasten,' zei John. 'Jullie hebben een lange dag achter de rug.'

'U hebt ook een lange dag achter de rug, meneer C.,' zei Walter. 'Bovendien is een extra klusje altijd een goede garantie tegen een slapeloze nacht.'

'Nou, als jullie maar niet denken dat jullie de hele boel ook nog kunnen gaan afwassen. De duivelse drie kunnen Nicky en mij wel helpen. We zijn al op driekwart van het jaar, en ze hebben nog geen twintig borden gebroken. We willen ze niet de kans ontnemen om hun persoonlijke record te verbeteren.'

Hij snoof de lucht op en rook ui, knoflook, jeneverbes en gaar vlees. 'Ah, *carbonata*.'

Imogene legde haar soeplepel weg, deed de deksel schuin op de stoofpan en zei: 'U bent een echte speurneus, meneer C. Geen wonder dat u zoveel zaken oplost.'

In haar jonge jaren was Imogene waarschijnlijk een miniatuur-Venus geweest. Ze had nog steeds fijne gelaatstrekken en een gave, smetteloze huid. Ondanks haar tengere postuur, was ze nu niet – en vroeger waarschijnlijk ook niet – fragiel te noemen, zowel lichamelijk als geestelijk. Ze kwam over als iemand die de last van Atlas zou overnemen als hij het gewicht niet langer kon torsen.

'Maar ik ruik helemaal geen polenta,' zei John op bezorgde toon.

'Hoe zou u de polenta kunnen ruiken als het vlees zo staat te geuren? Maar natuurlijk hebben we het wel gemaakt. We maken nooit carbonata zonder polenta erbij.'

Hij snoof de geuren nog een keer op en zei: *'Piselli alle noci,'* een Italiaans gerecht van doperwten en worteltjes in boter, gegarneerd met gehalveerde walnoten.

Tegen haar man zei Imogene: 'Hij heeft een betere neus dan jij, Wally.'

'Dat spreekt vanzelf,' vond Walter terwijl hij vlokken Parmezaanse kaas over de salades raspte. 'Ik heb zoveel jaar voor de marine gekookt dat ik geen neus meer voor fijne nuances heb. Wat me er trouwens aan doet denken, meneer: u kunt de deur van het washok maar beter dicht laten, want het stinkt er ontzettend. Ik heb het tien minuten geleden ontdekt en zal er morgenochtend iets aan doen.'

'Wat is er dan aan de hand?' vroeg John.

'Ik weet het niet. Ik vermoed dat een zieke muis of rat in de afvoer van de droger is gekropen en aan de verkeerde kant van het stofrooster aan zijn einde is gekomen.'

'Wally,' sprak Imogene haar echtgenoot vermanend toe. 'Die man moet nog aan zijn eten beginnen.'

'Sorry, meneer C.'

'Maakt niet uit. Niets ter wereld kan me van mijn carbonata afhouden.'

'Het is wel bijzonder,' zei Walter, 'dat die stank ineens kwam opzetten. Het ene moment was er in het washok nog niets aan de hand, en toen ineens begon het er te stinken.'

11

JOHN ZAT AAN HET HOOFD VAN DE EETTAFEL, NICO-
lette rechts van hem, Minnie aan zijn linkerhand, op een kussen. Naomi zat naast haar kleine zus, en Zachary zat tegenover
Naomi.

Nu John met zijn vrouw en kinderen aan tafel zat, was het
voor het eerst dat hij er niet van genoot maar in plaats daarvan
een kil, zwaar gevoel op zijn borst had, en een knoop in zijn
maag. De eetkamer leek te fel verlicht, hoewel er niets aan de
lampen was veranderd, en elk raam leek een kans voor kwaadwillige lieden om naar binnen te turen. Het roestvrijstalen bestek naast zijn bord glansde als het instrumentarium van een chirurg. Zijn wijnglas was uiteraard van glas, een mogelijke bron
van scherpe scherven.

Deze vervreemdende sensatie dreigde hem van zijn stuk te
brengen – tot hij snapte waar het uit voortkwam. Nu ze rond de
tafel zaten, vormden ze vijf doelwitten bij elkaar, en zouden ze
in één klap van de aardbodem kunnen worden weggevaagd.
Hoewel hij niet onweerlegbaar kon bewijzen dat iemand het op
hem gemunt had, dacht hij als iemand die in een strijd verwikkeld was.

Hij kreeg een ongemakkelijk gevoel toen hij merkte dat hij overdreven op zijn hoede was, en hij wist dat hij zijn emoties onder controle moest krijgen, omdat zijn blik er anders door kon worden vertroebeld. Als hij het liet gebeuren dat zijn fantasie al zijn waarnemingen met een tint van het kwaad inkleurde, zou hij het werkelijke kwaad niet meer kunnen herkennen. Als je de duivel maar vaak genoeg op de muur tekent, kun je hem op de trap naar beneden horen komen.

Toen John zich eenmaal openstelde voor zijn kinderen, slaagde hij erin om het gevoel van bedreiging van zich af te zetten.

Nadat ze hadden gebeden en als voorgerecht aan de salade zaten, was het belangrijkste onderwerp dat ter sprake kwam, de briljante, de geweldige, de weergaloze Louisa May Alcott, die-ik-later-wil-zijn-als-ik-groot-ben, de onsterfelijke schrijfster van *Little Women*, het boek dat Naomi net die middag had uitgelezen. Ze wilde Louisa May Alcott zijn, en ze wilde ook Jo zijn, de jonge schrijfster in het boek, maar natuurlijk wilde ze vooral zichzelf zijn en alle kwaliteiten van Alcott en Jo in zich verenigen om op haar eigen Naomi-achtige wijze boeken te schrijven en haar leven te leiden.

Naomi leek vastbesloten later, als ze groot was, op Broadway de titelrol te spelen in een nieuwe versie van *Peter Pan*. Ze was zowel een kwajongen die stoere avonturen wilde beleven als een constant verwonderd meisje dat overal om zich heen romantiek en magie zag. Ze wilde niet alleen leren hoe je bij honkbal de perfecte effectbal kon gooien, maar ze wilde ook weten hoe je een boeket rozen moest schikken, en ze geloofde net zo goed in de Waarheid als in Tinkelbel. Soms danste ze door de gang, soms holde ze er in vliegende vaart doorheen, en als ze verdrietig was, ging ze niet in een hoekje zielig zitten te zijn maar probeerde ze in een betere stemming te komen door te gaan zingen. Steeds als ze weer ergens enthousiast over was, ging ze er helemaal in op, totdat ze iets anders vond wat haar betoverde.

Terwijl Walter de borden weghaalde, zei Zachary: '*Little Women* lijkt me echt niks aan. Waarom lees je geen verhalen over vampiers zoals al die andere twaalfjarige sukkels? Dan hadden we tenminste iets om over te praten wat de moeite waard was.'

'Ik vind de levende doden absoluut niet interessant,' zei Naomi. 'Als ik oud genoeg ben om een vriendje te hebben, wil ik geen jongen die mijn bloed drinkt. Wat voor slechte adem zou hij dan wel niet hebben, en wat voor slecht gebit. Al die meisjes die van stoere vampiers dromen, willen alleen maar hun vrijheid opgeven en zoeken iemand die macht over ze heeft zodat ze zelf niet hoeven na te denken. En natuurlijk willen ze niet dat ze ooit doodgaan. Ik vind dat hele vampiergedoe gewoon ziek. Ik wil geen levend lijk zijn dat de eeuwige jeugd heeft, ik wil Louisa May Alcott zijn.'

Minnie zei: 'Ik vind het stom dat ze drie namen heeft.'

'Wij hebben ook allemaal drie namen,' zei Naomi. 'Jij heet Minette Eugenia Calvino.'

'Maar zo noemt niemand me, terwijl jullie al honderd keer Louisa May Alcott zus en Louisa May Alcott zo hebben gezegd. Dat is stom.'

'Beroemdheden worden altijd doodgeschoten door mensen met drie namen,' zei Zach. 'Denk maar aan Mark David Chapman en Lee Harvey Oswald. Er zijn er nog veel meer, maar daar kan ik nu even niet opkomen.'

'Dat is maar goed ook,' zei zijn moeder. 'Ik zou het niet fijn vinden om een zoon van dertien te hebben die geobsedeerd was door moordenaars met drie namen.'

'Zach is helemaal geobsedeerd door Amerikaanse mariniers,' zei Naomi. 'Hij heeft er wel zesentachtig boeken over.'

'Ik heb er maar eenendertig boeken over,' wierp Zach tegen, 'en ik ben helemaal niet door mariniers geobsedeerd. Ik hou gewoon van militaire geschiedenis, meer niet. Er zijn wel meer mensen die dat interessant vinden.'

'Wind je niet op,' zei Naomi. 'Ik wil heus niet beweren dat je belangstelling voor mariniers iets met homoseksualiteit te maken heeft. Want per slot van rekening ben je nog meer in Laura Leigh Highsmith dan in mariniers geïnteresseerd.'

'Weer drie namen,' merkte Minnie op.

John zei: 'Wie is Laura Leigh Highsmith?'

'Is ze familie van Louisa May Alcott?' deed Minnie een duit in het zakje.

'Die ken ik van tekenles.'

De kinderen werden in hoofdzaak thuis onderwezen. Als aanvulling daarop ging Naomi apart naar de muziekschool en zat ze in een jeugdorkest. Zach ging twee keer per week naar een cursus die bestemd was voor hoogbegaafde kinderen. Op het ogenblik kreeg hij daar tekenles om de kneepjes van het portrettekenen onder de knie te krijgen.

Plagend zei Naomi: 'Hé, tekent Laura Leigh Highsmith *jou* ook?'

'Ze is gewoon een uitdaging om te tekenen,' zei Zach. 'Moeilijk om dat goed te doen. Maar verder betekent ze niks voor mij.'

'Ga je met haar trouwen?' vroeg Minnie.

'Natuurlijk niet,' zei Zach. 'Waarom zou ik met iemand trouwen die niks voor me betekent?'

'Wat heb jij ineens met je gezicht?' vroeg Minnie.

Naomi zei: 'Het komt niet van de zon dat hij zo rood is. Hij bloost.'

'Ik bloos helemaal niet,' zei Zach.

'Dan is het een soort uitslag,' zei Minnie. 'Mamma, hij heeft uitslag op zijn gezicht.'

'Mag ik van tafel?' vroeg Zach.

John zei: 'Nee. Je hebt alleen nog maar salade gehad.'

'Ik heb geen trek meer.'

'Dat komt door die uitslag,' zei Minnie. 'Misschien is het bevattelijk.'

'Besmettelijk,' corrigeerde Naomi haar.

Minnie zei: 'Mag ik van tafel?'

'Waarom wil je van tafel?' vroeg John.

'Ik wil geen uitslag.'

'Hij heeft Laura Leigh Highsmith minstens tienduizend keer getekend,' verklapte Naomi.

Zachary had het tekentalent van zijn moeder – en de grijns van zijn vader. 'Heb je stiekem in mijn tekenblok zitten loeren?'

'Het is toch geen dagboek of zo? Ik vind het gewoon leuk om die tekeningen van jou te bekijken. Jij bent daar heel goed in, terwijl ik er echt niks van bak. Maar als ik wel een echte kunstenaar was, zou ik allerlei verschillende dingen gaan tekenen, niet alleen een miljoen keer Laura Leigh Highsmith.'

'Jij overdrijft altijd zo,' zei Zach. 'Eerst was het tienduizend keer, en nu al een miljoen keer.'

'Nou,' zei Naomi, 'in elk geval honderd keer.'

'Honderd is al heel wat minder dan een miljoen.'

Nicolette zei: 'Dus je hebt een en hetzelfde meisje al honderd keer getekend, en daar hoor ik nu pas iets over?'

'Die uitslag van jou wordt nou wel heel erg, zeg,' zei Minnie.

Als hoofdgerecht kreeg iedereen carbonata met polenta en groenten, behalve Minnie. Voor haar had Walter spaghetti met gehaktballetjes gemaakt, omdat ze de culinaire koppigheid van de gemiddelde achtjarige bezat.

Het gesprek kwam op de geschiedenis van Italië, misschien doordat Naomi terecht of onterecht opmerkte dat spaghetti een Chinese en geen Italiaanse uitvinding was, en Minnie wilde toen weten wie gehaktballen had uitgevonden, en om ervoor te zorgen dat Italië nog een paar uitvindingen overhield, bedacht John een kleurrijk verhaal waaruit bleek dat gehaktballen oorspronkelijk uit Rome kwamen. Ze praatten over Michelangelo, die liggend op zijn rug fresco's op het plafond had geschilderd (volgens Minnie was dit weer een voorbeeld van iemand met drie namen: Michel An Gelo), en over Leonardo da Vinci, die al luchtschepen had uitgevonden voordat het technisch mogelijk was die te bouwen. Omdat de mariniers tijdens de Eerste Wereldoorlog niet in Italië hadden gevochten en ze in de Tweede Wereldoorlog hoofdzakelijk in de Stille Oceaan actief waren geweest, bracht Zach het gesprek op een ander onderwerp: Frankrijk in het algemeen, en de slag om het Bois Belleau in het bijzonder, een van de hoogtepunten in de geschiedenis van het Amerikaanse korps mariniers. Naomi neuriede het officiële lied van de mariniers, en Minnie produceerde verrassend zacht mitrailleurgeluiden om de oorlogsverhalen van haar broer kracht bij te zetten.

Als toetje kregen ze citroencake met laagjes ricotta en chocola. Minnie vroeg niet om vanille-ijs.

Met z'n vijven deden ze de afwas en zetten ze alle spullen weg zonder dat er iets kapotging. Naomi maakte onnadenkend een pirouette met een stapel schone bordjes, maar een catastrofe bleef uit.

Als ze op een vroeger tijdstip hadden gegeten, zouden ze nog een spelletje hebben gedaan, of uit een verhaaltje hebben voorgelezen. Maar nu was het bedtijd. Zoenen, welterusten, iedereen lekker slapen, en plotseling was John alleen en liep hij op de begane grond langs alle deuren om te controleren of die op slot zaten.

Hij stond in het donker bij een raam aan de voorzijde en keek naar buiten, waar het net was of de straat kookte. Hij was de regen vergeten, maar die viel nog steeds, nu zonder pyrotechnische ondersteuning, recht omlaag in het donker, zonder dat er een zuchtje wind stond. De bomen vormden zwierige silhouetten, de tuin was donker. De sierlijke boog van de veranda, gebouwd als een lange zuilengalerij, was vol schaduwen, maar niets bewoog, en er waren geen glanzende ogen in het donker te zien.

12

ZACH ZAT AAN ZIJN BUREAU ACHTER ZIJN TEKENBLOK
en bekeek wat hij de laatste tijd getekend had. Hij vroeg zich af
of hij misschien langzamerhand in een meisje veranderde. Niet
op de manier waarop dat altijd in films gebeurt: meestal een sukkel die 's nachts in zijn eentje een wandeling gaat maken in een
afgelegen bos – alleen wie echt superachterlijk was, zou op dat
idee komen – en die dan door een afgrijselijk monster wordt gebeten, en bij de volgende keer dat het vollemaan wordt, verandert in een weerwolf die geen groente en muesli meer blieft. Als
Zach een meisje werd, zou dat niet op zo'n spectaculaire manier
gebeuren, maar langzaam en stilletjes, zonder dat hij wild om
zich heen begon te maaien of ging grommen of bij vollemaan
als een wolf ging huilen.

Zijn kamer was in elk geval niet meisjesachtig ingericht, want
het was een en al korps mariniers. De muren hingen vol met
posters van moderne mariniers in blauwe uniformen en witte
handschoenen, een F/A-18 Hornet in de lucht, een supercoole V-
22 Osprey-helikopter, de beroemde foto van het planten van de
vlag bij Iwo Jima… Het meest bijzondere was een reproductie
van het afschuwwekkende maar spectaculaire schilderij van Tom

Lovell, waarop Duitse legertroepen staan die bij het Bois Belleau door Amerikaanse mariniers worden aangevallen: dodelijke dampen, gasmaskers, bloederige bajonetten, verwondingen aan het gezicht...

Als het kon, zou Zach later graag bij het korps mariniers gaan, ook als hij langzamerhand een meisje werd, want die mochten er tegenwoordig ook bij.

De ouders van zijn vader hadden tekencursussen gegeven, en zijn moeder was een grote naam in een deel van die verwerpelijke kunstscene. Zach had zijn gave dus van twee kanten meegekregen, en hij wist dat hij er iets mee zou moeten doen, maar de vraag was: waar zou hij het voor kunnen gebruiken? Hij wilde geen tekenleraar worden, net zomin als hij van plan was zijn oren af te snijden om er een broodje mee te beleggen. Voor de klas gaan staan was niet cool. Dan kon je bijvoorbeeld niet allerlei dingen opblazen voor de goede zaak. En het zou hem geen moer uitmaken wat die belachelijke snobs van de kunstscene van hem vonden. Van al die kunsttypes was zijn moeder de enige die een beetje normaal deed. Hij was niet zo aardig als zijn moeder, kon zich tegenover arrogante kwallen minder goed inhouden, en hij was ook niet altijd in staat om te onderkennen dat dat soort types misschien ook nog goede eigenschappen hadden, iets waar zij wel goed in was. Als hij ooit van die afgrijselijke vriendjes in de kunstwereld kreeg, zou hij die uiteindelijk van tienhoog en van viaducten gooien, om lekker te horen hoe ze beneden te pletter vielen.

Bij het korps mariniers gaan, dan in die korte ogenblikken tussen de missies door een schets maken van hoe het geweest was, op een manier waar geen fotograaf aan kon tippen: dát leek hem een nuttige taak.

Leeftijdsgenoten vonden sporthelden en popzangers helemaal te gek. Tegenwoordig waren sporthelden en popzangers net zo echt als anabole steroïden en playback. Allemaal nep. Oplichterij. Er was iets met de wereld gebeurd. Alles was van plastic geworden. Zo was het niet altijd geweest.

Zach wist welke kunstenaars bij het korps hadden gezeten, zoals andere kinderen popartiesten kenden. Majoor Alex Raymond, die door zijn *Flash Gordon* beroemd was geworden. Soldaat eerste klasse Harry Jackson, die fantastische dingen had gemaakt bij de slag om Tarawa. Tom Lovell, John Thomason, Mike Leahy in Vietnam...

Zachs besluit om bij het korps te gaan, dateerde van twee jaar geleden. Eerst stond hij er niet zo bij stil waar zijn enthousiasme vandaan kwam, maar de laatste tijd was hij er meer over gaan nadenken.

Naarmate hij ouder werd, groeide het besef dat hij geen stom werk wilde doen, of alleen voor het geld. Hij wilde deel uitmaken van iets groters, waar mensen om elkaar gaven, bereid waren hun leven voor elkaar te geven, waar hoge eisen gesteld werden, waar men ontzag had voor tradities, eergevoel, de waarheid. Dat waren de normen en waarden die zijn ouders hem hadden bijgebracht, en de manier waarop zij leefden – in hun eigen ritme, waarbij ze datgene deden waar ze zelf enthousiast over waren, zonder zich om de waan van de dag te bekommeren, met respect voor elkaar terwijl er ook ruimte was om lol te trappen – was iets waarnaar hij de rest van zijn leven zou streven, omdat hij eraan verknocht was. Zijn ouders hadden hem geleerd dat het fijn was om doelgericht en met plezier te leven. Als hij later groot was, wilde hij op dezelfde manier gaan leven zoals hij dat bij zijn ouders gezien had.

En hij wilde marinier worden vanwege zijn zussen.

Naomi kon nogal hyper doen, maar ze was slim. Haar interesses waren vluchtig, maar ze had ontegenzeglijk talent, ze was frustrerend maar grappig, en soms praatte ze aan één stuk door, zodat je het idee kreeg dat je in een zwerm kwetterende vogels verzeild was geraakt, mooie parkieten en kanaries, maar wel heel veel tegelijk die geen moment stil te krijgen waren. Als zij in de buurt was, was het alsof je in een pretpark in een reusachtig ronddraaiend vat zat, maar als je er aan de andere kant uit kwam en je je evenwicht eenmaal had hervonden, wist je dat je maar beter in het vat kon zitten dan in een doodsaaie draaimolen die met een snelheid van anderhalve kilometer per uur ronddraaide, met een lijp orgelmuziekje op de achtergrond.

En wat Minnie betrof – nou ja, Minnie was Minnie. Een paar jaar geleden, toen Minnie een mysterieuze ziekte kreeg en het wel een eeuwigheid leek te duren – uiteindelijk waarschijnlijk maar een week – voordat er een diagnose gesteld kon worden, sliep Zach slecht, ging tekenen voor geen meter, en nadenken ook niet. Hoewel hij niet echt ziek was, had hij twee keer overgegeven, alleen maar omdat Minnie ziek was, zo'n beetje uit solidariteit, hoewel hij het er met niemand over gehad had.

Naomi en Minnie zouden nare dingen meemaken, zoals iedereen dat overkwam. Zach zou hen niet tegen virussen en op hol geslagen vrachtwagens kunnen beschermen. Maar in de boze buitenwereld liepen boosaardige types en krankzinnige dictators rond, en als hij marinier werd, zou hij kunnen meehelpen zijn vaderland te beschermen, zijn thuis, zijn zussen, en hun manier van leven.

Semper fi.

Hij hoopte niet dat hij langzamerhand in een meisje veranderde, want hij wilde een broer voor hen zijn, geen zus. Terwijl hij de tekeningen bekeek die hij onlangs van Laura Leigh had gemaakt, zat hij erover in van welk geslacht hij nu eigenlijk was, want hoewel ze ontzettend knap was en hij haar tijdens de lessen en uit het hoofd vaker had getekend dan Michelangelo *in zijn hele leven* God, Jezus, heiligen en engelen bij elkaar, verlangde hij niet naar haar.

Nou ja, oké, zo nu en dan wel, en een paar keer zelfs zo heftig dat het gênant werd en hij zichzelf op andere gedachten moest brengen door op ijsblokjes te gaan kauwen tot zijn kiezen er zeer van deden.

Maar naar schatting vijfennegentig procent van zijn obsessie voor Laura Leigh had niet met seks te maken. Meestal zag hij haar zoals hij zijn zussen zag, maar dan nog intenser. Ze leek zo iel, fijn gebouwd, slank, zo klein en kwetsbaar dat Zach zich zorgen om haar maakte, wat hem vreemd voorkwam, want ze was dan wel klein van stuk, maar geen dwerg met botontkalking of zo. Voor een dertienjarige had ze een normale lengte. Hij wilde haar beschermen, hij wilde dat ze altijd gelukkig was, hij wilde dat iedereen haar zag zoals hij haar zag, niet alleen dat ze knap was, maar ook deugdzaam, getalenteerd, aardig, en nog iets belangrijks wat hij niet kon omschrijven. Zijn gevoelens voor Laura Leigh waren zo teder en liefdevol dat het niet passend leek voor een stoere jongen. Soms hield hij zijn adem in als hij haar zag, en soms, als hij haar uit zijn hoofd tekende, werd zijn keel zo dichtgeknepen dat hij niet eens kon slikken, en als dat uiteindelijk wel lukte en hij wat speeksel doorslikte, klonk het als een varken dat in één keer een hele appel opslokte. Het was duidelijk dat alleen meisjes – en jongens die langzamerhand in een meisje veranderden – last hadden van dergelijke emoties.

Hij haalde een nieuw tekenvel tevoorschijn, legde dat op de aflopende tekentafel die op zijn bureau stond, en haalde zijn potloden uit een la. Hij was van plan alleen de neus van Laura Leigh Highsmith te gaan tekenen. Haar neus vormde een constante uitdaging voor hem, omdat die zo perfect gevormd was.

Nadat Zach zijn potloden had geslepen en ze had klaargelegd, wilde hij aan de slag gaan, toen hij vanuit zijn ooghoek iets zag bewegen. Hij draaide zich om in zijn stoel en zag dat de deur van zijn kast langzaam openging.

Hoewel het de eerste keer was dat dit gebeurde, voelde Zach zich niet bedreigd. Hij beschikte over veel fantasie, maar daarmee verzeilde hij niet in de wereld van kwade geesten, noch in de wereld van zombies-vampiers-weerwolven of types-met-een-ijshockeymasker-op-en-een-kettingzaag-in-de-hand.

In het echte leven had je twee soorten mensen die het op je gemunt hadden. De eerste soort betrof geschifte ware gelovigen die met een vliegtuig je huis wilden binnenvliegen of een kernbom wilden bemachtigen om je op die manier naar de andere wereld te helpen. Tegen dergelijke lieden viel weinig uit te richten. Ze waren wat aardbevingen of tornado's voor de gemiddelde burger waren, dus op dergelijke lieden kon je beter de mariniers afsturen, zodat je je daarover geen zorgen meer hoefde te maken.

Dan waren er ook nog de alledaagse criminelen die gedreven werden door afgunst of hebzucht, of wellust, of een wanhopige behoefte aan drugs. Die leken zo sterk op de keurige burgerman dat ze de loop van een pistool al in een van je neusgaten hadden geduwd en je geld of je leven hadden geëist voordat je goed en wel doorhad dat het geen jongens waren die je een prettige dag wilden wensen.

In Zachs kast zat geen Al Qaida-strijder, en ook geen verslaafde roofovervaller.

Toen de kast helemaal openstond en de deur tot stilstand kwam, kwam Zach overeind om de oorzaak van dit fenomeen te onderzoeken.

Zijn inloopkast was een pijpenla. Langs de twee zijwanden waren zijn kleren opgeborgen, hangend en op planken. De lamp aan het plafond was aan, hoewel hij durfde te wedden dat hij het licht niet had laten branden.

Achter in de kast hing een ring aan een touw, dat verbonden was met een luik in het plafond. Het luik gaf toegang tot de kruipruimte tussen de eerste en tweede verdieping. Als je aan het touw trok, kwam er een houten ladder tevoorschijn, die dan automatisch uitklapte.

Als het luik was geopend, ontstond er soms een luchtstroom, krachtig genoeg om de deur open te duwen als hij niet goed dichtzat. Maar nu was het luik gesloten, waardoor er geen tochtvlaag had kunnen ontstaan.

Ze woonden niet in een gebied waar vaak aardbevingen voorkwamen, maar zoals bijna elke plek op aarde stond de stad op minstens één actieve breuklijn. Hoewel het niet waarschijnlijk was dat zich een kleine aardbeving had voorgedaan, kon hij die mogelijkheid niet op voorhand uitsluiten. Zelf had hij niet gemerkt dat de aarde had getrild.

Misschien zette het huis zich. Dat gebeurde met huizen. Misschien had het huis zich op zo'n manier gezet dat de kastdeur niet langer in het lood hing. Dan kon de deur door zijn eigen gewicht opengaan, als hij niet goed dichtzat.

Geen andere verklaring leek mogelijk. Onderzoek gesloten.

Hij deed het licht uit en liep de kast uit.

Aan de binnenkant van de kastdeur hing een hoge spiegel. Zach groette zichzelf ernstig en dacht aan later, wanneer hij bij zeer speciale gelegenheden het blauwe galakostuum zou dragen, met een mammelukkenzwaard in een schede aan zijn riem.

Toen hij de deur achter zich dichtdeed, zodat de spiegel slechts de donkere kast weerspiegelde, hoorde hij de klik van de deur die in het slot viel. Hij kreeg met terugwerkende kracht het idee dat zijn spiegelbeeld niet helemaal klopte toen hij zichzelf een groet had gebracht.

Misschien had hij een beetje slordig gegroet, of had hij niet helemaal goed in de houding gestaan. Hij had de legergroet veelvuldig geoefend toen hij elf was, iets minder vaak op zijn twaalfde, en de laatste tijd helemaal niet meer. Omdat het überhaupt nog jaren zou duren voordat hij eventueel marinier werd, leek het kinderachtig om dergelijke dingen nu al fanatiek te gaan oefenen.

Hij liep weer naar zijn bureau, ging voor het lege vel tekenpapier zitten en pakte zijn potlood. Hij haalde zich de uitzonderlijke, fijn gevormde neus van Laura Leigh Highsmith voor de geest en dacht erover na, in de hoop dat hij ineens zou weten waarom die neus zo uitzonderlijk was.

Voor zover hij wist, zaten er geen haartjes in die goddelijke, porseleinen neus. Hij had er nooit een bos haartjes uit zien steken, noch had hij ooit een sprankje licht waargenomen dat één haar in de donkere ovalen van haar neusgaten verlichtte. Uiter-

aard was hij nooit op haar afgestapt om eens goed in haar neusgaten te loeren, dus hij kon niet met zekerheid zeggen of er geen
haartjes in zaten.

'Idioot,' zei hij.

Ze was een mens. Natuurlijk zaten er haartjes in haar neus.
Ze zou doodgaan of zo als ze geen haartjes in haar neus had.
Misschien zaten er wel net zoveel haren in haar neus als in de
oksel van een gorilla. Wel of geen haartjes had niks te maken
met de vraag waarom haar neus een kunstwerk op zich was, iets
waarvoor hij te weinig talent bezat om die op papier vast te leggen.

Hij hoopte dat de inspiratie vanzelf zou komen en zette dat
stomme potlood op dat stomme vel papier. Terwijl hij langzaam
aan de tekening werkte, dacht hij natuurlijk aan Laura Leigh,
maar ook zo nu en dan aan zijn spiegelbeeld, waar iets mis mee
was geweest, en hoewel de kastdeur nu goed dichtzat, verwachtte
hij eigenlijk dat die elk moment weer open kon gaan.

13

NET ALS ZACH HAD OOK NAOMI EEN INLOOPKAST, maar dan iets groter. Ook bij haar hing er een hoge spiegel aan de binnenkant van de deur, een prachtige, facet geslepen spiegel die zo helder was dat ze bijna zou geloven dat, als de sterren in de juiste stand stonden, de spiegel een doorgang vormde tussen haar wereld en een magisch rijk, dat ze dan kon betreden en waar ze wonderlijke avonturen kon beleven en haar ware bestemming zou vinden.

De wereld waarin ze nu al elf jaar rondstapte, was ook magisch, in talloze opzichten, als je schrander genoeg was om de ontelbare wonderen ervan te kunnen zien. *Schrander* was haar nieuwe favoriete woord. Het betekende dat je de dingen scherp zag, dat je het bijna griezelige talent bezat om datgene wat donker en vaag is, te doorzien en te doorgronden. Helaas heerste er tegenwoordig een ernstig tekort aan schranderheid, maar werd haar bestaan overspoeld door zeeën van donker en vaag.

Maar goed, deze wereld zat vol magie, maar Naomi vond het allemaal net niet magisch genoeg. Ze verlangde naar tovenaars, vliegende paarden, pratende honden, regenbogen rond middernacht, en naar dingen die ze zich niet eens kon voorstellen, dingen waar ze geen woorden voor had, dingen waar haar hart van opzwol, niet op een verkeerde manier, dus dat je een ziekte had of zo, maar opgezwollen van verwondering en verrukking. Als ze ooit de kans kreeg om door een spiegel te lopen, of door een deur die ineens in de stam van een grote eik verscheen, zou ze dat doen – hoewel Minnie en Zach en haar ouders dan natuurlijk ook mee moesten, en die zouden vast niet zo graag willen als zij, zodat ze dan een Taser of zo moest gebruiken. Daar zouden ze boos om worden, maar later zouden ze haar dankbaar zijn.

Terwijl Naomi nadacht over schranderheid en magische koninkrijken en hoe ze op haar leeftijd aan een Taser zou kunnen komen, paste ze hoedjes en bekeek zichzelf daarbij in de spiegel, waarbij ze steeds verschillende gezichten trok, net zolang tot ze vond dat ze de uitdrukking te pakken had die goed bij het karakter van de hoed paste. Dit was een toneeloefening die ze ergens in een tijdschrift had opgepikt, en hoewel ze betwijfelde of ze ooit actrice zou worden, hield ze er wel rekening mee dat ze de komende paar jaar misschien geen magisch deurtje zou tegenkomen.

Terwijl Naomi vreemde grimassen voor de spiegel trok, zat Minnie in haar speelhoek iets van lego te bouwen. Daar was ze erg goed in. Ze kon bijna alles bouwen wat ze wilde, maar meestal construeerde ze vreemde bouwsels die niets met de echte wereld te maken hadden, soms verbijsterende abstracte vormen waarvan het vreemd was dat ze niet in elkaar zakten.

Naomi en Minette sliepen bij elkaar op de kamer, want in een wereld waarin het praktisch *stikte* van de enge kwijlende roofdieren was Minette te jong en weerloos om alleen op een kamer te slapen, hoewel hun vader elke avond de alarminstallatie inschakelde. Bovendien werd Minnie soms bang, en dan wilde ze niet alleen zijn. Ze was een echte schijtlijster en was bang voor dingen die niet bestonden, maar per slot van rekening was ze nog maar een *kind*.

Naomi zette een clochehoed zonder rand op, aan één kant versierd met veren, en keek daar mysterieus en gevaarlijk bij, alsof ze een vrouw was aan boord van een trein tussen Parijs en Istanbul, met kostbare gestolen diamanten die ze verstopt had in de voering van haar koffer. Een blauwe strooien hoed met een opengewerkte bovenkant en een voile met stipjes straalde uit: ik ben chic, daadkrachtig, en tolereer geen flauwekul. In mijn tas zit een pistool, kaliber 32, waarmee ik je omleg, en daarna stap ik over je lijk en maak ik voor mezelf een goddelijke martini klaar.

Naomi had haar hoedenverzameling in tweedehandskledingzaken bij elkaar gescharreld, samen met haar moeder, die het leuk vond om in zulke winkeltjes rond te snuffelen maar nooit iets voor zichzelf kocht, behalve soms wat sieraden, die ze vervolgens nooit droeg. Ze vond tweedehands cocktailjurken en avondkleding 'dromen vol hoop, momenten uit het leven van anderen, prachtig en intrigerend en tegelijkertijd ontzettend triest'. Naomi snapte niet hoe zoiets prachtigs tegelijkertijd zo triest kon zijn, maar dat gaf niks, want langzamerhand kreeg ze zo een steeds uitgebreidere collectie tweedehands hoeden.

Ze droeg een rode strohoed met een smalle omhoogstaande rand, een geribd zijden lint en een strik, toen er iets vreemds gebeurde. Ze vond dat er bij de hoed een komische gelaatsuitdrukking paste, of misschien juist een keurige blik, maar het lukte haar niet meteen haar gezicht in de juiste grimas te plooien. Ze was daar zo geconcentreerd mee bezig dat ze de persoon die achter haar langs liep alleen maar waarnam als een vluchtige donkere gestalte die van links naar rechts schoot.

Minnie zat in haar speelhoek, goed te zien, en niemand van het gezin kwam binnen zonder eerst te kloppen en zichzelf aan te kondigen, en ze had niemand op de deur horen kloppen, en toch was er iemand achter haar langs gelopen. Naomi draaide zich met een ruk om om te zien wie het was, maar er was niemand te bekennen.

De openstaande kast. Ook daar was niemand.

Onthutst draaide ze zich weer om naar de spiegel. Ze vroeg zich af of er misschien iets mis was met haar ogen, iets afschuwelijks wat niet te genezen was, zodat ze op haar dertiende blind zou worden, een tragische figuur, de blinde muzikante die moedig doorging met haar muzieklessen tot ze ontzettend goed was geworden vanwege de niet-aflatende toewijding waarmee ze zich op het enige richtte wat haar nog enig levensgeluk schonk: haar muziek. Misschien werd ze dan wel een internationale sensatie en kwamen er van over de hele wereld mensen toegestroomd om haar te zien spelen, omdat haar muziek zo puur was, de muziek van een maagdelijk, blind meisje dat melancholieke stukken speelde, zo overweldigend dat zelfs gangsters als een klein kind in huilen uitbarstten, en haar geleidehond, een smetteloos witte Duitse herder, zou niet van haar zijde wijken. Ze speelde fluit, maar ze kon zich niet voorstellen dat mensen van heinde en verre naar een concertzaal kwamen om naar een blinde fluitiste te luisteren, dus misschien moest ze met fluitlessen stoppen en piano leren spelen. Ja, aan de piano zag ze zichzelf wel zitten. Dan zou ze helemaal in de muziek opgaan en wild met haar hoofd zwaaien, zo tragisch, zo briljant, het publiek zou als gehypnotiseerd naar haar zitten te luisteren, de geleidehond zou vol bewondering naar haar opkijken terwijl haar vingers over de toetsen gleden…

Weer flitste de mysterieuze gedaante achter haar langs, deze keer de andere kant op, een donkere, vage schim. Naomi hield haar adem in, draaide zich om naar de kast, waar de indringer ongetwijfeld in was geglipt, maar weer was daar niemand te zien.

Minnie was overeind gekomen. 'Wat is er?' vroeg ze, terwijl ze naar Naomi toe liep.

'Ik zag net iemand. In de spiegel.'

'Waarschijnlijk jezelf.'

'Ik bedoel natuurlijk iemand anders dan ik. Iemand liep achter me langs.'

'Maar er ís hier verder niemand.'

'Misschien niet. Je zult wel gelijk hebben. Maar toch… er gebeurde iets. Ik zag hem in de spiegel, zeker weten. In een flits. Hij moet hier wel bij ons in de kamer geweest zijn.'

'Zeg eens eerlijk, Naomi. Probeer je me bang te maken?'

Minnie had het zwarte haar van haar moeder en de groene ogen van haar vader. Net als haar vader kon ze je zo doordringend met die smaragdgroene ogen aankijken dat je je niet durfde te bewegen, alsof je onder in een kerker in een geluiddichte verhoorkamer zat, een spotje op je gericht, en zo gauw je een leugen vertelde, hakten ze je een vinger af. Naomi wist dat haar vader noch Minnie dat ooit zou doen, maar als een van die twee je met half toegeknepen ogen aankeek, durfde je absoluut niet te liegen.

'Probeer je me bang te maken?' vroeg Minnie nogmaals.

'Nee, nee. Het was niet eng. Niet echt. Een klein beetje maar. Het was vooral raar. Ik dacht dat ik voortaan als blinde pianiste door het leven moest.'

'Je bent zelf raar,' vond Minnie.

'Ik zag echt een vent in de spiegel,' zei Naomi vol overtuiging.

'Echt waar? Zweer dat op het graf van Willard.'

Willard was hun hond, die twee jaar geleden was doodgegaan. Zijn overlijden was het ergste wat ze ooit hadden meegemaakt. Ze konden nog steeds niet aan hem denken zonder dat het zeer deed vanbinnen. Hij was de beste, liefste, edelmoedigste hond van de hele wereld geweest, en als je iets zwoer op zijn graf en je loog, ging je vast naar de hel, waar je tot in de eeuwigheid niets anders te eten kreeg dan spinnen en maden en spruitjes.

'Ik zweer het,' zei Naomi, 'op het graf van Willard.'

Danig onder de indruk keek Minnie in de spiegel, en ze richtte zich tot het spiegelbeeld van haar zus. 'Hoe zag hij eruit?'

'Dat weet ik niet. Ik zag… het was… ik heb bijna niks gezien, alleen een schim, supersnel, veel sneller dan voor een mens mogelijk is, zo snel als een dier, maar dan dat het geen dier was.'

'Misschien was het geen man,' zei Minnie. 'Misschien was het een meisje.'

'Wat voor meisje?'

Minnie haalde haar schouders op. 'Weet ik veel.'

In de spiegel kwam het ding nog een keer langs. Omdat Naomi er deze keer op bedacht was, zag ze meer dan de vorige keren, al was er eigenlijk weinig te zien: geen gezicht, geen armen of benen, alleen een vage schim en een rimpeling in de duisternis, flits flats en weg.

Naomi riep: 'Kastanjes!' Iets wat haar oma altijd had geroepen als ze schrok of gefrustreerd raakte, en Minnie zei: 'Tjonge, hé!'

In plaats van iets, had dit meer op de schaduw van iets geleken. Naomi keek omhoog naar de lamp aan het plafond, in de verwachting een nachtvlinder te zien die om de glazen bol fladderde. Maar er was geen nachtvlinder te bekennen.

Toen ze weer in de spiegel keek, gleed het fantoom nog een keer langs. Ze zei: 'Volgens mij is er een nachtvlinder in de kamer, die steeds langs de lamp vliegt. Help me maar zoeken.'

Op ernstige toon zei Minnie: 'Het is geen nachtvlinder. Niet in deze kamer. *Het zit in de spiegel zelf.*'

Minnie was nog maar acht, en alle achtjarigen deden soms een beetje raar, omdat hun jonge hersentjes nog niet genoeg waren gegroeid om hun hele hoofd te vullen of zoiets, wat trouwens wetenschappelijk bewezen was, en daarom joegen ze je wel eens de stuipen op het lijf door iets wat ze zeiden of deden, maar dit was natuurlijk echt te absurd voor woorden.

'Je hebt vanmorgen net een pilletje te veel genomen, Muis. Hoe kan er nou een nachtvlinder *in* de spiegel zitten?'

'Het is geen nachtvlinder,' zei Minnie. 'Je moet niet meer in de spiegel kijken.'

'Hoe bedoel je: het is geen nachtvlinder? Het was een soort

vliegende schim – *flats!* Ik heb hem deze keer duidelijk gezien. Het moet wel een nachtvlinder zijn.'

'Niet meer in de spiegel kijken,' zei Minnie ernstig. Ze liep de kast binnen en begon een setje schone kleren uit te zoeken. 'Je moet uitkiezen wat je morgen aan wil hebben, en dat moet je op je tafeltje leggen.'

'Waarom? Wat doe je?'

'*Schiet op!*'

Hoewel Minnie een achtjarige schijtlijster was met holtes in haar hoofd die later nog met hersenen moesten worden opgevuld, kreeg Naomi plotseling het griezelige gevoel dat ze maar beter kon doen wat haar zus zei. Ze stapte de kast binnen en zocht snel wat kleren uit die ze de volgende dag aan kon.

'Niet in de spiegel kijken,' zei Minnie nog een keer.

'Dat bepaal ik zelf wel,' zei Naomi, want per slot van rekening was zij de oudste van hen tweeën en was ze niet van plan om zich te laten commanderen door een zus die zo jong was dat ze nog niet eens spaghetti met een vork kon eten zonder daarbij haar vingers te gebruiken. Maar toch durfde Naomi niet in de spiegel te kijken.

Nadat ze hun kleren hadden klaargelegd, sleepte Minnie de stoel van de speelhoek naar de kast. Ze deed de kastdeur dicht en zette hem klem door de stoel te kantelen en de rugleuning onder de deurkruk te schuiven.

'Ik moet mijn hoeden nog opbergen,' zei Naomi.

'Vandaag niet meer.'

'Maar we zullen toch een keer weer in de kast moeten.'

'Pas als we weten wat we met de spiegel aan moeten,' zei Minnie.

'Wat wil je dan met die spiegel gaan doen?'

'Daar ben ik nog over aan het nadenken.'

'We kunnen niet zonder spiegel.'

'Maar *die* hebben we niet meer nodig,' verklaarde Minnie.

14

IN HUN SUITE OP DE TWEEDE VERDIEPING ZORGDE ZE
er zoals beloofd voor dat hij in een lagere versnelling terechtkwam, en dat deed hij ook bij haar. Hun vrijpartij was geen race
naar het genot, maar in plaats daarvan een aangename, bekende reis vol genegenheid en tederheid, niet zozeer ingegeven door
drang als wel door toewijding, en het laatste stuk was een lange, heerlijke glijbaan naar de finish, en er werd afgevlagd, en ze
genoten.

Tot hij Nicolette tegenkwam, was John niet in staat geweest
een seksuele relatie aan te gaan, of in elk geval was hij er nooit
aan begonnen. Nadat de rest van zijn familie door Alton Blackwood, verkrachter en moordenaar, was afgeslacht, had John al
op jonge leeftijd seks met geweld geassocieerd, en hij dacht dat
alle seksuele gevoelens tot rauwe wellust leidden, dat het tede-
re verlangen om je met iemand te verbinden en zo verlossing te
zoeken, in feite een gesublimeerde drang tot vernietiging was.
Blackwoods seksuele genot had tot moord geleid, en nog jaren
daarna had John het idee gehad dat zijn eigen extase de herinnering aan zijn moeder en zussen bezoedelde, dat een climax
hem verlaagde tot het niveau van hun moordenaar. Bij zijn ex-

tase moest hij er altijd aan denken hoe ze vernederd waren en geleden hadden, en hij kon net zomin van seks genieten als wanneer hij zichzelf met een mes zou doodsteken of zich met een pistool van het leven zou beroven, een levenseinde dat hun was overkomen.

Als hij Nicolette op een gegeven moment niet ontmoet had, zou John zijn politie-uniform misschien verruild hebben voor een monnikspij, lang voordat hij tot rechercheur was opgeklommen. Van haar leerde hij dat seksueel verlangen alleen verdorven is als de ziel verdorven is, dat lichaam en ziel beide kunnen worden verheven door de ander genot te schenken in een sfeer van liefde, en dat de voortplanting in wezen altijd een daad van genade is.

Na de gebeurtenissen van de dag verwachtte hij dat hij te rusteloos zou zijn om te kunnen slapen, maar in de gedeelde warmte tussen de lakens, toen hij op zijn rug ging liggen en haar hand nog steeds in de zijne lag, hoorde hij dat haar ademhaling veranderde terwijl ze in de slaap weggleed, en al snel dommelde hij ook weg.

Hij droomde dat hij in het lijkenhuis was, de instelling die hij in het echt al talloze malen bezocht had, hoewel de gangen en kamers nu in een griezelige blauwe schemering verborgen lagen, en hij was het enige levende wezen – althans, dat leek zo – in deze betegelde, geklimatiseerde catacombe. In de kantoren en archiefruimtes en gangen klonken de geluiden gedempt, zijn voetstappen waren onhoorbaar, alsof hij in het luchtledige liep. Hij ging een kamer binnen waar uit de muren handgrepen van stalen laden staken, waarin gekoelde lijken lagen, mensen die pas waren overleden en nog geïdentificeerd en onderzocht moesten worden. Hij dacht dat hij hier op zijn plek was, dat hij hier in zekere zin thuis was, dat een van de laden open zou schuiven, gekoeld en leeg, en dat hij daar dan in zou gaan liggen, zodat de dood met een zoen het laatste restje adem uit zijn longen zou opzuigen. Nu werd de stilte overstemd door één enkel geluid: het krachtige kloppen van zijn hart.

Hij wilde de kamer verlaten, maar kon de deur niet meer vinden. Hij keek om zich heen, maar zag nergens een uitgang. In het midden van de kamer stond iets wat daar eerder nog niet was geweest: een gekantelde autopsietafel met afvoergootjes en bakken om het bloed in op te vangen. Op de tafel lag een lijk, afgedekt met een laken, een lijk dat gemotiveerd was en een bepaald plan had. Er verscheen een hand van onder het witte laken, een grote hand, met lange spatelvormige vingers, een knokige pols die net zo weinig élégance bezat als het raderwerk van een negentiende-eeuwse machine. John wist om wie het ging. Alton Turner Blackwood trok eigenhandig het laken van zich af en gooide dat op de grond. Hij ging rechtop zitten en kwam toen van de tafel af. Hij richtte zich in zijn volle een meter vijfennegentig op, mager en knokig, maar toch sterk. Op zijn rug drukten zijn misvormde schouderbladen als de vleugels van een vleermuis tegen zijn hemd, alsof hij een reusachtige kever was en ze deel uitmaakten van zijn gepantserde lijf. Johns hart begon wild te bonzen, eerder harder dan sneller, als een stenen stamper die in een stenen vijzel beukte en zijn moed verbrijzelde.

Blackwood droeg wat hij ook aan had gehad toen hij het huis van de Calvino's was binnengedrongen: zwarte laarzen met stalen neuzen, vergelijkbaar met gletsjerschoenen maar dan zonder de klimijzers, een kaki broek met vier zakken aan de voorkant, en een kaki hemd. De verwondingen die hem fataal waren geworden, waren niet zichtbaar, en hij oogde zoals John hem die avond voor het eerst had gezien.

Zijn gezicht was net niet zo erg misvormd dat je hem een monster zou noemen, maar hij was wel zo lelijk dat de meeste mensen medelijden met hem kregen als ze hem zagen, zonder dat ze erdoor vertederd raakten. In de voetsporen van medelijden sloop een ongemakkelijk gevoel binnen, als ze bedachten dat het misschien ongepast was om hem aan te staren of iets verkeerds te zeggen, zodat men zich met enig schuldgevoel van hem afkeerde, met een weerzin die niet zozeer verstandelijk als wel intuïtief was.

Plukken vettig haar plakten aan zijn hoofd; hij had borstelige wenkbrauwen, maar leek geen baardgroei te hebben. Hij had een bleke huid met rozige vlekken, net zo glad als een meisjeshuid, maar toch wekte het een ongezonde indruk en werkte het afstotelijk. Omdat het leek of er geen poriën in zaten, oogde de huid onnatuurlijk. Blackwoods langgerekte gezicht leek niet de juiste proporties te hebben, zonder dat John precies kon zeggen hoe dat zat. Zijn zware, doorlopende wenkbrauwen hingen boven zijn diep naar achteren gelegen ogen. Met zijn haakneus en lange oren deed hij denken aan een sater. Zijn kaak was zo strak en hoekig als een beitel. Zijn bovenlip was te dun, zijn onderlip te dik, waardoor zijn kin op een spade leek die hij als een soort Mussolini hooghartig naar voren stak, zodat het net was alsof hij elk moment met zijn gezicht op je in kon beuken.

Zijn ogen waren zo donker dat iris en pupil niet van elkaar te onderscheiden waren. Soms leek het net of zijn ogen alleen maar uit het glinsterende wit bestonden, en dat de rest niet donker maar geheel afwezig was, en dat hij gaten in zijn ogen had die helemaal doorliepen naar de kille, duistere hel van zijn geest.

Toen Blackwood drie stappen naar voren kwam, deinsde John drie stappen achteruit, waardoor hij met zijn rug tegen de laden met lijken drukte. De moordenaar grijnsde zijn gelige tanden bloot, als een wolf; hij leek op het punt te staan zijn tanden in John te zetten.

Hij zei iets met zijn diepe, raspende stem, en het klonk obsceen. 'Je vrouw is lief, je kinderen zijn nog liever. Ik wil mijn snoepgoed.'

Overal in het vertrek vlogen de grote laden open, en de doden kwamen tevoorschijn, legioenen in dienst van Alton Blackwood, die zijn handen naar Johns gezicht uitstrekte, alsof hij dat aan flarden wilde scheuren…

Hij werd wakker, ging rechtop in bed zitten, stond op, badend in het zweet, met wild bonzend hart en trillende benen. Hij was er heilig van overtuigd dat iemand het huis was binnengedrongen.

Er brandden twee lampjes op het controlepaneel van de alarminstallatie: geel en rood. Het gele lampje betekende dat het systeem functioneerde, het rode lampje dat de alarminstallatie rondom het huis – niet de bewegingsdetectoren binnen – aanstond. Niemand kon het huis zijn binnengekomen zonder dat het alarm afging.

Dat er onmiddellijk gevaar dreigde, was een gevoel dat hij aan zijn nachtmerrie had overgehouden.

In het schijnsel van Nicky's wekkerradio zag John haar roerloze contouren onder de dekens. Ze was niet wakker geworden.

Naast de deur van de aangrenzende badkamer wierp een nachtlampje een schijnsel op de grond, en door kleine oneffenheden in het wollen tapijt leek de vloer gestippeld.

Hij was naakt in slaap gevallen. Naast zijn bed vond hij zijn pyjamabroek, die hij aantrok.

De deur van de slaapkamer leidde naar een klein halletje met aan weerszijden een inloopkast. Zachtjes deed hij de deur achter zich dicht voordat hij de lichtschakelaar indrukte.

Hij had licht nodig. Hij ging aan Nicky's kaptafel zitten en wachtte tot het tl-licht de herinnering aan de angstaanjagende blik van Alton Turner Blackwood had verdreven.

Toen hij in de spiegel keek, zag hij niet alleen een gekwelde man, maar ook de jongen die hij twintig jaar geleden was geweest, de jongen wiens wereld onder zijn voeten was geïmplodeerd en die nooit het doorzettingsvermogen en de wilskracht zou hebben gevonden om een nieuwe wereld voor zichzelf te creëren als hij op zijn achttiende Nicky niet tegen het lijf was gelopen.

Die jongen was nooit volwassen geworden. In een paar doodsbange minuten was er een nieuwe John Calvino opgestaan, die de jongen achter zich had gelaten, waarna hij emotioneel altijd veertien was gebleven. Hij was niet geleidelijk van een jongen in een man veranderd, zoals andere mannen hun puberteit hadden doorlopen. In plaats daarvan was hij door de crisis in één klap volwassen geworden. In zekere zin was de jongen, die zo abrupt werd achtergelaten, altijd deel van de man blijven uitmaken, als een losstaand geheel. Het scheen hem nu toe dat dit deel van hemzelf, deze jongen die zich verder niet had ontwikkeld, de bron van zijn adolescente angst was. Hij was bang dat de moorden op de familie Valdane en de familie Lucas, gepleegd met een tussenpoos van twintig jaar, niet door recherchewerk en logica met elkaar in verband konden worden gebracht. De innerlijke jongen, die net als alle veertienjarigen over veel fantasie beschikte en alles wat bovennatuurlijk was buitengewoon spannend vond, zocht de verklaring niet in de rede maar in het bovenaardse.

Een rechercheur Moordzaken kon het zich niet veroorloven om er zulke ideeën op na te houden, omdat dat haaks stond op zijn functioneren, waarin hij zich altijd baseerde op de logica en rekening hield met de menselijke neiging tot het kwaad.

De nachtmerrie waaruit hij was ontwaakt, paste een volwassen man helemaal niet. Jongens droomden zulke stripverhaalachtige dromen, jongens die de angst voor de dood hadden ontdekt als gevolg van hormonale veranderingen in hun lichaam, zoals ze ineens ook in meisjes geïnteresseerd raakten.

De mobieltjes van John en Nicky lagen op het granieten blad van de kaptafel en werden met een tweewegstekker opgeladen. Zijn mobieltje ging.

Heel soms werd hij uit zijn bed gebeld, als er 's nachts een moord was gepleegd. Maar meestal werd hij dan op een van de vier lijnen van de vaste telefoonverbinding gebeld, op zijn privénummer. Als het mobieltje aan de oplader lag, zou hij moeten zijn uitgeschakeld. Op het display verscheen geen beller-ID.

'Hallo?'

John herkende de zangerige koorknapenstem onmiddellijk. Billy Lucas zei: 'Moest je je schoenen weggooien?'

Johns eerste gedachte was dat de jongen uit de kliniek ontsnapt was.

Hij verwoordde zijn tweede gedachte: 'Waar heb je dit nummer vandaan?'

'De volgende keer dat we elkaar tegenkomen, zit er geen gepantserde glasplaat tussen ons in. Als je dan ligt te sterven, zal ik je recht in je gezicht pissen.'

Billy voerde een monoloog; hij gaf geen antwoord op de vraag die hem gesteld was. John reageerde niet op zijn opmerking.

'Ik weet nog dat ze heel zacht op mijn tong aanvoelden. Ze smaakten lekker,' zei Billy. 'Het is lang geleden, maar die heerlijke, ietwat zoutige smaak kan ik me nog goed voor de geest halen.'

John staarde naar de crèmekleurige marmeren vloer met ingelegd zwart graniet.

'Die lekkere zus van je. Giselle. Ze had van die mooie, kleine, ontluikende borstjes.'

John sloot zijn ogen, klemde zijn kaken op elkaar en moest slikken om het opkomend maagzuur terug te dringen.

Hij luisterde naar de moordenaar, die nu zwijgend bleef luisteren: een triomfantelijke stilte. Na een tijdje kreeg hij het idee dat de lijn dood was.

Hij toetste *69 in om terug te bellen, maar dat leverde niets op.

15

OP HET BREDE NACHTKASTJE TUSSEN HUN BEDDEN IN stonden twee leeslampen. Minnie had die van haar in de laagste van de twee dimstanden gezet, met de buigbare hals recht naar voren en de lampenkap omhooggericht, zodat het licht naar het plafond scheen. Een van de angsten van de schijtlijster, waardoor Naomi's geduld danig op de proef werd gesteld, was dat er een vleermuis in haar haar verstrikt zou raken, waardoor het beest niet alleen haar schedeldak zou openklauwen en -bijten maar waardoor ze ook krankzinnig zou worden, zodat ze de rest van haar leven in een gesticht opgesloten werd, waar er nooit een toetje bij het eten zat. Waarschijnlijk was Minnie nu even niet bang voor vleermuizen, hoewel ze haar lamp wel in de antivleermuizenstand had gezet.

Ze zaten allebei rechtop in bed, met een stapel kussens in hun rug, zodat ze de kastdeur in de gaten konden houden, en de stoel waarmee de deur was gebarricadeerd.

Hoewel hun ouders heel wat eisen aan hen stelden, hoefden ze niet op een bepaalde tijd naar bed. Ze mochten net zolang opblijven als ze wilden, als ze dan maar geen tv-keken of videospelletjes speelden. Voorwaarde was wel dat ze de volgende morgen stipt om zeven uur gedoucht en aangekleed aan tafel verschenen om samen met hun vader en moeder te ontbijten, en dat ze uitgeslapen genoeg waren om het thuisonderwijs, dat om kwart voor acht begon, te volgen.

De volgende dag was het zaterdag, en dat was altijd fijn, want dan mochten ze net zolang uitslapen als ze wilden en konden ze ontbijten wanneer ze zin hadden. Als de schim die via de spiegel te zien was geweest, net zo gevaarlijk was als Minnie dacht, zouden ze de zaterdag niet eens halen, in welk geval het niet uitmaakte hoe laat er ontbeten diende te worden.

'Misschien moeten we het tegen pappa en mamma zeggen,' zei Naomi.

'Wat moeten we dan zeggen?'

'Dat er iets levends in onze spiegel zit.'

'Dan mag jij dat gaan zeggen. Veel plezier in het gekkenhuis.'

'Ze geloven ons echt wel als ze het met eigen ogen zien.'

'Ze krijgen het toch niet te zien,' voorspelde Minnie.

'Waarom niet?'

'Omdat het ding dat niet wil.'

'Dat gaat misschien zo in een verhaal, maar niet in het echte leven.'

'Het echte leven is ook een verhaal,' zei Minnie.

'Wat bedoel je daar nou weer mee?'

'Daar bedoel ik niks mee. Dat is gewoon zo.'

'Maar wat moeten we nou doen?'

'Daar denk ik nog over na,' zei Minnie.

'Daar had je al over nagedacht.'

'Ik ben nog steeds aan het nadenken.'

'Kastanjes! Waarom zit ik hier eigenlijk te wachten tot een zielige achtjarige me gaat vertellen wat we moeten doen?'

'We weten allebei waarom dat is,' zei Minnie.

De stoel die klem onder de deurkruk van de kast was gezet, leek minder stevig dan Naomi graag zou willen. 'Hoorde jij net ook iets?'

'Nee.'

'Hoorde je niet dat de deurknop omgedraaid werd?'

'Jij ook niet,' zei Minnie. 'Niet deze keer, en ook niet de vorige negen keer dat je dacht dat je iets hoorde.'

'Ik ben niet degene die bang is dat ze door een zwerm vleermuizen zal worden meegenomen naar Transsylvanië.'

'Ik heb nooit gezegd dat het een zwerm zou zijn, en *meegenomen* en *Transsylvanië* heb ik ook niet gezegd.'

Naomi werd ineens geplaagd door een verontrustend idee. Ze richtte zich op uit haar kussens en fluisterde: 'Er zit een spleet onder de deur.'

Minnie fluisterde: 'Welke deur?'

Naomi liet de fluistertoon achterwege en zei: 'Wélke deur? De deur van de kast, natuurlijk. Stel dat het ding uit de spiegel komt en onder de deur door glipt?'

'Het ding kan pas de spiegel uit als je daarom vraagt.'

'Hoe weet jij dat nou? Jij zit pas in groep 5. Ik vond groep 5 megasaai, en ik heb er drie maanden over gedaan, en je leert dan niks over schimmen in spiegels.'

Minnie zweeg even. Toen: 'Ik weet niet hoe ik het weet, maar ik weet het gewoon. Een van ons moet het ding vragen om uit de spiegel te komen.'

Naomi liet zich in de kussens terugzakken en zei: 'Nou, dat gaan we dus mooi niet doen.'

'Er zijn verschillende manieren om dat te vragen.'

'Hoe dan?'

'Bijvoorbeeld door er te lang naar te kijken.'

'Muis, jij verzint maar wat.'

'Noem me geen Muis.'

'Nou, maar toch verzin je maar wat. Jij weet er helemaal niks vanaf.'

'Je kunt ook met het ding gaan praten en een vraag stellen. Dat kan ook.'

'Dat ga ik dus mooi niet doen, punt uit.'

'Dat lijkt me ook.'

Het leek kouder in de kamer dan anders. Naomi trok de deken op tot aan haar kin. 'Wat voor ding leeft eigenlijk in een spiegel?'

'Het is een mens, geen ding.'

'Hoe weet je dat?'

'Dat weet ik in mijn hart,' zei Minnie, zo ernstig dat Naomi ervan huiverde. 'Hij is een mens.'

'Hij? Hoe weet je zo zeker dat het geen zij is?'

'Denk jij dat het een zij is?'

Naomi zou het liefst met haar hoofd onder de dekens kruipen. 'Nee. Het voelt als een hij.'

'Het is echt een hij,' vond Minnie.

'Maar hij wie?'

'Weet ik veel. Maar dat moet je niet aan hem gaan vragen, Naomi. Want dat geldt als een uitnodiging.'

Ze zwegen een poosje.

Naomi durfde uiteindelijk van de kastdeur weg te kijken. Beschenen door het licht vanbuiten kropen zilveren wormen van regen langs de ramen naar beneden. Door het raam konden ze de reusachtige Amerikaanse eik zien staan, aan de zuidkant van het huis. Het groene bladerdek glom hier en daar in het schijnsel van de buitenverlichting, alsof zich een laagje ijs op de blaadjes had afgezet.

Uiteindelijk zei Naomi: 'Weet je wat ik me heb zitten afvragen?'

'Iets raars, wil ik wedden.'

'Zou hij een prins kunnen zijn?'

'De spiegelmeneer, bedoel je?'

'Ja. Als hij een prins is, zou de spiegel een doorgang naar een magisch rijk kunnen zijn, een waanzinnig avontuurlijk land.'

'Nee,' zei Minnie.

'Meer niet? *Nee*? Dat is het?'

'Nee.'

'Maar als hij achter die spiegel zit, móét er wel een andere wereld aan die kant bestaan. De fantastische wereld achter de spiegel. Dat klinkt toch als iets magisch wat waar kan zijn? Het zou kunnen dat het is zoals in al dat soort verhalen: een heroïsche zoektocht, spannende avonturen, romantiek. Misschien ligt daar mijn lotsbestemming.'

'Hou toch je kop als je dat zegt,' zei Minnie.

'Jij moet zelf je kop houden als je zegt dat ik mijn kop moet houden,' brieste Naomi. 'Wat weet jij nou van mijn lotsbestemming af? Als ik aan de andere kant van de spiegel ga wonen, word ik zelfs misschien wel koningin.'

'Niemand woont daar,' zei Minnie ernstig. 'Iedereen aan die kant is dood.'

16

JOHN HAD EEN DONKERBLAUWE BADJAS OVER ZIJN PY-
jamabroek aangetrokken en stond in zijn werkkamer op de begane grond naar de foto's te kijken die aan de muur hingen, foto's van de kinderen van vlak na de bevalling, toen ze uit het ziekenhuis waren thuisgekomen, en foto's die daarna steeds op hun
verjaardagen waren gemaakt, in totaal vijfendertig stuks. Nog
even en de muur zou volhangen.

De meisjes vonden het leuk om hier zo nu en dan naartoe te
gaan om herinneringen op te halen aan hun verjaardagen en
elkaar plagend commentaar te geven op hoe ze er vroeger uit
hadden gezien. Zach vond de foto's uit zijn peuter- en basis-
schooltijd minder leuk om naar te kijken, omdat ze niet overeenkwamen met het beeld dat hij van zichzelf had, namelijk dat
van een jongeman die een stoere marinier wilde worden.

Meer nog dan John in woorden kon uitdrukken, zelfs niet tegenover Nicky, wilde hij zijn dochters graag tot vrouwen zien
opgroeien, omdat hij vond dat ze allebei een groot, warm hart
hadden en zouden proberen de wereld in hun eigen kleine kring
ten goede te veranderen. Hij wist dat hij wat hen aanging nog
voor talloze verrassingen zou komen te staan, maar door de ma-

nier waarop ze hun leven leidden, zouden ze altijd een bron van vreugde voor hem blijven. Ook wist hij dat Zach alles zou kunnen worden wat hij wilde – en uiteindelijk zou hij een beter mens zijn dan zijn vader.

Een van de twee ramen in de werkkamer keek uit op het terras van flagstones en de ver naar achteren doorlopende tuin, die nu in diepe duisternis gehuld was. Hun huis stond aan het eind van een doodlopende weg, op een lap grond die een schiereiland vormde tussen twee bij elkaar komende ravijnen. Voor een huis in stedelijk gebied lag het tamelijk afgelegen en rustig. Achter de schutting aan het eind van de tuin liep de helling steil naar beneden, met onderaan een bos met veel struikgewas. Aan de andere kant van het ravijn waren de lichtjes van andere wijken te zien, vaag en verregend. Tussen het raam van de werkkamer en die gloed in de verte was niets te zien, op het terras noch op het gras, noch in het prieel, dat met klimrozen overgroeid was, noch onder de sierlijk doorbuigende takken van de grote Himalaja-ceder.

Hoewel het huis niet echt afgelegen lag, stond het ver genoeg bij de buren vandaan om een perfect doelwit te zijn voor een verkrachter-moordenaar die brandde van verlangen en die een kille vastberadenheid bezat om hier een spelletje te gaan spelen, zonder dat er een grote kans bestond dat buren hem zouden zien.

Buiten in de tuin lag Willard begraven. Een gemeentelijke verordening verbood het begraven in woonwijken van overleden dieren, tenzij de dieren gecremeerd waren. De as van hun geliefde golden retriever lag achter het rozenprieel onder een zwart granieten steen begraven.

De meisjes waren bij het overlijden van de hond zo van de kaart geweest dat Nicky en John het niet aandurfden om die ervaring nog een keer te riskeren. Maar misschien was de tijd nu aangebroken om een nieuwe hond in hun leven te brengen. Geen allemansvriend als een golden retriever, maar een hond die het gezin wat agressiever zou beschermen. Misschien een Duitse herder.

John liep naar zijn bureau, zette zijn computer aan en zat een minuut lang in gedachten verzonken voordat hij het telefoonnummer van de kliniek draaide. Via de voicemail kwam hij in een keuzemenu, want de receptie en diverse medewerkers waren pas weer de volgende ochtend vanaf acht uur bereikbaar. Hij drukte een toets in voor de beveiliging van de afdeling Psychiatrie.

De telefoon ging twee keer over voordat een man opnam.

John haalde zich de sobere hal van de bewakingspost op de tweede verdieping voor de geest, waar Coleman Hanes hem 's middags naartoe gebracht had. Hij zei wie hij was, hoorde dat hij Dennis Mummers aan de lijn had, en vroeg of Billy Lucas ontsnapt was.

'Hoe komt u daarbij?' vroeg Mummers. 'Niemand is hier ooit ontsnapt, en ik durf er een jaarloon onder te verwedden dat dat in de toekomst ook niet gebeuren zal.'

'Ik dacht dat hij niet over een telefoon beschikte. Maar toch kreeg ik een telefoontje van hem.'

'Telefoon op zijn kamer? Natuurlijk niet.'

'Als iemand van de juridische bijstand telefonisch met hem wil praten, hoe doen jullie dat dan?'

'Dan wordt hij geboeid en naar een *obcon*-vertrek gebracht waar een handsfree telefoon staat.'

'Wat is een obcon-vertrek?'

'*Observed-conference.* We kunnen hem door een raam in de gaten houden, maar omdat het om een vertrouwelijk gesprek gaat, kunnen we niet horen wat er gezegd wordt. Hij wordt geboeid en in de gaten gehouden, om ervoor te zorgen dat hij de telefoon niet demonteert en er iets scherps uit haalt wat hij als wapen kan gebruiken.'

'Hij heeft me nog geen tien minuten geleden gebeld,' zei John. 'Op mijn privénummer. Waarschijnlijk heeft hij ergens een telefoon bemachtigd.'

Mummers zweeg even. Toen: 'Wat is uw nummer?'

John gaf zijn telefoonnummer door.

'We zullen zijn kamer gaan doorzoeken,' zei Mummers. 'Kan ik u over een halfuurtje terugbellen?'

'Zeker.'

Ondertussen ging John online en surfte hij naar een paar overheidssites, waar hij niet alleen informatie bekeek die voor het grote publiek toegankelijk was, maar ook vertrouwelijke informatie waarvoor hij het wachtwoord moest invoeren dat hij op zijn werk gebruikte.

Hij wilde nagaan of Coleman Hanes wel degene was voor wie hij zich uitgaf. John had de verpleegkundige het nummer gegeven waarop Billy hem gebeld had, een nummer dat niet in het telefoonboek stond, en hij kon geen andere verklaring bedenken hoe de moordenaar daaraan gekomen was.

Binnen een paar minuten concludeerde hij dat de man met het embleem van het korps mariniers op zijn rechterhand geen bedrieger was. De verpleegkundige had inderdaad bij het korps mariniers gezeten, was onderscheiden en had eervol ontslag gekregen.

Hanes had geen strafblad in deze staat, noch in een andere staat waarmee dergelijke informatie werd uitgewisseld. Hij had zelfs nog nooit een bekeuring gehad.

Dat Hanes inderdaad in het leger had gezeten en geen strafblad had, wilde nog niet zeggen dat hij niet met Billy Lucas onder een hoedje speelde, maar het werd wel minder aannemelijk.

Toen Mummers terugbelde, zei hij: 'Billy heeft geen telefoon. Weet u zeker dat hij het was die u belde?'

'Het was onmiskenbaar zijn stem.'

'Hij heeft inderdaad een zeer opvallende stem,' gaf Mummers toe. 'Maar hoe vaak hebt u contact met hem gehad voordat u hem in de kliniek opzocht?'

John besloot niet op de vraag in te gaan en zei: 'Hij zei iets tegen mij dat alleen hij kon weten, iets wat in mijn gesprek met hem ter sprake is gekomen.'

'Heeft hij u bedreigd?'

Als John dat toegaf, zouden ze willen dat hij een klacht indiende, en als hij dat deed, zouden ze erachter komen dat hij formeel geen toestemming had om zich met de zaak Lucas te bemoeien.

'Nee,' loog hij. 'Ik ben niet bedreigd. Wat zei Billy toen u zijn kamer wilde doorzoeken?'

'Hij zei helemaal niets. Er is iets met hem gebeurd. Het is of hij mentaal is gebroken, of hij bang is geworden. Hij zit in zichzelf gekeerd op zijn kamer en zegt geen woord.'

'Is het mogelijk dat iemand van het personeel hem een mobieltje heeft gegeven?'

'Afhankelijk van de omstandigheden,' zei Dennis Mummers, 'zou de persoon in kwestie om die reden ontslagen kunnen worden. Dat zou niemand van het personeel willen riskeren.'

'In mijn werk, meneer Mummers, heb ik gezien dat sommige mensen bereid zijn alles op het spel te zetten, werkelijk alles, om de meest onbeduidende redenen. Maar ik dank u voor uw medewerking.'

Nadat hij had neergelegd, ging John naar de keuken, waar hij alleen het licht van de afzuigkap aandeed.

De meeste van hun vrienden dronken wijn, maar voor die enkeling die iets sterkers prefereerde, hadden ze in een keukenkast een drankvoorraadje aangelegd. Omdat hij bang was dat hij zonder hulp niet zou kunnen slapen, schonk hij zich een dubbele whisky met ijs in.

Hij was niet alleen geschrokken van het dreigement dat Billy Lucas had geuit, maar vooral door het laatste wat de moordzuchtige jongeman aan de telefoon had gezegd.

John kon zich niet herinneren dat hij ooit tegen de politie had verteld wat de moordenaar van zijn ouders en zussen, Alton Turner Blackwood, had gezegd voordat hij stierf. Destijds had John van verdriet en angst niets kunnen zeggen, maar Blackwood had geprobeerd hem af te leiden door te gaan praten.

Het op een na laatste wat Blackwood hem destijds op die avond had toevertrouwd, was woordelijk het laatste wat Billy nog geen uur geleden door de telefoon tegen John had gezegd: *Die lekkere zus van je. Giselle. Ze had van die mooie, kleine, ontluikende borstjes.*

17

ZACH DROOMDE DAT HIJ IN ZIJN BED LAG, NET WAK-
ker was geworden en een streep oranjegeel licht onder de kastdeur door zag schijnen. In zijn droom vroeg hij zich af of hij het
licht in de kast had uitgedaan voordat hij was gaan slapen. Volgens hem had hij dat inderdaad gedaan.

Hij deed het lampje naast zijn bed aan, waardoor slechts een
klein deel van zijn kamer verlicht werd. Hij stond op en liep met
trage pas naar de kast toe, precies wat al die sukkels in die stomme griezelfilms deden, waarin iedereen doodgaat omdat ze gigantisch dom doen. Toen hij zijn hand op de deurkruk legde,
ging het licht in de kast uit.

Iemand, of een of ander godsgruwelijk ding, moest zich daar
verborgen houden en de schakelaar bedienen, dus het domste
wat je nu kon doen, was de kast openen zonder een wapen bij
de hand te hebben. Toch zag Zach dat zijn hand de deurkruk
omdraaide, alsof hij geen controle over zijn lijf had, alsof dit ook
zo'n belachelijke film was waarin een superachterlijke sukkel een
handtransplantatie had ondergaan en nu een hand met een eigen wil had.

Op dit punt kreeg hij door dat hij in een droom beland was,

want zijn handen waren gewoon de handen waarmee hij geboren was, en die deden alleen maar wat hij wilde. Na een soepele sprong in de tijd – heel gebruikelijk in dromen – stond de deur ineens wijd open, zonder dat hij hem had opengezet, en bevond hij zich op de drempel van de pikdonkere kast.

Uit dat diepzwarte gat kwamen twee reusachtige handen, die hem vastgrepen, een bij zijn keel, de andere in zijn gezicht. Een vlezige hand plette zijn neus en kneep zijn mond samen, zodat zijn kreet verstomde en hij geen adem meer kon krijgen.

Hij pakte de hand die zijn gezicht had gegrepen en probeerde zich paniekerig uit die greep te ontworstelen, maar de pols was onwrikbaar als het spronggewricht van een paard: één harde klomp botten en dikke pezen. Kille, vettige vingertoppen, groter dan soeplepels, graaiden naar zijn ogen, en nog steeds kreeg hij geen lucht, geen lucht...

Happend naar adem schoot Zach overeind in bed. Zijn nachtmerrie spatte als een granaat uit elkaar.

Zijn heftige hartslag bonsde door zijn hele lijf, maar terwijl zijn angst afzakte, zag hij dat het beangstigende scenario uit zijn droom was doorgedrongen tot de wakende wereld. In de duisternis van zijn echte kamer gleed een streep oranjegeel licht tussen de vloer en de onderkant van de deur door.

Eerder, toen de deur uit zichzelf was opengegaan, had hij zichzelf wijsgemaakt dat dat kwam doordat het huis zich zette, dat de deur uit het lood was geraakt en door de zwaartekracht was gaan bewegen. Toen hij zichzelf in de spiegel een militaire groet had gebracht en achteraf het idee kreeg dat zijn spiegelbeeld niet helemaal klopte, had hij er verder geen aandacht aan geschonken en was hij niet teruggelopen om nog eens te kijken, omdat hij wist dat er al genoeg boeven bestonden die de wereld onveilig maakten, zodat hij geen spoken kon gebruiken die hem afhielden van het bestrijden van het échte kwaad.

De nachtmerrie waaruit hij zojuist was ontwaakt, had een verandering bij hem teweeggebracht. Plotseling werd hij zich bewust van een nieuw soort angst die hij nog niet eerder had gevoeld, of misschien was het een angstig gevoel dat zo lang geleden bij hem boven was gekomen dat het niet meer in zijn geheugen lag opgeslagen, zoals herinneringen uit zijn vroegste jeugd hem inmiddels waren ontgleden.

De meeste nachtmerries waren niet zozeer een pijnlijke beproeving als wel amusant: een ritje door het spookhuis van de geest. Je gleed in je eigen stomme kermiskarretje van het ene merkwaardige tableau naar het andere tot een van de angstaanjagende taferelen tot leven kwam en er een compleet ongeloofwaardige achtervolging in gang werd gezet. Na een kort moment van angst werd je dan wakker, en als je al in staat was je de droom te herinneren, bleek die achteraf vol idiote details te zitten, compleet lachwekkend, en was het niets anders dan een spookshow die kant noch wal raakte, niet angstwekkender dan de achterlijke monsters die je vaak in tekenfilms op tv zag.

Hij had het gevoel dat deze droom net zo echt was geweest als de kamer waarin hij wakker was geworden: de kille hardvochtigheid van de vettige handen die hem aanvielen, de pijnlijke ervaring toen zijn neus heel hard werd dichtgeknepen, het gevoel geen adem meer te kunnen halen. Zelfs nu deden zijn ogen nog een beetje pijn, wat suggereerde dat de soeplepelvingers echt waren geweest en zijn ogen zouden hebben uitgeklauwd als hij niet wakker was geschrokken.

Hij deed het lampje naast zijn bed aan en stond op, al was hij niet van plan meteen naar de kast te lopen zoals die achterlijke Zach in zijn droom had gedaan. In een hoek van de kamer, bij zijn bureau, stond een replica van een mammelukkenzwaard, dat hij uit de glimmende nikkelen schede trok.

Tegenwoordig werden zulke zwaarden alleen voor de show gemaakt, voor legerofficieren, die het bij diverse ceremoniële aangelegenheden droegen om hun rang aan te geven. Dit exemplaar was van roestvrij staal gemaakt, met een inscriptie in het ricasso, en met een vergulde pareerstang en pommel. Net als bij alle ceremoniële zwaarden was de kling bot, zodat het zwaard niet als wapen gebruikt kon worden. Ook de punt was niet erg scherp, maar in tegenstelling tot de kling kon je daarmee wel een tegenstander verwonden.

Zach ging schuin voor de kast staan, gooide met zijn linkerhand de deur open en hield met rechts het mammelukkenzwaard vast, klaar om toe te slaan. Geen aanvaller stormde de kamer binnen om kennis te maken met de punt van het zwaard.

Er was niemand in de inloopkast te bekennen, maar er wachtte wel een andere verrassing. Het trapluik was neergelaten, en de trap was uitgeklapt. De onverlichte kruipruimte tussen de eerste en tweede verdieping lag op hem te wachten.

Zach aarzelde toen hij onder aan de ladder stond, keek omhoog en bleef even staan luisteren. Het enige wat hij hoorde, was het zachte geruis van de ringbranders in de twee cv-ketels waarmee de eerste en tweede verdieping verwarmd werden, een holle fluistertoon die deed denken aan het geruis van een waterval in de verte.

De kruipruimte was eigenlijk een halve verdieping, een mezzanine die anderhalve meter hoog was, zodat je er net niet rechtop kon lopen. In de ruimte bevonden zich de twee cv-ketels, luchtbevochtigers, honderden meters aan pijpleidingen die alle kanten op liepen, koperen waterleidingbuizen, afvoerbuizen van koper en pvc, en God mocht weten wat nog meer. Bij het luik kon je het licht aandoen, een sliert lampen voor als loodgieters of elektriciens in de kruipruimte moesten om onderhoudswerkzaamheden of een reparatie te verrichten.

Iets langer dan een maand geleden was er iemand van de ongediertebestrijding langs geweest, een sullige man met ogen als een insect en een lange snor als voelsprieten, die de kruipruimte had geïnspecteerd. In plaats van ratten had hij er een eekhoornnest aangetroffen. De beesten waren waarschijnlijk via een gescheurd ventilatierooster naar binnen gekropen.

Het waren geen onschuldige eekhoorntjes geweest die het luik hadden geopend en de ladder hadden uitgeklapt terwijl Zach sliep.

Het was niet zo dat hij de kruipruimte niet durfde te betreden, maar hij moest wel heel stom zijn als hij zich daar midden in de nacht op waagde met slechts een weliswaar cool maar stomp zwaard als wapen, dat bovendien lastig te hanteren was. Bovendien zou hij dan een goede zaklantaarn moeten hebben, omdat de lampen daar niet de hele ruimte tot in alle hoeken verlichtten. De volgende dag kon hij 's middags wel even de ladder op gaan, na de lessen en de lunch, om een kijkje te nemen en rond te neuzen en te zien wat er te zien was.

Misschien moest hij eerst met zijn vader overleggen. Dan konden ze de kruipruimte met z'n tweeën inspecteren.

Met zijn linkerhand tilde Zach het onderste gedeelte van de ladder op en klapte het laagste van de vier scharnierende trapdelen omhoog, waarna een uitgekiend mechanisme ervoor zorgde dat de ladder in elkaar schoof en het luik met een klap dichtviel.

Zach bleef een tijdje in de kast staan, tot de ring aan het touw van het luik niet meer als een slinger heen en weer ging, en daarna bleef hij nog een minuut of twee staan wachten. In die tijd bleek er niemand te zijn die probeerde het luik weer open te duwen.

De buitendeuren van het huis zaten altijd op slot, ook overdag. Zachs vader zei dat de slechteriken geen vampiers waren, dat ze niet bang waren voor de zon, dat ze dag en nacht aan het kijken waren of ze ergens hun slag konden slaan, en dat je het dergelijke types niet te makkelijk moest maken. Niemand kon stiekem het huis zijn binnengeslopen om zich vervolgens in de mezzanine te verstoppen.

Het kwam waarschijnlijk door hetzelfde als waardoor de kastdeur was opengegaan: het huis was zich aan het zetten. Door een subtiele verandering in de constructie zou het gewicht van de ladder op de veren van het luik hebben gedrukt, waardoor dat was opengegaan en de ladder uit zichzelf was opengeklapt.

Dat was natuurlijk precies wat er gebeurd was. Elke andere verklaring was meer iets voor doodsbange kinderen die nog in hun bed plasten.

Voordat hij het licht in de kast uitdeed, bekeek hij zichzelf in de lange spiegel. Hij sliep altijd in een onderbroek en een t-shirt. Hoewel hij niet supergespierd was, was hij absoluut niet vel over been. Toch leek hij in de spiegel kleiner dan hij in werkelijkheid dacht te zijn. Dunne beentjes. Roze knieën, bleke voeten. Het zwaard was te groot voor hem, misschien te groot voor iedere dertienjarige. Hij zag er niet belachelijk stom uit, maar hij oogde nu ook niet meteen als iemand die het goed zou doen op een reclameposter voor de marine.

Nadat hij het licht in de kast had uitgedaan, barricadeerde hij de deur met zijn bureaustoel, al vond hij dat wel een beetje kinderachtig van zichzelf.

Hij legde het zwaard op bed en kroop tussen de lakens, met alleen zijn hoofd en zijn rechterarm boven de dekens. Hij liet zijn hand losjes op de greep van de mammeluk rusten.

Een paar minuten lang bleef hij naar het lampje naast zijn bed staren, maar uiteindelijk vond hij dat hij het licht toch maar uit moest doen, want anders was hij een schijtlaars zonder ruggengraat, een sullige jandoedel. Hij was niet bang voor het donker. Geen greintje, geen spier, geen centimeter. Althans niet bang voor het donker zelf.

Toen hij het licht had uitgedaan en alleen de vaalgrijze rechthoeken achter de gordijnen en het schijnsel van zijn wekkerradio nog te zien waren, raakte Zach ervan overtuigd dat er weer iets mis was geweest met zijn spiegelbeeld. Hij ging ervan uit dat hij tot het ochtendgloren wakker zou liggen en dan bedacht zou hebben wat er precies niet klopte, maar na een tijdje werd hij door vermoeidheid overmand. Terwijl hij in slaap viel, zag hij zichzelf in de spiegel, met zijn bleke voeten en zijn roze knieën en veel te magere benen, en dat beeld klopte helemaal, ook al was het enigszins ontluisterend. Maar toen besefte hij dat de ogen die hij in de spiegel had gezien, niet grijsblauw waren, de kleur die zijn ogen nu eenmaal hadden, maar zwart, zo zwart als de nacht, zo zwart als de slaap.

18

OP BLOTE VOETEN, GEKLEED IN EEN BLAUWE BADJAS, met een glas whisky in de hand om de slapeloosheid te verdrijven, ijsbeerde John door de keuken, waar de afzuigkap de enige lichtbron vormde. Hij dacht na over wat er overdag gebeurd was. Op een gegeven moment zou hij aan Nicky moeten vertellen wat hem dwarszat. Maar gezien de bizarre en fantastische aard van wat er gebeurd was, wilde hij eerst de feiten helder hebben, omdat zijn verhaal anders niet geloofwaardig zou overkomen. Nicky en hij vormden een hecht stel, voelden zich sterk met elkaar verbonden, hadden een blind vertrouwen in elkaar, maar natuurlijk kon hij niet bij haar aankomen met de bewering dat er onzichtbare marsmannetjes op zolder woonden, want zoiets zou ze natuurlijk nooit geloven.

De gebeurtenissen van de dag konden voor het grootste deel psychologisch worden verklaard uit het feit dat zijn familie twintig jaar geleden was afgeslacht en hij daar een zwaar emotioneel trauma aan overgehouden had. In een politieonderzoek of rechtszaak zou zulk bewijsmateriaal hooguit als omstandig bewijs gelden, in het slechtste geval zou het als waandenkbeelden worden afgedaan.

Het was mogelijk dat hij zich maar wat had ingebeeld toen hij in het huis van de familie Lucas belletjes had horen rinkelen. En op de kamer van Celine had hij weliswaar belletjes gevonden, maar hij had niemand gezien die ermee had kunnen rinkelen. Hij had de indruk gekregen dat hij Billy's mobieltje had horen overgaan toen hij in diens kamer aan het bureau had gezeten, en ook dacht hij dat hij iemand *servus* had horen fluisteren, maar omdat er niemand was die zijn ervaringen kon staven, zou zijn fantasie hem ook hierbij parten hebben kunnen spelen.

John wist zeker dat hij zich het laatste telefoontje van Billy niet had ingebeeld. Gegevens van de betreffende telefoonmaatschappij zouden ongetwijfeld aantonen dat iemand hem op het bewuste tijdstip had gebeld. Maar er was niets bovennatuurlijks aan Billy Lucas, niets wat het idee ondersteunde dat John dwarszat: de mogelijkheid dat Alton Turner Blackwood – zijn geest of ziel of spookverschijning, hoe je het ook maar wilde noemen – weer in de wereld was verschenen, waardoor de serie brute moorden van twintig jaar geleden op de een of andere manier in de herhaling ging, met de familie Calvino als vierde en laatste doelwit.

De bijzonderheden die hij had gezien, had hij slechts zijdelings waargenomen of waren aantoonbaar onbeduidend. Toen hij in het huis van de familie Lucas de trap op was gegaan en toen langs de reproductie van John Singer Sargents *Carnation, Lily, Lily, Rose* was gekomen, had hij naar zijn idee gezien – of misschien was dat een waanbeeld geweest – dat een van de meisjes op de afbeelding onder het bloed zat, en toen hij er later weer langskwam, dacht hij dat ze in brand stond. Hij moest toegeven dat hij zo gespannen was geweest dat het goed mogelijk was dat zijn fantasie hem parten had gespeeld. En dat de digitale klokken in de keuken en in Billy's kamer ineens op 12:00 gingen knipperen, was geen onweerlegbaar bewijs dat een verschijning van buiten de tijd zich op dat moment had gemanifesteerd. Eigenlijk bewees dat helemaal niets.

Nicolette wist wat er destijds met Johns familie was gebeurd, ook dat John de moordenaar in diezelfde afschuwelijke nacht had vermoord. Hij had haar tot in detail over de gebeurtenissen verteld, omdat hij per se wilde dat ze alles wist over de man met wie ze wilde trouwen: de psychologische factoren – de angst, het schuldgevoel, de stille paranoia, de vrees die nog steeds niet was verdwenen. Hij had slechts één ding verzwegen, iets wat hij haar wel zou moeten vertellen als hij besloot haar te zeggen waarom hij nu voor hun leven vreesde.

De kinderen wisten dat John geen ouders meer had. Toen ze hem vroegen hoe dat kwam, loog hij ze niet botweg voor maar vertelde hij dat hij in zijn jeugd alleen was komen te staan, dat hij niets over zijn ouders wist, en dat hij was opgegroeid in een christelijk tehuis voor jongens. Hij vermoedde dat ze alle drie aanvoelden dat hij iets tragisch had meegemaakt, maar Naomi was de enige die er weer over was begonnen, omdat zij ervan uitging, geheel in de lijn van haar aard, dat het leven in een weeshuis niet alleen gekenmerkt werd door zoete melancholie, maar ook door wilde avonturen. En als haar vader vroeger romantische tijden had meegemaakt in de klassieke betekenis van het woord, wilde ze daar alles over horen.

Wanneer Minette achttien werd, was John van plan de kinderen te vertellen hoe het werkelijk was gegaan, maar voor die tijd zag hij geen reden om zijn kinderen op te zadelen met zo'n beangstigend en verontrustend verhaal. Uit eigen ervaring wist hij maar al te goed hoe het was om als puber de herinnering van een afgrijselijke gebeurtenis met je mee te moeten torsen. Hij hoopte dat ze zouden opgroeien zonder dat er iets afschuwelijks gebeurde.

Toen hij zijn whisky ophad, spoelde hij het glas om, liet dat op het aanrecht staan en liep naar het aangrenzende vertrek. Hier zaten Walter en Imogene altijd tussen de middag te eten, en hier maakten ze hun boodschappenlijstjes en planden ze wat voor klusjes ze zouden gaan doen.

Hij ging aan de notenhouten secretaire zitten, waarop hun ringbandagenda met maandplanner lag. Hij sloeg de agenda open waar die met een paperclip gemarkeerd was, op het overzicht van september.

Seriemoordenaars, vooral obsessieve ritualisten die hun slachtoffers met enige zorg uitzochten, zoals Blackwood, konden op elk willekeurig moment toeslaan als zich een gunstige gelegenheid voordeed, maar hun belangrijkste misdaden vonden meestal met vaste regelmaat plaats. Die regelmaat had vaak iets te maken met de stand van de maan, al wist niemand waarom dat zo was, ook de psychopaten zelf niet.

Alton Turner Blackwood liet zich niet strikt door de stand van de maan leiden, maar er was wel enig verband waar te nemen. Het getal drieëndertig had een zekere betekenis voor hem: hij had steeds met tussenpozen van drieëndertig dagen toegeslagen.

Billy Lucas had zijn huisgenoten op 2 september vermoord. Met behulp van de maandplanner die voor hem lag, berekende John dat de volgende slachtpartij, als het klopte wat hij dacht, op 5 oktober zou plaatsvinden, op een paar uur na over zevenentwintig dagen. De derde familie zou op 7 november worden vermoord.

Als zijn theorie klopte, zou het vierde gezin – hij, Nicky, de kinderen – voor 10 december op de lijst staan om van de wereld gevaagd te worden.

Hij keek er eigenlijk niet van op toen hij erachter kwam dat die vierde en laatste moordpartij op Zachs veertiende verjaardag viel. John was veertien geweest toen zijn familie door Blackwood om het leven was gebracht. Die overeenkomsten bevestigden John alleen maar in zijn bange vermoedens.

Nadat hij de agenda had dichtgedaan, belde hij het nummer van de afdeling Personeelszaken op zijn werk en sprak hij een bericht in dat hij zich nog een dag ziek meldde. Ook belde hij Lionel Timmins, de collega met wie hij zo nu en dan samenwerkte, en liet een soortgelijk bericht op de voicemail van diens mobieltje achter.

De deur van het washok bevond zich tegenover de plek waar hij nu zat. Johns aandacht werd naar die dichte deur getrokken.

Walter Nash had hem ervoor gewaarschuwd dat het in het washok ontzettend stonk. Misschien was er een rat door de afvoerpijp van de droger gekropen en was die in de machine doodgegaan.

Of misschien niet.

Het is wel bijzonder dat die stank ineens kwam opzetten. Het ene moment was er in het washok nog niets aan de hand, en toen ineens begon het er te stinken.

In zijn huidige geestesgesteldheid kreeg John Calvino het gevoel dat er net buiten zijn gezichtsveld een levensgevaarlijke spin zat die een web aan het weven was. Alles wat er vandaag gebeurd was, leek ragfijne draadjes te hebben gevormd, die als een groot web om hem heen hingen. Niets kon als onbeduidend worden afgedaan. Alle gebeurtenissen stonden met elkaar in verband, zowel op zichtbare als onzichtbare manieren, en het zou niet lang meer duren voordat de dunne draden begonnen te trillen doordat de architect van dit onheilspellende filigraan zich naar het midden van het web zou begeven, naar de prooi die daarin verstrikt was geraakt.

Hoe langer John naar de deur van het washok keek, hoe meer hij ervan in de ban raakte. Hij kreeg het gevoel dat hij naar de deur toe getrokken werd.

Als zich nog een paar ontwikkelingen zouden voordoen, die niet per se bovennatuurlijk hoefden te zijn, alleen maar vreemd en onverklaarbaar, zouden de resterende kabels knappen die hem nog verbonden met de ankermast van de logica, de logica die voor een rechercheur van levensbelang was. Zonder de logica zou hij geheel stuurloos door de lucht zweven, als een mand van een met helium gevulde luchtballon. John was bij de politie gegaan en later bij de recherche bij wijze van levenslange boetedoening omdat hij als enige de slachtpartij op zijn familie had overleefd. Hij bleek erg goed in zijn werk, deels doordat hij het talent bezat om van een paar draden aan bewijsmateriaal een volledig wandkleed van het misdrijf bij elkaar te redeneren. Hij wist niet of hij zichzelf ooit nog kon vertrouwen als hij zich niet op zijn verstand kon verlaten.

Met enige tegenzin, alsof de vloer onder zijn voeten een in de lucht gespannen touw was en hij een onervaren koorddanser die zo goed als zeker te pletter zou vallen, kwam hij van de stoel bij de notenhouten secretaire overeind en liep hij naar het washok toe. Hij deed de deur open en stapte de drempel over.

De smerige, scherpe, penetrante stank was die van de kenmerkende, weerzinwekkende urinelucht van Billy Lucas, onmiskenbaar dezelfde unieke geur. Coleman Hanes, de verpleegkundige, had de stank toegeschreven aan de medicijnen die de jongen kreeg. In gedachten zag John weer de donkere, weerzinwekkende geelbruine stroom langs het gepantserde glas naar beneden stromen.

De vloertegels van het washok waren brandschoon. Geen plas urine, zelfs geen smetje was er te zien.

Met ingehouden adem keek hij in de trommel van de wasmachine en de droger. Die waren niet verontreinigd.

Hij deed de kastjes open die aan weerszijden van de machines stonden. De planken daarin waren droog.

Hij keek naar het plafond, waar een vierkante ventilator hing die voor een warme luchtstroom zorgde. Van de schuine ventilatorbladen druppelde geen donkere vloeistof naar beneden. Bovendien kon er geen urine in het verwarmingssysteem terecht zijn gekomen, want anders zou de stank zich niet tot dit ene vertrek beperken.

Er was geen urine, alleen de doordringende stank ervan.

John liep het washok uit en sloot de deur. Hij deed het licht in het aangrenzende vertrek uit en ging terug naar de keuken, waar hij met diepe teugen schone lucht in zijn longen liet stromen.

Bij het aanrecht drukte hij op het zeeppompje en wreef zijn handen met de reinigende vloeistof in. Hoewel hij niets had aangeraakt wat smerig was, waste hij zijn handen met het heetste water dat hij nog net kon hebben, en net zolang als hij kon volhouden.

De stank in het washok deed het effect van de whisky teniet. Hij stond weer helemaal strak van de spanning. In het diepe meer van zijn geest zwommen scholen bedreigende vermoedens rond. Als hij nog een oog wilde dichtdoen, moest hij daar eerst iets aan doen. Bovendien kon hij zijn gezin anders niet goed beschermen.

Hij deed het licht van de afzuigkap uit, en liep in het volstrekte duister naar de openslaande tuindeuren die naar het terras en de tuin achter het huis leidden. Hij trok de luxaflex omhoog die tegen de inkijk was neergelaten en keek naar de verregende lichten van de huizen in de verte, aan de andere kant van het met bomen begroeide ravijn.

In het ravijn lag niets bedreigends te wachten. Ondanks het feit dat het buiten pikdonker was, wist John dat er ook op het gazon niets bedreigends was, of onder de Himalaja-ceder of tussen de takken ervan, noch in de hut die in de boom was gebouwd. Geen enkele vijand had zich bij het graf van Willard verschanst, noch in het rozenprieel.

Hij moest denken aan de harde, onverklaarbare klap die de Ford had doen trillen toen hij onder het afdak bij de hoofdingang van de kliniek had gestaan en net de motor had gestart om weg te gaan.

Uren later in de garage onder zijn huis, nadat hij zijn regenjas had opgehangen, had hij drie tikken gehoord, en even later weer drie, geluiden die uit het duister kwamen, en later uit het gestuukte plafond. Toen had hij het afgedaan als geluiden die uit de koperen waterleidingbuizen kwamen.

Nu verliet John zich op zijn intuïtie, die hem net zo werkelijk leek als het merg in zijn botten, en kreeg hij de stellige indruk dat het getik en geklop een onzichtbare bezoeker was die een huis probeerde binnen te komen waar hij de weg niet kende, zoals een blinde met zijn witte stok zou tikken als hij onbekend terrein betrad.

De vijand hield zich niet in het nachtelijk duister verborgen. De vijand was het huis al binnengedrongen.

John wilde het niet hardop zeggen, omdat iedereen hem dan voor gek zou verslijten, maar hij wist dat er bij thuiskomst iets met hem mee naar binnen was gekomen.

Uit de memoires van Alton Turner Blackwood:

De jongen die in de hoge ronde torenkamer woonde, hield de foto van de knappe filmster in haar naakte glorie verborgen en koesterde die. Zijn enige schat.

Hij had een wrok tegen de oude man, Teejay Blackwood, en ook tegen Anita, zijn moeder, die hem in de steek gelaten had zodat hij gedwongen was zijn dagen op Crown Hill door te brengen. En ook had hij een wrok tegen Regina, de zus van zijn moeder, en tegen Melissa, Regina's dochter. Beide vrouwen mochten gaan en staan waar en wanneer ze maar wilden, wisselden geen woord met hem maar maakten hem tegenover het personeel alleen maar belachelijk en lachten hem achter zijn rug uit.

Het zou nog een hele tijd duren voor die wrok tot woede zou uitgroeien. De jongen trok zich alleen maar mokkend terug, beledigd en gekwetst.

Hij hield zijn woede onder controle omdat hij bang was anders een pak slaag te krijgen. Bovendien was hij bang dan die enkele privileges te verliezen die hem gegeven waren. Ze hadden herhaaldelijk gedreigd hem in de kruipruimte onder het huis op te sluiten, een ruimte vol zilvervisjes en spinnen.

Ook was hij bang voor wat hem buiten het uitgestrekte terrein van Crown Hill te wachten stond. De oude man had hem vaak verteld dat hij in de buitenwereld een monster genoemd zou worden, en dat hij opgejaagd en gedood zou worden. In zijn vroege jeugd, toen zijn moeder zich nog om hem leek te bekommeren, had ook zij hem gewaarschuwd voor de gevaren die buiten het landgoed op de loer lagen. 'Als je hier weggaat, zul je niet alleen je eigen leven maar ook dat van mij kapotmaken.'

Van de raaf leerde hij wat vrijheid was.

Op een zwoele juniavond, toen het net was begonnen te schemeren, zette de jongen alle vier de ramen van de torenkamer tegen elkaar open, zodat de wind voor wat afkoeling kon zorgen.

Fladderend ging de raaf op de vensterbank aan de westkant zitten, die baadde in het oranje zonlicht. Met een doordringend, zwart oog keek de vogel naar de jongen met het misvormde gezicht, die in zijn leunstoel zat te lezen.

De vogel hield zijn kop schuin, afwisselend naar links en naar rechts. Het dier leek de situatie tot in detail in zich op te nemen. Toen vloog het door de ronde torenkamer naar het raam op het oosten en vloog daardoor naar buiten, de purperrode lucht tegemoet.

De jongen was ervan overtuigd dat zijn gevleugelde bezoeker niet zomaar een vogel was geweest. Het beest was weliswaar een raaf, maar ook een geest, een omen, een boodschapper.

Hij pakte drie druiven van een fruitschaal, sneed ze doormidden, zodat de geur vrijkwam, en legde de gehalveerde vruchten naast elkaar op de westelijke vensterbank.

Als de raaf meer dan een vogel was, zo dacht de jongen, zou het dier terugkomen om dit offer in ontvangst te nemen. Toen de oranje gloed rood kleurde, verscheen de raaf weer in het raam.

De jongen keek toe hoe het beest de druiven opat en daarbij

steeds naar hem keek. Toen de vogel weer door de kamer fladderde en via het raam op het oosten wegvloog, had de jongen het gevoel dat ze samen een gesprek zonder woorden hadden gevoerd. Ze hadden diepgaand contact gehad. Maar wat het precies te betekenen had, wist hij niet.

De volgende dag verscheen de raaf weer toen het begon te schemeren, en weer at het dier de druiven op die hem werden aangeboden. De volgende dag kreeg hij in vieren gesneden aardbeien.

Die derde dag, twee uur nadat hij de vruchten had opgegeten, kwam het beest terug. Het was voor het eerst dat de raaf in het donker naar de toren kwam.

De jongen zat in het schijnsel van een lamp naar de onverschrokken raaf op de vensterbank te kijken, en de raaf keek terug. Na een tijdje wist de jongen dat het dier hem iets wilde aanbieden. Maar wat? Een halfuur bleef hij zitten wachten, verwonderd, en toen wist hij het. De vogel wilde hem de nacht aanbieden.

Voordat de raaf door de kamer vloog, stond de jongen op en liep hij naar het raam op het oosten. Meteen nadat de vogel door dat raam was weggevlogen, pakte de jongen het raamkozijn met een hand vast en leunde zo ver naar buiten dat hij een val riskeerde.

Terwijl de raaf sierlijk door de lucht zeilde en wegvloog, werden zijn glimmende zwarte vleugels, rugveren en staart door de maan beschenen en leek het dier op een vochtige inktvlek waarmee de toekomst van de jongen op de wind werd geschreven.

De jongen rende naar de eikenhouten deur, trok die open en rende de wenteltrap af. Zijn voetstappen waren het bonzen van een drakenhart, en zijn gehaaste ademhaling, die op de stenen trap rondgalmde, klonk als vuur dat werd uitgespuwd.

Hoewel hij al heel lang overdag sliep en 's nachts leefde, zodat hij niemand tegenkwam met wie hij geen contact

mocht hebben, had hij zich nooit ver van het kasteel
gewaagd. De tijd daarvoor was aangebroken, nu de raaf hem
een offer had gebracht, de nacht met alle mogelijkheden die
daarin verscholen lagen.

Het landgoed van 110 hectare bestond uit velden en
uitgestrekte bossen. Dalen en heuvels. Rotspartijen en
grotten. Twee rivieren en een meertje. Hoewel hij geen voet
buiten het landgoed durfde te zetten, wachtte hem een
omheinde wereld die erom vroeg verkend te worden.

Omdat alle anderen – zijn familie en het personeel –
sliepen, zou niemand merken waar hij heen ging en wat hij
deed. Hij kon van alles gaan doen, van alles, terwijl zij in de
veronderstelling verkeerden dat hij zich in een van de
vertrekken van het kasteel ophield of zich op zijn kamer had
terugtrokken, als ze überhaupt al aan hem dachten.

Hij had zich altijd schuifelend of slepend voortbewogen
met zijn stuntelige lijf, een verzameling knokige gewrichten
en grove botten, en hij had altijd de tred van een
bidsprinkhaan gehad. Maar nu hij over het gras aan de
oostzijde van het kasteel de raaf achternarende die hem uit
zijn gevangenschap had bevrijd, merkte hij plotseling dat hij
zich ondanks zijn afzichtelijke lichaam verbazingwekkend
gracieus kon voortbewegen.

In films werd Magere Hein altijd afgeschilderd als een
skelet met een mantel en een kap – zoals in de beroemde film
Circle of Evil, *met Jillian Hathaway – en bewoog de man*
met de zeis zich altijd moeiteloos voort, in een vloeiende,
glijdende beweging, alsof hij schaatste op bevroren bloed. Nu,
terwijl de raaf boven zijn hoofd door de lucht cirkelde en met
zijn vleugels de moddervette maan attaqueerde, gleed ook hij
in een vloeiende lijn over het gras naar een weiland, in de
richting van het bos.

Die jongen was ik nog niet. Hij moest nog één ding leren en
nog één ding doen. Dan zou hij de man zijn die ik nu ben.

19

DE REGEN HIELD IN DE LOOP VAN DE NACHT OP, EN
tegen de tijd dat de zon opkwam, was het droog. Toen John de
afslag naar de kliniek nam en de met beuken omzoomde toe-
gangsweg opreed, was de zwaarste bewolking verdwenen, al was
het wolkendek nergens zo dun dat er een stukje blauwe lucht
doorheen te zien was.

Het gebouw stond als een fort op de heuvel. De balustrade op
het dak leek op kantelen, en de ramen waren weliswaar iets breder
dan de schietgaten in een kasteelmuur, maar dat scheelde niet
veel, alsof men niet in de eerste plaats de verwarde of zelfs gestoorde patiënten binnen de poorten wilde houden maar vooral het gezonde verstand van de buitenwereld op afstand wilde houden.

Hij parkeerde zijn auto weer onder de zuilengalerij en legde
zijn parkeerontheffing met POLITIE erop op het dashboard.

Tijdens het telefoongesprek een paar uur geleden, had Dennis Mummers, die 's nachts zorg droeg voor de beveiliging op
de tweede verdieping, iets gezegd wat een tweede bezoek aan
Billy Lucas noodzakelijk maakte. Toen John had gevraagd hoe
de jongen reageerde toen zijn kamer werd doorzocht, leek het
antwoord van de bewaker eerst niet significant. Later wel.

Hij zei helemaal niets. Er is iets met hem gebeurd. Het is of hij mentaal is gebroken, of hij bang is geworden. Hij zit in zichzelf gekeerd op zijn kamer en zegt geen woord.

Karen Eisler, die naar sigaretten en mondspray met pepermuntsmaak rook, noteerde Johns gegevens in het bezoekersregister bij de receptie.

Omdat John onderweg met Coleman Hanes had gebeld, nog geen twintig minuten geleden, hoefde de verpleegkundige niet te worden opgepiept. De man stond al te wachten toen John het gebouw betrad.

In de lift zei Hanes: 'Ik zou liever zien dat u in de gesprekskamer met hem praatte, net als gisteren.'

'Als hij helemaal in zichzelf gekeerd is, wordt mijn taak er alleen maar lastiger op als er ook nog een gepantserde glasplaat tussen ons in staat.'

'Niemand mag zonder begeleiding bij hem op zijn kamer blijven, niet alleen voor zijn veiligheid maar ook voor die van de bezoeker.'

'Geen probleem. Blijft u er gerust bij.'

'We hebben hem geboeid omdat we wisten dat u zou komen. Ik denk niet dat dat strikt genomen noodzakelijk is, gezien zijn huidige toestand, maar zo zijn de regels nu eenmaal.'

Bij de bewakingspost op de tweede verdieping leverde John zijn dienstpistool in.

Toen ze door de gangen liepen, zei Hanes: 'Hij weigert al vanaf gisteravond iets te eten. Vanmorgen wilde hij ook niets meer drinken. Als dit zo doorgaat, zal hij kunstmatig gevoed moeten worden. Dat is nooit prettig.'

'U hebt geen keuze.'

'Toch is het nooit prettig.'

In Billy's kamer – lichtblauwe muren, wit plafond, witte tegels op de vloer – stonden een gewatteerde stoel zonder houten poten of metalen onderdelen, en een plastic tafel van een meter bij een meter, hoog genoeg om aan te kunnen eten. Een betonnen plaat van meer dan een meter breed deed dienst als bed; er lag een dik schuimrubberen matras op.

Billy lag op zijn rug, zijn hoofd op twee kussens, en reageerde niet toen ze binnenkwamen.

Zijn bovenlijf was omwikkeld door een dwangbuis van nylon gaas. Zijn armen lagen gekruist op zijn borst, en tussen zijn enkels zat een beenkluister waaraan zijn dwangbuis was bevestigd.

John boog zich over Billy heen, in de hoop niet te zien wat hij verwachtte te zien, maar hij zag het meteen, en dat maakte zo'n verpletterende indruk op hem dat alle kracht uit zijn benen vloeide en hij op de rand van het bed moest gaan zitten.

Coleman Hanes deed de deur dicht en ging er met zijn rug naartoe staan.

De ooit zo felle ogen van de jongen waren uitgeblust, nog steeds blauw maar zonder diepte erin, als de glazen knikkers van een goedkope pop, zonder de intense, uitdagende, arrogante blik die er eerder wel in gelegen had. Billy staarde naar het plafond, misschien zonder het echt te zien. Hoewel hij zo nu en dan met zijn ogen knipperde, veranderde zijn blik geen moment van richting, alsof hij een blinde man was die in gedachten verzonken was.

Hij had nog steeds net zo'n gladde huid als eerst. Maar er was niets meer over van zijn frisroze tint, en hij zag nu grauw. Over zijn oogkassen lag een grijze sluier, alsof die twee felle vlammen, die nu gedoofd waren, een bergje as hadden geproduceerd.

Zijn haar leek enigszins vochtig, misschien door het zweet, en zijn bleke voorhoofd zag er vettig uit.

'Billy?' vroeg John. 'Billy, ken je me nog?'

Zijn blik bleef naar hetzelfde punt gericht, niet op het plafond maar op iets in een andere plaats en tijd.

'Gisteren sprak je met je eigen stem, Billy. Die stem was van jou, maar de woorden niet.'

De jongen hield zijn mond een stukje open, alsof hij zijn laatste adem had uitgeblazen en nu met het geduld van de doden wachtte op een lijkbezorger om zijn wijkende lippen aan elkaar te naaien.

'De woorden niet, en ook de haat niet.'

Met een lichaam dat er zo roerloos bij lag als een lijk voordat de rigor mortis intrad, leek Billy totaal geen last van de dwangbuis te hebben.

'Je was nog maar een jongetje toen hij... binnenkwam. Nu ben je weer een jongetje. Snap je? Ik begrijp het. Ik weet het.'

Billy bleef stil en zwijgend liggen, niet uit onverschilligheid, maar vanwege een dodelijke apathie die uit wanhoop voorkwam. Hij had zich van alle gevoelens en alle hoop afgesloten.

'Jij was de handschoen. Hij was de hand. Hij heeft je verder niet meer nodig. Nooit meer.'

Wat raar was het om dit allemaal te zeggen, bijna raarder dan de strekking zelf.

'Ik wou dat ik wist waarom hij jou en niet iemand anders heeft gekozen. Wat maakte dat je zo kwetsbaar was?'

Zelfs als er nog een fonkelend restant tussen de verdwaasde brokstukken op de donkere vloer van zijn geest lag, zelfs als hij ooit nog besloot weer te gaan leven en zich dan samenhangend zou kunnen uiten, wist hij misschien niet waarom of op welke manier hij een instrument van verwoesting was geworden, in dienst van het ding – oké, zeg het nou maar – *de verdorven geest* die ooit Alton Turner Blackwood was geweest.

'Als jou dat wel is overkomen, waarom een ander dan niet?' vroeg John zich af. Hij dacht aan die datum over drie maanden, tien december, wanneer hij zijn gezin misschien tegen de hele wereld moest beschermen. Iedereen die hij tegenkwam, zou de handschoen kunnen zijn waarin de monsterlijke hand zich verborgen hield. 'Als jou dat wel is overkomen... waarom mij dan niet?'

Zijn grootste angst was niet dat er de vorige dag iets bovennatuurlijks met hem mee naar huis was gegaan.

Zijn grootste angst was dat er een zwak punt in hem te vinden was waarlangs de geest bij hem had kunnen binnendringen, zoals een moordenaar met een glassnijder een afgesloten huis kon betreden.

Tegen Billy zei hij: 'Waarschijnlijk ben je totaal kapot. Hij zou je nooit ongedeerd achterlaten. Een goed mens die in duizend stukjes is gebroken.'

John legde een hand op Billy's voorhoofd om te voelen of de jongen koorts had. Maar hoewel de bleke huid vettig en enigszins bezweet was, voelde het voorhoofd koud aan.

'Als je een manier weet te verzinnen om te praten en je hebt daar behoefte aan, moet je ze maar zeggen dat ze mij moeten bellen,' zei John, zonder veel hoop dat dat zou gebeuren. 'Dan kom ik weer bij je. Onmiddellijk.'

Hij zag zichzelf weerspiegeld in de doodse blauwe ogen van de jongen. Het was of hij doorzichtig was en op de irissen dreef, alsof hij een man was die twee geesten bezat en daarmee bezit van de jongen wilde nemen.

Hij veegde het sluike haar van Billy's voorhoofd en fluisterde: 'Moge God je helpen. Moge God mij helpen.'

Toen ze weer op de gang stonden en de verpleegkundige het vertrek had afgesloten, zei Hanes: 'Waar ging dat in hemelsnaam over?'

Terwijl John meeliep naar de bewakingspost, zei hij: 'Hoe lang is hij al zo?'

'Sinds het eind van de middag gisteren. Waar ging dat over met die handschoen en die hand en zo?'

'Is hij meteen nadat ik bij hem was geweest zo geworden? Een uur later? Twee uur later?' vroeg John.

'Niet lang daarna. Waar gaat dit over? Wat wilde u daarbinnen?'

'Twintig minuten daarna? Of tien? Vijf?' John tikte op het raampje van de tussendeur.

Hanes zei: 'Meteen daarna, volgens mij. Ik weet het niet op de minuut af. Gaat u me nog vertellen wat u daarbinnen moest of niet?'

Terwijl een bewaker de deur van het elektronische slot deed, zei John: 'Ik bespreek geen bewijsmateriaal wanneer het onderzoek nog loopt.'

'Dit is een onderzoek dat al is afgerond.'

'Technisch gezien loopt het onderzoek nog.'

Hanes, die normaal een vriendelijk gezicht had, keek hem nu aan alsof er een zware storm op komst was. Het kostte hem moeite om zijn stem niet als een donderbui te laten klinken, maar hij hield zich in. 'Hij heeft negen keer met een mes op zijn zus in gestoken.'

John kreeg zijn pistool van de bewaker terug en stopte dat in zijn holster. 'Als hij bijkomt uit die trance of wat het ook maar mag zijn, en als hij dan met me wil praten, kom ik hier weer.'

Hanes boog zich dreigend naar hem toe. 'Hij behoort niet vrij rond te lopen. Nooit meer.'

'Daar gaat het niet om,' zei John. Hij drukte op de knop van de lift.

'Die indruk kreeg ik anders wel.'

'Nou, dat is niet zo. Bel me maar als hij bij zinnen komt. Bel me sowieso maar, of hij nu naar me vraagt of niet.' De liftdeur gleed open, en John stapte naar binnen. 'Ik kom er zelf wel uit.'

'Dat is niet volgens de regels,' zei de forse man, die ook in de lift stapte en dicht bij hem ging staan. 'Ik moet u tot aan de uitgang begeleiden.'

Na even gezwegen te hebben, zei John, vlak voordat ze op de begane grond aankwamen: 'Mijn zoon wil marinier worden. Wat zou u hem adviseren?'

'Kent u die foto van haar nog?' vroeg Hanes.

'Van uw zus? Jazeker. Die kan ik me nog goed voor de geest halen.'

'U weet vast niet meer hoe ze heette.'

'Namen vergeet ik niet. Angela heette ze, Angela Denise.'

Ondanks Johns scherpe geheugen en vriendelijke woorden bleef de verpleegkundige argwanend.

In de hal, toen ze langs de receptie naar de hoofduitgang liepen, zei Hanes: 'Tweeëntwintig jaar, en zij leeft niet meer, terwijl de vent die haar vermoord heeft, nu een aanbidster heeft die een blog over hem bijhoudt. Hij heeft fans.'

'Billy Lucas zal nooit fans krijgen.'

'Jawel hoor, daar ben ik zeker van. Fans krijgen ze allemaal. Ook al zijn ze nog zo gestoord.'

Het was waar wat Hanes zei.

John zei: 'Ik kan alleen maar zeggen dat dat niet is wat er nu speelt. Ik ga het niet voor hem opnemen. Hij zal nooit tussen deze muren vandaan komen, en zal moeten leren leven met wat hij zichzelf heeft zien aanrichten.'

Hanes was nog steeds niet gerustgesteld en liep met John mee naar buiten. Hij botste tegen hem op – misschien onopzettelijk – toen John bleef staan om zijn autosleutels uit zijn jaszak te halen.

De sleuteltjes vielen kletterend op de grond. Hanes raapte ze op, omklemde ze met zijn gebalde vuist en kneep zijn ogen in zijn lichtbruine gezicht tot spleetjes. 'Wat hij zichzelf heeft zien aanrichten? Wat een merkwaardige woordkeuze.'

John keek de man recht in de ogen en haalde zijn schouders alleen maar op.

'Hoe u net met hem omging,' zei Hanes.

'Hoe bedoelt u?'

'Verdrietig. Nee. Niet verdrietig. Bijna... liefdevol.'

John keek naar de vuist die zijn sleutels vasthield, de vuist van een man die aan het front had gezeten en ongetwijfeld anderen had doodgeschoten omdat hij anders zelf zou zijn gesneuveld.

Toen keek hij naar zijn eigen handen, waarmee hij twintig jaar geleden Alton Turner Blackwood om het leven had gebracht, de handen waarmee hij als politieman tijdens de uitoefening van zijn functie twee mannen had verwond en één had doodgeschoten.

Hij zei: 'Er was eens een fantastische kunstenaar, Caravaggio, die in 1610 is overleden, toen hij nog maar negenendertig was. In die tijd was hij de beste schilder ter wereld.'

'Wat moet ik daarmee?'

'Wat moet ik met u, of u met mij? Caravaggio had het tijdens zijn leven niet gemakkelijk, werd elf keer voor de rechter gesleept. Hij had iemand vermoord, moest vluchten. Toch was hij zeer godsdienstig. Hij heeft onder andere over christelijke thema's het ene meesterwerk na het andere gemaakt.'

'Een hypocriet dus,' zei de verpleegkundige.

'Nee. Hij kende zijn eigen zwakheden, verafschuwde ze. Hij was een gekweld mens. Misschien was dat de reden waarom hij het klassieke idealisme van Michelangelo verwierp dat door andere schilders werd omarmd. Hij portretteerde het menselijk lichaam en het mens-zijn buitengewoon realistisch, op een manier die niemand nog ooit had aangedurfd. De figuren die op zijn religieuze werken staan, zijn niet hemels en geïdealiseerd, maar juist diep menselijk, en hun lijden is expliciet gemaakt.'

'Waar wilt u heen?' vroeg Hanes ongeduldig.

'Ik heb mijn autosleutels nodig. Ik probeer u uit te leggen waarom u die aan mij moet teruggeven. Een van Caravaggio's schilderijen heet *De kruisiging van Petrus*. Petrus staat daarop afgebeeld als een oude man met een pafferig lijf en een verweerd gezicht. De man is aan het kruis genageld, drie man staan eraan te sjorren om het rechtop te zetten. De uitdrukking op het gezicht van Petrus is complex, dwingend, je moet er wel naar blijven kijken. Iemand als u of ik... we zouden dat schilderij eigenlijk in ons eentje moeten bekijken, zonder dat er iemand bij is. Als u een uur lang naar dat schilderij kijkt, laat Caravaggio u niet alleen de afschuw zien van wat we zijn, maar ook de glorie van wat we kunnen worden. Hij zal u van pure wanhoop naar hoop brengen, en weer terug. Als u zich ervoor zou openstellen... zal hij u tot tranen toe roeren.'

'Misschien niet,' zei Hanes.

'Misschien niet. Maar misschien ook wel. Weet u wat het is?

Ik heb grote bewondering voor Caravaggio's schildertalent, voor zijn geniale geest en de vele uren die hij in zijn schilderijen heeft gestopt. Ik vind het bewonderenswaardig dat hij probeerde naar zijn geloof te leven – en dat is hem vaak niet gelukt. Maar als ik in zijn tijd had geleefd en ik was agent geweest, zou ik hem dwars door Europa achterna hebben gezeten, net zolang tot ik hem te pakken had, en dan zou ik ervoor hebben gezorgd dat hij de strop kreeg. Honderd geniale werken pleiten niemand vrij van de moord op een onschuldige.'

Hanes keek als een zoeklicht in het rond, en nadat hij de woorden zwijgend tot zich had laten doordringen, gaf hij John de autosleutels.

John liep om de auto heen naar het portier.

De verpleegkundige zei: 'Die zoon van u, die marinier wil worden – hoe heet hij?'

'Zachary. Zach.'

'Vertelt u hem maar dat het het beste is wat hij ooit zal doen.'

'Dat zal ik hem zeggen.'

'Vertel hem ook maar dat hij er geen seconde spijt van zal krijgen, behalve misschien het moment waarop hij met pensioen gaat. En nog iets.'

John wachtte bij het geopende portier.

'Ooit zou ik graag van u horen waar dat gesprek van daarnet over ging.'

'Als ik er met de kerst ben, moet u bij ons komen eten.'

'Afgesproken. Hoe schrijf je Caravaggio?'

John spelde de naam, stapte in en reed weg.

Over een paar weken zouden de beuken in de middenberm tussen de twee rijbanen een diepkoperen tint hebben gekregen.

Rond de kerst zouden die bomen kaal zijn geworden.

Zijn gedachten gingen terug naar andere beuken in een park, toen er op de takken met koperkleurige blaadjes een vroeg laag-je sneeuw lag, een prachtig gezicht.

Willard leefde toen nog en dolde met de kinderen in dertig

centimeter witte poedersneeuw. De retriever en de bomen hadden dezelfde kopertint gehad.

Weer dacht hij erover een Duitse herder te nemen, of een ander waaks hondenras. Maar toen besefte hij dat een dier misschien net zo gemakkelijk als een mens de handschoen kon worden waarin de hand van Alton Turner Blackwood zich verborgen kon houden.

John was moe doordat hij te weinig slaap had gehad en vroeg zich af in welke conditie hij op tien december zou zijn, de verjaardag van Zach, als ze misschien bezoek kregen van een overleden man.

20

NICOLETTE HAD EEN PRIMA OCHTEND, MET HAAR KIN-
deren om zich heen, maar de nachtmerrie begon voor haar die
middag om halfeen.

De ochtenden in dit huis waren heilig en begonnen steevast
met het ontbijt, dat door Nicky werd klaargemaakt en waar alle vijf Calvino's aan verschenen voordat John naar zijn werk ging.
De eerste uren van de dag werden er geen telefoontjes gepleegd
of opgenomen. Slechts in uitzonderingsgevallen werd er van dit
vaste stramien afgeweken.

Om kwart voor acht ging Nicky met de kinderen naar de bibliotheek op de eerste verdieping, waar ze erop toezag dat er tot
de lunch aan de schoollessen werd gewerkt. Ze vormden een levendig trio, leergierig maar ook altijd in voor een grapje en een
plagerijtje en een weerwoord. Het leren voerde daardoor niet altijd de boventoon, maar – vaak tot Nicky's verwondering – staken haar drie kinderen nog heel wat op.

Vanmorgen was het aan de ontbijttafel niet zo levendig als anders. De kinderen waren wat stiller, en ook tijdens de lessen waren ze niet zo levendig als anders. Nicky weet dit aan het feit dat
ze de vorige avond laat gegeten hadden en ze dus later dan anders
waren gaan slapen.

Om twaalf uur maakten Walter en Imogene de lunch klaar, en omdat dit de maaltijd was waar ze niet met het hele gezin aan zaten, nam Nicky haar Caesar-salade met stukjes kip en een fles ijsthee mee naar haar atelier op de tweede verdieping. Ze wilde haar lievelingen niet verstikken. De kinderen hadden tijd nodig met elkaar, zonder dat er volwassenen bij waren. En ze moesten zich ook eens alleen kunnen vermaken, al was het alleen maar om te zien of ze zich tot gezonde individuen ontwikkelden die het fijn vonden om wel eens alleen te zijn, en niet tot snotapen die de boel verstierden zo gauw er geen toezicht was. Zelf ervoer ze hun aanwezigheid nooit als verstikkend. Ze vond het prima als ze bij haar in het atelier kwamen zitten terwijl zij daar aan het werk was, en als ze dan aan één stuk door tegen haar aan klepten, genoot ze er elke minuut van, maar dit bleek een dag te zijn waarop Zach met zijn lunch naar zijn kamer ging en de meisjes zich ook op hun kamer terugtrokken.

Voor de middag stonden er geen muziek- of tekenlessen buitenshuis op het programma, maar Leonid Sinjavski, hun wiskundeleraar, zou van twee tot vier langskomen om les te geven. Met zijn wilde Einsteinachtige bos haar, borstelige wenkbrauwen, dikke neus en dito buik, altijd gekleed in een zwart pak en een zwarte das op een wit overhemd, oogde hij als een circusclown die besloten had een ernstige rol te gaan spelen. Hij was een lieve man die zijn wiskundelessen met goocheltrucs doorspekte, en de kinderen waren dol op hem, wat goed uitkwam, omdat Nicolette veel van geschiedenis en literatuur en kunst af wist, maar net zo weinig met wiskunde had als Samson met een kapper.

In haar atelier zette Nicky de fles ijsthee naast haar deemoedsrozen op tafel en ging op een kruk zitten om haar salade op te eten. Ondertussen keek ze naar het drieluik waarvan ze vermoedde-hoopte-geloofde dat hij al voor meer dan de helft af was. Het zag er waardeloos uit, wat op zich prima was, want elk schilderij dat nog niet af was, zag er waardeloos uit als ze het de volgende dag weer onder ogen kreeg. Hoe langer ze naar het schijnbaar waardeloze doek keek, hoe meer ze erin zou zien, tot het op een gegeven moment niet meer waardeloos bleek te zijn. Of als het er waardeloos bleef uitzien, was het vaak iets wat veranderd kon worden in iets prachtigs als ze haar trage talent maar eenmaal in een hogere versnelling zou kunnen zetten om het schilderij af te maken en het heerlijke evenwicht bereikte tussen gebrek aan zelfvertrouwen en gevaarlijke overmoed.

John was een van de figuren die ze had geschilderd. Hij kwam vaak in haar werk voor. In de beginnende fase herkende hij zichzelf meestal niet – als hij dat überhaupt al deed – omdat het gezicht dat ze hem had gegeven, nogal verschilde van zijn werkelijke uiterlijk. Dit gezicht was het gezicht dat hij misschien gehad zou kunnen hebben als zijn puberteit niet verwoest was door die afschuwelijke gebeurtenis, en zijn familie daarbij niet om het leven was gekomen. Ze had hem in de loop der jaren verschillende gezichten gegeven, omdat ze geen ander kende die ze zo sterk in staat achtte tot goede daden, of zelfs grootse daden.

Aan het ontbijt, voordat John naar zijn werk was gegaan, vond ze hem ook een beetje stil, net als de kinderen. Soms ging hij helemaal op in een onderzoek, of werd hij er emotioneel zo door in beslag genomen dat hij een eindje van de rest van de wereld af kwam te staan, soms ook van haar, omdat hij bezig was de losse puzzelstukjes in elkaar te passen die de moordenaar had achtergelaten.

Op dit moment werkte hij aan een onderzoek naar de moord op een docent, ene Edward Hartman, die in zijn huisje aan het meer doodgeslagen was. Er waren aanwijzingen dat iemand van zijn leerlingen het gedaan had, al kwam er niemand in het bijzonder in beeld. Johns ouders hadden ook in het onderwijs gezeten en waren ook vermoord, en daarom hield Nicky er rekening mee dat dat de reden was waarom John weer wat meer in zichzelf gekeerd was, tot hij door zijn logisch verstand en intuïtie te gebruiken een verdachte zou oppakken en de zaak waterdicht rond had.

Vreemd genoeg had hij het al bijna een week niet meer over de vermoorde docent gehad, terwijl hij anders altijd met haar de voortgang van het onderzoek besprak. Het was dat ze wist dat hij zich altijd voor de volle honderd procent aan zijn werk wijdde, anders had ze de indruk kunnen krijgen dat hij in de zaak Hartman op een dood spoor was beland.

Nadat ze haar salade had opgegeten, liep Nicky via de overloop boven aan de trap naar de badkamer in de slaapkamersuite.

Een maand geleden had ze een operatie ondergaan om een ontstoken kies weg te laten halen die met zijn wortels aan het kaakbeen was vergroeid. Hoewel ze altijd keurig twee keer per dag had geflost, was ze er door haar operatie nog meer op gespitst een uiterste hygiëne te betrachten, en nu floste ze na elke maaltijd.

Met haar tong voelde Nicky het gat waar de tand had gezeten. Na verloop van tijd, als het kaakbot zich weer had hersteld, zou ze een implantaat krijgen om het gat op te vullen.

Omdat de onweerswolken langzaamaan uit elkaar dreven, scheen er zoveel zonlicht door het zolderraam dat ze het licht niet aan hoefde te doen.

Ze vulde een glas met koud water en zette het weg.

Flossend hing ze boven de wastafel, met gesloten ogen. Twee minuten later, toen ze klaar was, deed ze haar ogen open en zag ze stukjes sla en kleine draadjes kip in de porseleinen wasbak liggen, wat haar een goed gevoel gaf. Ze spoelde haar mond en spoog het water uit.

Toen ze het glas neerzette, haar hoofd omhoogdeed en grijnzend in de spiegel keek om te zien of er nog stukjes sla tussen haar tanden waren achtergebleven, zag ze vlak achter zich een man staan.

Met een kreet draaide Nicky zich om. Er was niemand te zien.

Toch had ze hem duidelijk in de spiegel zien staan, half beschenen door het schijnsel dat door het zolderraam viel: een lange man met gebogen schouders, zo vreemd als een vogelverschrikker. In die fractie van een seconde voordat ze zich had omgedraaid kon hij onmogelijk de badkamer hebben verlaten.

Ze haalde diep adem, blies de lucht met een nerveus lachje uit, grinnikend dat ze zichzelf de stuipen op het lijf had gejaagd.

Toen ze zich weer omdraaide en in de spiegel keek, stond de man niet achter haar, zoals eerst, maar leek nu – met zijn duistere gestalte en zijn gezicht in het schemerdonker verborgen – *in* de spiegel te staan, op de plek waar Nicky's spiegelbeeld zich zou moeten bevinden.

Een rauwe stem zei iets wat klonk als *Kus me*, een ijskoude luchtstroom blies tegen Nicky aan, en toen de spiegel in duizend stukjes uit elkaar spatte, werd ze door de duisternis verzwolgen.

21

DE SPIEGELLIJST ZAT MET ZES SCHROEVEN AAN DE achterkant van de kastdeur vast. Minette zat op haar knieën en gebruikte een schroevendraaier om de spiegel van de kastdeur te halen. Ze begon met de twee laagste schroeven.

Naomi had zich al over de angst van de vorige avond heen gezet. Zus Halfwas had haar besmet met spokitis, een van de gevaren die op de loer lagen als je een kamer met iemand deelde die niet alleen gigantisch onvolwassen was maar ook dezelfde groene ogen als haar vader had, waarmee ze dwars door je heen kon kijken en je soms het idee gaf dat ze de enige achtjarige ter wereld was die *alles* wist. Natuurlijk wist Muis nog niet eens genoeg om een theelepeltje mee te vullen, omdat ze net als de gemiddelde achtjarige van toeten noch blazen wist. Ze was zo lief als een zus maar zijn kon, maar toch ook belachelijk naïef en qua smaak bedroevend onderontwikkeld. In het volle daglicht wist Naomi wat ze altijd al had geweten, ook toen ze door de megapaniek was gegrepen die Minnie had opgeroepen, namelijk dat ze gelijk had gehad en dat het de schaduw van een nachtvlinder was geweest die ze achter zich had gezien, en dat het beestje nu waarschijnlijk in een hoekje van de kamer was weggekropen en daar zat te slapen.

Nu Naomi in de spiegel keek terwijl haar zus met de schroeven bezig was, zag ze niets griezeligs en ook niets bijzonders. Eigenlijk genoot ze van de aanblik die de spiegel bood. Ze zag er redelijk leuk uit, misschien zelfs meer dan redelijk, al zou ze gigantisch meer werk van haar haar moeten maken als ze ooit hoopte een prins aan de haak te slaan, want een prins zou op alle gebieden een zeer ontwikkelde smaak hebben, en het kapsel van zijn prinses zou een zaak van het allerhoogste belang zijn.

'Als we per se iets moeten doen, wat volgens mij totaal overbodig is, waarom dekken we de spiegel dan niet gewoon af?' vroeg Naomi. 'Dit is toch veel te veel werk? Als we de spiegel afdekken, zodat we de man in de spiegel niet meer kunnen zien en hij ons ook niet meer – grote kans trouwens dat de man in de spiegel helemaal niet bestaat – dan is dat toch ook genoeg?'

'Nee,' zei Minnie.

'Wat weet jij daar nou van?' zei Naomi. 'Jij weet daar gewoon helemaal niks vanaf. Ik ben degene die wat van toverspiegels weet. Ik heb wel zestienduizend verhalen over toverspiegels gelezen. En jij geen een.'

'Je hebt me er eens een voorgelezen,' zei Minnie. 'Dat was een oerstom verhaal.'

'Dat was helemaal geen oerstom verhaal,' zei Naomi. 'Dat was literatuur. Je was toen nog maar zeven, dus je snapte er gewoon niks van. Het was veel te subtiel voor een zevenjarige.'

'Het was allemaal flauwekul, en het ging gigantisch lang door,' zei Minnie stellig, terwijl ze de eerste schroef op de grond legde. 'Ik dacht dat ik nooit meer voorgelezen wilde worden.'

'We kunnen hier toch gewoon een deken voor hangen?'

'Dan zou je die de hele tijd optillen om in de spiegel te kijken.'

'Nietes,' zei Naomi. 'Ik heb mezelf heel goed in de hand. Ik heb heel wat *zelfdiscipline*.'

'Je zou er de hele tijd achter kijken, en op een gegeven moment zou je de man in de spiegel weer zien, en dan zou je een heel gesprek met hem beginnen over of hij nou een prins was of niet, en dan zou hij je door de spiegel naar binnen zuigen, en dan zou je daar altijd bij de dode mensen moeten blijven.'

Naomi zuchtte getergd. 'Echt hoor, lieve Muis, je zult naar een afkickkliniek voor schijtlijsters moeten.'

'Je moet me geen Muis noemen,' zei Minette. Ze legde de tweede schroef op de grond, stond op en ging aan het werk om de volgende los te schroeven.

Naomi zei: 'Wat zullen pappa en mamma wel niet zeggen als ze merken dat de spiegel er niet meer hangt?'

'Dan zullen ze zeggen: "Waar is de spiegel gebleven?"'

'En wat moeten wij dan zeggen?'

'Daar ben ik nog over aan het nadenken,' zei Minnie.

'Dat is je geraden ook.'

Terwijl Minnie de derde schroef weglegde, zei ze: 'Waarom bedenk jij niet eens wat met die gigantische elfjarige hersenen van jou?'

'Je moet niet zo sarcastisch doen. Dat past niet bij jou.'

'Misschien merken ze niet eens dat we de spiegel eraf hebben gehaald.'

'Hoe kunnen ze dat nou niet merken? Ze hebben toch ogen?'

'Wie maakt onze kamer schoon?' vroeg Minnie.

'Wat bedoel je: wie maakt onze kamer schoon? We maken onze kamer zelf schoon. Omdat we moeten leren dat we daar zelf verantwoordelijk voor zijn. Zelf heb ik al genoeg verantwoordelijkheid te dragen voor de rest van mijn leven, dus wat mij betreft mag iemand anders mijn kamer wel eens opruimen, maar dat zie ik nog niet zo snel gebeuren.'

Minnie legde de vierde schroef bij de drie andere en zei: 'Nadat mevrouw Nash onze kleren heeft gewassen en gestreken, wie brengt ze hiernaartoe en bergt ze op? Wie maakt onze bedden elke dag op?'

'Dat doen we zelf. Wat bedoel je nou? O. Je bedoelt: als we de kastdeur dicht laten, duurt het minstens een eeuw voordat ze merken dat de spiegel verdwenen is.'

'Of in elk geval een paar maanden,' zei Minnie. Ze zette een keukentrapje voor de spiegel. 'Als ik de volgende schroef losdraai, gaat de spiegel kantelen. Hou hem maar even vast.' Ze klom op het trapje. 'Goed vasthouden.'

Naomi deed wat haar gezegd was, en met haar blik in de spiegel zei ze: 'Wat gaan we ermee doen als je hem hebt losgeschroefd?'

'Dan brengen we hem naar het rommelhok waar pappa en mamma al die rotzooi bewaren, en dan leggen we hem ergens achter, zodat ze er niets van zien.'

'We kunnen ons ook een hoop werk besparen door hem ondersteboven onder jouw bed te schuiven.'

'Ik moet die spiegel niet onder mijn bed,' zei Minnie. 'En ik wil ook niet dat we die spiegel onder jouw bed leggen, omdat je dan constant onder je bed kruipt om met die man te praten, en dan komt hij de spiegel uit en stapt hij onze kamer binnen. En dan kunnen we het wel schudden. Nog één schroef over. Hou je hem met beide handen vast?'

'Ja, ja. Schiet nou maar op.'

'Goed opletten dat hij niet uit je handen glipt en kapotvalt. Want misschien komt hij dan vanzelf de spiegel uit.'

De zesde schroef werd losgedraaid, Naomi liet de spiegel niet vallen, Minnie schoof het keukentrapje opzij, en samen legden ze de lange glasplaat in hun slaapkamer op de grond.

Toen Minnie de kastdeur dichtdeed, boog Naomi zich over de spiegel heen en keek ze naar het plafond dat daarin weerspiegeld werd. Geboeid bestudeerde ze haar gezicht, dat ze nu vanuit een aparte hoek kon zien.

De spiegel rimpelde, zoals water rimpelde als je er een steentje in gooide. Concentrische cirkels verspreidden zich over het zilveren oppervlak.

'Stierenmest!' riep Naomi, wat iets was wat haar oma heel soms zei als ze het woord *kastanjes* niet toereikend genoeg vond. 'Minnie, moet je nou eens kijken!'

Minnie keek in de spiegel en zag dat er twee, drie, vijf nieuwe rimpelingen en concentrische cirkels ontstonden, alsof het glas een vijver was en regendruppels het gladde oppervlak verstoorden.

'Niet zo best,' zei Minnie, en ze liep naar de speelhoek, waar op de tafel een bordje lag met daarop haar lunchboterhammen en een trosje zoete witte druiven.

'Je kunt niet zomaar weglopen en gaan eten,' riep Naomi verontwaardigd. 'Hier zijn vreemde dingen aan de hand.'

Minnie kwam terug met het druiventrosje. Ze trok er een druif af, hield die boven de spiegel, aarzelde even, en liet hem vallen.

De stevige vrucht verdween onder het oppervlak van de spiegel, alsof die een vijver was.

22

IN ZIJN SLAAPKAMERKAST TROK ZACH AAN HET TOUW waarmee het luik in het plafond geopend kon worden. De ladder ontvouwde zich, en de onderkant kwam voor zijn voeten op de grond te staan.

Nadat hij de trap de vorige avond in deze stand had aangetroffen, had hij er diep over nagedacht, en hij was tot de slotsom gekomen dat de oplossing van het raadsel geheel in de mechanische hoek gezocht moest worden, zoals hij meteen al vermoedde. Doordat het huis zich zette, was het mechanisme iets verschoven, en daardoor kon het zo nu en dan gebeuren dat het luik onder het gewicht van de trap naar beneden klapte en de trap zich automatisch openvouwde.

Hij hoefde zijn vader nu niet te vragen samen met hem de mezzanine tussen de eerste en tweede verdieping te inspecteren, omdat er simpelweg niemand in die ruimte te vinden was. De vorige avond was hij wat gespannen geweest door de enge droom, waarin de grote handen geprobeerd hadden zijn gezicht open te halen en zijn ogen uit te krabben, met vingertoppen zo groot als soeplepels. Hij was zichzelf een beetje tegengevallen doordat hij zich door zo'n stomme droom had laten opnaaien.

In de afgelopen jaren had hij een paar keer gedroomd dat hij als een vogel door de lucht zweefde en hoog boven alles en iedereen vloog, maar hij was nooit zo dom geweest om van het dak af te springen om te kijken of hij inderdaad kon vliegen, en dat zou niet gebeuren ook, want dromen waren niets meer dan dromen.

Nu wilde hij de mezzanine inspecteren, niet omdat hij dacht dat daar een engerd verscholen zat, die kakelend als een soort fantoom van de opera allerlei plannetjes uitbroedde, maar gewoon uit principe, om zichzelf te bewijzen dat hij geen schijtlaars zonder ruggengraat of een sullige jandoedel was. Hij had een zaklantaarn bij zich, en een gigantisch grote vleesvork met een benen heft, en hij was er klaar voor om op onderzoek uit te gaan.

Nadat hij voor de lunch een boterham en wat fruit van mevrouw Nash had gekregen en daarmee naar zijn kamer was gegaan, had hij gewacht tot hij wist dat zij en meneer Nash naar de kamer waren gegaan waar ze altijd gingen zitten om te eten, voordat hij naar de keuken sloop om daar een mes weg te pakken. Hij deed de verkeerde la open, waarin vleesvorken en vleespennen en andere keukenspullen lagen, en omdat hij toen hoorde dat mevrouw Nash in aantocht was – en zei: 'Dat is helemaal geen moeite, die pak ik wel even, lieverd' – had Zach een grote vleesvork gepakt, en snel had hij de la dichtgedaan en was weggegaan voordat ze de keuken binnenkwam. Het stomme ding was geen mes, maar er zaten wel tien centimeter lange tanden aan met superscherpe punten, dus ook al was het misschien niet iets wat een marinier in een gevecht zou gebruiken, een totaal onschuldig wapen was het nu ook weer niet.

Met de steel van de vork tussen zijn tanden, alsof hij een gestoorde piraat was die het tegen een gebraden kalkoen wilde opnemen, en met de zaklantaarn in zijn linkerhand klom hij de trap op. Vervolgens ging hij in de luikopening zitten en deed de lampjes aan die aan een draad door de mezzanine liepen.

Deze ruimte had een afgewerkte vloer van spaanplaat, gelamineerd met formica, zodat je er gemakkelijk op je knieën of je achterste overheen kon glijden, of in hurkzit rond kon schuifelen. De afstand tot het plafond was anderhalve meter, en Zach was een meter zevenenzestig lang – waarschijnlijk zou hij net als zijn vader een meter tachtig worden – zodat hij moest bukken.

Er kwam niet alleen licht van de lampjes en van zijn zaklantaarn, maar ook door de ventilatiegaten in de muren, die bedoeld waren om schimmelvorming tegen te gaan. De gaten waren afgedekt met gaas, om te voorkomen dat eekhoorns konden binnendringen. Het daglicht scheen nu niet bepaald fel naar binnen; de gaten vormden hooguit een vage lichtbron. De zaklantaarn bescheen plekken waar de andere lampen de ruimte onverlicht lieten, maar door de beweging ontstonden er ook schaduwen die aan de rand van je gezichtsveld weggleden en terugdraaiden en heen en weer gingen, zodat je het gevoel kreeg dat zich iets in de mezzanine verborgen hield.

Er waren hier meer machines en buizen en pijpen en leidingen en kleppen dan in de machinekamer van een ruimteschip. Een doolhof, dat was het, vol zacht zoemende apparaten en klikkende relaiscontacten en het gesuis van gas dat in de cv-ketels brandde. Het rook er naar stof, naar gloeiende gasringen, en naar verschaald insecticide, dat de man van de ongediertebestrijding met zijn snor als de voelsprieten van een kakkerlak tot in de uithoeken van de mezzanine had gespoten.

Met de zaklantaarn in een hand en de vork in de andere bevond Zach zich ongeveer in het midden van de doolhof toen de werklampen uitgingen en hij duidelijk hoorde dat het luik tussen de mezzanine en zijn kast met een klap dichtviel. Dat had hij niet voorzien, ook niet de vorige avond, toen hij op was van de zenuwen en zich allerlei dingen in zijn hoofd haalde die zouden kunnen gebeuren als hij hiernaartoe ging om een kijkje te nemen.

Zijn zaklantaarn ging uit. De lichtbundel werd steeds zwakker en doofde uiteindelijk helemaal uit.

Zach was niet zo dom dat hij geloofde dat het gelijktijdig wegvallen van beide lichtbronnen op toeval kon berusten. Het was hem duidelijk dat hij in levensgevaar verkeerde, en in zo'n geval moest je vooral rustig blijven en je hoofd gebruiken. Als je meteen om hulp ging roepen en als een kip zonder kop alle kanten op ging rennen, overleefde je Guadalcanal of Iwo Jima of de verschrikkingen van het Bois Belleau natuurlijk nooit.

Het was hier misschien een doolhof, oké, maar elke doolhof had een uitgang, en hij wist tamelijk zeker in welke richting het luik zich bevond. Er kwam niet veel licht door de ventilatiegaten, maar het vage schijnsel dat erdoor naar binnen viel, kon hij gebruiken als markeringspunten aan de hand waarvan hij zich kon oriënteren. Ook kon hij de weg terugvinden aan de hand van de rode, groene, gele en blauwe indicatorlampjes van de cv's en de luchtbevochtigers.

Zijn grootste zorg, meer nog dan de duisternis en de kronkelroute naar de vrijheid, was dat hij in de mezzanine niet alleen was. De zwaartekracht kon er nog voor gezorgd hebben dat een uit het lood hangend luik openklapte, maar de zwaartekracht kon in nog geen honderdduizend jaar zo'n luik omhoogtrekken en het weer sluiten. En de zwaartekracht had geen vingers waarmee de werklampen uitgeschakeld konden worden.

Als een of andere schuimbekkende maniak had besloten stiekem in de mezzanine te gaan zitten, een gestoord type dat zich tot nu toe steeds stil had gehouden, kon het nooit om een zachtaardig type gaan.

Zach hield de kapotte zaklantaarn extra stevig in zijn linkerhand vast, omdat het naast de vork als wapen kon dienen, een knuppel waarmee hij zijn tegenstander te lijf kon gaan, zelfs als hij zich dan ook met zijn vork kon verweren. In het heetst van de strijd kwam je soms zonder munitie te zitten en brak je bajonet af, en dan moest je je behelpen met geïmproviseerde wapens. Natuurlijk had hij nog nooit een pistool met kogels of een bajonet gehad. Hij *begon* met geïmproviseerde wapens, maar het principe bleef hetzelfde.

Zach bleef een tijdje zitten zonder zich te bewegen, in de hoop dat de vijand diens positie prijsgaf. De enige geluiden die hij hoorde, waren de zachte geluiden op de achtergrond, van de cv-ketels en andere apparaten. Hoe langer hij bleef luisteren, hoe meer het getik-en-geklik-en-gesis hem aan insecten deed denken die met elkaar samenspanden, alsof hij gevangenzat in een hels nest.

Hij hield zichzelf voor dat hij misschien helemaal niet in levensgevaar verkeerde en dat een of andere grapjurk een spelletje met hem speelde. Naomi was tot een dergelijke flauwe grap in staat. Misschien was ze de trap opgegaan, had ze het licht uitgedaan, was weer naar beneden gegaan en had het luik dichtgedaan. De strijd tussen broer en zus om elkaar ontzettend voor gek te laten staan, kende heftige en minder heftige periodes, en de afgelopen tijd was die strijd weer opgelaaid, maar de grappen die ze met elkaar uithaalden waren altijd goedmoedig. Terwijl hier helemaal niks goedmoedigs aan was. Dit was regelrecht bedreigend. Bovendien: als Naomi hierachter zat, zou ze zich nooit langer dan tien seconden hebben kunnen inhouden nadat ze het luik had dichtgedaan. Dan zou ze op dit moment in de kast staan te bulderen van de lach, als een regelrechte idioot, en dat zou dan te horen moeten zijn.

Een afwachtende houding innemen leek geen goede strategie. Misschien was de figuur die zich hier in deze kruipruimte verborgen hield, een supergeavanceerde sluipmachine, iemand die zich bekwaamd had in de oude Aziatische geheimen van de geluidloze verplaatsing, als een soort ninja of zo. Misschien kwam die stille klootzak nu al dichterbij en sloop hij op zijn weerloze doelwit af, zo stil als het parapluutje van een paardenbloem dat zich op de wind liet meevoeren.

Zach wist heel wat van militaire strategieën waarmee beroemde veldslagen in diverse oorlogen waren beslecht, maar het bleek al snel lastig of zelfs ondoenlijk om een dergelijke strategie toe te passen in een donkere kruipruimte, waar sprake was van een een-op-een treffen met een geluidloos dichterbij sluipende tegenstander.

Zach was erg teleurgesteld in zichzelf toen hij merkte dat zijn hart steeds harder en sneller begon te bonzen. Elke seconde werd het moeilijker om in alle stilte te luisteren of hij zijn tegenstander kon horen. Hij kreeg de stellige indruk dat iemand hem van achteren probeerde te benaderen, daarna van voren, van links, van rechts. Als hij bleef zitten waar hij zat, was hij praktisch ten dode opgeschreven en kon hij erop wachten tot hij een lijk was.

Met zijn uitgedoofde zaklantaarn en de tweetandige vork in de aanslag, ineengedoken om te voorkomen dat hij zich zou stoten aan de buizen en leidingen boven zijn hoofd, draaide hij zich om en kroop hij terug in de richting van waaruit hij gekomen was. Hij streek met zijn haar ergens langs, maar hij wist dat het niet iets levends was, en hij botste tegen een metalen afdekplaat van een cv-ketel aan, die daarop hol galmde, als een nepdonderslag bij een toneelstuk. Zijn zaklantaarn kwam met een knal tegen een houten balk aan. De vloer kraakte onder zijn voeten. De stalen tanden van de vork kwamen ratelend tegen een andere metalen constructie aan. Hoe meer hij zijn best deed geen geluid te maken, hoe meer lawaai hij produceerde.

Zachs hart ging als een dolle tekeer, het hardste geluid dat hij tot nu toe had gemaakt, althans in zijn eigen perceptie, hoewel zijn gejaagde ademhaling nu niet bepaald stil genoemd kon worden. Het klonk of hij woest snorkte. Terwijl hij steeds angstiger werd en het donker zo snel mogelijk wilde verlaten, groeide zijn vrees alleen maar doordat hij zijn emoties zo slecht onder controle had, en hij had de grootst mogelijke moeite om niet in paniek te raken.

Als een blinde zocht hij zijn weg op de tast, kroop tussen iets en iets anders door, sloeg intuïtief rechts af, kwam in een pikdonkere hoek van de doolhof terecht, waar geen enkel led-lampje in het duister gloeide, en waar het tochtte en de temperatuur ineens twintig graden zakte, misschien zelfs dertig, waardoor de rillingen over zijn rug kropen. Hij verstijfde, niet als gevolg van de kou, maar doordat hij voelde dat er iemand vlak voor hem zat, ineengedoken, zijn onbekende tegenstander. Hoewel hij in deze volslagen duisternis geen hand voor ogen kon zien, wíst hij dat er iemand was, een grote, sterke vent die totaal niet bang voor hem was.

Nee. Doe even normaal, zeg. Laat je niet opnaaien. Dit was gewoon zijn fantasie die met hem op de loop ging. Voor hem bevond zich niets anders dan een lege duisternis, en dat kon hij met gemak bewijzen door zijn vork met kracht naar voren te steken. De vork gleed met zijn twee tanden in iemand, in een muur van vlees, verdomme. Niemand schreeuwde het uit, niemand kreunde van de pijn, en Zach hield zich voor dat hij zijn vork in levenloze materie had gestoken.

Die hoop vervloog onmiddellijk toen een hand, zo glibberig en koud als dode vis, zich om zijn pols sloot, zijn pols als het ware verzwolg, net zo groot als de hand die in de nachtmerrie naar zijn gezicht had gegrepen. Hij kon zich niet losrukken. Hij voelde dat de man de steel van de vork pakte en de tanden lostrok die in zijn lijf staken. Zach hield de steel in opperste wanhoop vast. Als hij de macht over het wapen verloor, zou hij degene zijn die gestoken werd, en dan werd hij genadeloos aan stukken gereten.

Een paar centimeter van Zachs gezicht af klonk een wrede, hese fluisterstem: 'Ik ken je, jongen. Ik ken je nu.'

Zach wilde om hulp roepen, maar er kwam geen geluid over zijn lippen. Zijn kreet leek als een steen in de put van zijn keel te vallen, bleef in zijn luchtpijp steken, zodat hij niet kon ademen.

Tot Zachs verbazing duwde de bruut hem naar achteren. Met de vork nog in zijn hand belandde hij op zijn rug, en de ijzige lucht verdween op slag. De werklampen gingen aan, en ook de zaklantaarn die hij nog steeds in zijn linkerhand geklemd hield, deed het weer. Schaduwen vervlogen naar de uiterste hoeken van de kruipruimte.

Happend naar lucht ging hij rechtop zitten, alleen in het licht, in leven en alleen, met de vork in de aanslag. Het wapen was kromgebogen, de twee lange tanden waren als een strikje in elkaar gevlochten.

23

DE TWEEDE WITTE DRUIF DIE MINNIE LIET VALLEN, verdween geluidloos onder het oppervlak van de spiegel. Concentrische golven verspreidden zich, maar de druif kwam niet bovendrijven, zoals dat in water gebeurd zou zijn.

Bang maar ook opgewonden zei Naomi: '*Varkensvet!* Minnie, dit móéten we aan pappa en mamma laten zien, we moeten ze vertellen dat er iets in de spiegel zit. Dit is echt zo ontzettend wereldschokkend, niet te geloven.' *Varkensvet* was een kreet die ze zelf had bedacht, zodat ze niet altijd de *kastanjes* en *stierenmest* van haar oma hoefde te gebruiken. 'Nu is het ineens geen flauwekul meer, hè, nu je het met eigen ogen ziet?'

Toen Naomi aanstalten maakte om haar ouders te gaan halen, zei Minnie: 'Wacht,' helemaal niet op de toon van een achtjarige, maar van iemand die veel ouder was.

Naomi liep weer naar de spiegel, ging er met haar hoofd boven hangen en zei: 'Wat?'

'Wacht maar af.'

Naast de golfjes die de druiven hadden veroorzaakt, verschenen er ook constant rimpelingen die van het ene eind van de spiegel naar het andere liepen, als bij een vijver waar kortstondig en zachtjes regendruppels op vielen. Nu ebden die rimpelingen langzaam weg, tot ze helemaal waren verdwenen. Het zilveren oppervlak kwam tot rust.

Minnie plukte een derde druif van het trosje, hield die tussen haar duim en wijsvinger, aarzelde tot Naomi het niet meer uithield en begon te protesteren, en liet hem uiteindelijk vallen. De druif viel op de spiegel, stuiterde terug, zonder een rimpeling te veroorzaken, rolde over het harde oppervlak en kwam tegen de spiegellijst tot stilstand.

'Wat gebeurde er?' wilde Naomi weten.

'Er is niks gebeurd.'

'Wauw, briljant, dat zie ik ook wel, ik heb ook twee ogen in mijn kop, hoor. Waaróm is er niks gebeurd. Waar is die betovering gebleven?'

'Je wilde pappa en mamma ophalen, en dat wilde het niet.'

'Wie wilde dat niet?'

'Het.'

'Het wat?'

'Het het-wat in de spiegel, wat zo'n beetje alles kan zijn, behalve dan die flauwekullerige droomprins van jou.'

Naomi besloot niet op die opmerking te reageren, en zei: 'Waarom wil het niet dat zij dit zien?'

Minnie stapte langzaam bij de spiegel weg en schudde haar hoofd. 'Omdat de betovering geen betovering is, het is iets anders, en het is iets heel ergs. Als pappa en mamma dit zien, pakken ze de spiegel van ons af, en dat wil de spiegel helemaal niet.'

'Wil de spiegel bij ons blijven? Waarom?'

'Misschien wil de spiegel ons opeten,' zei Minnie.

'Nou praat je als een klein kleutertje. Spiegels eten geen mensen op.'

'Deze at druiven.'

'Die zijn niet opgegeten. Die vielen erdoorheen.'

'Die vielen erdoorheen naar waar de spiegel ze opat,' vond Minnie.

'Niet alle magie is zwarte magie, mevrouw Griezeljurk. De meeste magie gaat over wonderen en avonturen, nieuwe horizonnen en hoe je kunt leren vliegen.'

'Dit is geen magie,' vond Minnie. 'Dit is iets vreemds dat gewoon echt is.'

Naomi bukte zich om de druif te pakken die op de spiegel was blijven liggen.

'Niet de spiegel aanraken,' waarschuwde Minnie. 'Alleen die druif. Je kunt maar beter goed naar me luisteren, Naomi.'

Naomi raapte de druif op, stopte die in haar mond, en tikte vluchtig op de spiegel.

'Doe niet zo stom,' zei Minnie.

Naomi kauwde, slikte de druif door en tikte nogmaals met haar vingertoppen op de spiegel om te bewijzen dat ze geen last had van het schijtlijster-gen waardoor haar zus zich ontwikkeld had tot een bijgelovige gek, en om te laten zien dat ze in staat was een natuurkundig verschijnsel als dit als een echte wetenschapper te benaderen, met een heldere geest en een gezonde portie nieuwsgierigheid.

'Ik word gek van jou,' zei Minnie.

Grijnzend tikte Naomi een derde keer op de spiegel, deze keer langer dan eerst: *tik-tik-tik-tik-tik-tik-tik*. 'Misschien zwemt er wel een haai in rond die nog meer druiven wil hebben en naar de oppervlakte komt en mijn vingers afbijt.'

'Iets wat veel erger is dan een haai,' verklaarde Minnie. 'Iets wat jouw hele kop zal afbijten, en wat moet ik dán tegen pappa en mamma zeggen?'

Naomi tikte nu niet meer op de spiegel, maar legde haar rechterhand plat op het spiegelende oppervlak en liet hem daar een tijdje liggen.

Plotseling werd haar hand koud, en de spiegel zei iets, of iets in de spiegel zei iets, met een schorre, natte, felle stem vol haat: *'Nu ken ik je, achterlijke trut.'*

Het was of Naomi letterlijk door deze woorden werd geprikt,

een salvo van hete naalden die vanuit de spiegel op haar werden afgevuurd en door haar arm naar haar schouder schoten, naar haar nek, dwars door haar schedeldak. Ze slaakte een kreet van schrik, trok haar hand terug en viel achterover op de grond.

Minnie kroop naar haar toe – 'Je hand, je hand!' – in de veronderstelling dat haar zus vast een paar vingers was kwijtgeraakt, dat een deel van haar huid aan de spiegel was vastgekleefd, dat er botten waren verbrijzeld, maar Naomi bleek ongedeerd te zijn: geen bloed, geen losgetrokken huid, en zelfs geen enkel speldenprikje in de palm van haar hand.

Het was niet alleen een fysieke maar ook een emotionele klap, want Naomi had nooit eerder kennis gemaakt met een dergelijke intense woede en haat. Ze hield van de wereld, en de wereld hield van haar, en alle boosheid was slechts voorbijgaande irritatie, wrevel van tijdelijke aard, een of andere onbeduidende ergernis die al snel was verdwenen nadat er uiting aan was gegeven. Voordat de stem zo fel en minachtend tegen haar had gesproken, had ze niet ten volle geweten dat er mensen bestonden die met hart en ziel wilden dat ze vernederd werd, dat ze pijn leed, en zelfs dat ze doodging. Ze hoefde deze negatieve connotaties niet in de stem van de onbekende spreker te leggen, omdat de boosaardige toon waarop hij had gesproken, die connotaties impliciet bevatte.

Minnie en zij gingen op de grond zitten, omhelsden elkaar, om er zeker van te zijn dat hun niets was overkomen, dat ze ongedeerd waren, niet uit het veld geslagen, en het drong pas langzaam tot Naomi door dat haar zus de stem niet gehoord had. De man had alleen tegen haar gesproken, door het contact dat ze met de spiegel had gemaakt, en op de een of andere manier maakte het intieme karakter van dit contact de zaak er alleen nog maar erger op, griezeliger, bedreigender.

Minnie twijfelde er geen moment aan dat haar zus de stem echt had gehoord of dat de stem precies die woorden had gezegd. Naomi was er op haar beurt van overtuigd geraakt dat de spiegel eerder een toegang tot een soort hel was dan een deur naar Narnia, en nu wilde ze net als Minnie dat de spiegel uit hun kamer verdween. In het dagelijkse leven waren ze acht en elf, en verschilden ze van elkaar als zout en peper, maar als de nood aan de man kwam, of in ernstige crisissituaties, waren ze zonder meer zussen van elkaar.

Weer wilde Naomi haar ouders erbij halen, maar Minnie zei: 'Ze zullen denken dat het weer het bekende liedje is en dat Naomi zich weer eens door haar fantasie heeft laten meeslepen. Bovendien heb ik zo mijn eigen reden waarom ik niet iedereen als een gek over spoken en zo ga vertellen.'

Naomi was aanvankelijk beledigd, maar wat Minnie als laatste had gezegd, klonk interessant. 'Wat voor reden dan?'

'Martelen heeft geen zin, want ik zeg toch niks. Je weet dat dat waar is.'

De spiegel had een gladde houten achterkant, en de meisjes werden het erover eens dat ze hem over het vloerkleed zouden schuiven en hem niet zouden optillen, deels omdat het een zware spiegel was, maar ook omdat ze hem zo alleen maar met de punt van hun schoenen aan hoefden te raken, en niet met hun handen.

Maar toen ze bij het rommelhok kwamen, moesten ze de spiegel wel optillen om hem achter een hoop andere spullen te verbergen, zodat niemand iets zou merken. Ze hadden geen werkhandschoenen, maar wel hadden ze witte handschoenen voor speciale gelegenheden, zoals de paasdienst, en die trokken ze aan voordat ze zich weer aan hun taak zetten, om te voorkomen dat ze met hun vingers tegen de spiegel aan zouden komen.

Pappa was naar zijn werk. Mamma was in haar atelier aan het schilderen. Meneer en mevrouw Nash waren nog aan het lunchen of waren de keuken aan het opruimen.

Alleen Zach zou zijn kamer uit kunnen komen en zien dat ze met hun voeten een spiegel over de overloop duwden, maar Naomi ging ervan uit dat ze dan wel een smoesje konden verzinnen. Smoesjes waren heel anders dan grove leugens waarvoor je in de hel terecht kon komen. Een smoesje was een soort leugentje light, de cafeïnevrije caloriearme versie van liegen, zodat je ziel er geen ernstige schade van ondervond. Ze zouden wel een smoesje moeten verzinnen, omdat Zach nooit zou geloven dat er druiven door de spiegel heen waren gevallen, of dat er iets in de spiegel zat wat Naomi bedreigd had. Zach hield ervan de zaken concreet te houden. Zo nu en dan, als Naomi weer eens dolenthousiast was over een fantastisch nieuw idee of een geweldige kans, als ze zich gedwongen voelde dat tot in detail met iedereen te bespreken, zei Zach wel eens: 'Laten we het concreet houden, Naomi. Laten we met beide benen op de grond blijven.'

Nadat Minnie de slaapkamerdeur had opengedaan en op de overloop had gekeken of de kust veilig was, schoven ze de spiegel hun kamer uit. Enkel met hun voeten verplaatsten ze hem naar het eind van de gang, aan de achterkant van het huis, de oostzijde. Naomi werd een beetje duizelig toen ze het plafond boven hen in de spiegel voorbij zag glijden. Minnie zei: 'Kijk er dan niet naar.' Maar Naomi keek er wel naar, want hoe meer ze over de stem in de spiegel nadacht – *Nu ken ik je, achterlijke trut* – hoe banger ze werd dat de spiegelman vanuit zijn kant van de spiegel hun kant kon bereiken en dat hij nu misschien uit het zilveren oppervlak van de spiegel omhoog zou komen, en dat alleen doordat ze haar hand op de spiegel had gelegd, terwijl Minnie haar daar nog zo voor gewaarschuwd had.

Ze had zichzelf altijd gezien als een buitengewoon schrander meisje, maar wat ze had gedaan, vond ze zelf nu niet zo schrander.

De rommelkamer was de kleinste van de twee logeerkamers. Hij stond voor driekwart vol dozen en klein meubilair, met doorgangen ertussendoor. De bijzettafeltjes en stoelen en kasten en lampen uit hun vorige huis pasten niet goed in dit huis, maar hun moeder wilde ze nog niet wegdoen omdat ze de spullen nog steeds mooi vond en er nostalgische gevoelens bij had.

Ze zetten de lange spiegel op zijn kant. Naomi trok, Minnie duwde, hun handen beschermd door hun paashandschoenen. Ze schoven deze deur-naar-een-niet-zo-magisch-koninkrijk langs alle andere spullen en verborgen hem achter de achterste rij dozen.

Nu ze hun taak volbracht hadden, gingen ze terug naar hun kamer, keken goed of hun handschoenen niet vies waren geworden, en borgen ze op.

Professor Sinjavski zou over iets meer dan een uur langskomen om hen met wiskunde te martelen.

'Ik ben emotioneel te uitgeput om me met wiskunde bezig te kunnen houden,' verklaarde Naomi. 'Ik ben doodop, de spanning is me gewoon te veel geworden, al mijn kracht is uit me gevaren. Ik ben helemaal aan het eind van mijn Latijn, ik heb geen greintje energie meer over voor wiskunde.'

'Eet eerst je broodje maar op,' zei Minnie. Ze wees naar het lunchbordje dat op Naomi's bureau stond. 'Daar zul je van opkikkeren.'

Ze hadden de deur van de kast opengelaten. Naomi vond het vervelend dat er nu geen spiegel meer hing.

'Nu weet ik niet hoe ik eruitzie. Ik weet niet of mijn kleren bij elkaar passen, of mijn haar wel goed zit, of ik kleren aanheb die me dik maken. Straks zit er een veeg of zo op mijn gezicht en loop ik volkomen voor gek.'

'Maar nu je geen spiegel meer hebt,' zei Minnie, 'scheelt dat je drie uur op een dag, en in die tijd kun je nu iets anders gaan doen.'

'Heel grappig. Om je te bescheuren. Ja, lach me maar uit, toe maar hoor, schater het maar uit tot je een hernia hebt. Maar een spiegel is toevallig wel van essentieel belang voor iemand die een zekere beschaving kent.'

Toen Minnie van het lachen bekomen was, zei ze: 'Er hangen spiegels in de badkamers, en er hangt er een in de hal, plus een grote beneden in de woonkamer. Er zijn nog heel wat spiegels over.'

Naomi wilde net uitleggen dat het veel te lastig was om naar die andere spiegels te gaan, maar toen kwam er een andere, verontrustende gedachte bij haar op. 'Hoe weten we zeker dat de spiegelman niet in een van die andere spiegels zit?'

'Dat weten we niet zeker,' zei Minnie. Blijkbaar was dit geen nieuw inzicht voor haar.

'Maar daar kan hij helemaal niet zitten.'

'Misschien wel. Misschien niet.'

Naomi schudde vastberaden haar hoofd. 'Nee. Niet elke spiegel is een betoverde deur naar weet ik veel. Magische dingen zijn magisch omdat er heel weinig van zijn. Als alles magisch was, zou magisch heel gewoon zijn.'

'Je hebt gelijk,' zei Minnie.

'Als elke spiegel een deur naar een fantastisch rijk was… nou, dan hadden we de poppen aan het dansen. Dan werd het een warboel, een grote chaos. Dan zouden er allemaal paarden door de lucht vliegen, en buiten op straat zouden overal trollen rondrennen.'

'Je hebt gelijk,' zei Minnie. 'Het is alleen die ene spiegel.'

'Denk je dat echt?'

'Ja. En omdat die nu weg is, kunnen we 's nachts weer met een gerust hart gaan slapen.'

'Dat hoop ik. Maar als ik het nou mis heb?'

'Eet je broodje nou maar op,' zei Minnie.

'Mag ik jouw augurkje?'

'Nee. Je hebt al een augurk gehad.'

'Ik wou dat ik er twee had gevraagd.'

'Je hebt al twee van mijn druiven gehad, en de spiegel heeft er ook twee gehad,' zei Minnie. 'Niemand krijgt mijn augurk.'

'Hou hem dan maar. Ik hoef die stomme augurk van jou allang niet meer.'

'Jawel, die wil je nog wel,' zei Minnie. Ze at haar augurk omstandig kauwend en smakkend op.

24

TOEN JOHN WEER VAN DE KLINIEK NAAR DE STAD WAS gereden, parkeerde hij zijn auto voor een winkel in Fourth Avenue. Boven de ingang hing een bord met zilveren letters, hetzelfde logo dat op het groene doosje stond waar de aronskelkbelletjes in zaten: PIPER'S GALLERY.

In twee huizenblokken, opgetrokken uit een vreemd soort baksteen, waren verschillende winkeltjes gevestigd. Aan de dure auto's die aan de stoeprand geparkeerd stonden, viel op te maken dat de klantenkring ruim in de slappe was zat.

In de straat stonden notenbomen met grijze, schilferende stammen. Hun donkergroene blaadjes zouden binnen een paar weken tot donkergeel verkleurd zijn, en als de bomen hun bladeren lieten vallen, zou het net zijn of er een laagje goud op het trottoir lag.

Drie klanten waren in de winkel aan het rondneuzen, twee vrouwen van in de veertig, gekleed in stijlvolle broekpakken, en een jongeman die permanent met een dromerige glimlach rondliep.

John had verwacht dat het een cadeauwinkel was, en dat klopte, maar het was ook iets anders – hoewel hij niet goed wist tot welke niche de zaak behoorde. De koopwaar leek een onsamenhangende mix, en toch had hij het idee dat alle spullen door een thema met elkaar verbonden waren. Hoewel de andere klanten dat leidmotief blijkbaar doorhadden, werd het voor John steeds moeilijker om het te zien naarmate hij langer in de winkel bleef.

De spullen die stonden uitgestald waren van zeer goede kwaliteit. Exquise kristallen dieren: beren, olifanten, paarden. Opgerolde kristallen slangen, hagedissen, schildpadden. Meer poezen dan andere zoogdieren. Er waren ook veel uilen. Geiten, vossen, wolven. Op een andere tafel stonden heldere, gekleurde vormen van kristal: obelisken, piramides, bollen, octogonen...

Achter een tafel met prachtige geoden stond een verzameling vergulde en zilveren belletjes, heel klein en toch ongelofelijk gedetailleerd. Ze hadden allemaal de vorm van bloemen, niet alleen aronskelken maar ook tulpen, vingerhoedskruid, fuchsia's, narcissen... Soms bestonden de kunstwerkjes uit één bloem, soms uit drie, en het vingerhoedskruid had zeven kelken die onder elkaar aan een sierlijk gebogen steel zaten.

Er waren zeepjes te koop, kaarsen, potjes met diverse soorten geurolie, en op de planken langs de muren stonden duizenden groene potjes met gedroogde kruiden. Basilicum, bernagie, engelwortel, helmkruid. Karwij en kervel. Marjolein, pijlwortel, ruellia tuberosa. Voetblad, rozemarijn en salie. Sommige kruiden waren tot poeder vermalen: brandnetel, distel, herderstasje, kliswortel, kruipende boterbloem en wilgenroosje. Er waren ook namen bij die hij niet thuis kon brengen: wonderewereldkruid, High John the Conqueror, gele mombin.

Terwijl hij rondneusde, merkte hij dat de twee vrouwen in broekpak zijn doen en laten nauwgezet volgden en kennelijk wilden weten in welke artikelen hij geïnteresseerd was. Ze bleven hem met hun ogen volgen, praatten op fluistertoon met elkaar, en hadden blijkbaar niet door dat hij zich van hun belangstelling bewust was.

Hij was geen man die door vrouwen werd nagekeken. Bovendien straalde hij niet dat gezag en constante wantrouwen uit dat zo opvallend was bij zoveel andere politiemannen, eigenschappen die ze bij elkaar herkenden en die gewone burgers vaak opmerkten, ook al was het soms niet bewust. Dat hij zo onopvallend was, werkte in zijn werk als rechercheur in zijn voordeel, vooral als hij ergens moest posten.

Toen John opkeek van een vitrine met zilveren dierenfiguren, zag hij dat de jongeman vanuit een gangpad naar hem keek, met een halve grijns die hem aan een dolfijn deed denken.

Hij vermoedde dat Piper's Gallery zo'n winkel was waarvan de vaste klanten zich met elkaar verbonden voelden. Winkeliers van dergelijke cadeauwinkeltjes speelden daar vaak op in en gaven hun klanten het gevoel dat ze één grote familie vormden. In dat geval voelden deze drie dat hij de winkel niet kende, en net als alle insiders in een wereld vol outsiders waren ze benieuwd wat hij van de artikelen vond.

Nadat hij wat had rondgekeken, kwam hij bij de kassa achter in de winkel, tegenover de voordeur, waar een verkoopster op een krukje zat. Ze had een dun poëziebundeltje in handen, en las een gedicht uit voordat ze het boek dichtsloeg en hem glimlachend aankeek. 'Kan ik u ergens mee helpen?'

Ze was een aantrekkelijke, sproeterige brunette van rond de vijftig en droeg geen make-up. Ze had haar glanzende haar in een paardenstaart gebonden, die zo lang was dat hij bijna tot haar middel reikte. Ze droeg een kort halskettinkje, met daaraan een zilveren ring met een zilveren bolletje erin, die in het kuiltje in haar hals hing.

Mensen aan wie hij zijn politie-ID liet zien, vertoonden vaak een subtiele schrikreactie, die John nooit ontging. Maar in dit geval bespeurde hij geen enkele reactie bij de verkoopster. Zijn legitimatiebewijs leek haar helemaal niets te doen, alsof hij zijn bibliotheekpasje had laten zien.

'Zou ik de heer of mevrouw Piper misschien kunnen spreken? Of is Piper een voornaam?'

Haar glimlach was net zo fris en open als haar uiterlijk. Maar John meende er ook een zekere arrogantie in te zien, een spoortje hooghartigheid, een discrete minachting die dichter bij medelijden dan bij afkeer lag.

Of misschien was hij zo paranoïde dat hij haar glimlach geheel verkeerd interpreteerde. Om zijn werk als rechercheur goed te kunnen doen, was het belangrijk dat hij zich ervan bewust was dat wat hij waarnam niet altijd strookte met de werkelijkheid, dat hij als observator deel uitmaakte van de wereld die hij observeerde. Alleen bij een perfecte lens trad geen vertekening van het beeld op, en mensen zouden een dergelijke perfectie nooit kunnen bereiken.

'Piper,' zei de verkoopster, 'is in dit geval geen naam van iemand. Het is gewoon de naam van de zaak. Ik ben Annalena Waters. Deze winkel is van mij.'

Uit een zak van zijn jasje haalde John het doosje met de aronskelkbelletjes. Hij had het bloed van de zilveren steel geveegd, hoewel er wel wat aanslag op was blijven zitten.

'Het lijkt me aannemelijk dat u dit kunstwerkje in uw collectie hebt. Verkoopt u er veel van?'

'Heel wat van de totale lijn, maar van die bloem niet zoveel. Er zijn zeventien verschillende soorten. De aronskelk is de duurste.'

'Als u deze onlangs aan iemand had verkocht, zou u die persoon dan kunnen beschrijven?'

'Het gaat over de familie Lucas, hè?' vroeg Annalena Waters.

'Herkent u dit dan? De belletjes zijn op de slaapkamer van het meisje aangetroffen. Ik heb reden om aan te nemen dat de jongen ze bij elke moord in huis heeft laten rinkelen.'

Zo te zien trok ze niet vaak een fronsend gezicht, en ze leek ouder toen ze dat nu wel deed. 'Wat raar. Waarom zou hij dat gedaan hebben, denkt u?'

'Het staat me niet vrij bewijsmateriaal in deze zaak met anderen te bespreken. Maar kunt u zich nog herinneren dat u de belletjes aan hem verkocht hebt?'

'Niet aan hem. Aan Sandy. Zijn moeder.'

John was ervan uitgegaan dat de jongen de belletjes zelf had aangeschaft, onder invloed van de geest van Blackwood, die bezit van hem had genomen. De belletjes waren indirect bewijs van het bovennatuurlijke aspect van de zaak geweest. Nu waren het slechts belletjes.

Annalena zei: 'Sandy is hier vaste klant geworden sinds ze in een rolstoel is terechtgekomen. Ze was een fantastische vrouw. Wat het gezin overkomen is – dat is te afschuwelijk voor woorden.'

'Keek u ervan op dat Billy tot zoiets in staat bleek te zijn?'

'Ik ben er nog steeds niet van overtuigd dat hij het gedaan heeft.'

'Hij heeft bekend.'

'Maar hij was altijd zo'n aardige, attente jongen. Hij deed geen vlieg kwaad, werd nooit boos. Meestal kwam hij hier met zijn moeder. Hij was zo zorgzaam voor haar, zo liefdevol. Hij was dol op haar.'

'Wanneer had ze de belletjes gekocht? Onlangs?'

'O, nee. Misschien twee of drie maanden geleden.'

John stopte de belletjes weer in het doosje en zei: 'Waarom zou Sandra Lucas zoiets kopen?'

'Bijvoorbeeld omdat het prachtig is. Die kunstenaar maakt heel mooie dingen. En de belletjes maken ook zo'n mooi geluidje. Sommige mensen noemen ze elfenbelletjes. Wij noemen ze herinneringsbelletjes, omdat ze ons eraan doen herinneren hoe prachtig en goed de natuur is, dat het leven nog prachtiger zal worden, en dat onze gezondheid er alleen maar baat bij heeft als we in harmonie met de natuur leven.'

'Die gedroogde kruiden en planten,' zei John, 'zijn dat homeopathische geneesmiddelen?'

'Niet uitsluitend homeopathisch,' zei Annalena. 'Ze worden gebruikt bij allerlei alternatieve geneeswijzen.'

'Daar gaat deze winkel over, hè? Alternatieve geneeswijzen.'

'Natuurlijke therapieën,' verduidelijkte ze. 'Als u uw huis en uw leven verrijkt met de pracht, de geuren, de vormen en geluiden van de natuur, zult u daar in alle opzichten beter van worden. Of is dat te new-age-achtig voor u, rechercheur?'

'Ik probeer me altijd voor alles open te stellen, mevrouw Waters. Ik sluit me niet op voorhand van dingen af.'

Hij meende wat hij zei, en toch dacht hij weer een spoortje arrogantie in haar glimlach te ontwaren, minachting die dicht bij medelijden lag.

Toen John weer naar buiten was gegaan en het portier van zijn auto opendeed, zag hij door de grote etalageramen dat de twee vrouwen en de jongeman met de dromerige glimlach bij de kassa stonden, niet om af te rekenen, maar om met Annalena Waters te praten.

De bewolking was nu grotendeels opgelost. De zon stond aan de hemel te stralen, maar onder de notenbomen hadden zich schaduwen gevormd, en de middag leek dreigender dan die in werkelijkheid was.

25

NICOLETTE ONTWAAKTE UIT EEN DIEPE DUISTERNIS, waarin minder donkere schaduwen zich hadden bewogen, en merkte dat ze onder in een put lag, met boven haar een lichtpunt maar met schaduwen om zich heen, en koud steen als bed.

Toen haar oriëntatievermogen terugkwam, besefte ze dat het licht afkomstig was van het zolderraam dat naar de late middagzon gericht was. Het schoot haar weer te binnen dat de badkamerspiegel was gesprongen.

Voorzichtig bewoog ze haar hoofd, bang om in glassplinters terecht te komen, en ze verwachtte het lichte getinkel van stukjes glas te horen die op de kalkstenen vloer vielen. Die tinkelende tonen hoorde ze niet, en toen ze haar hand naar haar gezicht bracht, merkte ze dat er geen glas in haar gezicht was gekomen. Ze had geen verwondingen, er was geen bloed te zien.

Toen Nicky overeind kwam, bleef het knerpende geluid van glas achterwege. Ze zag dat de spiegel nog intact was.

De levendige herinnering aan de opdoemende gedaante, het vreemde, schimmige gezicht op de plek waar ze haar eigen gezicht in de spiegel had moeten zien: het bezorgde haar rillingen, zoals ze die ook gevoeld had toen er vanaf de spiegel een ijskoude luchtstroom te voelen was geweest.

Op de zwart granieten wastafel lag het draadje waarmee ze haar tanden had geflost, en daarnaast stond de beker met water waarmee ze haar mond had gespoeld. De griezelige verschijning had net zo echt geleken als deze alledaagse spullen.

Ze deed het licht aan. In de heldere diepte van de spiegel was alleen zij te zien.

Toen ze op haar horloge keek, merkte ze dat ze meer dan een uur op de grond moest hebben gelegen.

Dat ze zo'n tijd buiten westen was geweest, deed vermoeden dat ze een flinke smak had gemaakt, en dat de kans bestond dat ze een hersenschudding had opgelopen. Dat gevoel had ze niet – ze was niet duizelig, ze had geen last van verminderd gezichtsvermogen, ze was niet misselijk – en toen ze met haar vingertoppen haar schedel aftastte, vond ze geen plek die pijn deed.

Terwijl ze nadacht over wat er gebeurd kon zijn, spoelde ze de beker om en maakte die met een papieren handdoekje droog. Daarna legde ze hem terug op de vaste plek in de la.

Toen ze het handdoekje en het flossdraad in de kleine prullenbak gooide, ging ze met haar tong naar het gat waar een maand geleden de eerste kies linksonder was getrokken. Onmiddellijk snapte ze waarom ze iemand in de spiegel had gezien, en waarom ze dacht dat de spiegel uit elkaar was gesprongen.

De afspraak bij de tandarts had een paar uur geduurd, omdat elk stukje van de vergroeide wortels van de afgebroken kies uit de kaak geboord moest worden. Haar parodontist, dr. Westlake, had haar daarna Vicodin voorgeschreven, tegen de bijtende, aanhoudende pijn. Nicky had het middel twee keer ingenomen, maar kreeg toen last van een zeldzame maar ernstige bijwerking: angstaanjagende hallucinaties.

Die hallucinaties waren anders dan wat ze in de spiegel had gezien, maar veroorzaakten wel hetzelfde gevoel. Ze had al zesentwintig dagen geen Vicodin meer geslikt, maar op de een of andere manier moest dat de boosdoener zijn geweest.

Ze zou dr. Westlake bellen om te vragen of dergelijke hallucinaties na zo'n lange tijd nog konden optreden. Ze wist dat sommige medicijnen nog weken na gebruik in het lichaam achterbleven, in zeer kleine hoeveelheden. Die mogelijkheid verontrustte haar.

In de bibliotheek gingen Zach, Naomi en Minnie ieder aan een apart tafeltje zitten. Leonid Sinjavski liep van de een naar de ander om ze individueel opdrachten te geven, maar tegelijkertijd gaf hij ze het gevoel dat ze alle drie op hetzelfde niveau zaten.

Zachary zag wiskunde als een soort sport. De opgaven waren wedstrijden die gewonnen moesten worden. En een grondige kennis van de wiskunde zou van cruciaal belang zijn als hij een sluipschutter werd die slechteriken op een afstand van tweeduizend meter moest uitschakelen. Ook als hij niet goed genoeg was om als sluipschutter te worden opgeleid, of als hij een ander specialisme koos, was militaire strategie een intellectueel uitdagende zaak, en kennis van de hogere wiskunde zou altijd supernuttig zijn, ongeacht de functie die hij later binnen het korps mariniers zou bekleden.

Hij was zeer gesteld op professor Sinjavski: dat stripboekachtige witte haar dat alle kanten op stond, die grove wenkbrauwen die als grote harige rupsen een strenge winter voorspelden, zijn elastieken gezicht en de overdreven mimiek om zijn woorden kracht bij te zetten, de manier waarop hij je altijd het gevoel gaf behoorlijk slim te zijn, ook al snapte je er even geen moer van. Maar vandaag kon Zach zich slecht op de leerstof concentreren. Hij wilde zo graag dat de twee uur ten einde waren dat de les natuurlijk twintig uur leek te duren.

Hij moest steeds denken aan zijn avontuur in de mezzanine. De gebogen steel van de vork. De in elkaar gedraaide tanden. De zachte, hese fluisterstem: *Ik ken je, jongen. Ik ken je nu.*

Of het incident was echt gebeurd, of niet.

Als het werkelijk gebeurd was, hield een of ander afgrijselijk bovennatuurlijk fenomeen zich in de mezzanine verborgen. Wie werd gestoken en dan niet ging bloeden, was geen echt mens. Wie de roestvrijstalen tanden van een oude vleesvork kon ombuigen alsof het grassprietjes waren, kon geen echt mens zijn.

Als het niet echt gebeurd was, was Zach geestelijk niet in orde.

Hij geloofde niet dat hij ronduit gestoord was. Hij droeg geen helm van aluminiumfolie om te voorkomen dat buitenaardse wezens zijn gedachten konden lezen, hij at geen levende insecten – en dooie ook niet, trouwens – en hij verkeerde niet in de veronderstelling dat hij in direct contact met God stond en dat Hij hem verteld had dat hij iedereen moest vermoorden die blauwe sokken droeg of zo. In het ergste geval had hij last van waanvoorstellingen, deliria, bijvoorbeeld doordat zijn bloed te veel of te weinig van een of andere stomme stof bevatte. Als dat het geval was, was hij verre van krankzinnig; dan was dit allemaal terug te voeren op een medische oorzaak en vormde hij geen gevaar voor anderen, hooguit voor zichzelf.

De kromgebogen vleesvork leek de deliriumtheorie te weerleggen. Of hij moest die vork ook al verzonnen hebben.

Als de bovennatuurlijke verklaring waar was, moest hij toegeven dat er dingen waren waar je niet tegenop kon, ook al was je nog zo sterk en slim en moedig en had je je nog zo bekwaamd in de kunst van de zelfverdediging. Dat was een theorie waar Zach liever niet aan wilde.

Maar als hem iets mankeerde op het geestelijke vlak, moest hij tot een soortgelijke en misschien wel verontrustendere conclusie komen: ongeacht hoe slim en moedig en gemotiveerd je was, er bestond altijd een kans dat je niet degene werd die je voor ogen stond, omdat je eigen lichaam of geest je altijd in de steek kon laten.

In beide gevallen, of het nu om een buitenaardse invasie van de mezzanine ging of een of andere halfzachte aanval van krankzinnigheid, op een gegeven moment moest hij toch met zijn ouders gaan praten, wat zonder enige twijfel net zo levensbedreigend eng was als het gesprek wat hij een jaar of zo geleden met zijn vader over seks had gehad.

Voordat hij met zijn ouders rond de tafel ging zitten om hun te vertellen dat hij ofwel een bijgelovige idioot of een schuimbekkende gek in wording was, wilde Zach nog eens goed nagaan wat er nu precies gebeurd was. Misschien kon hij een derde verklaring verzinnen die de juiste bleek te zijn, iets waardoor hem alle gêne bespaard bleef.

Om een bepaalde stelling te bewijzen, haalde professor Sinjavski een rood balletje uit Minnies linkeroor, veranderde dat voor hun ogen in drie groene balletjes, en ging daarmee jongleren tot ze op een gegeven moment geel waren geworden zonder dat ze gezien hadden hoe dat kon.

Zachary wist dat dit soort hocus pocus niets met magie te maken had. Zijn wereldbeeld was inmiddels enigszins gekanteld; in het echt bleken dingen mogelijk te zijn die ooit onmogelijk leken.

Naomi betwijfelde ten zeerste of er überhaupt iemand op aarde bestond die wiskunde echt doorgrondde. Iedereen deed net of ze het allemaal snapten, maar in werkelijkheid begrepen ze er net zo weinig van als zij. Wiskunde was één grote bedriegerij, en iedereen speelde het spelletje mee, iedereen deed net alsof ze in wiskunde geloofden, alleen maar om af te zijn van die afschuwelijke lessen en dat geestdodende huiswerk en met het echte leven bezig te kunnen zijn. De zon kwam elke dag op, dus de zon bestond echt, en steeds als je ademhaalde, kreeg je de lucht binnen die je nodig had, dus de dampkring bestond echt, maar elke keer als je met wiskunde het simpelste probleem moest oplossen, werkte dat voor geen meter, wat betekende dat wiskunde in tegenstelling tot de zon en de dampkring niet echt bestond. Wiskunde was zonde van je tijd.

En niet alleen was wiskunde zonde van je tijd, maar het was ook nog eens gigantisch saai, dus daarom deed ze maar net alsof ze snapte waar professor Sinjavski over doorrebbelde, en deed ze net alsof ze echt naar de lieve man luisterde. Meestal kwam ze daar goed mee weg, wat deed vermoeden dat een carrière als actrice wel degelijk tot de mogelijkheden behoorde. Naomi liet de geniale Rus in de waan dat hij haar aandacht had, maar ondertussen dacht ze aan de betoverde spiegel die ze stiekem in de rommelkamer hadden verstopt. Ze vroeg zich af of ze daar wel goed aan hadden gedaan.

Nu ken ik je, achterlijke trut.

In gedachten hoorde ze weer de enge stem die alleen tegen haar had gesproken, net zo helder als bij een cd-opname. Elke keer sloeg de angst haar weer om het hart. Maar nu daagde het besef dat ze zich in haar oordeel over het uitgestrekte, fantastische land achter de spiegel nooit mocht baseren op die simpele zes woorden, die haar waren toegefluisterd door een mogelijk kwaadwillig maar in elk geval ongemanierd individu. Aan deze kant van de spiegel liepen ook veel ongemanierde lieden rond, en ook kwaadwillige types, maar dat betekende nog niet dat deze hele wereld enkel uit ongemanierde, kwaadwillige mensen bestond. Als er daadwerkelijk een magisch koninkrijk achter de spiegel bestond – een echt magisch koninkrijk, niet een soort Disneyland – zouden er mensen van diverse pluimage wonen, goede en slechte. Waarschijnlijk had ze de stem van een boze tovenaar gehoord, misschien de gezworen aartsvijand van de goede, nobele prins, en in dat geval had hij haar waarschijnlijk willen afschrikken om haar op het pad naar haar glorieuze bestemming te dwarsbomen en haar bij de prins weg te houden, de prins die haar nodig had en haar aan zijn zij wenste.

Al langer dan ze zich kon heugen, al eeuwen, droomde Naomi ervan een doorgang te vinden naar een magische wereld, en nu ze eindelijk zo'n deur had gevonden, had een achtjarige sufkop met hersenen die nog niet eens volgroeid waren haar bang gemaakt en haar ervan weerhouden het avontuur aan te gaan waar ze voor in de wieg gelegd was. Met kleine zusjes moest je zo ontzettend uitkijken. Ze deden altijd belachelijk, als een kleine kleuter, maar toch konden ze zo overtuigend uit de hoek komen dat ze je met hun schijtlijstervirus besmetten voordat je überhaupt in de gaten had dat het besmettelijk was.

Later, vanavond, als Minnie sliep en ze haar paniekgolf niet verder kon verspreiden, zou Naomi naar de rommelkamer gaan om nog eens naar de spiegel te kijken. Ze was niet van plan door de spiegel te stappen of haar hand erdoorheen te steken. En ze zou hem ook niet aanraken. Maar ze was het aan zichzelf en aan haar toekomst verplicht om te kijken of ze contact kon krijgen met de prins die misschien in die andere wereld op haar stond te wachten. De tovenaar – of wat het ook maar geweest was – had als het ware via de spiegel met haar gebeld, en zij had opgenomen. Als ze nu zelf een telefoontje pleegde, door voor de spiegel te gaan staan en naar de prins te vragen, de rechtmatige heerser van het land, zou hij haar vast wel te woord willen staan, en dan zou haar leven vol prachtige magie beginnen.

Minnie zag wel dat Naomi er met haar gedachten niet bij was. En ze wist dat Zach zich ergens zorgen om maakte.

Er waren moeilijkheden op komst. Minnie wilde dat die lieve oude Willard, de beste hond die ooit bestaan had, nog steeds leefde.

26

IN HET HUIS VAN DE FAMILIE LUCAS LEEK HET DON-
kerder dan het zou moeten zijn, alsof de lucht door de slachtpartij zo was verdikt dat de zon slechts enkele centimeters door
het raam naar binnen kon schijnen.

In elke kamer waar John kwam, deed hij het licht aan. Hij
durfde niet nog eens in het donker door het huis te gaan.

De woonkamer, die voor de aan een rolstoel gekluisterde
Sandra verbouwd was tot slaapkamer, had hij nog niet eerder
bekeken, omdat daar niemand vermoord was. Nu ging hij er op
zoek naar spullen die mogelijk bij Piper's Gallery gekocht waren. Hij vond er talloze.

Op haar nachtkastje stond een poes van kristal. In een halve
cirkel eromheen stonden drie groene kandelaars van de soort die
Annalena ook verkocht.

In een la in het nachtkastje lagen een tiental potjes met verschillende kruiden in capsulevorm. Ook lag er wierook, met een
porseleinen houder en een doos lucifers.

John zag een hoekje van iets donkers dat tussen de twee kussens op het bed lag. Een rood geurzakje.

Hij had verwacht dat het zakje lekker zou ruiken, maar de

geur bleek niet sterk maar wel enigszins onaangenaam te zijn. Hij kon het aroma niet thuisbrengen, en hoe vaker hij het zakje naar zijn neus bracht om de geur op te snuiven, hoe meer zijn maag de neiging had op te spelen.

Er hingen boekenplanken aan weerszijden van een schouw, waarboven een televisietoestel was opgehangen. In plaats van boeken stonden er kristallen poezen op de planken, en kristallen bollen en obelisken.

In het huis hadden twee echte katten gewoond, die op de nacht des onheils het huis waren ontvlucht: twee gevlekte Britse kortharen, Posh en Fluff genaamd.

Op een bijzettafeltje stond een zwarte geode, met daarin puntige rode kristallen. In Piper's Gallery zou het een prachtig glimmend kunstwerkje zijn geweest, maar hier leek het op een dreigende muil met honderden bloederige tanden.

Wat in de winkel in Fourth Avenue had geflonkerd, zag er hier dof uit. Wat er daar vrolijk had uitgezien, was hier vreugdeloos.

Over de gehele breedte van de schoorsteenmantel stonden doorzichtige glaasjes met vetkaarsen, de meeste groen, een paar blauw, en één zwart.

Ook in de keuken trof hij spullen uit Piper's Gallery aan. Een plank in de voorraadkast stond vol potten met exotische gedroogde kruiden. Midden op de eettafel stond een kristallen bol op een roodhouten voet, met drie voor de helft opgebrande kaarsen eromheen.

In de werkkamer, waar Robert Lucas met een hamer was vermoord, stond helemaal niets uit het winkeltje, kaarsen noch kristallen beeldjes.

Boven trof John ook in de kamer van de grootmoeder niets uit de winkel van Annalena aan.

John durfde niet goed nogmaals een kijkje in Celines kamer te nemen, niet alleen omdat het bed met bloed was besmeurd, maar ook omdat hij in zijn hoofd de angstkreten kon horen. Toch wilde hij kijken of daar spullen uit Piper's Gallery te vinden waren. De vorige keer dat hij hier was, zou hem dat niet zijn opgevallen, omdat hij toen niet wist dat ze van belang konden zijn.

Hij vond niets, en hij was er eens te meer van overtuigd dat de aronskelken daar door Billy waren achtergelaten nadat hij er bij het lijk van zijn zus mee had geklingeld. Celine was zijn vierde en laatste slachtoffer geweest.

Op de kamer van Billy stonden op de planken vol pockets twee kristallen hagedissen – een groene en een doorzichtige – en een blauwe obelisk. Op zijn nachtkastje lag een geode van vulkanisch gesteente, met daarin paarse kristallen van amethist. Op zijn bureau stonden twee glazen kandelaars met daarin blauwe geurkaarsen van ongeveer acht centimeter hoog.

Al die dingen hadden eerst van geen belang geleken. Nu werd John erdoor geïntrigeerd.

Blijkbaar hadden alleen de gehandicapte moeder, Sandra, en haar zoon – die naar verluidt dol op haar was – geloofd in Annalena's natuurlijke therapieën waar ze 'in alle opzichten' beter van zouden worden.

Dit was van belang, al wist John nog niet waarom dat zo was. Hij voelde aan dat de familie Lucas door deze spullen niet beter in harmonie met de natuur was gekomen, maar dat ze er daarentegen juist op een mysterieuze manier door in gevaar waren gebracht. Als hij erachter kon komen waarom dat zo was, zou hij beter kunnen begrijpen welke dreiging Nicky en de kinderen boven het hoofd hing, en dan was de kans groter dat hij ze adequaat kon beschermen. Dit werd hem allemaal door zijn intuïtie ingegeven, en zijn intuïtie had hem nog nooit in de steek gelaten.

Toen hij door het huis liep, verwachtte hij bijna dat hij het zilveren geklingel van de aronskelken weer zou horen. Dat gebeurde niet, misschien doordat de aanwezigheid die na zijn bezoek aan de kliniek met hem mee was gegaan, nu niet langer bij hem was maar thuis op hem wachtte.

Terwijl John nog eens in de bureaulaatjes van de jongen keek, hoorde hij een stem, die verre van bovennatuurlijk klonk. 'Poging tot inbraak, Calvino?'

27

KEN SHARP WAS EEN VAN DE RECHERCHEURS BIJ WIE het telefoontje van Billy was binnengekomen. Hij leidde het onderzoek, samen met zijn collega Sam Tanner, en van iedereen die op de afdeling Roofovervallen/Moordzaken werkte, waren zij altijd het meest bevreesd dat anderen zich met hun werk bemoeiden.

Toen Sharp de kamer van Billy binnenkwam, leek hij niet zozeer verrast als wel beledigd. Hij had zijn kop kaalgeschoren om een beginnende kaalheid te maskeren, zijn ogen lagen diep in hun kassen, hij had een haakneus, liep altijd rood aan als hij boos of ongeduldig werd, en had een gezicht dat meer geschikt was om anderen te intimideren dan om iemand in te palmen met een vriendelijke glimlach.

'Wat doe jij hier in godsnaam?' vroeg hij.

'Een buurvrouw had de sleutel.'

'Dat verklaart *hoe* je hier binnen bent gekomen. Ik vroeg wat je hier doet.'

Twintig jaar geleden was John door de politie en de rechterlijke macht afgeschermd tegen journalisten, die zich destijds net iets verantwoordelijker en terughoudender opstelden dan de agressieve op sensatie beluste horde die tegenwoordig het mediacircus runde. Zijn rol bij de dood van Blackwood werd niet zozeer beschreven als wel gesuggereerd, en omdat hij minderjarig was, werd zijn privacy beschermd. Omdat hij zelf een groot verlies te verwerken had, werd het hem gegund zijn verdriet en schuldgevoel in stilte te verwerken, en het weeshuis werd een muur tussen zijn toekomst en die afschuwelijke gebeurtenis. Zelfs toen hij naar de politieacademie ging, reikte de informatie over zijn achtergrond niet verder dan de constatering dat hij het St. Christopher's Home and School op de leeftijd van zeventien jaar en zes maanden had verlaten, en dat hij het daar zeer goed had gedaan, zowel wat zijn gedrag betrof als zijn schoolprestaties.

Als het hele verhaal bekend was gemaakt, zouden sommigen hebben gevonden dat hij door de beproevingen die hij had moeten doorstaan psychologisch minder geschikt was om rechercheur te worden. Vormde zijn beroepskeuze juist niet een aanwijzing dat hij door het afschuwelijke voorval geobsedeerd was geraakt? Deed het niet vermoeden dat hij in elke moordzaak symbolisch wraak zou willen nemen op de moordenaar van zijn familie? En als dat inderdaad zo was, kon men er dan wel van op aan dat hij elke verdachte met een open geest tegemoet trad? Zou hij daardoor juist niet geneigd zijn misbruik te maken van zijn positie als politiefunctionaris?

Zo gauw hij de waarheid omtrent die gebeurtenis uit het verre verleden openbaar zou maken, zou zijn leven en dat van zijn vrouw en kinderen subiet veranderen. Zijn functioneren als rechercheur zou worden beperkt, misschien zelfs in grotere mate dan hij inschatte, op manieren die hij niet voorzag. En van al zijn collega's op de afdeling Roofovervallen/Moordzaken was Ken Sharp degene die het minst genegen was Johns geheimen met enige discretie te behandelen.

Sharp ging op de rand van het bureau zitten. Zijn gemoedstoestand was veel minder positief dan zijn houding deed vermoeden, en hij zei: 'Er is me een paar minuten geleden ter ore gekomen dat je nu al twee keer naar de kliniek bent geweest om bij die moordzuchtige jongen langs te gaan. Je hebt toen gezegd dat je op de zaak was gezet.'

Dat deed Johns geloofwaardigheid geen goed en telde zwaarder dan dat hij nu op heterdaad was betrapt bij het rondsnuffelen op Billy's kamer.

'Nee. Ik heb ze niet gezegd dat ik met het onderzoek belast was. Wel geef ik toe dat ik ze… in die waan heb gelaten.'

'Dus toch, hè? Waarom heb je dat verdomme gedaan, John?'

Op een gegeven moment zou hij iemand moeten vertellen van de griezelige overeenkomsten tussen de moord op de familie Valdane, twee decennia geleden, en de recente afslachting van de familie Lucas. Hij voelde zich moreel verplicht zijn collega's te waarschuwen dat iemand de misdaden van Alton Turner Blackwood misschien imiteerde, een half continent van de plek waar ze destijds gepleegd waren. Hij wist niet hoe hij dat kon zeggen zonder daarbij te vermelden dat er naar zijn mening een bovennatuurlijk aspect aan deze zaak zat. Misschien werd hij dan geschorst en moest hij zich psychisch laten onderzoeken.

Sharps gezicht liep rood aan. 'Een verpleegkundige daar beweert dat jij vindt dat Billy onschuldig is en dat jij denkt dat hij in zekere zin zelf slachtoffer is.'

'Nee. Dat klopt niet. Ik weet dat hij het gedaan heeft. Maar zo simpel ligt het niet.'

'Nou, jongen, simpeler dan dit wordt het niet. Hij staat in zijn blootje voor het huis, besmeurd met bloed. Hij zegt dat hij ze allemaal van kant heeft gemaakt. Zijn vingerafdrukken zitten op alle wapens. Het lab verkondigt dat zijn sperma in zijn zus zat. Dit lijkt me een overduidelijk voorbeeld van een klare zaak.'

Dit was niet het uitgelezen moment noch de gesprekspartner die John zou hebben uitgekozen om zijn geheimen aan bekend te maken, maar hij kwam er niet onderuit tenminste íets aan Sharp te vertellen.

Hij duwde het bureaulaatje dicht waarin hij had zitten snuffelen, zette Billy's computer aan en zei: 'Ik heb reden om aan te nemen dat de moordenaar – die jongen – van plan was nog meer gezinnen uit te moorden.'

'Dat zou heel wat opzien baren als dat waar is. Wat voor reden heb je dan?'

'Allereerst wil ik duidelijk maken waarom ik me met jouw zaak bemoei: mijn vrouw en kinderen staan op de lijst van mensen die hij van plan is te vermoorden.'

John keek niet op van de computer om Sharps reactie te peilen, maar hij hoorde een mengeling van verbazing en scepsis in zijn stem.

'Jouw gezin? Hoe kent hij jullie dan? Tegen ons heeft hij nooit gezegd dat hij een politieman en diens gezin wilde vermoorden.'

'Op deze computer staat een bestand,' zei John. 'Foto's van mijn vrouw en kinderen. Het is het begin van een plakboek over een moordpartij.'

Op de computer stonden twee documenten die van belang waren: CALVINO1 en CALVINO2. Het eerste daarvan zou het slot op Johns verleden openbreken, of hij dat nu wilde of niet. Hij zag geen mogelijkheid Ken Sharp het tweede bestand te laten zien zonder dat zijn collega ook het eerste onder ogen kreeg.

'Waarom ben je hier eigenlijk naartoe gegaan?' vroeg Sharp. 'Hoe wist je dat die documenten bestonden, en dat je die op zijn computer kon vinden?'

John scrolde door de alfabetische directory – en vond geen documenten die naar hem genoemd waren. Hij scrolde naar het begin en weer naar beneden: a, b, c, tot de d begon.

'Ze staan er niet meer op. Gisteravond nog wel. Er waren twee bestandsnamen met *Calvino* erin, maar nu niet meer.'

'Een plakboek over de moord op jouw gezin, en nu is dat verdwenen? Hoe kan dat dan?'

Geheel gemeend – al vond hij het zelf louche en ontwijkend

klinken – zei John: 'De bestanden zijn gewist. Iemand moet de directory hebben opgeschoond.'

'Wie? Ik bedoel: Billy kan het dus niet geweest zijn.'

'Ik weet niet wie het gedaan kan hebben.' John kon moeilijk zeggen dat er een spook aan de computer had gezeten, letterlijk een spook. 'Maar iemand heeft eraan zitten te knoeien.'

Sharp kwam overeind. Er lag een duistere blik in zijn ogen, maar zijn gezicht was zo roze als vers afgesneden ham.

'Geef mij die sleutel maar die je van de buren hebt gekregen.'

John gaf geen gehoor aan het verzoek van zijn collega maar sloot de directory af, zette de computer uit en zei: 'Je hebt een volledige back-up van de harde schijf gemaakt en die als bewijsmateriaal meegenomen. Open die maar en zoek naar twee documenten: Calvino één en Calvino twee.'

'John, alsjeblieft zeg, je hebt hier ingebroken. Dat is strafbaar. Nu het onderzoek is afgesloten, mag ik hier niet eens meer zijn. Volgens mij heb je ze niet helemaal op een rijtje wat deze zaak betreft. Het waarom ontgaat me, maar het is en blijft mijn zaak en die van Sam, en ik wil die sleutel nu hebben.'

Toen John de sleutelhanger met het poesje aan Sharp overhandigde, zei hij: 'Bekijk die back-up. Zoek die documenten op. Doe dat alsjeblieft, oké? Er zijn nog meer gezinnen die gevaar lopen, Ken. Niet alleen dat van mij.'

'Punt één,' zei Sharp, terwijl hij de sleutel opborg, 'niemand is ooit uit de beveiligde afdeling van die kliniek ontsnapt.'

'Er moet altijd een eerste keer zijn.'

'Punt twee: Billy Lucas is dood.'

Het nieuws kwam onverwacht hard aan. Hij zag de gebroken jongen voor zich zoals hij hem die ochtend nog gezien had: met zijn armen in een dwangbuis, in een soort trance, vol verdriet en wanhoop.

'Dood? Wanneer?' vroeg hij.

'Nog geen uur geleden. Coleman Hanes belde. Hij heeft me verteld over… jou.'

'Hoe heeft hij het gedaan?'

'Niet. Het is geen zelfmoord. Er moet nog sectie worden verricht. Op dit moment denken ze aan een hersenbloeding.'

Het verleden was een last die John Calvino constant meetorste. Nu was het meer dan een last; het was een strop, en hij voelde het ruwe touw al om zijn nek.

'Wat is er met je aan de hand, John? We hebben allebei onze eigen manier van aanpak, maar we staan wel aan dezelfde kant, en je leek er altijd helemaal voor te gaan.'

'Het spijt me, Ken. Ik had me niet in jouw vaarwater mogen begeven. Ik zit in een rare positie. Misschien kan ik je er later meer over vertellen. Op dit moment moet ik eens goed gaan nadenken.'

Hij liep naar beneden. Sharp kwam achter hem aan.

Halverwege de trap bleef John even staan om naar *Carnation, Lily, Lily, Rose* te kijken. De twee meisjes in witte jurken in de tuin met de lampionnen zagen er vrolijk uit, vrolijk en veilig en zich niet bewust van het kwaad dat op aarde rondwaarde.

Uit de memoires van Alton Turner Blackwood:

De jongen en de wereld zouden nooit in harmonie met elkaar komen, maar de jongen en de nacht wel. Hij drong diep in de nachtelijke bossen en velden door, en de nacht drong tot hem door.

Na die eerste opwindende excursie, die hij een paar minuten voor zonsopgang afsloot, besloot hij in het vervolg een zaklantaarntje mee te nemen, voor die plekken die niet door de maan beschenen werden, of voor wanneer er geen maan aan de hemel te zien was, of wanneer de maan slechts een dunne sikkel was. Hij gebruikte de zaklantaarn nooit als hij in de buurt van het kasteel was.

In de jaren daarna ontwikkelde de jongen een bijna griezelig vermogen om in het donker te kunnen zien. Hoe vaker hij er tussen zonsondergang en zonsopgang op uit trok, hoe beter zijn gezichtsvermogen werd, ook als het bewolkt weer was en de sterren niet te zien waren. Hij maakte steeds minder gebruik van de zaklantaarn, en zijn vertrouwen in de nacht werd beloond doordat de nacht zich steeds meer aan hem overgaf.

Toen hij eens gehurkt aan de rand van een diep meer zat

en hoorde hoe vissen vlak boven het water insecten vingen en zich afvroeg of hij met zijn hand snel genoeg was om een vis te pakken die zich dicht bij de oever waagde, zag hij zichzelf vaag weerspiegeld in het duistere water. Maar zijn ogen waren niet zo donker als de ogen van een mens in die omstandigheden zouden moeten zijn. Hij zag dat er een zwak, gouden, dierlijk schijnsel in verborgen lag. Met zijn ogen absorbeerde hij het schijnsel van de wassende maan en de fonkelende sterren en gebruikte dat om zijn gezichtsvermogen te scherpen.

Ongeacht hoe ver de jongen zich bij het kasteel vandaan waagde of hoe laat het werd, steeds bleef de raaf bij hem. Daar kon hij van op aan. Soms zag hij slechts een silhouet dat zich tegen de maan of de met sterren bezaaide hemel aftekende, of zag hij de schaduw van de vogel over het land glijden.

En als hij de vogel een tijdje niet zag, hoorde hij hem wel. Het gefladder. Het zoeven van de strakke vleugels in glijvlucht. Het geritsel van bladeren als de vogel hem van tak tot tak door het troosteloze bos volgde. Zijn lage trillende prrak, zijn donkere brronk, en zo nu en dan zijn glasheldere gekrijs.

De raaf was zijn metgezel, zijn beschermengel, zijn beste vriend. De raaf leerde hem alles over de nacht, en de jongen begon te doorgronden wat de nacht wist.

Het land verwelkomde de jongen net zo volledig als de duisternis. De velden, de bossen, de rivier, het meer, elk dal, elke heuvel en elke vooruitstekende rotspartij. Hij kon elk hertenspoor volgen, zelf diersporen creëren, wist door elk dichtbegroeid struikgewas heen te komen, en wanneer de zon opkwam, had hij geen enkele doorn of twijg in zijn kleren, geen netel of blaadje. Nooit werd hij door insecten gestoken, noch door slangen gebeten. Als hij een steile helling vol steenslag beklom, maakte hij net zo weinig geluid als bij een met gras begroeide heuvel. Hij struikelde niet over ranken, raakte niet verstrikt in braamstruiken. Hij verdwaalde nooit. Hij zwierf door de nacht alsof hij een gehoornde god met bokkenpoten en bokkenoren was die heerste over alles wat ongerept was.

Op een gegeven moment begon hij te doden, twee of drie keer per maand. Meestal konijnen. Ze kwamen voor zonsondergang uit hun holen tevoorschijn en deden zich dan tegoed aan het malse gras en de lekkere planten die in het veld groeiden. De jongen zat ze dan al op te wachten, en soms rook hij hun muskusachtige geur voordat hij ze kon zien. Zijn eigen geur was toen al bekend bij alle wezens die in de natuur renden of huppelden of kropen of gleden. Hij kon zo lang blijven stilzitten dat ze hem net zomin vreesden als de steen of boomstam waar hij op zat. Als ze dan dichterbij kwamen, greep hij ze, wurgde ze vervolgens, brak hun nek of stak ze met zijn mes dood.

Hij doodde ze niet voor het vlees, noch om hun pels als trofee mee naar huis te nemen. Eerst moordde hij alleen maar om zijn macht over de natuur en alle levende wezens daarin te doen gelden. Later maakte hij zo nu en dan dieren dood omdat hij mensen nog niet als slachtoffer durfde te nemen, maar hij wist dat ooit de dag zou komen dat geen der warmbloedige wezens veilig voor hem was.

De jongen was groter en sterker en sneller dan in het begin, en hij beschikte nu ook over het vermogen om zijn slachtoffers om de tuin te leiden en te hypnotiseren. Herten kwamen op smalle paadjes naar hem toe, op plekken waar steile rotsen en het dichtbegroeide bos geen vluchtmogelijkheid boden. Met ogen die meer glansden dan de zijne onderwierpen ze zich dan aan zijn vlijmscherpe hakmes, waarmee hij genadeloos en met kracht toestak.

Steeds als hij had gemoord, trok hij aan het eind van de nacht, voordat de zon opkwam, zijn bebloede kleren uit, om

die en zichzelf in het meertje te wassen. Hij liet zijn kleren
op de punt van een rots drogen en trok ze daarna
schoongewassen weer aan, dezelfde kleren die hij 's nachts had
aangehad.

Op een keer, in een door de maan verlichte nacht in zijn
vierde jaar in het teken van de raaf, toen hij zestien was,
was hij op een stenen troon in het veld gaan zitten om uit te
rusten van zijn gewelddadige arbeid, en hij snoof de
weldadige geur van vers bloed op, toen er uit het struikgewas
een poema tevoorschijn kwam, die hem met een hongerige blik
aankeek. Afgezien van de ijsbeer, de genadeloze
moordmachine die alleen in zijn eigen poolgebied actief was,
waren van alle roofdieren in Noord-Amerika de grizzlybeer
en de poema het gevaarlijkst.

Zonder een spoortje van angst trotseerde de zelfverzekerde
jongen de blik van het grote katachtige beest. Geen moment
kwam het in hem op om te vluchten. Hij voelde dat de raaf
boven zijn hoofd in het donker rondcirkelde. Nadat de poema
hem als tegenstander had gepeild, besloot het beest zich terug
te trekken en verdween het in het hoge struikgewas waaruit
het tevoorschijn was gekomen.

Op dat moment wist de jongen dat hij misschien geen
bokpotige heerser van dit land was, maar in elk geval wel de
Dood met een hoofdletter. De poema had hem als zodanig
herkend, ook al droeg de jongen geen mantel met kap en had
hij geen zeis bij zich.

In dit vierde jaar in het teken van de raaf had hij dit
geleerd: als je jezelf helemaal overgaf aan de wildernis en de
nacht, werd je je bewust van dingen die daarvoor
onzichtbaar waren gebleven, oude en onvoorstelbaar
machtige fenomenen met wilde driften en duistere
bedoelingen, wezens die constant rondzwierven, bijna
dromend, wezens die onsterfelijk waren en daardoor alle
geduld hadden, die rustig afwachtten tot er een

nietsvermoedende prooi op hun pad verscheen. Hij vermoedde dat ze ook in steden bestonden, overal waar de mensheid was geweest of nog steeds was of zou zijn, maar hier in de stille wildernis leken ze duidelijker herkenbaar, althans voor iemand die het lef had ze onder ogen te komen.

Hij was net zo onbevreesd voor deze onzichtbare maar duidelijk aanwezige fenomenen als voor de poema. Eigenlijk waren ze zoals hij wilde worden: de ware heersers, die de wereld corrumpeerden en er misbruik van maakten, de geheime koningen van dit tranendal, prinsen van een verborgen genootschap. Ze verhielden zich tot alle andere roofdieren zoals de poema zich verhield tot een eenvoudige poes. Als de jongen niet een van hen kon worden, kon hij zich tenminste als instrument laten gebruiken om het geweld en de chaos te botvieren die zij zo koesterden.

De eerste weken na de ontmoeting met de poema maakte de jongen geen enkel dier dood. Toen het verlangen aanwakkerde, vond hij de begraafplaats.

Er was nog één ding wat hij moest leren – en nog één ding wat hij moest doen – voordat hij zijn jeugd achter zich kon laten en mij werd.

28

LATER DIE DAG, EEN HELE TIJD NADAT HET DONKER was geworden en ze hadden gegeten, maar nog ver voor middernacht, lag Naomi zo ongedurig onder de dekens te woelen en te draaien dat ze bang was dat haar zus in het andere bed er wakker van zou worden. Ze wilde er zeker van zijn dat Minnie diep in slaap was voordat ze de kamer uit durfde te sluipen om naar de spiegel – en de prins! – in de rommelkamer te gaan, maar als ze nog een minuut langer moest wachten, zou ze van nieuwsgierigheid uit elkaar klappen. Meestal was ze het toonbeeld van geduld, want dat moest je wel zijn als je een klein zusje had dat de hele dag achter je aan liep, maar zelfs heiligen hadden hun grenzen, en Naomi vond niet eens dat ze een heilige was. Ze was ook geen monster. Gerekend naar de meeste maatstaven was ze goed genoeg, en ze verwachtte niet eeuwen achtereen – of zelfs maar een maand lang – in het vagevuur te hoeven blijven, aangenomen dat ze ooit zou komen te overlijden.

Al vanaf vanmiddag, sinds de wiskundeles van de aardige maar oeverloos doorratelende professor Sinjavski, had Naomi zitten te piekeren hoe ze de spiegel het best kon benaderen. In plaats van te wachten tot er iets in de spiegel verscheen dat het woord tot haar richtte – wat ze tot nu toe steeds had gedaan – wilde ze nu op eigen initiatief met de prins gaan praten. Ze wilde hem duidelijk maken dat ze hem wilde helpen zijn koninkrijk te redden uit de klauwen van de duistere machten die er altijd op uit waren om zulke koninkrijken te veroveren. Anders zouden de duistere machten de enigen zijn die de spiegel gebruikten als een soort van bovennatuurlijke BlackBerry of zo. Ze vond het bijzonder schrander van zichzelf dat ze besefte dat ze zich niet meer zo passief moest opstellen maar juist een agressieve houding moest aannemen.

Uiteindelijk sloeg ze de dekens van zich af en stapte ze uit bed. Voorzichtig haalde ze de zaklantaarn onder haar opeengepropte kussens vandaan, waar ze hem eerder die avond verstopt had. Ze had er het afgelopen uur steeds ongemakkelijk op gelegen. Ze knipte hem niet aan, noch trok ze een badjas over haar pyjama aan, uit angst dat zus Halfwas – die soms leek te beschikken over de scherpe waakzaamheid van een hyperalerte hond – uit haar slaap werd gewekt door het geruis ervan en hijgend achter haar aan kwam om de hele zaak te verpesten.

Met bewonderenswaardige handigheid navigeerde Naomi door de bijna volslagen donkere kamer zonder daarbij een fout te maken. Ze deed de deur voorzichtig open, stapte met blote voeten de gang op en deed de deur met een nauwelijks hoorbare klik achter zich dicht. Nu knipte ze de zaklantaarn wel aan, waarna ze snel naar het eind van de gang liep. Ze vond het jammer dat ze geen cape droeg, zoals de heldinnen in victoriaanse boeken, want niets leek romantischer dan met een wapperende cape op een geheime missie in het nachtelijk duister te verdwijnen.

In de rommelkamer deed ze het licht aan, al had ze liever een grote kandelaar met twaalf kaarsen gehad die grillige schaduwen op de muren wierpen. Ze had nog maar drie stappen over de drempel gezet toen ze besefte dat de spiegel niet meer achter andere spullen verborgen lag maar tevoorschijn was gehaald en rechtop tegen een stapel dozen was gezet. Ze deed nog twee stappen en zag dat het oppervlak niets weerspiegelde, dat het zwart was – zwart! – als een deuropening met daarachter een donker land, niet beschenen door het licht van de maan of de sterren, een land dat gebukt ging onder iets... iets... iets wat te afschuwelijk was voor woorden.

Naomi bleef een tijdje nadenken over het ondoordringbare zwarte vlak, voordat ze zag dat er een vel papier voor de spiegel op de grond lag, crèmekleurig perkament, te oordelen naar de dikte ervan. Onmiddellijk wist ze dat het papier uit de spiegel gekomen moest zijn, van het ooit zo gelukkige koninkrijk dat nu gebukt ging onder het wrede juk van iets... van iets waar geen woorden voor waren. De boodschap die het bevatte, zou ongetwijfeld van wereldschokkend belang zijn, althans daar ging ze van uit, tot ze zich bukte om het op te rapen en het keurige handschrift van Minnie herkende, met wat de kinderlijke hanenpoten van een gemiddelde achtjarige hadden moeten zijn maar dat niet waren. Op het briefje stond: LIEVE NAOMI, IK HEB DE SPIEGEL ZWART GEVERFD. GA MAAR WEER SLAPEN. HET IS NU VOORBIJ. JE TOEGENEGEN ZUS, MINETTE.

Het eerste wat bij Naomi opkwam, was een emmer met ijskoud water te vullen en daarmee de toegenegen veldmuis wakker te maken, maar ze wist zich te beheersen. Omdat ze in recordtempo volwassen aan het worden was en haar emoties elke dag een beetje beter onder controle kreeg, besefte Naomi dat ze niet mocht laten blijken dat ze het bijdehante briefje van Klein Duimpje had gevonden, want daarmee zou ze erkennen dat ze midden in de nacht naar de spiegel was gerend en dus over bedroevend weinig zelfbeheersing beschikte. Ze zag al voor zich hoe Minnie met een uitgestreken gezicht vol zelfingenomen arrogantie zou reageren – *varkensvet!* – zodat ze zich ter plekke voornam en op haar eer en haar leven zwoer dat ze mevrouw Dwergenstein niet de lol zou gunnen erachter te komen dat ze het briefje had gelezen.

Ze legde het crèmekleurige vel papier terug op de plek waar ze dat had gevonden, verliet de rommelkamer zonder geluid te maken, en liep terug naar haar slaapkamer, tevreden met haar superieure schranderheid. Zonder de zaklantaarn aan te doen kroop ze terug in bed en lag met een brede glimlach op haar gezicht in het donker te staren, tot ze zich afvroeg of Minnie wel degene was die in het andere bed lag. Eigenlijk wist ze wel zeker van niet.

Terwijl Naomi weg was, kon die arme Minnie iets zijn overkomen, en nu lag datgene wat Minnie was overkomen misschien wel in het bed van dat lieve kind, geduldig wachtend tot de nog levende zus in slaap was gevallen om ook haar vervolgens te verzwelgen. Naomi durfde niet als een lam in het donker te blijven wachten tot ze levend zou worden opgepeuzeld, maar ze durfde het lampje naast haar bed ook niet aan te doen, want zo gauw het monster haar zag, zou ze met huid en haar worden opgegeten. Het enige wat haar restte, was wakker te blijven tot de volgende dag, in de hoop dat het nachtelijk gedrocht door de dageraad verjaagd zou worden naar een hol ver weg van hier.

Een halfuur later viel Naomi in slaap, en toen de zon al op was, werd ze wakker, onopgepeuzeld. De volgende dag bleek minder opwindend te zijn dan de vorige, en de hele maand bleek net zo saai te verstrijken. De hese verschijning – *Nu ken ik je, achterlijke trut* – liet zich niet meer zien in de spiegel in de badkamer of op de gang, of waar dan ook. Er vielen geen druiven meer door ondoordringbare oppervlakken.

Terwijl de ene saaie dag na de andere voorbijgleed, vroeg Naomi zich af of haar enige kans om in een fantastisch parallel universum op verkenningstocht te gaan, nu verstreken was.

Ter compensatie kon ze altijd nog verhalen over magische koninkrijken gaan lezen, ze had haar fluit nog, haar jeugdorkest, haar unieke gezin, de prachtige herfstbladeren van deze wonderlijke semimagische wereld, en natuurlijk haar fantasie. Terwijl de dagen voorbijvlogen, leken de angstwekkende aspecten van de recente gebeurtenissen achteraf steeds minder angstwekkend, en langzamerhand kwam Naomi erachter dat ze zich moediger en onverschrokkener en zwieriger had gedragen dan ze destijds had gedacht. Ze maakte zich geen zorgen meer dat ze haar kans op eeuwige roem had laten glippen, en ze wist dat er vanzelf weer een gelegenheid kwam waarbij ze haar unieke talent als avonturier kon en zou verzilveren.

Minnie wist dat Naomi het briefje had gelezen. Een hoekje van het papier was omgebogen. En Naomi had het dikke papier zo krampachtig vastgehouden dat haar vingers er hier en daar een afdruk in hadden achtergelaten.

Eigenhandig verstopte Minnie de zwartgeverfde spiegel weer achter de dozen. Opgeruimd staat netjes.

Ze vouwde het papier dubbel en bewaarde het als souvenir.

Er gingen dagen voorbij zonder dat er iets bijzonders gebeurde. En daarna nog meer dagen, en nog steeds niks bijzonders.

Het enge gedoe was nog niet voorgoed voorbij. Ze bevonden zich in het oog van een orkaan. Deze kalme periode was maar schijn; de storm bleef om hen heen hangen.

Minnie bezat de natuurlijke gave om zulke dingen te doorgronden. Ze leek te zijn geboren met een zesde zintuig, en dat was altijd haar eigen geheimpje geweest.

Sinds het incident met de spiegel had ze zo nu en dan het gevoel dat ze in de gaten gehouden werd door iets wat geen lichaam en dus ook geen ogen had, maar toch kon kijken.

Ze dacht dat het waarschijnlijk een geest was, maar ze voelde dat het dan niet om een gewone geest ging, of misschien niet *alleen* een geest. Eerst beschouwde ze de stille kracht als een kijker.

Soms voelde de blik van de kijker als een aanraking, een hand die langs haar hals streek, langs haar arm, haar wang en haar kin.

Meestal maar niet altijd kreeg ze dit gevoel als ze alleen was.

Ze probeerde zo veel mogelijk te voorkomen dat ze alleen was, behalve wanneer ze naar de wc ging of zich ging douchen. Het terrein waarop de oogloze kijker zich bewoog, bleef niet beperkt tot het huis. Ook buiten was de kijker aanwezig, op bepaalde afgelegen plekken.

Op een middag beklom ze de ladder die tegen de gigantische oude ceder achter het huis stond en die naar de boomhut leidde. Plotseling wist ze dat de kijker haar daar opwachtte. Ze wilde eigenlijk niet toegeven dat iets zonder lichaam haar iets kon aandoen. Maar toch wilde ze niet alleen met de kijker in die hoge boomhut zijn en zijn blikken voelen, met alleen de ladder als vluchtroute. Misschien viel ze en brak ze haar nek. En misschien was de kijker daar juist wel op uit.

De boomhut was overwoekerd door klimplanten, en daarbinnen lagen schaduwen verborgen en kon je rozen ruiken, de laatste die dit seizoen nog in bloei stonden. Toen ze daar die middag zat, voelde ze dat de kijker de hut binnenkwam.

Hoewel er die dag geen zuchtje wind stond, begonnen de rozen te trillen, alsof de doornige stelen die door het latwerk kronkelden zich probeerden los te rukken om haar te waarschuwen.

Terwijl de rozen trilden en er bloemblaadjes afvielen, voelde Minnie dat de kijker rakelings langs haar streek, en door dat contact wist ze dat de kijker zichzelf Verderf noemde. Dit leek een merkwaardige naam, en toch twijfelde ze er geen moment aan. Verderf.

Al zolang Minette zich dat kon heugen, had ze van tijd tot tijd gevoeld dat er onzichtbare verschijningen in de buurt waren die anderen niet konden waarnemen. Zo nu en dan ving ze er een glimp van op. Aanwezigheden. Geesten. Mensen die niet meer leefden.

Ze waren niet altijd op de plekken die je zou verwachten. Zo hingen ze nooit op begraafplaatsen rond.

Twee ervan waren in een supermarkt waar Nicolette soms boodschappen ging doen. Minnie kon de aanwezigheid van hen beiden voelen. Eén ervan had ze gezien, een man wiens gezicht deels was kapotgeschoten. Ergens in het verleden moest er iets ergs in de winkel zijn gebeurd.

Minnie bleef meestal in de auto op haar moeder zitten wachten.

Toen ze nog klein was, was ze soms bang voor de aanwezigheden. Maar ze ontdekte dat ze je niets deden als je er verder geen aandacht aan schonk.

Als je te lang naar ze keek of met ze ging praten, beschouwden ze dat als een uitnodiging. Als je ze niet uitnodigde, konden er maanden voorbijgaan zonder dat je er een te zien kreeg.

Verderf was de eerste in tijden waar ze bang van werd. Verderf was op de een of andere manier anders.

Meestal was ze alleen als ze zich ervan bewust werd dat Verderf naar haar keek, maar soms keek Verderf naar het hele gezin als ze aan tafel zaten te eten of een spelletje deden. Dat was nog het ergst.

Hoewel ze zich er altijd van bewust werd als er geesten in de buurt waren, wist Minnie nooit wat ze wilden, wat ze dachten of voelden, als ze überhaupt al iets dachten of voelden.

Maar in het geval van Verderf, met name wanneer die naar hen allemaal keek, wist ze precies wat er in hem omging. Haat. Haat en woede.

Maar goed, Verderf was een geest of een soort spook dat nieuw voor haar was, maar toch bleef het een spook, en spoken konden haar of wie dan ook geen kwaad doen. Als ze verder geen aandacht aan hem schonk, als ze niets uitnodigends deed, zou hij vanzelf wel weggaan.

Na de wiskundeles van de oude professor Sinjavski, nog dezelfde dag waarop Zach iets in de mezzanine tegenkwam wat de controle over zijn sluitspier danig op de proef stelde – *Ik ken je, jongen. Ik ken je nu* – ging hij terug naar zijn kamer en ontdekte hij dat die stomme vleesvork, die hij onder wat spullen in de onderste la van zijn bureau had verstopt, weer zijn oude vorm had teruggekregen. *Presto!* De steel die eerst was kromgebogen was nu niet meer krom. De tanden waren recht en niet meer in elkaar gevlochten. Aan de glimmende vleesvork was niet meer te zien dat hij ooit verbogen was.

Dit deed vermoeden dat van de twee verklaringen voor het incident – óf er waren bovennatuurlijke krachten in het spel, óf hij had zich maar wat verbeeld – de laatste de meest waarschijnlijke was. Gestoord. Hij was gestoord. Gek, kierewiet, mesjogge, niet goed bij zijn hoofd, niet goed wijs.

Misschien kon hij voor zijn eigen bestwil beter naar een gekkenhuis gaan, en daar zouden ze hem in zo'n gekkenpakje hijsen, met van die lange mouwen die ze achter je rug vastknoopten, en dan zouden er allerlei gestoorde gedachten door zijn lege hersenpan zweven.

Maar misschien ook niet.

Dat hij bij zichzelf constateerde dat hij misschien krankzinnig was, was op zich eigenlijk een teken dat hij goed bij zijn verstand was. Een schuimbekkende idioot vroeg zich niet af of hij misschien een idioot was; die ging er eerder van uit dat de andere zes miljard mensen op aarde idioten waren en dat hijzelf goed bij zijn hoofd was.

Zach betwijfelde of hij zich in de mezzanine maar wat had verbeeld. Doordat de vork nu weer in de oude staat was hersteld, was hij juist extra op zijn hoede, en hij nam zich meer dan ooit voor om de waarheid boven water te krijgen over wat er in dit huis aan de hand was. Hij wist dat er een spelletje met hem gespeeld werd. Hij was geen domme hond die niet zag dat hij aan de riem werd gehouden. Hij was geen naïeve idioot die met veel genoegen een koeienvlaai opat omdat iemand had gezegd dat het een chocoladetaart was.

Nu hij had vastgesteld dat hij niet aan waanvoorstellingen leed, bleef er maar één mogelijke verklaring over: iets bovennatuurlijks. Als een bovennatuurlijke kracht de vleesvork kon krombuigen, lag het wel erg voor de hand dat diezelfde bovennatuurlijke kracht dat ook weer ongedaan kon maken.

Bij elke andere theorie moest er sprake zijn van een schurk in mensengedaante, een of andere grapjurk die het blijkbaar noodzakelijk vond om de kromgebogen vork te vervangen door een identiek exemplaar dat niet verbogen was.

Zach gaf zichzelf een week lang de tijd om na te denken en te kijken wat er verder zou gebeuren. In die zeven dagen dacht hij veel na, maar er gebeurde verder niets. Het luik viel niet uit zichzelf open, en de ladder klapte zichzelf niet uit. Elke avond voelde hij zich een watje als hij zijn kastdeur met een stoel barricadeerde. Maar de knop werd nooit omgedraaid, en het licht in de kast ging niet zomaar aan.

Zijn ouders voerden het opperbevel, en hij was een groentje. Als groentje liep je niet zomaar naar de opperbevelhebbers met een wild verhaal over een spook in de mezzanine. Dat kon je alleen doen als je het spook in de boeien had geslagen.

Zach gaf zichzelf nóg een week. En nog een.

Hij vroeg zich af of het bij dat ene incident zou blijven. Een of ander geflipt spook komt vanuit het hiernamaals op aarde, speelt een beetje met een stomme lichtschakelaar en een luik en een uitschuifbare ladder, verbuigt een vleesvork, maakt dat weer ongedaan, raakt verveeld en gaat ervandoor om ergens anders een paar grappen uit te halen. Dat scenario leek nog suffer dan de doorsnee belachelijke griezelfilm waarin achterlijke lieden rondliepen die zichzelf constant in gevaar brachten door alles fout te doen wat ze maar fout konden doen.

Maar als het allemaal voorbij was, zat Zach daar niet mee. Hij wilde marinier worden, geen spokenjager.

Dr. Westlake achtte het hoogstonwaarschijnlijk dat Nicolette nog last van bijwerkingen kon hebben, drieënhalve week nadat ze voor het laatst Vicodin had geslikt. Maar hij zou de zaak onderzoeken en haar de volgende dag terugbellen.

Tegenover John zweeg ze over de hallucinatie. Ze wilde niet dat hij zich zorgen zou gaan maken.

De volgende dag, toen dr. Westlake belde, vernam ze dat de arts de mogelijkheid praktisch uitsloot dat haar onplezierige ervaring iets met Vicodin te maken kon hebben, maar voor de zekerheid wilde hij een volledig bloedonderzoek doen.

Nicky was geen piekeraar. Inzitten over wat voor rampen er allemaal konden gebeuren, zag ze als een vorm van ondankbaarheid. Haar leven was gezegend door haar gezin en door de liefde die ze ontving, haar schilderijen kregen goede kritieken en werden voor uitstekende prijzen verkocht, en als tegenprestatie was ze gelukkig en dankbaar.

Ook wanneer het eens tegenzat, was ze altijd opgewekt en hield ze de moed erin. Het leven was te kort om ervan uit te gaan dat er rampen zouden gebeuren. Zelfs toen Minnie ziek was en de artsen niet goed wisten wat er met haar aan de hand was, bad Nicolette weliswaar maar bleef ze niet hangen in een angstscenario maar ging ze er zonder meer van uit dat Minnie weer helemaal beter zou worden.

Ze was geen naïeve rasoptimist. Ze wist dat ook buitengewoon aardige mensen soms afschuwelijke dingen meemaakten, mensen die een veel beter karakter hadden dan zij, zelfs mensen die zo lief en onschuldig waren als Minette. Maar ze kende ook de invloed die de fantasie op de werkelijkheid kon uitoefenen. Elke dag legde ze op het schildersdoek vast wat anders voor altijd in haar hoofd opgesloten zou zijn gebleven, en als logisch gevolg hiervan geloofde ze dat de verbeeldingskracht de werkelijkheid rechtstreeks beïnvloedde, zonder dat daar de fysieke tussenkomst van de kunstenaar voor nodig was. Als je ergens obsessief bang voor was, kon die angst zich in de echte wereld manifesteren. Als je je zorgen ging maken, bestond de kans dat daar onprettige consequenties uit voortvloeiden.

Ze richtte zich weer vol enthousiasme op haar schilderij, en in de week waarin ze de uitslag van het bloedonderzoek zou krijgen, maakte ze het drieluik af. Het resultaat viel haar niet tegen; misschien was het doek een van de beste schilderijen die ze de laatste tijd gemaakt had. Uit het onderzoek bleek dat ze in een uitstekende gezondheid verkeerde.

Ze begon aan een volgend schilderij. Een tweede week verstreek, een derde, en ze had verder geen last meer van hallucinaties. Nicky genoot van haar werk en raakte ervan overtuigd dat het vreemde incident in de badkamer toe te schrijven was aan de nawerking van Vicodin, iets wat dr. Westlake juist had weersproken. Ze zag het als een laatste stuiptrekking van de invloed van het medicijn op haar gestel, en ze ging ervan uit dat ze er verder geen last meer van zou hebben.

Ze merkte dat John steeds gespannen was, maar dat kende ze wel van hem. Als hij de moord op de docent had opgelost en de zaak eenmaal was afgesloten, verwachtte ze dat de stress vanzelf zou verdwijnen.

Toen september ten einde liep en het oktober werd, was Nicky's droom de enige smet op de prachtige herfst. Ze werd er bijna elke nacht wakker van, zonder zich te kunnen herinneren waar ze precies over had gedroomd, maar wel had ze de stellige indruk dat ze steeds hetzelfde droomde. Omdat ze nooit bang was als ze wakker werd en altijd zonder enige moeite weer in slaap viel, vond ze niet dat je van een nachtmerrie kon spreken, maar soms voelde ze zich zo vies als ze wakker werd, dat ze opstond om haar gezicht en handen te gaan wassen.

Ze wist vaag dat ze in de droom een lustobject voor iemand was, iemand die haar hevig begeerde, maar die ze zelf absoluut niet zag zitten. Vanwege de heftige gevoelens en de vasthoudendheid van die ander, werd ze altijd uitgeput wakker, en misschien was dat de reden waarom ze daarna altijd weer als een blok in slaap viel.

Toen John thuiskwam nadat hij de sleutel van het huis van de familie Lucas aan zijn collega had afgegeven, hoorde hij van

Walter Nash dat de stank in het washok was verdwenen, bijna net zo abrupt als hij was verschenen. 'Het lijkt me niet meer nodig om de droger uit elkaar te halen,' zei Walter. 'Die stank kan niet door een dode rat zijn veroorzaakt. Het blijft voorlopig een raadsel, maar ik zal het in de gaten houden.'

's Avonds aan tafel leken Nicky en de kinderen iets minder levendig dan anders, maar John vermoedde dat zijn eigen geestelijke gesteldheid een domper op de avond drukte. Nu Billy Lucas dood was, was alle hoop vervlogen dat de jongen ooit nog duidelijkheid in de zaak zou scheppen. Bovendien was John betrapt toen hij zonder duidelijke reden in het huis van de familie Lucas rondsnuffelde, en hij had verteld dat hij bang was dat zijn vrouw en kinderen vermoord zouden worden, gevoelens waar Ken Sharp geen enkel begrip voor had kunnen opbrengen. Hij wist nog niet waarom hij zijn gezin door deze gebeurtenissen minder goed zou kunnen beschermen, maar wel wist hij dat zijn mogelijkheden hierdoor beperkt waren.

De volgende dag ging hij naar zijn werk om zich op de zaak Edward Hartman te richten, de docent die in zijn huisje aan het meer was doodgeslagen. Lionel Timmins, de collega met wie hij samen op de zaak was gezet, had allerlei aanwijzingen nagetrokken in de twee dagen dat John zich ziek had gemeld. Met een kop koffie gingen ze naar een lege verhoorkamer, waar Lionel hem op de hoogte bracht van de laatste ontwikkelingen.

Timmins was een zwarte man, veertien jaar ouder dan John, bijna tien centimeter korter, twintig kilo zwaarder, en zo breed in zijn schouders dat sommige collega's hem de Wandelende Kleerkast noemden. Hij was getrouwd geweest, maar doordat hij zich zo obsessief op het werk had gestort, was het tot een scheiding gekomen voordat het echtpaar kinderen had gekregen. Zijn bejaarde moeder en haar twee vrijgezelle zussen woonden bij hem in, en hoewel hij zich liefdevol over de dames ontfermde, zou niemand met een gezond overlevingsinstinct het in zijn hoofd halen Lionel ooit een moederskindje te noemen.

John en Lionel verschilden in talloze opzichten van elkaar, maar op één punt leken ze meer met elkaar verbonden dan met hun collega's: ze beschouwden hun werk op de afdeling Moordzaken niet zozeer als een broodwinning als wel een heilige roeping. Als zestienjarige was Lionel veroordeeld voor de brute moord op een vrouw, Andrea Solano genaamd, die om het leven was gekomen toen er bij haar was ingebroken. Terwijl hij in de gevangenis zat, kwam zijn geliefde vader te overlijden. Nadat Lionel zes jaar in een zwaarbeveiligde cel had gezeten, werd de echte inbreker-moordenaar opgepakt voor een ander vergrijp, en door spullen die hij in zijn bezit had, kon er een verband worden gelegd tussen hem en de moord op Solano. De man bekende uiteindelijk. Zonder die toevallige gebeurtenis zou Lionel in de cel zijn weggerot. Hij werd op vrije voeten gesteld, zijn strafblad werd schoongeveegd, en hij ging bij de politie, werd uiteindelijk rechercheur, en had daarbij twee doelen. Allereerst wilde hij moordenaars achter slot en grendel zetten, om ervoor te zorgen dat ze de doodstraf kregen als dat noodzakelijk was, en ten tweede wilde hij ervoor zorgen dat niemand ten onrechte beschuldigd werd van moord, althans niet zolang hij er iets tegen kon doen.

Als collega's die regelmatig samenwerkten, konden ze goed met elkaar overweg, maar ze waren niet dik met elkaar bevriend, voornamelijk doordat ze minder tijd met elkaar doorbrachten dan andere collega's die op dezelfde zaak waren gezet. Ze werkten als een team samen, maar ze deden niet alles met z'n tweeën. Ze waren allebei toegewijde huisvaders, en vertoefden liever thuis dan in de boze buitenwereld, maar op het werk waren het einzelgängers, elk met een eigen manier van doen, en ze gingen liever niet met elkaar in één auto op pad, omdat ze zich dan onherroepelijk aan elkaar moesten aanpassen. Ze splitsten de taken op, bereikten twee keer zoveel als wanneer ze gezamenlijk op pad zouden gaan, hielpen elkaar waar dat nodig was, vergeleken hun aantekeningen aan het eind van de dag en hadden van alle collega's op de afdeling Roofovervallen/Moordzaken de hoogste score van opgeloste zaken.

Hij zou zich extra betrokken moeten voelen bij de zaak Hartman, want het slachtoffer was een docent, net als Johns vermoorde ouders. Maar het lukte hem niet goed zich op de zaak te concentreren. Hij moest steeds denken aan de moord op de familie Lucas, en hij zag 5 oktober met angst en beven tegemoet, de datum waarop de volgende slachtpartij zou plaatsvinden als de misdaden van Alton Turner Blackwood inderdaad in de herhaling gingen. Nog nooit had hij zo weinig resultaten geboekt als in dit onderzoek naar de moord op Hartman.

Zes dagen nadat hij op zijn werk was teruggekeerd, werd hij ontboden op het kantoor van Nelson Burchard, die aan het hoofd van de rechercheafdeling stond. Ken Sharp had een rapport ingediend over Johns bezoekjes aan Billy, waarin hij had vermeld dat John het huis van de familie Lucas was binnengegaan zonder dat hij daar toestemming voor had, en in het rapport stond vermeld wat er in de kamer van Billy tussen John en hem was besproken.

Burchard leidde de afdeling als een wijze oude oom, en het gebeurde zelden dat hij zijn stem verhief. Om zijn manschappen in toom te houden, koos hij afwisselend voor de rol als liefhebbende stiefvader, begripvolle collega, en therapeut. Hij was een buitengewoon gespierde man met wit haar, en met zijn gezicht leek hij zeer geschikt om in een blijspel mee te spelen als oudere man met pretoogjes die prettig gestoord was en beweerde de kerstman te zijn, of een engel die zijn vleugels moest verdienen.

John voelde zich genoodzaakt zijn gedrag te verklaren en uit te leggen wat zijn familie was overkomen toen hij veertien was. Zijn relaas ontlokte Nelson Burchard een reactie van medelijden, waar John eigenlijk niet op zat te wachten. Hoewel het medelijden niet gespeeld leek, kwam het toch enigszins gladjes over. Door de zoetige ernst waarmee de man op zijn woorden reageerde, vond John het nog moeilijker zijn verhaal te doen dan hij had gedacht.

Burchard leefde weliswaar met hem mee, maar begreep ook onmiddellijk dat een dergelijke afschuwelijke ervaring op zo'n jonge leeftijd mogelijk tot psychologische problemen kon leiden die een carrière op de afdeling Roofovervallen/Moordzaken in de weg stonden, problemen die pas tot volle wasdom kwamen als ze zogezegd werden bemest door een zaak die sterk leek op het trauma dat John in zijn verleden had opgelopen.

'Ik snap dat je bang bent dat Billy probeerde Blackwood na te doen. Maar vergeet niet dat hij zichzelf bij de politie heeft aangegeven. Als hij van plan was nog meer moorden te plegen, zou hij dat niet gedaan hebben.' Burchard boog zich naar hem toe vanuit een van de fauteuils die in het praathoekje van zijn kantoor stonden. 'Dacht je echt dat hij een poging zou wagen om uit de kliniek weg te komen?'

'Nee. Ik weet het niet. Misschien.' Hoewel John zich gedwongen had gevoeld Burchard te vertellen wat er twintig jaar geleden was gebeurd, had hij met geen woord gerept over zijn theorie dat een moordzuchtige geest zich van Billy Lucas meester had gemaakt. Dat iemand door een geest bezeten kon zijn, was iets waar geen enkele advocaat in een rechtszaak mee aan zou durven te komen, noch was het iets waar een rechter van onder de indruk zou raken. 'De opvallende overeenkomsten tussen de moord op de familie Valdane en de familie Lucas kon ik niet zomaar negeren. Ik vond dat ik... ik wilde gewoon... ik weet niet precies waarom, maar ik wilde weten of Billy zich door Blackwood had laten inspireren.'

'Tegen Ken Sharp heb je het gehad over bestanden die op de computer van die jongen zouden staan, bestanden die erop wezen dat hij het onder meer op jouw gezin gemunt had.'

'Dat klopt. Ik heb ze op zijn computer zien staan, de eerste keer dat ik daar in huis ben geweest. Maar iemand moet ze hebben gewist.'

Burchard bleef hem met zijn jolige gezicht aankijken alsof het kerstavond was, maar zijn glimmende ogen leken nu niet zozeer goede wil uit te stralen maar fonkelden als het scalpel van een forensisch chirurg. 'Ken heeft de back-ups bekeken die van de harde schijf gemaakt zijn en die als bewijsmateriaal in de kluis liggen. Daar zijn geen bestanden over je gezin op te vinden.' De fauteuil voelde als een stoel waarin hij ter dood gebracht werd. John wilde het liefst opstaan en rondlopen. Hij bleef zitten en zweeg.

'De back-ups lagen veilig in het depot opgeborgen,' zei Burchard. 'Denk je dat iemand ermee geknoeid heeft?'

'Nee, dat denk ik niet. Niet als ze in het depot lagen. Ik heb er geen verklaring voor. Maar ik blijf bij wat ik eerder gezegd heb.'

Burchard keerde zich van hem af en keek door het raam naar de staalgrijze lucht, alsof het hem moeite kostte John te blijven aankijken. 'We weten niet wat die jongen allemaal nog meer van plan was, maar feit is dat hij dood is. Er zullen nu geen families meer worden uitgemoord.'

'Op 5 oktober,' zei John. 'Dan gaat het gebeuren. Of dat zou in elk geval zo zijn als deze moorden een eerbetoon waren. Blackwood pleegde zijn moorden volgens een strak schema. Drieëndertig dagen.'

Burchard keek John weer aan en zei: 'Maar hij leeft niet meer.'

'Stel dat hij het niet in zijn eentje gedaan heeft.'

'Maar dat is niet zo. We hebben geen enkele aanwijzing dat er nog iemand anders aanwezig was toen het allemaal gebeurde.'

'Ik vraag me alleen af of...'

'Het is jouw zaak niet,' onderbrak Burchard hem. 'Hoe staat het met het onderzoek naar de moord op Hartman?'

John aarzelde even en zei: 'Lionel heeft vast al heel wat gevonden.'

'En jij?'

John haalde zijn schouders op.

'Jullie zijn mijn paradepaardjes, jij en Lionel. Maar... je hebt je in de kliniek voorgedaan als degene die op de zaak was gezet. Je bent twee keer zonder toestemming het huis van de familie Lucas binnengegaan. Misschien ben je door alle gebeurtenissen een beetje van je à propos geraakt. Ben je het daarmee eens?'

'Niet zodanig dat ik me niet hersteld heb.'

'Je gooit je altijd voor honderd procent op het werk, John. Misschien moet je eens een tijdje vrij nemen om na te denken. Om de hele zaak te verwerken.' Toen John iets wilde zeggen, hief Burchard een hand om hem tot stilte te manen. 'Ik heb het hier niet over een officiële schorsing. Het komt niet in je dossier te staan. Als jij gewoon dertig dagen onbetaald verlof opneemt, zal ik daar onmiddellijk toestemming voor geven.'

'En als ik dat niet wil?'

'Dan zal ik me gedwongen voelen om met Sharps rapport naar Parker Moss te stappen.'

Moss was de hoogste baas, een prima politieman maar soms hield hij zich ergerlijk strikt aan de regels.

'En dan?' vroeg John.

'Misschien schakelt hij dan de inspectie in, maar waarschijnlijk niet. Moss zal in elk geval aansturen op een psychologisch onderzoek en een verplichte evaluatie. Vanwege het verzwegen trauma van twintig jaar geleden.'

'Ik ga mijn ziel en zaligheid niet blootleggen.'

'Dat denk ik ook niet. En daarom heb ik liever dat we het op een andere manier aanpakken. Maar als Moss ermee aan de haal gaat, zal hij de vaste procedures volgen.'

'Wil je dat ik mijn badge en mijn pistool inlever?'

'Nee. Als je met onbetaald verlof gaat, ben je nog steeds gehouden aan de regels die gelden als je geen dienst hebt. Je mag je dienstpistool te allen tijde bij je hebben, omdat je dan een agent in burger bent.'

Onder de huidige omstandigheden was het belangrijk voor

John om een wapen bij zich te mogen dragen zonder dat hij daardoor onmiddellijk in de problemen kwam.

'Goed dan,' zei hij. 'Maar wat ga je Lionel zeggen?'

'Dat mag jij bepalen.'

'Familieomstandigheden.'

'Hij zal wel iets meer willen weten.'

'Ja. Maar we steken onze neus nooit in elkaars zaken.'

'Dan houden we het op familieomstandigheden,' zei Burchard.

'Bovendien zit er ook een kern van waarheid in.'

'Zou je het vervelend vinden om tegen hem te moeten liegen?'

'Dat zou ik gewoon niet kunnen,' zei John.

Toen hij met onbetaald verlof was gegaan, had hij weinig anders te doen dan afwachten tot het 5 oktober werd. Dat hij steeds rustelozer werd en zich steeds meer zorgen ging maken, mocht geen verrassing heten.

Omdat hij vastbesloten was Nicolette en de kinderen niet nodeloos ongerust te maken, vertelde hij hun niet dat hij een maand onbetaald verlof had opgenomen. Hij vertrok elke morgen gewoon alsof hij naar zijn werk ging, doodde de tijd in bioscopen en keek films die hem niet interesseerden, las boeken in de bibliotheek waarvan hij niets wijzer werd, of maakte wandelingen van vijftien kilometer zonder dat hij daar moe van werd.

Hij trok de bovennatuurlijke aard van de dreiging niet langer in twijfel, alleen al omdat hij anders niet kon verklaren dat Billy wist wat Alton Turner Blackwood als een van de laatste dingen had gezegd voordat John hem had vermoord: *Die lekkere zus van je. Giselle. Ze had van die mooie, kleine, ontluikende borstjes.*

Toch bleef hij hoop koesteren door te bidden, omdat hij er al jaren van overtuigd was dat het concept van het noodlot geen bestaansgrond had. Hij had een vrije wil en kon zijn vrouw en kinderen veilig door deze duistere tijden heen loodsen. Die overtuiging was misschien flinterdun, maar het was alles wat hij had om niet gek te worden.

Als de vijfde oktober voorbijging zonder dat er moorden werden gepleegd die op de tweede slachtpartij van Blackwood leken, als het patroon uit het verleden dus werd onderbroken, zou John nooit tegen zijn kinderen hoeven zeggen dat hij drieëndertig dagen in zenuwslopende angst had gezeten. Nicky zou hij er dan misschien wel ooit over vertellen.

Als de moorden wél plaatsvonden, zou hij Nicky alles vertellen, en samen zouden ze dan bepalen wat hun te doen stond. Maar als de geest van een moordzuchtige psychopaat werkelijk uit de dood kon terugkeren en een menselijk wezen als marionet kon gebruiken, leek er geen wapen voorhanden waarmee daar iets tegen gedaan kon worden.

John liep door de rechte straten van de stad, wandelde door het park aan de rand van het meer, en zag films die maar voor de helft tot hem doordrongen. Hij werd verteerd door een gevoel van hulpeloosheid, niet alleen wat betreft de bescherming van zijn geliefden, maar ook omdat hij met geen mogelijkheid het gezin kon waarschuwen dat als tweede op de lijst van slachtoffers stond.

Twintig jaar geleden, nadat de Valdanes waren afgeslacht, had Blackwood de familie Sollenburg onder handen genomen.

De ouderslaapkamer lag aan de achterkant van het huis, een eindje van de andere slaapkamers af, met de woonkamer en andere vertrekken daartussen. Handige indeling voor een moordenaar die zijn slachtoffers in een bepaalde volgorde wilde afwerken, en die het vierde en laatste slachtoffer niet wilde alarmeren terwijl hij zich over de eerste drie ontfermde.

De ouders, Louis en Rhoda, waren in hun bed om het leven gebracht. De echtgenoot was het eerst aan de beurt. Louis werd in zijn slaap met een schot in het hoofd vermoord. De aanwezigheid van staalwolvezels in de wond wees erop dat de moordenaar eigenhandig een geluiddemper voor zijn 9mm-pistool had gefabriceerd.

Misschien was Rhoda door het gedempte schot wakker geworden, of misschien was ze ontwaakt toen Blackwood het licht aandeed. Hij vuurde twee kogels op haar af toen ze geschrokken opstond, en ze stierf op de grond.

Geen van de twee slachtoffers had een kik gegeven, en de schoten hadden nauwelijks geluid gemaakt, zodat Blackwood alle tijd had gehad om rustig door het huis te sluipen. Hij nam de tijd om van de moorden te genieten die hij net had gepleegd, en om zich met een duister genoegen te verheugen op de wreedheden die hij op het punt stond te begaan.

De zelfgemaakte geluiddemper was danig onderhevig aan slijtage. Hij pakte een kussen uit de ouderslaapkamer om daarmee het geluid van het schot te dempen waarmee hij Eric, de vijftienjarige zoon, in diens slaap vermoordde.

Nu er drie dood waren, was alleen de zeventienjarige Sharon Sollenburg over. De lijkschouwer had berekend dat ze meer dan vier uur na haar broer vermoord was.

De vernederingen en wreedheden die het meisje gedurende die vier uur had moeten ondergaan, waren vastgelegd in het sectierapport, en zelfs de meest doorgewinterde rechercheurs die dachten dat ze alles wel zo'n beetje hadden meegemaakt, werden onpasselijk toen ze het sectierapport lazen. Zo'n woest, duivels vindingrijk monster hadden ze nog nooit meegemaakt.

Haar lijden hield niet op toen Blackwood haar neerschoot. De verhouding tussen de verhoogde hoeveelheid serotonine en de verlaagde hoeveelheid vrije histamine in het bloed was dusdanig dat het minstens een halfuur geduurd moest hebben voordat ze overleed.

Afgescheurde wikkels en chocoladevegen op de stoelbekleding deden vermoeden dat de moordenaar in een leunstoel had gezeten en drie Almond Joy-repen had gegeten terwijl hij het leven uit haar weg had zien vlieden. Aan de bloedsporen op de wikkels was te zien dat hij de repen had opgegeten en allerlei spelletjes met haar had uitgehaald zonder tussendoor zijn handen te wassen.

Net als bij de Valdanes waren er bij de vier Sollenburgs zwarte kwartjes op hun oogleden gelijmd. Bovendien lag er een zorgvuldig gevormd schijfje gedroogde ontlasting op hun tong, en hielden ze speciaal geprepareerde uitgeblazen eieren in hun vastgebonden handen.

Twintig jaar later waren er in deze grote stad waarschijnlijk duizenden gezinnen die bestonden uit een vader, een moeder, een zoon en een dochter. Er viel met geen mogelijkheid te voorspellen wie van hen de dood boven het hoofd hing.

Bovendien zou de moordenaar evengoed een gezin van vijf in plaats van vier personen kunnen uitkiezen, een met twee of drie meisjes in plaats van één dochter. Per slot van rekening was de tante die bij de Valdanes inwoonde, twee decennia geleden, de oma bij de familie Lucas in het heden, en de leeftijden van de eerste vier slachtoffers waren niet gelijk aan de leeftijden van de andere vier. Wel was dezelfde methode gevolgd om de slachtoffers te vermoorden, en er waren meer overeenkomsten aan te wijzen, maar de scenario's waren niet in elk opzicht hetzelfde.

Er was bij lange na niet genoeg politie om elk gezin in de stad te beschermen dat mogelijk gevaar liep.

Toen september ten einde liep en het oktober werd, verkleurde het groene zomerkleed van de bomen naar het spectaculaire gewaad dat ze in de herfst droegen. Beuken kregen een heldere koperkleur, en fresia's werden nog feller oranje dan het lover van de kastanje. Zilverbladige populieren kregen een gouden gloed, en de blaadjes van de enorme Amerikaanse eik die aan de zuidkant van het huis van de Calvino's stond, kleurden paars.

Aan het eind van de middag van de vierde oktober, aan de vooravond van de gevreesde datum, toen John vroeg thuiskwam van zijn zogenaamde werk, was het huis ingrijpend veranderd. Hij voelde dat op het moment dat hij uit zijn auto stapte, in de garage onder het huis. De lucht leek frisser, alles leek schoner dan het was geweest, een gevoel dat het huis bevrijd was van een verstikkende sluier. Dit gevoel werd alleen maar sterker toen hij de trap op ging.

Hij had zich door zijn zorgen bedrukt gevoeld en had niet in de gaten gehad dat er een benauwend aura om het huis had gehangen. Wekenlang waren de kamers niet zo harmonieus in proportie geweest als daarvoor. De lampen en spotjes hadden niet zo fel gebrand als normaal, terwijl alle dimschakelaars juist op de maximale lichtsterkte stonden. De kunst aan de muur en de meubels hadden uitgeblust geleken en pasten niet bij elkaar, en hoewel het in huis niet naar de urine van Billy Lucas had geroken, hing er een verschaalde lucht, als in een vermolmd oud museum waarin het stof van jaren is blijven liggen. Hij kreeg dat pas achteraf door, nu het huis weer straalde en hem verwelkomde.

Misschien voelde niemand de verandering zo sterk als John, omdat hij vermoedde – oké: *wist* – dat er eenentwintig dagen geleden iets van de kliniek met hem mee naar huis was gegaan. Als Nicky en de kinderen zich niet bewust waren dat het huis in een soort van wolk gehuld was geweest die nu was opgetrokken, moesten ze het verschil in elk geval gevoeld hebben, want ze waren onder het eten veel levendiger en vrolijker dan in tijden. De vlotte tafelgesprekken hadden hun oude schwung terug – van een gevatte opmerking tot scherts, tot spot, en weer terug.

Het eten smaakte beter, en de wijn ook, niet omdat Walter en Imogene zichzelf hadden overtroffen, want hun culinaire lat lag altijd hoog, maar omdat de vertrouwde opgewekte sfeer in huis was hersteld, een essentieel ingrediënt, zoals zout, waardoor alles beter smaakte. Als er de afgelopen drie weken iets bovennatuurlijks in huis had rondgehangen, was die aanwezigheid nu ontegenzeggelijk verdwenen.

Toen John zich er eenmaal toe had gezet het onbekende te omarmen en te accepteren dat een kwaadwillige geest de weg terug naar de aarde had kunnen vinden en zijn leven was binnengedrongen, had hij verwacht dat het zich net zo zou ontwikkelen als dat in boeken en films het geval was. Eerst had je subtiele momenten van vervreemding waar je dan een rationele verklaring voor zocht, en vervolgens leidden bizarre, angstaanjagende gebeurtenissen tot het derde bedrijf, waarin de dreiging een hoogtepunt bereikte en het door de geest geteisterde huis in een hel op aarde veranderde. Tot nu toe had hij er nooit rekening mee gehouden dat de intensiteit van de gebeurtenissen tussen het eerste en tweede bedrijf kon verflauwen, dat de band tussen de geest en het slachtoffer door onverschilligheid en gebrek aan spanning kon slijten, zoals dat ook in een relatie tussen twee levende personen kon gebeuren.

John speelde met deze hoopvolle gedachte onder de soep en tijdens het voorgerecht. Maar voordat hij aan het toetje was begonnen, besefte hij dat de bedreigende geest niet voor altijd was verdwenen of weggegaan. Hij wist niet op welke manier dergelijke geesten zich verplaatsten – door magie, bij het licht van de maan, op de kracht van pure kwaadwilligheid – maar deze geest was op zoek gegaan naar zijn volgende Billy Lucas, naar de volgende handschoen waarmee hij weer een gezin kon uitmoorden. Als die bloederige ceremonie voltrokken was, zou hij terugkomen.

29

MACE VOLKER IS EEN BESTELLER EN EEN DIEF. HIJ IS dertig jaar en brengt al vanaf zijn negentiende bloemen voor een bloemenzaak rond. Op zijn elfde was hij begonnen te stelen. Hij is nooit gesnapt, noch heeft iemand hem er ooit van verdacht, want hij is gezegend met een vriendelijk, open gezicht, een zeer aangename stem, en een onverschrokken aard, kenmerken die hij inzet om anderen om de tuin te leiden, net zo vaardig als een concertpianist zijn lenige, behendige vingers gebruikt.

Mace doet aan winkeldiefstal en zakkenrollen en breekt hier en daar in. Hij steelt niet alleen of zelfs hoofdzakelijk voor het geld, maar voornamelijk voor de kick. Gestolen geld en goederen oefenen een sterke, sensuele aantrekkingskracht op hem uit, meer nog dan de zijdezachte huid van een prachtige vrouw. Hij bereikt niet onmiddellijk een hoogtepunt als hij met zijn vingers gestolen geld aanraakt, maar wel kan hij dan flink verhit raken. Soms brengt hij zichzelf in een staat van opwinding door een uur achter elkaar gestolen twintigjes en honderdjes door zijn handen te laten gaan. Een psychiater zou misschien stellen dat Mace een fetisjist is. Een paar keer heeft hij een meisje gehad, maar alleen om te kijken hoeveel hij van haar kon stelen: geld en spullen, eer en hoop en zelfrespect. Over het algemeen gaat hij naar de hoeren als hij aan zijn trekken wil komen, en het was altijd het lekkerst als hij het geld van hen kon terugpakken dat hij voor hun diensten had betaald.

Er zijn tien deuren om bij Mace Volker binnen te komen: zijn gevoelige, klauwende vingertoppen.

Twee keer per week levert hij bloemen af bij het huis van de Calvino's, rozen voor het atelier van Nicolette, en zo nu en dan een boeket voor op de eettafel. Deze vierde oktober, vlak voor vijven, heeft hij drie dozijn lange gele rozen voor de kunstenares bij zich, per dozijn in plastic verpakt. Hij wordt niet genomen als hij aanbelt, maar als hij met zijn wijsvinger op de bel drukt, wordt hij gekend en gewild.

Walter Nash tekent voor de ontvangst. Omdat Walter twee armen nodig heeft om de rozen en het bijbehorende groen te dragen, helpt Mace hem door bij het weggaan de voordeur dicht te trekken. *Genomen.* Mace is zich er niet van bewust dat hij niet langer alleen is, dat hij nu een paard is met een ruiter die op een gegeven moment kan afstappen zonder dat Mace iets in de gaten heeft gehad – of die hem in plaats daarvan de dood in kan jagen.

Nu de bestelling is afgeleverd, rijdt Mace in het bestelbusje terug naar de bloemenzaak waarvoor hij werkt. Ellie Shaw, de eigenaresse, staat achter de toonbank en maakte de kassa op. Mace levert zijn bestellingenlijst in, met daarop de handtekeningen van de klanten die voor ontvangst hebben getekend. Ellie is achter in de dertig en niet onknap, maar Mace ziet haar niet als een vrouw, omdat ze zijn baas is en hij haar niet kan misbruiken en bestelen zonder dat dat ernstige gevolgen voor hem heeft. Terwijl ze de dag in het kort doornemen, fantaseert Mace dat ze naakt is, iets wat hij nooit eerder heeft gedaan – wel bij andere vrouwen, niet bij Ellie – maar tot zijn verbazing en schrik ziet hij ook een beeld van haar waarin ze gewurgd is met een gestreepte stropdas, en haar opgezwollen grijzige tong steekt uit haar mond, en in haar levenloze, opengesperde ogen ligt een blik vol doodsangst waarmee ze haar enthousiaste moordenaar heeft beloond. Deze fantasie windt hem behoorlijk op.

Geschokt door dit beeld, en bang dat Ellie iets aan hem zal merken, zegt hij dat hij zogenaamd een afspraak met een jongedame heeft, waarna hij snel naar de parkeerplaats voor het personeel gaat, waar zijn auto staat. Eenmaal achter het stuur en onderweg, nog verwonderd over zijn wilde fantasie, stopt Mace voor rood. Een jonge vrouw en een meisje van ongeveer tien staan hand in hand te wachten tot het voetgangerslicht op groen springt. Levensecht en met een intensiteit waar Mace van schrikt, ziet hij de twee ineens zonder kleren aan de weg oversteken – maar dan ineens zitten ze vastgebonden op een stoel in een kale kamer, kapotgeslagen en rood en met een mes toegetakeld als hout dat met een guts bewerkt is.

Om het paard niet onnodig aan het schrikken te maken, beteugelt de ruiter zijn neiging om zich lustobjecten voor te stellen in een staat van totale onderwerping en lichamelijke ontreddering. Mace Volker is weliswaar nogal ontzet door zijn hallucinaties, maar de beelden staan hem niet onmiddellijk tegen. Per slot van rekening is hij een dief die erop kickt dingen van anderen af te pakken, niet zozeer om het materiële gewin dat eraan verbonden is. En nu zal het hem langzaam beginnen te dagen dat de ultieme diefstal het nemen van een leven is. Dit inzicht kan een interessant effect hebben op de criminele carrière van deze man.

Mace heeft in zijn lunchpauze een inbraak gepleegd en heeft daarbij wat mooie diamanten sieraden buitgemaakt, waarvan hij hoopt dat ze tussen de twaalf- en de vijftienduizend dollar op zullen brengen. Hij rijdt naar een kroeg in een deel van de stad dat ooit een slechte buurt was maar dat de laatste tijd flink is opgeknapt. De bar is geen obscure tent maar fungeert als een respectabele dekmantel voor een heler die goed betaalt voor gestolen waar. De buurt is zo veilig dat Mace zich geen zorgen hoeft te maken dat hij wordt overvallen als hij de zaak in of uit gaat. De gevel is opgetrokken uit zwart graniet en mahoniehout. Binnen zitten er aan de tafeltjes en de bar meer jonge stellen met carrièremogelijkheden dan jonge einzelgängers.

Mace krijgt een flesje Heineken zonder glas van de barman, die hem kent en de interne telefoonlijn gebruikt om te vragen of Mace naar achteren mag doorlopen. Nadat de barman een goedkeurende duim heeft opgestoken, duwt Mace de klapdeur open en loopt hij de kleine keuken binnen, waar alleen broodjes, patat en uienringen klaargemaakt worden. Een deur achter in het lekker ruikende vertrek voert naar een smalle trap, waar een camera aan het plafond zijn gang naar boven registreert. Boven aangekomen wacht hij even tot een stalen deur opengaat en hij naar binnen mag.

Dit is de ontvangstruimte. Het kantoor van Barry Quist, die onder andere kroegeigenaar en heler is, ligt achter een volgende deur. In dit vertrek staat een tafel waaraan een gespierde man in hemdsmouwen zit, zijn schouderholster en pistool duidelijk zichtbaar. Een andere man in hemdsmouwen, die de deur voor Mace had opengedaan, is al net zo fors en bewapend. Hij doet de deur nu dicht, en hoewel hij weet dat Mace nooit een wapen bij zich heeft, fouilleert hij hem, waarna hij teruggaat naar een stoel waarop een opengevouwen *Sports Illustrated* ligt. Deze twee mannen vergezellen Barry Quist altijd, al heeft Mace nooit gehoord hoe ze heten. Hij noemt ze bij zichzelf Eén en Twee. Eén is de kleerkast die de deur voor hem heeft opengedaan. Ze ogen als mannen die in een gevecht voor geen enkele genadeloze actie terugdeinzen en die slechts door een kogel in de kop kunnen worden tegengehouden. Er staan twee keer drie stoelen met rechte rugleuning, met daartussenin een hoge tijdschriftenstander met wat glossy bladen. De ruimte doet denken aan de wachtkamer van een tandarts – als je tenminste op zoek bent naar een tandarts die je tanden er met een hamer uitslaat.

Op tafel ligt een pistool met een extra groot magazijn. Het

wapen is klaarblijkelijk van de man die op dit moment bij Barry in diens kantoor is om zaken te doen. Naast het pistool ligt een geluiddemper, die op de loop geschroefd kan worden.

In een van de stoelen zit een waanzinnig knap blondje. De vrouw is hier samen met de man gekomen die nu bij Barry is. Twee is vanachter de tafel opgestaan en heeft op de rand ervan plaatsgenomen om wat met haar te kletsen. Het is duidelijk dat ze elkaar kennen, en de man met wie ze hiernaartoe is gekomen, heet Reese. Twee praat tegen haar alsof hij een vriend is die zich zorgen maakt. 'Wat ik alleen maar probeer te zeggen, is dat je zo veel mogelijk van Reese moet zien te krijgen, binnen zo'n kort mogelijke tijd. Hij wil altijd alles hebben waar hij zijn oog op laat vallen, en hij blijft nooit lang hangen.' Het blondje zegt dat ze wel weet wat voor vlees ze in de kuip heeft, dat ze hem bij de ballen heeft en dat ze weet hoe ze hem als een goed afgerichte poedel aan de voet moet laten lopen. Twee schudt zijn hoofd en zegt: 'Als hij al het geld in de wereld had, en hij het met elke vrouw had gedaan die een beetje de moeite waard was, zou hij zich daarna op kleine jongetjes werpen. Hij zal altijd dingen willen hebben die hij niet heeft of die hij niet kan krijgen.'

Er zit een elektronisch slot op de deur naar het kantoor, en dat zoemt even, vlak voordat Reese de ontvangstruimte betreedt. Hij is een krokodil in een pak van vijfduizend dollar. Een manicure heeft zijn klauwen een menselijke vorm gegeven, inclusief laklaagje, zijn brede mond kan zijn prooi op efficiënte wijze verzwelgen, zijn ogen schieten rusteloos alle kanten op. Hij kijkt op zijn horloge van twintigduizend dollar, om anderen te laten zien dat hij het sieraad om heeft. Maar er verschijnt een zure uitdrukking op zijn gezicht, alsof hij net een duurder horloge heeft gezien en nu schoon genoeg heeft van het uurwerk waar hij voorheen zo trots op was.

Reese heeft veel deuren om bij hem binnen te komen, maar daarvan zijn de ogen het gemakkelijkst. *Genomen.*

De bloemenbezorger Mace Volker, die nu weer alleen zichzelf is, betreedt het sanctum sanctorum van Barry Quist om te onderhandelen over een prijs voor de gestolen juwelen. Reese Salsetto pakt zijn pistool en zijn met precisie gefabriceerde geluiddemper, die in een apart vakje van zijn op maat gemaakte schouderholster past. Zijn ruiter ziet voorlopig af van het gebruik van sporen of teugels, en Reese heeft niet in de gaten dat hij zichzelf niet meer onder controle heeft. Tegen Brittany Zeller, het blondje, zegt hij: 'Kom, we gaan, Poes.'

Terwijl Reese via de keuken en het drukke café naar buiten loopt, is hij zich ervan bewust dat Brittany alle aandacht van de aanwezige mannen trekt. Elke man begeert haar en is jaloers op hem.

Ze hebben voor halfacht een tafeltje gereserveerd in een van de beste restaurants van de stad, waar hij een gewaardeerde klant is. Op straat, bij zijn Mercedes s600, vertelt hij Brittany dat hij de reservering naar acht uur wil verschuiven, zodat ze wat meer tijd hebben om eerst naar zijn huis terug te gaan. Hij legt uit dat hij iets speciaals voor haar verjaardag heeft gekocht – over drie dagen is ze jarig – en dat hij zo benieuwd is of ze het mooi vindt dat hij niet nog drie dagen kan wachten om haar het cadeau te geven. Ze zullen eerst thuis een glas martini drinken en daarna naar het restaurant gaan.

Dat hij zijn plannen wijzigt, komt door Reese' ruiter, maar die pakt het zo subtiel aan dat Reese niet in de gaten heeft dat iemand zijn teugels in handen heeft, en ook het bit tussen zijn tanden voelt hij niet. De ruiter weet alles al over zijn paard: Reese' geschiedenis, wensen, behoeftes, verlangens, alle diepste geheimen van de arrogante, verknipte en verdorven crimineel. In de elkaar overlappende schaduwen van Reese' hart heeft de ruiter een gezin ontdekt dat hij met bloederig genoegen zou willen verwoesten. Eigenlijk had hij verwacht dat hij vier of vijf keer van paard moest wisselen voordat hij een gezin had gevonden waar hij zich op kon storten. Maar het was al voldoende om van Mace Volker op Reese Salsetto over te gaan.

Reese woont in een opzichtig penthouse, dat minder groot is dan waar hij meent recht op te hebben, en het appartement is ook niet zo hoog gelegen als hij zou willen. Maar het gebouw is zeer exclusief, en volgend jaar zal hij een groter appartement in een hogere flat betrekken. Het penthouse is in luxe art-decostijl ingericht, met meubilair van superieure kwaliteit. De inrichting is verzorgd door een vrouw die Reese een van de stijlvolste en getalenteerdste binnenhuisarchitecten van de stad vindt, vooral omdat ze een Brits accent heeft.

Terwijl Brittany naar een hoek van de woonkamer loopt om bij de bar twee Gray Goose-martini's klaar te maken, loopt Reese door om de halsketting van diamanten en smaragden op te halen die hij voor haar verjaardag gekocht heeft. Hij kan het niet nalaten even de slaapkamer binnen te stappen om in de spiegel te controleren of zijn pochetje goed zit, of zijn stropdas goed gestrikt is, en of zijn haar niet in de war is geraakt.

Omdat het tijd is geworden om absolute controle over het paard te verkrijgen en elke uiting van diens wil te onderdrukken, staat de ruiter het zichzelf toe wat lol te gaan trappen. Terwijl de crimineel zichzelf in de spiegel staat te bewonderen, verandert zijn spiegelbeeld op slag, en in plaats van zichzelf ziet hij nu Alton Turner Blackwood, wiens geestvoeten in de stijgbeugels van Reese Salsetto zitten. Gebocheld, met een puntige kin, grove jukbeenderen, een lelijke, gemene mond, ogen als zwarte gaten met zoveel zwaartekracht dat ze hele werelden naar zich toe kunnen trekken om die te vernietigen. Zelfs Reese, de onverschrokken psychopaat, schreeuwt het uit van angst, maar er komt geen geluid uit zijn mond, omdat hij geen controle meer over zijn lichaam heeft. Hij is een gevangene in zijn eigen lijf geworden, geketend door botten waar hijzelf ooit de controle over had, een machteloze toeschouwer die de wereld vanachter de ramen van zijn hebberige ogen gadeslaat.

Reese gaat naar Brittany in de woonkamer, niet met zijn cadeau maar met het pistool, waar hij de geluiddemper op heeft geschroefd. Als ze zich naar hem omdraait om hem een glas martini aan te reiken, schiet hij haar twee keer in de buik en een keer in de borst. De schoten maken een sussend geluid, alsof ze Brittany op het hart willen drukken in stilte dood te gaan.

Hoewel de ruiter een specialist is op het gebied van martelingen en hij het heerlijk vindt om anderen te vernederen en pijn te doen, maakt hij korte metten met Brittany Zeller, omdat er naar zijn smaak te weinig eer aan haar te behalen valt. Ze weet te veel, is al te lang bezig haar eigen innerlijke vonk te doven. De ruiter heeft liever iemand die nog niet door de wereld is aangetast; hij maakt liever iemand kapot die nog onschuldig is en richt liever iemand te gronde die nog stralend de wereld in kijkt.

Reese Salsetto – die door zijn ruiter stevig in de hand wordt gehouden – laat het levenloze blondje in de woonkamer achter en gaat terug naar de slaapkamer, haalt een doos kogels uit het laatje van een nachtkastje, en stopt nieuwe kogels in het extra grote magazijn. Er passen in totaal zestien kogels in.

Er is een gezin wiens laatste uur geslagen heeft. Een vader, moeder, zoon en dochter. De moeder, zo ziet de ruiter in het geheugen van Reese, is een sappig schepsel, dus dat belooft spannend te worden, maar de achttienjarige dochter is slim en maagdelijk, een zeldzame bloem waarvan het vertrappen een prettige bezigheid zal zijn. Hij zal eerst de vader vermoorden, daarna de zoon invalide maken en hem dwingen toe te kijken hoe zijn moeder en zus worden gebruikt, misbruikt, en kapotgemaakt.

Reese zegt hardop: 'Je hebt je zinnen al de hele tijd op dat meisje gezet, Reese, dus nu zul je haar krijgen ook.'

Hij doet het licht in de woonkamer uit.

Het beproefde scenario gaat in de herhaling, en deze keer zal alles goed verlopen, zoals het destijds bijna goed was gegaan. De belofte aan John Calvino zal gestand worden gedaan. De Belofte.

Reese zegt: 'Wat is het weer lekker warm om in een lichaam

te zitten. Vind je dat ook niet, Reese? Heb jij het ook lekker warm, Reese?'

In de keuken blijft hij staan en kijkt naar een rek met messen. In het andere huis zal ook wel een messenset te vinden zijn. Hij kan het meisje wel met de daar aanwezige messen toetakelen.

Hij doet het licht in de keuken uit, loopt door de gang naar de hal en zegt: 'Dit gaat heel leuk worden, Reese. Denk je ook niet dat het heel leuk gaat worden?'

30

OP DE AVOND VAN DE VIERDE OKTOBER ZAT ZACH OP zijn kamer. Hij tekende een nachtmerrie, terwijl hij eigenlijk liever Laura Leigh Highsmith wilde tekenen, met name haar lippen.

Na de vreemde gebeurtenissen hernam het leven zijn gewone loop en werd alles weer zo normaal dat Zach de vleesvork in de keukenla teruglegde. De herinnering aan het incident in de mezzanine verdween naar de achtergrond. Hij geloofde niet meer in de twee verklaringen die hij eerst had bedacht – bovennatuurlijk fenomeen of krankzinnigheid – en hield zichzelf voor dat het vanzelf duidelijk zou worden hoe het een en ander had kunnen gebeuren, als hij maar ophield zo dom te doen en zich concentreerde op zaken die er écht toe deden, zoals wiskunde, coole militaire geschiedenis, en de goddelijke Laura Leigh Highsmith. Zijn onderbewuste mocht dan ondertussen uitvogelen wat er nou precies was gebeurd.

Hij schaamde zich voor zijn lachwekkende expeditie in die stomme kruipruimte, want achteraf vond hij dat hij net een jongetje was geweest dat gewapend met een deksel van een vuilnisbak als schild en een houten stok als zwaard een draak te lijf had willen gaan. Dat had hij als onbenullige vijfjarige vaak gedaan. Zijn vader had hem eens als zodanig in een spectaculaire vlaag van ouderlijke verstandsverbijstering op de video gezet, en bij tijd en wijle, tot Zachs onnoemelijke afgrijzen, liet hij het afschuwelijke filmpje zien aan Naomi en Minnie, die er natuurlijk smakelijk om moesten lachen en hem dan nog dagen daarna Sint-Joris noemden. Soms vroeg Zach zich af hoeveel vernedering een mens kon verdragen voordat hij er uiteindelijk van afzag zich bij het korps mariniers aan te melden.

Het leven werd weer bijna geestdodend normaal, tot de nacht van 2 op 3 oktober, toen hij twee keer over het angstwekkende gedrocht met de gigantisch grote handen droomde. Deze keer vond de droom niet plaats in het pikkedonker, maar 's avonds op een kermisterrein met allerlei attracties met neonlampen en knipperlichtjes, verlichte tenten en gekleurde lampjes die over de hele lengte van het terrein in het midden waren opgehangen. Deze keer zag Zach de voortwaggelende wangestalte, die zo lelijk was dat gewoon lelijke mensen daarbij vergeleken knappe lieden waren.

In de eerste droom draaiden en zwierden en zwaaiden de attracties in volle vaart, maar er zat niemand in, en die clichématige nachtmerrie speelde zich in volkomen stilte af, alsof alles zich in het luchtledige voltrok. De enigen die aanwezig waren, waren Zach en Lelijke Al. Hij wist niet waarom hij wist dat de man Al heette, maar dat was nu eenmaal zo in de droom, en natuurlijk zat Lelijke Al hem op de kermis achterna. Steeds kreeg hij Zach bijna te pakken. Deze droom had net zo saai kunnen zijn als yoghurt, omdat Zach in de loop der jaren wel vaker in andere nachtmerries achterna was gezeten door gedrochten die veel lelijker waren dan Lelijke Al, maar het werd steeds benauwender, tot Zach een kermistent binnenstormde in de hoop zich daar te kunnen verstoppen en er plotseling *muziek* klonk.

Hij bevond zich in een louche striptent, en op het podium stonden vrouwen met een string en tepelhoedjes. Dit was voor het eerst dat hij zich tijdens een nachtmerrie geneerde. De strippers dansten niet op een sexy manier, maar houterig, onhandig, en toen merkte Zach dat het overleden vrouwen waren, zombiestrippers, alle vrouwen die Lelijke Al om het leven had gebracht. Ze hadden messteken en schotwonden en nog erger, en toen Zach zich omdraaide om de tent uit te rennen, stond Lelijke Al vlak voor hem, nog geen meter van hem af.

De monsterlijke man droeg een kaki hemd en een kaki broek met veel zakken, en hij had zwarte nazilaarzen aan met glimmende stalen neuzen, en uit een van zijn zakken trok hij een mes tevoorschijn dat zo scherp was dat je je eraan kon snijden als je er alleen al naar keek. De afgrijselijke ratseflatsmuziek jengelde nog steeds, en Lelijke Al sprak zo dreigend dat Zach zich als een stekelvarken had willen oprollen. Al zei: *'Kom eens hier, mooie jongen. Ik ga je plassertje afsnijden, en dat prop ik dan in je keel.'* Zach werd badend in het zweet wakker en moest ontzettend nodig naar de wc.

De volgende nacht droomde hij van dezelfde kermis, en weer was het stil, maar nu klonk er een wanhopige stem. Lelijke Al zat hem deze keer niet achterna. Naomi stond ergens midden op de kermis en riep Zach om hulp. Haar stem klonk ver weg, en zo te horen was ze doodsbang. Lelijke Al zat achter Naomi aan, en Zach wilde haar waarschuwen dat ze zich in godsnaam stil moest houden, maar zelf kon hij geen geluid uitbrengen. Hij ging paniekerig naar Naomi op zoek, bij de calypso, de botsautootjes, de draaimolen en de rupsbaan, het in stilte ronddraaiend reuzenrad, de kraam met ijsjes en suikerspinnen, allerlei kermistenten en spelletjeskramen, en steeds klonk haar stem vanaf een plek waar hij niet was – en toen schreeuwde ze het ineens uit.

Zach zag dat Naomi door Lelijke Al aan haar haar werd meegesleurd, langs een met zaagsel bestrooid parcours. Naomi hield zich nu stil en bood geen enkele weerstand. Zach zette de achtervolging in en kwam zo dichtbij dat hij zag dat er op de plek van Naomi's ogen muntjes zaten, kwartjes, zwarte kwartjes, en ze had iets donkers in haar mond. Haar handen waren vastgebonden, duim tegen duim, pink tegen pink, met een ei tussen beide handen. Het ergste van alles – wat hij meteen had moeten zien, maar pas op het eind in de gaten kreeg – was het mes, het vlijmscherpe mes waar je je al aan sneed als je er alleen maar naar keek, dat tot aan de steel in haar hals stak. Zach wilde schreeuwen, maar dat lukte niet, en Lelijke Al ging er pijlsnel vandoor en sleepte de dode Naomi daarbij achter zich aan. Er volgde een totaalshot van het kermisterrein, dat zich ineens tot in de oneindigheid uitstrekte, en Lelijke Al sleepte Naomi in de eeuwigheid mee, terwijl Zach steeds verder achteropraakte en het uitschreeuwde zonder geluid te maken, tot hij wakker werd, schreeuwend in zijn kussen.

Hij hoopte dat hij de volgende nacht niet weer van het gedrocht zou dromen.

Vanmiddag hing er een andere sfeer in huis. Onder het eten was het gezelliger dan het een hele tijd geweest was, iedereen had iets interessants te melden, het gesprek aan tafel verliep levendig, en er werden over en weer grappen gemaakt. Zach wist dat de anderen dat ook niet ontgaan was, alsof het in huis wekenlang broeierig was geweest in afwachting van een onweersbui, en dat deze middag het weer was omgeslagen.

Nu hij alleen op zijn kamer zat, voltooide hij zijn vierde stomme potloodtekening van die ouwe Lelijke Al. Elk van de vier tekeningen verschilde van de andere drie, en op geen ervan was het rare uiterlijk van de man volledig vastgelegd. Als je probeerde iets uit een droom te tekenen, kon je alleen maar afgaan op iets wat nog minder dan een herinnering was, en daarom nam Zach het zich niet al te zeer kwalijk dat hij voor niet meer dan driekwart in zijn opzet geslaagd was.

Hij fixeerde het portret, scheurde het uit zijn blok, en begon de lippen van Laura Leigh Highsmith te tekenen, de volheid van haar mond, van het filtrum tot de aanzet van de kinspieren. Hij werkte nu wel vanuit zijn geheugen, niet vanuit een droom, en in dit geval was zijn herinnering zo levensecht dat het was alsof hij haar voor zich zag.

Naomi zat in bed een boek te lezen, met een overdadige hoeveelheid kussens in de rug. Er zaten zoveel veren in dat ze het niet onmogelijk achtte dat ze als grote trage vogels zouden opstijgen en haar dan mee zouden nemen. Tot voor kort zat ze in bed altijd in pyjama te lezen, maar dat was kinderachtig gedoe, en nu had ze een Vietnamese *áo dài* aan, een zwierig ensemble van een broek en een jurk, gemaakt van kleurrijke zijde. Ze had het kledingstuk ontdekt tijdens een winkelmiddagje met haar moeder en Minette. Deze exotische outfit – megaglamoureus en superchic – paste haar nu veel beter dan een pyjama, want dat was meer iets voor kleine kinderen, terwijl zij al dichter bij de twaalf dan bij de elf zat. De áo dài was bedoeld om overdag en 's avonds te dragen, niet 's nachts, maar zij deed dat wel. Ze had er nog twee in haar kast hangen. Een klein kind slaapt in een verkreukelde hoop katoen, kwijlt, ligt met verwarde haren in bed, maar een jongedame zorgt ervoor dat ze er ook tijdens haar slaap goed uitziet.

Minnie, die nog jarenlang een onuitstaanbaar kind zou blijven, zat in haar speelhoek, gekleed in een afzichtelijke pyjama met nota bene een stomme teddyberenprint erop. Ze werkte geconcentreerd aan een van haar bizarre legobouwsels, met vreemde hoeken en delen die uitstaken en eigenlijk zouden moeten instorten maar dat niet deden.

'Wat is dat voor raar ding?' vroeg Naomi.

'Weet ik niet. Heb ik in een droom gezien.'

'Is *dat* waar ze vandaan komen? Gebouwen die je in dromen ziet?'

'Niet die andere. Alleen deze. Maar het is geen gebouw. Het is iets anders. Ik weet niet wat. En ik heb hem nog niet goed.'

'Droom je nooit over eenhoorns en vliegende tapijten en lampen die je wensen in vervulling brengen?'

'Nee.'

Naomi zuchtte. 'Soms maak ik me echt bezorgd om je, Muis.'

'Met mij is niets aan de hand. Ik voel me prima. Je moet me niet Muis noemen.'

'Weet je wat? Ik wil wel je droomcoach zijn! Dan kan ik je leren hoe je op de juiste manier moet dromen, over gouden paleizen en kristallen kastelen en een prachtige bonte stad van tenten in een oase in de woestijn, en wijze oude schildpadden die kunnen praten, ganzen die onder water vliegen en door de lucht zwemmen, en schaatsen in de maneschijn met de knapste jongen ooit, die dan in een soort griffioen verandert maar dan eigenlijk een leeuw is met de vleugels van een adelaar, en die vliegt dan over een fonkelende stad en jij vliegt dan op zijn rug met hem mee.'

'Nee,' zei Minnie, haar aandacht volledig op het legoding gericht.

'Ik zou een geweldige droomcoach zijn!'

'Ben je niet aan het lezen?'

'Een geweldig boek. Het gaat over een superintelligente draak die een verwilderd meisje leert hoe ze zich dient te gedragen omdat ze een Jeanne d'Arc voor haar volk moet worden. Zal ik het voorlezen?'

'Nee.'

'Wat wil je dan wél? Soms, m'n lieve kind, kan ik geen hoogte van je krijgen.'

'Ik wil wat stilte, zodat ik over dit ding kan nadenken.'

'Ja, natuurlijk, zo'n ding van lego bouwen is net zoiets als wat een schaakgrootmeester doet. Zo'n diepzinnige strategie vereist absolute stilte.'

'Absoluut,' vond Minnie.

Weggekropen in haar grote berg kussens richtte Naomi haar aandacht weer op het boek. Ze vroeg zich af waarom ze in hemelsnaam probeerde een verantwoordelijke oudere zus te zijn, waarom ze eigenlijk moeite deed deze achterlijke snotneus uit de zandbak te verheffen, terwijl het duidelijk was dat zelfs een superintelligente draak daar niet toe in staat was.

Nicolette vond de nieuwe sfeer in huis bemoedigend, maar rond een kleine frustratie begon een zwarte parel van bezorgdheid te groeien. Haar intuïtie, intens maar ongericht, gaf haar in dat de kinderen op de een of andere manier gevaar liepen. Vreemd genoeg begon ze zich zorgen te maken doordat ze niet verder kwam met het schilderij.

Slechts zelden ging ze na de gezamenlijke maaltijd terug naar haar atelier, maar vanavond wilde ze aan het onvoltooide doek werken, misschien een paar uur lang.

John had daar zoals altijd alle begrip voor. Hij zei dat hij in de bibliotheek ging lezen en dat ze alvast maar moest gaan slapen als hij er nog niet was, omdat hij zo helder was dat hij toch niet zou kunnen slapen.

Ze nam een glas cognac mee naar boven, hoewel ze zelden alcohol dronk, afgezien van een glas wijn bij het eten. Eigenlijk had ze nooit zin gehad in cognac – of dat nodig gehad – als ze over een lastig schilderij na moest denken. Ze zette het glas op het hoge tafeltje met de gele rozen, die Imogene daar een paar uur eerder had neergezet.

Boven het schilderij had ze aan de ezel een foto van Zach, Naomi en Minnie geplakt die twee weken geleden genomen was. Nicky had hen zorgvuldig gegroepeerd onder de boogvormige doorgang bij de woonkamer, en dit groepsportret was het onderwerp van het schilderij waar ze mee bezig was.

Ze wilde een schilderij maken dat gebaseerd was op *De dochters van Edward Darley Boit* van John Singer Sargent: een lichte voorgrond die overging in diepe schaduwen, wat een ruimtelijk effect gaf, een mysterieuze setting waarin de karakters van de kinderen duidelijk naar voren zouden komen.

Op het schilderij, net als op de foto, waren de kinderen op een verrassende manier gepositioneerd, niet gerangschikt naar leeftijd, en ook niet de meisjes bij elkaar. Naomi stond in de hal, op de voorgrond, armen over elkaar en voeten uit elkaar, een krachtige houding waarmee ze de kunstenaar en de wereld uitdaagde. Rechts achter haar stond Zach losjes onder de boog, handen in zijn zakken, alles onder controle. Nog verder op de achtergrond, in de woonkamer, stond Minette in een witte jurk, als een helder baken in het donker, duidelijk zichtbaar.

De setting en de kleren waren grotendeels af, en de lichtval was bijna zoals Nicky die voor ogen stond, maar de gezichten waren nog niet ingevuld en bestonden uit een schedelvorm en spiermassa en waren griezelig abstract. Ze was tijdens het schilderen in een impasse beland omdat het schilderij niet zei wat ze vond dat het moest zeggen.

Ze wilde onder meer dat de karakters van de kinderen letterlijk goed uit de verf kwamen, ongeacht de afstand die ze tot de kijker hadden, en ongeacht de lichtval. Elk kind moest duidelijk herkenbaar zijn als de persoon – met de kenmerkende eigenschappen – die zij of hij was. Nicky wilde dat het schilderij een verstilde maar ontroerende hommage aan de individualiteit zou worden.

In plaats daarvan vond ze dat het schilderij vooral over *verlies* ging. Alsof ze haar kinderen niet vanaf een foto had geschilderd, maar vanuit haar geheugen nadat ze waren overleden.

Dit vond ze eerst vervelend, daarna verontrustend, en uiteindelijk werd ze er heel onrustig door. Ze maakte zichzelf wijs dat ze zich vooral stoorde aan de oningevulde gezichten, die abstracte vlakken van botten en vlees, maar eigenlijk wist ze wel beter. Ze had wel vaker op deze manier gewerkt, de gezichten als laatste ingevuld, en nooit was dat een probleem geweest.

De laatste drie dagen was de sfeer van verlies steeds meer in het schilderij gekropen, zo sterk dat ze er op den duur niet meer naar kon kijken zonder dat haar onrust omsloeg in intense angst. Ze zag nu – ze voelde het – dat ze in de penseelvoering een niet zozeer bijtend als wel aanhoudend gevoel van verdriet en rouw had gelegd, alsof het doek jaren na een afschuwelijke tragedie geschilderd was.

Ze had nooit in een sombere bui aan het schilderij gewerkt, maar altijd met enthousiasme, genegenheid en liefde. Ze schilderde altijd met plezier, en vaak genoot ze er intens van. Maar dit doek straalde wanhoop uit, alsof het schilderij elke nacht door een kunstenaar met een duistere geest was bijgewerkt.

De foto, een computeruitdraai op groot formaat, verschilde in veel opzichten van het doek, omdat het nooit haar bedoeling was geweest om die precies na te schilderen. Nu trok ze het papier van de ezel om de foto nader te bekijken.

Ze had haar kinderen de opdracht gegeven zo natuurlijk mogelijk te kijken, om te voorkomen dat ze allerlei rare gezichten zouden trekken, want ze wilde de drie juist met hun kenmerkende gelaatsuitdrukking op het doek vastleggen. Misschien hadden ze haar subtiel om de tuin geleid en hadden ze toch een bepaalde grimas getrokken zodat haar werk daardoor beïnvloed was. Maar nee, ze stonden er alle drie heel gewoon op.

Toen zag ze de schimmige figuur.

De foto was 's avonds gemaakt. Het licht in de hal was aan, maar verder brandde er maar één lamp, in een hoek in de woonkamer. Achter Minnie bleef alles in duisternis gehuld, en het enige wat daar verder te zien was, was een hoge spiegel die aan de achterste muur hing, een vale vlek als gevolg van het schijnsel dat erop viel. De barokke lijst was onzichtbaar. In die schemerige rechthoek tekende zich een donkere figuur af. Het kon niet een van de kinderen zijn, noch Nicky zelf, want hun positie ten opzichte van de spiegel klopte dan niet.

Ze liep met de uitdraai naar de schuine tekentafel die in een hoek van het atelier stond. Met een grote loeplamp die aan een zwenkarm aan de tafel was vastgemaakt, kon ze de mysterieuze figuur beter bekijken. Er waren geen details te zien, maar het silhouet leek dat van een lange man met gebogen schouders te zijn.

Alleen zij en de kinderen waren toen in huis aanwezig geweest. Niemand had in de hal staan toekijken, en Minette was de enige geweest die in de woonkamer stond. Zach stond het dichtst bij Minnie, onder de boog, op de drempel naar de woonkamer.

Hoe meer Nicky het silhouet bestudeerde, hoe ongemakkelijker ze werd. Ze hield zichzelf voor dat het geen persoon hoefde te zijn die ze op de foto zag staan. Het kon ook een weerspiegeling van een meubelstuk in de woonkamer zijn.

Ze had destijds nog vijf foto's gemaakt, die ze achteraf minder geschikt vond om te gebruiken. Ze pakte de afdrukken die op haar bureau lagen en legde ze op de tekentafel om ze onder de loep beter te kunnen bekijken.

Op vier van de vijf foto's was de gestalte in de spiegel als een schim zichtbaar. Het kon niet om een weerspiegeling van een voorwerp gaan dat toevallig op een lange man leek, omdat de schim van de ene foto naar de andere enigszins van plaats veranderde.

Nicky dacht terug aan de onheilspellende gedaante die ze drie weken geleden in de badkamer had gezien, en aan de gesprongen spiegel die in werkelijkheid helemaal niet was versplinterd, hallucinaties die ze had toegeschreven aan bijwerkingen van Vicodin. Ze vermoedde dat die gedaante en deze in de woonkamer iets met elkaar te maken hadden, maar ze snapte niet hoe. De eerste verschijning was een waanvoorstelling geweest, maar deze was op vijf of zes foto's zichtbaar, net zo onmiskenbaar als de drie kinderen, *en toch was er toen verder niemand aanwezig geweest.*

Ook toen ze de foto's nog een keer onder de loep had gelegd, snapte Nicolette er niets van, maar haar intuïtie was uitgerust met een scherpe boorkop, die tot op grote diepte boorde en een golf van bezorgdheid naar boven haalde.

31

BRENDA SALSETTO WOBURN ZAT MET HAAR TWAALF-
jarige zoon Lenny op de bank tv te kijken. Lenny was het liefst
bij zijn moeder, en eigenlijk vond Brenda dat ook het fijnst. Hij
had het syndroom van Down, en hij was haar lieve jongen, die
niet onderdeed voor wie dan ook, wijs op zijn eigen manier, en
hij verraste haar telkens weer met zijn observaties, die weliswaar
ongecompliceerd maar altijd helder en inspirerend waren.

Davinia, die zeventien was, zat op haar kamer huiswerk te
maken, en Jack, de man van Brenda, stond in de keuken en probeerde voor het avondeten een recept voor vegetarische lasagne
uit. Jack werkte als opzichter bij de plantsoenendienst. Hij was
een lieve man die een fan was van het kookprogramma *Food
Network*. Hij had onlangs zijn onvermoede culinaire talent ontdekt.

Op tv was een film voor het hele gezin aan de gang, over honden die konden praten, en Lenny moest er steeds om grinniken.
Brenda zou ontspannen moeten zijn, maar dat was ze niet. De
afgelopen vijf dagen had ze lopen piekeren over wat ze met haar
broer aan moest, en wat voor afschuwelijks hij misschien van
plan was geweest te doen.

Brenda was bang voor haar jongere broer Reese. Nadat ze op haar achttiende het huis uit was gegaan, had Reese zich jarenlang aan hun zus Jean vergrepen, van haar zevende tot het moment dat ze op haar elfde zelfmoord pleegde. Brenda kon het niet bewijzen, ze ging alleen af op iets wat Jean door de telefoon tegen haar had gezegd, een paar uur voordat ze zich verhing, nu al weer lang geleden. Ze had eerder reden haar broer diep te minachten dan bang voor hem te zijn, maar toch was haar vrees voor hem groot.

Een paar jaar geleden had ze hun contact tot een minimum beperkt. Als ze hem zonder meer zou afwijzen, om wat voor reden dan ook, of zelfs zonder opgaaf van reden, zou er als het ware een steenpuist in zijn geest zijn ontstaan, die binnen enkele weken of maanden zou groeien totdat het verbitterde gevoel omsloeg in boosheid, in blinde woede, en dan zou hij op een gegeven moment gewelddadig worden. Hij keek voortdurend naar wat hij niet had, en dat met een beangstigende bezetenheid. Hij had het niet alleen gemunt op materiële zaken, maar was ook op zoek naar bewondering en respect, en hij dacht dat hij dat net als met geld kon afdwingen door intimidatie en bruut geweld.

Een paar dagen geleden was Reese vroeg in de middag langsgekomen. Davinia en Lenny waren thuis omdat ze vakantie hadden; Jack en Brenda waren naar hun werk. Reese had stripboeken en snoep voor Lenny meegenomen, en een horloge met diamantjes voor Davinia. Nooit eerder was het voorgekomen dat hij alleen was met de kinderen, en nooit eerder had hij een cadeautje voor ze meegenomen. Davinia wist dat het horloge een veel te duur cadeau was, en dat het gebaar op zich onzedelijke implicaties had. Reese speelde de rol van liefhebbende oom, een rol die nieuw voor hem was, en kwam met allerlei smoesjes om zo dicht mogelijk bij Davinia te gaan zitten. Hij pakte haar hand, liet zijn hand op haar blote arm rusten, en streek met een bewonderende blik haar haar uit haar gezicht. In plaats van haar een zedig kusje op de wang te geven, zoende hij haar op haar mondhoek, en als ze zich niet had teruggetrokken, zouden zijn lippen de hare hebben beroerd.

Davinia was een slim maar onervaren meisje. Ze ging niet zo vaak uit, en dan alleen met jongens die net zo naïef waren als zij. Ze was ontzettend knap, vooral omdat haar schoonheid niet alleen in haar uiterlijk maar ook in haar geest en ziel zat, en omdat ze in haar deemoed niet goed kon inschatten wat voor effect haar fysieke schoonheid op anderen had. Ze verstond de kunst van kleine dingen te genieten, van een vogel in glijvlucht, of van een kopje thee, en ze had haar ouders verteld dat ze overwoog in het klooster te gaan.

Brenda vroeg zich af wat voor afschuwelijks er had kunnen gebeuren tijdens het onaangekondigde bezoekje van Reese als Lois, de zus van Jack, niet kort na zijn komst was langsgekomen. Davinia was zijn nicht, maar die familieband betekende niets voor een man die zijn jonge zusje jarenlang had misbruikt, wat uiteindelijk tot haar zelfmoord had geleid. Brenda had hem wel eens met een wellustige blik naar Davinia zien kijken, maar ze had niet onder ogen durven te zien dat hij zijn geile verlangens in praktijk had willen brengen. Davinia was niet zo frêle als ze eruitzag, en emotioneel was ze niet labiel. Maar als ze verkracht werd, zou dat haar ongetwijfeld totaal kapotmaken. Bij de gedachte alleen al werd Brenda letterlijk misselijk.

Op dit moment overwoog Brenda met haar werk te stoppen om te voorkomen dat de kinderen ooit alleen thuis zouden zijn. Ze hadden ook andere stappen ondernomen om het ondenkbare tegen te gaan. Maar Reese was slim, geslepen, onverschrokken, kende geen scrupules, en was onvoorspelbaar.

Toen Brenda het een beetje voelde tochten, stond ze op om een omslagdoek te pakken die verderop in de kamer over een stoel hing. Ze liep net langs het raam toen Reese in zijn Mercedes kwam aanscheuren. Met gierende remmen kwam hij op het garagepad tot stilstand.

Brenda was meteen bang dat haar broer herrie kwam schoppen. Ook als hij het niet onmiddellijk van plan was, zou het er uiteindelijk toch van komen. Ze riep naar de keuken: 'Jack! Daar is Reese!'

Ze loodste Lenny naar de kamer van zijn zus en zei tegen hen dat ze de deur op slot moesten doen. Misschien was haar reactie overdreven. Misschien was Reese alleen maar teruggekomen om het diamanten horloge op te halen dat hij had achtergelaten nadat Davinia het niet van hem had willen aannemen.

Reese Salsetto – of beter gezegd: de ruiter die hem nu in zijn macht had – klopt zachtjes op een van de vier raampjes die in de achterdeur zitten. Hij zwaait naar Jack, die in de keuken een ovenschotel staat klaar te maken. Vrouwenwerk. Jack veegt zijn handen af aan zijn schort, loopt weifelend naar de deur, maar Reese kijkt hem met een schaapachtige grijns aan en probeert zich voor te doen als iemand die zijn verontschuldigingen komt aanbieden, want Jack en Brenda zijn van die arrogante types die wel duizend redenen kunnen bedenken waarom anderen hun excuses schuldig zijn.

Jack doet de deur open en zegt: 'Reese, we moeten eens praten.' Reese zegt: 'Welnee', en vuurt met zijn pistool met geluiddemper twee kogels op hem af. Alsof de gedempte schoten een stille reactie vereisen, zakt Jack zo geluidloos als een zak wasgoed in elkaar. Reese stapt over het levenloze lichaam heen en doet de deur achter zich dicht. Dit wordt een replay van de moord op de Sollenburgs, waarbij eerst de man en de vrouw en de zoon worden doodgeschoten, waarna de dochter wordt misbruikt, op manieren die ze niet voor mogelijk had gehouden. Hoewel de aanval begint op de avond van de tweeëndertigste dag na de moord op de familie Lucas, zullen Reese en zijn ruiter pas over zes of acht uur met Davinia Woburn klaar zijn, en dan is de ochtend van de vijfde oktober allang aangebroken.

Brenda, smakelijke moeder van het begeerde varkentje, stuift de keuken binnen, en Reese, die niet alleen namens zichzelf maar ook namens zijn buikspreker spreekt, zegt: 'Als ik met haar klaar ben, zal ze zichzelf net als Jean ophangen.' Maar hij is totaal overrompeld als Brenda met beide handen een revolver op hem richt, kaliber 38, en drie kogels op hem afvuurt, de derde keer in de keel. De hengst sterft onder zijn ruiter.

Brenda is een lieve vrouw die haar zus Jean had willen redden als ze had geweten wat Reese al die jaren uitspookte, maar doordat ze haar zus niet heeft kunnen beschermen, heeft ze al die jaren haar woede opgekropt, en die verbitterde wrok is de stijgbeugel die hij kan gebruiken om haar te bestijgen, en omdat ze Reese vervloekt terwijl ze hem neerschiet, kan hij via de mond bij haar binnenkomen.

Ze voelt dat de ruiter bij haar binnenkomt en verzet zich heftig. Ze valt achterover tegen kasten aan. De kastgrepen drukken in haar rug en billen. De ruiter moedigt haar boosheid aan, want als de woede en de angst groot genoeg zijn, worden alle andere gevoelens weggedrukt en kan ze worden genomen. De meeste mensen begrijpen de aard van de ruiter niet, maar deze vrouw wel. Ze kan het niet benoemen, maar voelt wat het is. Onmiddellijk overziet ze de gevolgen als ze zich laat nemen: dan zal ze naar haar kinderen gaan, en zal ze gedwongen worden hen te misbruiken, te martelen en te vermoorden, en ten slotte zal ze zichzelf vernederen op alle manieren die hij maar kan verzinnen.

Net als ze het gevoel krijgt dat haar ruggengraat een gemakkelijk zadel is geworden, welt er nog een emotie in haar op, naast de woede en de angst. Ze denkt aan het gebed tot Sint-Michaël, dat ze al sinds haar puberteit niet meer heeft opgezegd. Deze plotseling uitgebraakte stroom vrome woorden zal haar niet helpen zich van haar nieuwe meester te ontdoen, want die heeft haar ruggengraat al in bezit genomen, en het zal niet lang meer duren voor hij zich meester heeft gemaakt van haar botten, tot op het merg. Nog even en de ruiter zal haar een triomfantelijke kreet laten slaken, maar dan richt ze ineens de revolver op zichzelf en vuurt ze een kogel af die haar borst doorboort, langs haar hart gaat, tegen haar borstbeen ketst, tegen een sleutelbeen, en dan onder haar linkerschouderblad blijft steken. Een vlammende pijn vergroot haar angst, maar haar woede verdampt. Terwijl ze op de grond valt en weet dat ze zal sterven, werpt ze haar ruiter af.

De zoon en de verrukkelijk rijpe dochter komen zonder besef van enig gevaar op de schoten af, alsof ze het geweld ongewapend een halt kunnen toeroepen, misschien met – waarmee? – zijn argeloze tranen en met haar onbezoedelde hart. Ze zijn allebei naïef, hulpeloos, de jonge hengst en merrie, denkende machines van vlees die te weinig nadenken. De ruiter zet zijn zinnen op de jongen, omdat hij het smakelijke varkentje dan ook nog genadeloos kan reduceren tot een zielig hoopje ontreddering. Maar de jongen is nog maar twaalf, en – wat belangrijker is – hij verkeert in een dusdanige staat dat hij bijna volledig onschuldig te noemen is, te weinig verdorven om te kunnen bestijgen. En het snikkende meisje kan ook niet worden gezadeld. Met toenemende woede wordt de ruiter gedwongen toe te zien hoe Davinia de jongen de opdracht geeft het alarmnummer te bellen terwijl ze zelf bij de dodelijk gewond geraakte moeder neerknielt, adequaat ondanks het feit dat ze in tranen is. Liefdevol tilt ze het hoofd van haar moeder op om ervoor te zorgen dat die meer lucht kan krijgen.

Hier kan niemand worden bestegen; alleen het huis kan worden genomen. De dode materie is een armzalig alternatief voor een levende gastheer. Een huis om in rond te spoken is bij lange na niet zo leuk als een mens dat in bezit kan worden genomen, maar het zal niet lang duren voordat er nieuwe gastheren zullen komen, en dan hoeft hij niet bang te zijn dat dit huis een gevangenis voor hem wordt. De geest neemt zo wild bezit van het huis dat er een harde knal hoorbaar is. Raamkozijnen gaan tekeer, gordijnen wapperen aan de rails, glazen en borden kletteren en rinkelen in de keukenkastjes, en twee ovendeuren vallen als gapende monden open.

32

RECHERCHEUR LIONEL TIMMINS WIST DAT SOMMIGE collega's op de afdeling hem achter zijn rug om de Wandelende Kleerkast noemden, of ook wel de Hond, omdat zijn gezicht leek op dat van een buldog en hij bijna niet meer losliet als hij zijn tanden eenmaal in een zaak had gezet. Dat was nu ook het geval, en hij werd niet blij van wat hij proefde.

Omdat het een melding uit het zuiden van de stad betrof en dus binnen zijn district viel, slechts twee straten bij zijn huis vandaan, reageerde hij op het bericht en kwam hij op de plek van bestemming aan toen de sirene van de ambulance nog niet was weggestorven en het ambulancepersoneel de deuren opengooide. Sneller was hij nog nooit op een plaats delict aangekomen.

De broeders verzorgden de gewonden – de toestand van de man was kritisch, de vrouw was er minder ernstig aan toe maar toch ook niet stabiel – en brachten hen naar het ziekenhuis terwijl er vier geüniformeerde agenten arriveerden om de plek af te zetten. Lionel slaagde erin de vrouw een paar vragen te stellen voordat ze naar het ziekenhuis werd afgevoerd.

De dochter, Davinia, had een tante gebeld, die haar en Lenny naar het ziekenhuis zou brengen. Lionel bleef samen met hen in de woonkamer wachten.

De jongen hield de hand van zijn zus vast. Hij was kapot van verdriet maar leek vastbesloten zich niet te laten kennen. Hij was voorheen zo onschuldig en naïef geweest dat het pijnlijk was om te zien dat zijn wereldbeeld nu totaal op de kop was gezet.

Het meisje gedroeg zich bewonderenswaardig, een fragiele rots in de branding. Hoewel ze slank en niet langer dan zo'n een meter zestig was, leek ze sterk, niet klein te krijgen, zeker van zichzelf. Haar ogen glommen van ontzetting, net als die van haar broer, maar in tegenstelling tot hem lukte het haar om haar tranen in bedwang te houden. Lionel was zich ervan bewust dat schoonheid een kwestie van macht was, maar haar macht had een diepere basis.

Davinia vertelde wie de man was die dood in de keuken lag, en ze sprak open maar niet bozig over het bezoek dat hij vijf dagen geleden had afgelegd. Ze liet het diamanten horloge zien dat ze niet van hem had willen aannemen. Het sieraad moest een jaarloon hebben gekost.

'Ik wil er vanaf,' zei ze. 'Het is een afschuwelijk ding.'

'Het is geen bewijsmateriaal, dus ik mag het niet meenemen,' zei Lionel. 'Je moeder heeft hem uit zelfverdediging neergeschoten. Hier zal geen rechtszaak van komen.'

'Kunt u het horloge niet in een van zijn zakken stoppen?'

'Nee. Misschien kun je het aan een goed doel geven.'

Davinia noch Lenny had gezien wat er in de keuken was gebeurd, maar uit de tijdlijn die kon worden opgesteld, deduceerde Lionel de volgorde waarin de schoten moesten zijn gelost.

De tante verscheen, de kinderen gingen met haar naar het ziekenhuis, en de technische recherche verscheen ter plaatse om alles te onderzoeken.

De achtergrond van Reese Salsetto werd snel nagetrokken. Het bleek dat hij één veroordeling op zijn naam had staan, maar dat hij wel meer dan eens van een misdrijf was verdacht. Hij had een jaar in de cel gezeten, terwijl hij wel een eeuw zou hebben moeten brommen als alles bekend was geworden.

De forensische experts kwamen al snel tot de conclusie dat Jack Woburn door Reese moest zijn neergeschoten met het 9mm-pistool, en dat Brenda Reese met haar kaliber 38 had vermoord.

Brenda had beweerd dat ze was gestruikeld nadat ze haar broer had vermoord en dat ze toen tegen een paar kasten aan was gevallen en zichzelf per ongeluk had verwond. Lionel en de jongens van het lab konden bijna niet geloven dat een vrouw die goed met een pistool om kon gaan en die op een afstand van vierenhalve meter drie voltreffers had kunnen plaatsen, zichzelf per ongeluk in de borst had geschoten.

Bovendien mocht Reese dan wel een heethoofd zijn, maar hij was er wel in geslaagd meer dan tien jaar lang criminele activiteiten te ondernemen zonder dat hij vaker dan één keer was opgepakt. Ook al zou hij als tiener zijn jonge zus Jean hebben misbruikt, zoals Brenda beweerde, dan nog leek het voor de hand te liggen dat hij zijn nicht net zo slinks zou hebben benaderd als met Jean het geval was geweest. Dat leek ook meer in de lijn te liggen met de gluiperige manier waarop hij geprobeerd had haar met het horloge te paaien. Reese zou niet zo snel een roekeloze aanval op de voltallige familie Woburn hebben ingezet om de nicht te ontvoeren. Daarvoor hield Reese te veel van zichzelf.

Terwijl de technische recherche in de keuken bezig ging en de agenten nieuwsgierige buren op afstand hielden en met elkaar stonden te kletsen, liep Lionel op de begane grond door de rest van het huis. Hij raakte niets aan en gaf zijn ogen goed de kost. Het zat hem niet lekker dat de feiten van het schietincident als het ware kralen van een irrationele halsketting leken en net zo zwak waren als het snoer waar ze aan zaten.

Er was nog iets anders wat hem dwarszat, al wist hij niet goed waar dat onrustige gevoel vandaan kwam, tot hij in de eetkamer iets vanuit zijn ooghoek zag bewegen. Hij draaide zich om en zag dat de kristallen die aan de eenvoudige kroonluchter boven de tafel hingen heen en weer bungelden. Omdat er geen luchtstroom of trilling waarneembaar was, leek het onverklaarbaar dat de kristallen bewogen. Nog vreemder was het dat ze allemaal een andere kant op bewogen. Sommige zwaaiden van noord naar zuid, sommige oost-west, weer andere een andere kant op. Hij wachtte tot de kristallen langzaam stil kwamen te hangen – en hij draaide zich om toen hij een geluid achter zich hoorde. Het was een soort geruis, het zou van alles of juist niets geweest kunnen zijn, maar om de een of andere reden gingen zijn nekharen rechtovereind staan. Hij werd zich ervan bewust dat niet het onduidelijke plaatje van het incident hem dwarszat, maar ook het huis.

Hij wist niet goed wat hij daarmee bedoelde.

Sommige huizen hadden een geschiedenis die je kijk erop bepaalde: huizen waarin onschuldige mensen waren gemarteld en afgeslacht, bijvoorbeeld. De moorden in de keuken telden niet mee, omdat ze te clean waren, te weinig pervers. Lionel wist niets van de geschiedenis van dit huis, en afgaand op de indruk die Lenny en Davinia op hem hadden gemaakt, dacht hij niet dat dit gezin duistere geheimen koesterde.

Een huis kon heel subtiel op je zenuwen gaan werken als de kamers niet de juiste proporties hadden, als er bij de inrichting te harde kleuren waren gebruikt, of als meubels niet bij elkaar pasten. Maar in dit huis was alles met elkaar in evenwicht, de kleurstelling was aangenaam, en er stonden gezellige meubels, die een geheel vormden.

Lionel wachtte tot het geruis zich zou herhalen. Hij wist wat hem dwarszat: in dit huis had hij het gevoel dat hij in de gaten gehouden werd. Hij mocht in het verleden dan wel ten onrechte van moord beschuldigd zijn en daarvoor zes jaar in de cel hebben gezeten, maar hij was niet paranoïde. In zijn werk liet hij zich leiden door een nuchter gevoel voor gevaar, en het enige waar hij bang voor was, was de gedachte dat hij zijn moeder of een van de tantes zou moeten verliezen die bij hem inwoonden.

Het plafond kraakte, alsof er iemand op de eerste verdieping rondliep. Het gezin was naar het ziekenhuis gebracht. De medewerkers van de technische recherche waren in de keuken en hadden geen reden om naar boven te gaan.

Hij liep naar de hal, bleef aan de voet van de trap staan luisteren en keek omhoog. Een zacht bonzend geluid. Kon een deur zijn die dichtviel, of een van de geluiden van het huis. Weer het bonzende geluid.

Lionel liep de trap op en keek snel en grondig op de eerste verdieping rond. De deuren van de kamers stonden alle open of op een kier, en met zijn voet of elleboog duwde hij ze dan helemaal open om naar binnen te kunnen. Steeds wanneer hij het licht aandeed, werd alleen de duisternis verjaagd, geen indringer.

De laatste kamer aan het eind van de gang bleek die van Davinia te zijn. Dit was duidelijk een meisjeskamer, al waren er weinig tierelantijntjes te zien en was de inrichting eerder sober te noemen. Haar boeken bleken van een serieuzere aard te zijn dan hij had verwacht.

Ze had huiswerk zitten maken aan een tafel die als bureau dienstdeed. Haar computer stond nog steeds aan.

Constant veranderende vormen gleden in goud, rood en diverse blauwtinten over het scherm. Zo'n screensaver had hij nooit eerder gezien, en hij vond het zo mooi dat hij er een minuutje naar bleef kijken, bijna gehypnotiseerd.

Hoewel hij verwachtte dat de vormen mysterieus en abstract bleven en voortdurend in elkaar zouden overvloeien, vormden de blauwe en goudkleurige tinten ineens een hand op een rode achtergrond, alsof iemand van binnenuit een hand tegen het scherm drukte.

Lionel ging in de bureaustoel zitten zonder zich daarvan bewust te zijn. Bijna als een toeschouwer die naast hem stond, zag hij dat hij zijn rechterhand naar voren bracht om die tegen de hand op het scherm te leggen.

Toen Lionel het scherm aanraakte, voelde hij een koude siddering onder zijn handpalm en gespreide vingers, eerst slechts een vreemde trilling, maar al snel een duidelijk wriemelende sensatie, alsof er een grote hoeveelheid pasgeboren slangen onder zijn hand kronkelden. Op het moment dat zijn nieuwsgierigheid omsloeg in paniek, voelde hij iets in zijn duim prikken, geen volle beet maar meer een prikje van een slagtand, alsof een van de ingebeelde slangen uitprobeerde wat voor effect hun gif op hem had. Hij trok zijn hand geschrokken terug en kwam abrupt overeind.

Op zijn duim was geen spoor van een prikje te zien.

Hij was ontzet, niet alleen door de ingebeelde beet, maar ook doordat hij verwacht had een wondje te zien. Hij gruwde nog steeds van het koude gewriemel dat hij had gevoeld, hoewel hij niets anders dan een glad computerscherm van glas had aangeraakt. Hij wist dat de afschuwwekkende sensatie van kronkelende slangen het gevolg moest zijn geweest van een of andere statische lading, maar toch had hij nog steeds het gevoel dat hij iets buitenaards en smerigs had aangeraakt.

De vormen op het computerscherm waren weer abstract geworden. Lionel bleef er nog vijf minuten naar kijken, in de verwachting dat de hand weer zou verschijnen, als vast onderdeel van de screensaver, maar dat gebeurde niet. Uiteindelijk zette hij de computer uit, om elektriciteitsproblemen te voorkomen.

Op de overloop bleef hij nog even staan luisteren.

Nog steeds had hij het gevoel dat hij in de gaten gehouden werd.

Lionel Timmins vroeg zich af of hij de laatste tijd misschien te hard had gewerkt.

33

HOEWEL JOHN CALVINO ER OP GEEN ENKELE MANIER achter kon komen welk gezin gevaar liep en hij de betreffende personen dus ook niet kon beschermen, wist hij dat hij geen oog zou dichtdoen, juist *omdat* hij zo machteloos stond. Hij was in een leunstoel in de bibliotheek gaan zitten en probeerde op andere gedachten te komen door het nieuwste boek van een van zijn lievelingsschrijvers te lezen, maar hij kwam niet los van zijn obsessie. Hij las de ene na de andere bladzijde, hoofdstuk na hoofdstuk, maar hij raakte nooit zo bij het verhaal betrokken als bij de herinnering van wat Alton Blackwood de Sollenburgs had aangedaan, de moorden die vannacht misschien herhaald zouden worden.

Om halftwaalf legde hij het boek weg en belde hij zijn afdeling om te vragen of er 's avonds misschien een melding was binnengekomen met de ongebruikelijke code 187 – moord. Hij belde zelden voor dit soort doeleinden naar zijn werk, maar aan de andere kant vond hij het ook niet raar om te bellen. Het was de onrust die hem naar de telefoon deed grijpen, niet zijn intuïtie.

Het duurde nog een halfuur voor de drieëndertigste dag begon, maar de moordpartijen die Blackwood twee decennia geleden had aangericht, waren soms ook al voor middernacht begonnen. John wist niet waarom de moordenaar zich strikt aan tussenpozen van drieëndertig dagen hield, maar soms wachtte hij niet tot die magische dag daadwerkelijk was aangebroken. Zijn verlangen, zijn behoefte, zijn honger naar geweld was zo groot dat hij soms eerder begon, al had hij zijn werk wel altijd op de dag zelf afgemaakt, keurig in overeenstemming met zijn heilige tijdschema.

Toen John hoorde dat er 's avonds een schietpartij had plaatsgevonden in het huis van de familie Woburn, wist hij dat het Blackwood kon zijn geweest, dat móést haast wel, ook al was het voor de dader zelf niet goed afgelopen. Zowel bij de Sollenburgs als bij de Woburns ging het om een gezin van vier personen. In beide gevallen waren de ouders doodgeschoten. De Woburns hadden een zoon en een dochter, net als de Sollenburgs.

Hij deed het licht in de bibliotheek uit en ging snel naar boven om Nicky te vertellen dat hij voor het werk weg moest, wat niet gelogen was, al was het misschien ook niet helemaal waar. Dit was niet zijn zaak maar die van Lionel, had de brigadier van dienst gezegd. En John had een legitieme reden – zij het een persoonlijke – om zich met de zaak te bemoeien, ook al had hij er nog niet eens de helft van zijn maandje verlof opzitten. Ook op dit punt had hij Nicky niet echt voorgelogen, maar haar ook niet echt de waarheid verteld.

Het licht op haar atelier was uit, en John ontdekte dat ze al sliep, beschenen door het zachte schijnsel van haar bedlampje. Op haar nachtkastje stond een leeg cognacglas, naast een boek met alle gedichten van T.S. Eliot, een bundel die ze vaak had gelezen.

Ze verroerde zich niet toen hij haar naam fluisterde. Hij schreef een briefje en stak dat in het lege glas.

In haar slaap leek Nicolette zo onschuldig als een kind, en als de enige misstappen die telden de misstappen waren die opzettelijk begaan waren, dan was ze misschien net zo onschuldig als de kinderen die ze op de wereld had gezet.

Toen John om halfeen op de ic-unit van het St. Joseph's Hospital kwam, was Lois, de zus van Jack Woburn, bezig een berichtje te sms'en om familie en vrienden van de laatste ontwikkelingen op de hoogte te houden. De uitgeputte jongen lag op een driezitsbankje met dunne bekleding te slapen.

De dochter stond bij het raam en keek naar buiten, naar de stad in het nachtelijk duister. Toen ze zich naar John omdraaide, wist hij zonder een moment te twijfelen dat Blackwood dit gezin als doelwit had uitgekozen om de moord op de Sollenburgs opnieuw uit te voeren. Blackwood had zich toegelegd op de ritualistische vernietiging van alles wat mooi en onschuldig was, twee kwaliteiten die dit meisje in zich verenigde, zoals dat ook bij de twee zussen van John het geval was geweest, Marnie en Giselle.

Toen hij zichzelf aan Davinia voorstelde, trilde zijn stem en kreeg hij een brok in zijn keel, zodat zij zich waarschijnlijk afvroeg waarom het leed dat haar familie was overkomen – mensen die hij niet kende – zoveel emotie bij hem losmaakte. Hij kon haar onmogelijk vertellen dat hij blij was dat ze het incident had overleefd, niet alleen omdat je altijd blij kon zijn als een medemens aan de dood ontsnapt was, maar ook omdat het feit dat zij aan hun bovennatuurlijke belager ontkomen was, hem de hoop gaf dat zijn gezin ook gespaard zou blijven.

Toen Lois haar sms'je via haar BlackBerry verstuurd had, vertelde ze John wat ze in het berichtje had geschreven. Brenda Woburn was drie kwartier onder het mes geweest, bleek niet dodelijk gewond te zijn geraakt, en was inmiddels uit de narcose bijgekomen. Ze lag nu op de ic. Het zou niet lang meer duren voor de anderen een paar minuten bij haar zouden mogen. Jack Woburn lag nog op de operatiekamer; zijn toestand was kritiek.

John bleef bij hen zitten, in de hoop dat ook hij een paar minuten met hun moeder mocht praten.

De vier agenten in uniform die nieuwsgierigen op afstand moeten houden, gaan om beurten naar het huis om te kijken of de technische recherche al klaar is, of om op de begane grond van het toilet gebruik te maken. Agenten, forensische onderzoekers en de fotograaf, en chauffeurs van het mortuarium komen allemaal met hun vingers aan deurknoppen, deuren en kozijnen die niet direct iets met het misdrijf te maken hebben. Ze raken de knop van de stortbak aan, het kraantje van de wasbak, lichtschakelaars. Door dit lichamelijk contact worden ze gekend en beoordeeld.

Ze zijn stuk voor stuk toegankelijker dan Lionel Timmins. Twee zijn gemakkelijk te bestijgen, en de makkelijkste daarvan is Andy Tane, een geüniformeerde agent. Soms dwingt Andy prostituees tot gratis seks door te dreigen dat hij ze anders arresteert. Hij sluist van huis weggelopen tieners door naar pooiers en krijgt provisie voor elk meisje dat hij op die manier aanbrengt. Toen hij klein was, noemde zijn moeder hem Andy Candy, en zo wil hij dat de hoeren hem noemen als hij van hun diensten profiteert. Hij neemt steekpenningen aan van andere criminele lieden en knijpt dan een oogje dicht of helpt hen zelfs actief bij hun praktijken.

Andy Candy Tane wordt in zijn totaliteit gekend als hij het huis via de voordeur betreedt om van het toilet gebruik te maken. Als hij doortrekt, wordt hij *genomen*, wat in zijn geval het meest geschikte moment is. Andy is lang en sterk, zesendertig, een geschikt paard voor de rit die moet worden ondernomen.

Nadat de auto van het mortuarium met het lichaam van Reese Salsetto is vertrokken, hoeven er maar twee agenten achter te blijven tot de technische recherche klaar is en Lionel Timmins het huis afsluit. Andy Tane en diens naaste collega, Mickey Scriver, mogen gaan.

Andy en Mickey draaien een dienst van veertig uur in vier dagen. Ze patrouilleren, gaan op zoek naar slechteriken, en trekken meldingen na, van zes uur 's avonds tot vier uur 's ochtends.

Meestal gaan ze rond acht uur een hapje eten, als ze tenminste niet midden in een arrestatie zitten of er een noodgeval binnenkomt.

Ze werken nog maar twee weken samen, en hoewel Mickey nog niet goed weet of hun samenwerking hem bevalt, wil Andy liever iemand anders, een collega die wat flexibeler is, wat genuanceerder. Mickey heeft in het leger gezeten en laat zich te veel beperken door begrippen als *eer* en *plicht*. Hij is ambitieus, is van plan om als blauw op straat carrière te maken om dan op een plek te komen waar hij zijn uniform voor burgermanskleren kan inruilen, misschien bij de narcoticabrigade, niet omdat daar de vetste steekpenningen te krijgen zijn, een reden die Andy zou aanspreken als hij ook zo ambitieus was, maar omdat daar het echte werk ligt. Mickey houdt van het echte werk. Hij wil iets doen 'waar de maatschappij wat aan heeft'. Andy heeft maling aan het echte werk, en aan de maatschappij. Het is dat Mickey zo'n goed gevoel voor humor heeft, anders zou hij zijn collega allang hebben uitgekotst.

Andy's vorige collega, Vin Wasco, was ook van het graaien, waardoor het voor Andy een stuk makkelijker was om zijn eigen ding te blijven doen. Maar Vin moet geopereerd worden aan een kwaadaardige hersentumor. De doktoren zeggen dat hij geheel kan herstellen, maar het zou Andy verbazen – en hij zou ook enigszins teleurgesteld zijn – als Vin niet zijn uiterste best zou doen om volledig afgekeurd te worden en voor de rest van zijn leven een arbeidsongeschiktheidsuitkering op te strijken.

Om halfeen 's nachts zijn er niet meer zoveel eettentjes open als om acht uur 's avonds. Mickey stelt voor iets bij een Italiaan op te halen die lekkere broodjes verkoopt, want als ze die in de auto opeten, kunnen ze meteen in actie komen als er een melding binnenkomt. Natuurlijk hanteert Mickey de hamer liever dan dat hij hem poetst. Mickey gaat in zijn eentje naar binnen om broodjes te kopen, omdat Andy niet wil dat iemand hem in deze buurt voor zijn eten ziet betalen. Vin en hij betaalden nooit.

Maar Mickey doet net alsof het een uitgemaakte zaak is dat hij voor zijn eten betaalt, alsof die arrogante kwal met zijn smetteloze ziel niet alleen zo nodig bij de narcoticabrigade wil, maar ook nog van plan is heilig verklaard te worden.

Als Mickey terugkomt met broodjes in twee zakken – een stokbroodje kaas en gehakt met Siciliaanse salade, en een stokbroodje kaas en rundvlees met gewone sla, twee porties patat en twee grote cola – heeft Andy geen zin om dat op de parkeerplaats op te gaan eten. Stel je voor dat iemand hem ziet. Timmerlieden, loodgieters, tuinmannen en dat soort volk eten in hun auto, en Andy verkeert in de stellige overtuiging dat het een smet op het uniform van de politie is als de burger agenten in hun auto ziet eten, net als het gewone werkvolk.

Andy rijdt naar de ingang van Lake Park, drie straten verderop. Het park is 's nachts niet toegankelijk, maar Andy rijdt om de afzetting heen, gaat van het pad af tot de wielen de bestrating niet meer raken, zet de auto op het grasveld bij het meer neer, en laat de motor draaien maar doet de koplampen uit. Het meer is niet zo groot dat het één duister gat is. De lichtjes aan de oever worden in het water weerspiegeld, en het uitzicht is prachtig, als je van dat soort dingen houdt.

Andy doet net of hij moet plassen, zegt dat hij zo terug is, en gaat naar de oever. Donker gras loopt drie meter door naar een vaal strandje waar het zwarte water gemoedelijk tegenaan kabbelt. De maan wordt door het meer gewiegd. Op dit tijdstip ligt het park er verlaten bij, ook omdat het zo fris is. Andy doet net of hij plast, neemt er twee keer zo lang de tijd voor, wat misschien wat overdreven is, loopt nog twee passen in de richting van het water en gaat dan snel terug naar de patrouillewagen, onderwijl zijn broek dichtritsend. Hij komt bij het raampje van Mickey staan, dat de heilige al heeft opengedraaid.

'Volgens mij ligt er een lijk op het strand,' zegt Andy.

'Misschien is het een dronkaard,' zegt Mickey, een hap kaas met rundvlees wegkauwend.

'Zoveel naakte blondjes liggen hier niet hun roes uit te slapen. Geef me eens een zaklantaarn.'

Mickey pakt twee zaklantaarns en stapt uit. Omdat hij Mickey is en graag zijn gewone badge wil inruilen voor een politiepenning in een portefeuille, gaat hij voorop en loopt hij snel naar de plek waar Andy net gedaan heeft alsof hij het gras met zijn superharde straal heeft platgespoten.

Andy Tane, die net zo strak bereden wordt als alle paarden die hem zijn voorgegaan, trekt zijn pistool en vuurt twee kogels af. De plichtsgetrouwe en nobele brigadier Scriver valt voorover; zijn zaklantaarn rolt door het dichte gras. Andy loopt snel naar hem toe, met de holster bungelend tegen zijn heup, en vuurt van dichtbij een derde kogel af, in de nek van Sint-Mickey.

Naar alle waarschijnlijkheid zal dit de laatste nacht van Andy Candy zijn, en daarom doet hij geen moeite het lijk op te ruimen of een alibi te verzinnen. Hij loopt naar de auto, gooit de zakken met de restanten van de broodjes weg, en rijdt het park uit.

Sommige paarden laten zich gemakkelijker berijden dan andere. Er zijn er die uit angst gaan bokken en trappen, figuurlijk gesproken, als ze zien wat voor gruweldaden ze zelf plegen. Anderen, zoals Reese Salsetto, voelen zich door hun nieuwe meester bevrijd en gedragen zich niet zozeer als dieren die onder controle gehouden moeten worden maar doen meer alsof ze in hetzelfde complot zitten. Ze vinden het heerlijk dat ze bevrijd zijn van de laatste remming die hen altijd beperkt heeft, van de angst voor de dood, en spelen graag de rol van nieuwe, genadeloze apostelen der chaos die ze altijd al hadden willen zijn.

Andy Tane is geschokt noch opgewonden. Zijn duizenden corrupte activiteiten – steekpenningen aannemen, het faciliteren van moderne slavernij, vrouwen intimideren en vervolgens verkrachten, medewerking verlenen aan criminele praktijken – is hij aangegaan zonder de bezieling en de lol die zijn ziel zouden hebben veranderd in een dik, duister, giftig duivelsbrouwsel. In plaats daarvan heeft hij zijn wandaden gepleegd op de fantasieloze en moeizame manier van een uitgebluste bureaucraat, en zo heeft hij de blaadjes van zijn ziel laten trekken tot een slap kopje thee. De daden die Andy Tane door zijn ruiter gedwongen wordt te plegen, wekken bij hem geen woede op, noch plezier. Hij kan alleen reageren als de lafaard die hij al die tijd is geweest: hij trekt zich terug in een automatische trance en laat zich gebruiken, terwijl hij zich tegelijkertijd afsluit voor de dingen die hij gedwongen wordt te doen.

Hij weet naar welk ziekenhuis de Woburns zijn overgebracht, en daar zal hij de jongen en het meisje aantreffen, de onvoltooide zaken die zijn ruiter vastbesloten is te volbrengen.

De kinderen en hun tante mochten met zijn allen tien minuten bij Brenda Woburn op de kamer, maar de hoofdverpleegkundige van de ic was er niet zo happig op John daarna op de kamer toe te laten. Zijn politiebadge maakte weinig indruk op haar. Maar door op zachtmoedige wijze op haar in te praten, een vaardigheid die hij in de loop der jaren middels zijn contact met getuigen had ontwikkeld, en door zich van zijn ernstigste kant te laten zien, kreeg hij drie minuten van haar.

'Maar ik neem de tijd op, en meer dan drie minuten gaat het niet worden,' had ze gezegd.

Toen John het ziekenhuisgordijn naast het bed openschoof en dat weer achter zich dichttrok, deed ze haar ogen niet open. Ze leek diep in slaap te zijn.

Haar hart, ademhaling en bloeddruk werden op monitoren in de gaten gehouden, maar ze lag niet aan de beademing. Een infuus hield haar lichaamsvocht en bloedsuikerspiegel op peil. Ze kreeg zuurstof door haar neus.

Op haar bleke voorhoofd lagen lokken van haar korte, donkere haar, alsof ze er met een viltstift op waren getekend, als de v'tjes en x'jes van een of ander spel. Haar ogen leken overdreven diep in hun kassen te liggen, als die van onfortuinlijke reizigers in films over survivaltrips in de woestijn, waar elke oase een fata morgana was. Alle kleur was uit haar lippen getrokken.

John zei haar naam drie keer voordat ze haar ogen opendeed. Haar blik bleef op hem rusten toen hij zei wie hij was. Ze had pijnstillers gekregen, maar het effect was duidelijker zichtbaar in de ontspannen gelaatstrekken en in haar lethargische houding dan in haar ogen, die helder waren, gefocust, en waakzaam.

'U hebt vast instructies gehad hoe u een pistool moet hanteren,' zei hij. 'Drie dodelijke voltreffers. Geen kogel verspild. Dat kan geen toeval zijn. Misschien zullen ze er niet moeilijk over doen, maar niemand zal geloven dat u uzelf per ongeluk hebt neergeschoten.'

Ze keek hem roerloos aan. Met dorre stem zei ze: 'Wat moet u van me?'

Omdat zijn tijd beperkt was, kwam hij meteen ter zake. 'Twintig jaar geleden zijn er in de stad waar ik woonde, vier gezinnen vermoord. De vierde was mijn familie – mijn beide ouders en twee jongere zussen.'

Ze bleef hem aankijken zonder met haar ogen te knipperen.

'Ik heb de moordenaar vermoord. En nu heb ik zelf een gezin...'

Het licht dat van boven kwam, bracht geen glans op haar ogen maar leek erin te verdwijnen.

'Nu heb ik zelf een gezin, en ik ben bang dat het allemaal weer opnieuw begint. U hebt het vast wel op het journaal gezien... de familie Lucas.'

Langzaam knipperde Brenda Woburn twee keer met haar ogen.

'Ze zijn vermoord op precies dezelfde manier waarop twintig jaar geleden het eerste gezin is vermoord. Van het tweede gezin, de Sollenburgs, werden de vader, moeder en zoon doodgeschoten. In die volgorde. De dochter werd verkracht. En gemarteld. Urenlang.'

Met zachte piepjes en pulserende lichtjes registreerde de ecg-monitor een toename in de hartslag.

'Ik wil u niet vermoeien,' zei John, 'maar ik wil graag iets weten. Ik ben hier niet uit hoofde van mijn functie als rechercheur, maar in mijn hoedanigheid als echtgenoot en vader.'

Een van de machines registreerde een toename in de bloeddruk.

'Waarom hebt u uzelf neergeschoten?'

Ze likte over haar lippen. Haar blik gleed naar links, naar de infuuszakken, en verder, naar de hartmonitor.

'Billy Lucas heeft zijn gezin niet vermoord,' zei John. 'Uw broer Reese heeft uw man niet vermoord.'

Ze richtte haar blik weer op hem.

'U kunt open tegen me zijn. Alstublieft. Vertelt u me toch waarom u uzelf hebt neergeschoten?'

'Zelfmoord.'

'Wilde u zich van het leven beroven? Waarom?'

'Om tegen hem in te gaan.'

'Om tegen wie in te gaan?'

Ze aarzelde. Toen: 'Wie het dan ook maar mocht zijn. Om te voorkomen dat hij me zou nemen. Dat hij bezit van me zou nemen.'

En dit was een openbaring. Niets dan de waarheid, en toch bijzonder. Bevestiging.

'Koud en kruipend, kronkelend. Niet alleen in mijn hoofd. Door mijn hele lichaam. Van mijn huid tot op het bot.'

'U reageerde zo snel.'

'Ik had geen tijd te verliezen. Hij kénde me, helemaal. Ogenblikkelijk. Maar ik kende hem ook een beetje. Ik wist dat hij Lenny wilde vermoorden, Davinia niet... niet meteen.'

John dacht aan zijn zussen, van hun kleren ontdaan en bruut vernederd, en zijn knieën knikten. Hij zocht met beide handen steun bij het bed.

Brenda huiverde, alsof ze terugdacht aan de kille glibberige indringer die het merg in haar botten beroerde. 'Wie was hij dan?'

'De moordenaar die ik twintig jaar geleden heb vermoord.'

Ze bleven naar elkaar kijken. Hij vermoedde dat ze, bijna net als hij, zou willen dat ze krankzinnig waren, dat ze ijlden, omdat ze liever niet wilde dat dit waar was.

'Is het voorbij?' vroeg ze.

'Voor u wel. Voor mij misschien niet, of u moet de betovering al verbroken hebben, de cyclus hebben verstoord door hem uit te drijven. Misschien is het dan voor mij ook voorbij.'

Ze stak haar linkerhand naar hem uit. Hij pakte die en hield die vast.

34

ANDY TANE WORDT NIET ZOZEER ALS EEN PAARD BE-
reden, maar als een machine. Zelf heeft hij zich in een laf hoekje in een achterkamertje van zijn hersenen teruggetrokken. Hij
parkeert de politiewagen bij de ingang van het St. Joseph's Hospital. In de grote hal brandt slechts de helft van de tl-verlich-
ting. De informatiebalie wordt op dit late tijdstip niet bemand.
De cadeaushop is gesloten. Er is niemand te zien.

Misschien had hij zijn auto bij de spoedeisende hulp neer
moeten zetten. Maar hij weet hoe hij binnendoor naar de eer-
stehulpafdeling kan komen.

Op dit late tijdstip is zelfs die afdeling praktisch verlaten. Er
zitten maar drie patiënten. Bij het enige registratieloket dat open
is, zit een gezette vrouw, plus een stel van middelbare leeftijd,
zij in een blauw-wit trainingspak, hij in een vale spijkerbroek en
een wit T-shirt. Ze zitten naar de met bloed doordrenkte hand-
doek te kijken die om zijn linkerhand gewikkeld is en wachten
tot iemand de moeite neemt hen te helpen.

Beleefd, omdat hij op die manier eerder zijn doel zal bereiken, maar op officiële, plechtstatige toon, verontschuldigt hij
zich tegenover de gezette vrouw en onderbreekt dan de balie-

medewerker in haar werkzaamheden – ELAINE DIGGS, volgens het naamplaatje op haar borstzakje. Hij vraagt haar waar de twee slachtoffers van de schietpartij naartoe gebracht zijn, Brenda en Jack Woburn. Elaine Diggs raadpleegt haar computer, pleegt een kort telefoontje en verklaart: 'Mevrouw Woburn ligt op de intensive care. Meneer Woburn is net van de operatiekamer af en ligt op de uitslaapkamer.'

Uit hoofde van zijn functie weet Andy Tane de weg in het ziekenhuis. De ic-afdeling ligt op de negende verdieping. De operatiekamers liggen allemaal op de eerste verdieping, net als de uitslaapkamer, waar patiënten na hun operatie naartoe worden gebracht om bij te komen van de narcose tot hun toestand stabiel is.

Jack Woburns toestand zal niet lang meer stabiel blijven.

Nadat John Calvino met Brenda Woburn had gepraat, ging hij naar de ernaast gelegen bezoekerskamer om zijn visitekaartje – met zijn privé- en mobiele nummer achterop geschreven – aan Davinia Woburn en haar tante Lois te geven. Lenny lag nog steeds op de harde bank te slapen.

'Je moeder is een dappere vrouw,' zei John tegen het meisje.

Davinia knikte. 'Ze is mijn held. Dat is ze altijd al geweest.'

'Misschien wil ze me bellen. Dat kan altijd, dag en nacht.'

'We hebben net gehoord dat pappa van de operatiekamer af is,' zei Davinia. Ze straalde van oor tot oor. 'Ze zeiden dat hij weer helemaal de oude wordt.'

John vond haar wel iets van Minette en Naomi hebben, al wist hij niet goed waarom. Hij voelde de aandrang haar te omhelzen, al kende hij haar nauwelijks.

'Het ziet er in elk geval al weer een stuk rooskleuriger uit,' zei Lois. 'Waarschijnlijk wordt Jack hier over een uur naartoe overgebracht, misschien al eerder.'

'Wat geweldig,' zei John. 'Fantastisch. Vergeet niet dat uw moeder me dag en nacht kan bellen als ze me wil spreken.'

Hij liep door de gang naar de liften. Zes roestvrijstalen deuren, drie aan elke kant. Te zien aan de lichtjes boven de deuren gingen twee liften naar beneden, kwam er een naar boven, stond er een in de kelder, en bevonden er twee zich op de begane grond. Hij drukte op de knop, waarna een liftcabine van de begane grond omhoogging.

Brigadier Andy Tane duwt de klapdeuren naar de uitslaapkamer open. Het is er stil, en het licht is gedimd. Het ruikt er naar een desinfecterend schoonmaakmiddel.

De enige patiënt op de zaal is Jack Woburn. Hij ligt op een verrijdbaar bed, met een deken tot aan zijn schouders opgetrokken. Hij slaapt en is aangesloten op een hartmonitor en de beademing.

Jack ziet er niet best uit. Maar hij zou er slechter uit kunnen zien.

In een nis naast de uitslaapkamer zit een verpleegkundige iets op een computer in te voeren. Ze merkt niet dat Andy binnenkomt.

Toen Andy Mickey Scriver vermoord had, herlaadde hij zijn dienstpistool. Je wilt altijd een vol magazijn als je achter een boef aan zit, en al helemaal als je zelf de boef bent. Hij zet de loop onder tegen de kin van Jack Woburn en haalt de trekker over.

Door de harde knal van het schot draait de verpleegkundige zich in haar stoel om. Ze veert overeind op het moment dat het bloed en hersenweefsel tegen de witte vloertegels spatten. Ze ziet Andy staan, met zijn pistool in zijn hand, en ze is te verbouwereerd om een geluid uit te brengen. Ze duikt uit het zicht, probeert in de armzalige nis dekking te zoeken, en nu lukt het haar wel om te gaan schreeuwen. Ze zet een flinke keel op.

Omdat Andy's ruiter geen belangstelling voor het personeel heeft, keert Andy zich van haar af. Hij loopt de zaal uit. De lift waarmee hij van de begane grond naar de eerste verdieping is gekomen, staat er nog, en de deuren zoeven dan ook onmiddellijk open als hij op de knop drukt. In de lift drukt hij eerst op de knop waarmee de deuren dichtgaan, en daarna kiest hij de knop voor de negende verdieping. De lift gaat omhoog, op weg naar voldoening.

Volgens de displays kwamen er twee liften naar boven, de een liep een verdieping op de andere voor. Toen van een ervan de deuren opengingen, stapte John naar binnen, waarna hij op de knop van de begane grond drukte.

Net toen de deuren dichtgleden, kwam er een verpleegkundige naar de lift toe, in de hoop mee te kunnen. John drukte op de knop waarmee de deuren opengingen.

'Hartstikke bedankt,' zei ze.

'Graag gedaan.'

Toen de deuren een tweede keer met een zucht dichtgleden, hoorde hij het belletje van de tweede lift die op de negende etage aankwam.

Andy's ruiter loopt door de openstaande deuren van de bezoekersruimte van de ic en ziet daar de zus van Jack Woburn – dat zeurwijf, zoals Reese Salsetto haar ook al had betiteld – plus de lekkere meid die hij later kapot hoopt te maken, dat heerlijke romige hapje. De jongen met het ronde gezicht ligt te slapen op een bank.

Het meisje en de vrouw zien Andy, maar ze hebben geen reden om zich bedreigd te voelen. Hij zal wel met die twee slettenbakken afrekenen nadat hij de opofferende moeder, die zo nodig de held moest uithangen, gedwongen heeft af te maken wat ze eigenhandig in gang had gezet: sterven.

Hij loopt zes meter door naar het eind van de gang. De deur naar de intensive care zit dicht. Hij drukt op het knopje van de intercom. Als hij de stem van een verpleegkundige hoort die vraagt of ze hem kan helpen, kijkt hij over zijn schouder om er zeker van te zijn dat de gang verlaten is en dat niemand hem kan horen, waarna hij zegt: 'Politie. Dit is een noodgeval.'

Op de ic komt een verpleegkundige naar de deur. Ze tuurt door het raampje. Andy tikt ongeduldig op zijn badge. Ze doet de deur open maar verspert hem de doorgang en zegt: 'Wat voor noodgeval?'

Andy legt een hand op haar schouder, en hoewel ze probeert zich uit zijn greep te bevrijden, kent de ruiter haar onmiddellijk. Hij zou haar kunnen nemen als dat nodig mocht blijken. Ze heet Kaylin Amhurst en is de buitengewoon zorgvuldig te werk gaande engel des doods, die in de loop der jaren meer dan eens heeft besloten dat bepaalde patiënten het medische systeem te zwaar belastten. Elf van hen heeft ze uit hun lijden verlost, de laatste een vrouw die Charlain Oates heette.

Andy zegt: 'Charlain Oates was nog maar zesenvijftig en had een goede kans op herstel.'

Ontsteld, met grote ogen, haar mond happend naar adem als een vis op het droge, deinst Kaylin Amhurst achteruit. Op de zaal staan zestien bedden, met in het midden diverse monitoren, waar twee andere verpleegkundigen aan het werk zijn.

'Ga maar naar je werkplek, zuster Amhurst, en wacht daar op me,' zegt Andy, op die kille toon die hij altijd tegen criminelen aanslaat.

Van de zestien bedden zijn er zeven niet bezet, en de andere negen zijn met een gordijn afgeschermd. Maar Andy's ruiter weet al waar Brenda Woburn ligt, omdat hij ook die informatie uit Kaylin Amhurst heeft opgezogen toen hij haar aanraakte en alles op slag van haar wist.

De ruiter wil liever niet dat Andy steeds zijn pistool gebruikt, het liefst helemaal niet, omdat degenen in de bezoekersruimte zullen schrikken als er geschoten wordt, en dat zijn wel de mensen waarmee hierna moet worden afgerekend. De ruiter wil niet dat de lekkere meid ervandoor gaat, want dan zal hij haar moeten opsporen als een hond die snuffelend op de geur van een loops teefje afgaat.

Terwijl Amhurst zich in de zusterpost terugtrekt, kijken de twee andere verpleegkundigen op, niet-begrijpend. Een van hen kijkt hem afkeurend aan en snapt niet wat Andy hier te zoeken heeft, maar waarschijnlijk gaat ze ervan uit dat de engel des doods hem nooit op de zaal zou hebben toegelaten als daar geen reden voor bestond.

Hij trekt de gordijnen rond het bed van Brenda Woburn open en doet ze achter zich weer dicht. Ze is wakker en draait zich onderzoekend naar hem toe, maar ze voelt zich niet bedreigd, want per slot van rekening is hij een politieman die gezworen heeft de burgerbevolking te beschermen en te dienen.

Hij buigt zich over het lage bedhekje en zegt: 'Ik heb heerlijk nieuws voor je, Brenda. Ik ga die lekkere tong van Davinia uit haar mond zuigen.'

Andy heeft een fors postuur, is zeer gespierd, en heeft grote vuisten. Als de vrouw vanuit haar kussens overeind probeert te komen, beukt hij met volle kracht op haar keel in – een, twee, drie, vier keer – waardoor haar strottenhoofd en luchtweg verbrijzeld worden en aderen scheuren.

De verpleegkundige die van de negende verdieping kwam, ging er op de zevende uit, waar een broeder de lift binnenstapte, een kar met witte dozen voor zich uitduwend. Hij was een Latijns-Amerikaanse man van in de dertig, met een vooruitstekend bovengebit. Zijn tanden waren zo wit en vierkant als kauwgumpjes, en hij kwam John bekend voor.

De broeder drukte op de knop van de vijfde verdieping en zei: 'Kent u me nog, rechercheur Calvino?'

'Ik ken je wel, maar ik weet niet meer waarvan.'

'Mijn broer is Ernesto Juarez. U hebt bewezen dat hij onschuldig was aan de moord op zijn vriendin Serita.'

'Ach ja, natuurlijk, jij bent Enrique, Ricky.' De broeder knikte grijnzend, en John zei: 'Hoe gaat het tegenwoordig met Ernesto?'

'Goed, heel redelijk. Het is nu vier jaar geleden, maar hij heeft er nog steeds veel last van, want het was heel moeilijk voor hem. Zijn halve familie dacht dat hij het gedaan had, en hij vond het heel moeilijk dat ze geen vertrouwen in hem hadden gehad.'

Toen ze op de vijfde verdieping waren aangekomen, hield Enrique zijn duim op de knop waarmee de liftdeur bleef openstaan, omdat John nog wilde weten waar Ernesto tegenwoordig werkte en hoe hij zijn toekomst zag.

Als rechercheur wist je meestal meteen wie het gedaan had als je oog in oog met de moordenaar stond, en dan hoefde je alleen maar na te gaan welke fouten hij had gemaakt om hem vervolgens aan justitie over te dragen. Je kreeg niet vaak de kans de onschuld te bewijzen van iemand die het ogenschijnlijk gedaan moest hebben, en het leverde veel voldoening op als dat lukte.

Omdat haar keel verbrijzeld is, kan ze geen lucht krijgen, zodat haar hart op hol slaat en haar bloeddruk omhoogschiet. Monitoren geven zachte alarmerende bliepjes af.

Andy draait zich om, en net als hij zijn hand naar het gordijn uitstrekt, wordt dat opengetrokken door een verpleegkundige – niet de engel des doods. Kogellagers glijden klikkend in de rails. Ze zegt: 'Wat moet u hier?'

Hij stompt haar recht in het gezicht, ze zakt in elkaar, en hij stapt over haar heen. Zijn ruiter is opgewonden en loopt naar de gang. De ultieme beloning ligt binnen handbereik.

Kaylin Amhurst deinst achteruit tegen de monitorenstelling, net zo bleek als de patiënten die ze om zeep heeft geholpen. Haar collega heeft de telefoon gepakt, en Andy hoort haar 'beveiligingsdienst' zeggen, maar hij dendert nu als een trein door. De uitkomst is onafwendbaar.

Als hij de gang op stapt en zijn pistool trekt, blijkt niemand in de bezoekersruimte de geluiden uit de intensive care te hebben opgevangen. Niemand komt poolshoogte nemen.

Ze zitten nog steeds op dezelfde plek. Hij betreedt de bezoekersruimte en schiet twee keer van dichtbij op de slapende jongen, die daarop in zijn slaap overlijdt. Tante Lois komt uit haar stoel overeind om hem tegen te houden. Hij slaat haar met de kolf van zijn pistool neer. Ze zakt op haar knieën, waarna hij haar trapt en ze wordt gevloerd.

Hij staat tussen het meisje en de deur in. Ze kan niet langs hem komen, maar ze staat er dapper bij, bang en fysiek duidelijk in het nadeel, maar ze is van plan haar huid duur te verkopen, en als het moet zal ze krabbend en bijtend weerstand bieden. Hoewel het de ruiter niet uitmaakt wat er met zijn paard gebeurt, is er geen tijd voor een langdurige worsteling. De ruiter wil haar niet neerschieten omdat er nog een goede kans is dat hij haar kan misbruiken, wat een belangrijk punt is om dit allemaal op de juiste manier te volbrengen.

Daarom pakt Andy Tane het tien centimeter hoge busje pepperspray dat hij aan zijn riem heeft hangen, en van een afstand van tweeënhalve meter spuit hij twee keer in haar richting. Met zijn eerste poging trekt hij een streep van het bijtende goedje over haar gezicht, van de zijkant van haar rechter- tot over haar linkeroog. De tweede straal komt in haar neus, en als ze geschrokken een kreet slaakt, krijgt ze het spul ook in haar mond.

Het meisje raakt onmiddellijk gedesoriënteerd, kan niets meer zien, alles wordt één grote waas, en ze haalt piepend adem, heeft het gevoel te stikken, hoewel dat niet het geval is. Als onderdeel van zijn opleiding heeft Andy ook eens een straal in zijn gezicht gekregen, en hij weet hoe dat voelt. Hij weet hoe weerloos ze nu is.

Hij bergt zijn pistool en de spuitbus op en loopt om Davinia heen. Dan pakt hij haar van achteren beet, trekt haar tegen zich aan, en slaat zijn linkerarm om haar hals. Het is geen volledige wurggreep, omdat hij zijn linkerpols niet met zijn rechterhand aantrekt. Maar hij heeft haar in een stevige houdgreep. Ze kan geen kant meer op.

Hij voelt de capsaïcinedampen in zijn neus branden, maar heeft er niet echt last van, omdat hij het spul niet direct op de huid krijgt. Hij kan ongestoord ademen en zien.

Hij pakt haar onder aan haar rug bij haar broekriem vast, en met de arm die hij om haar keel heeft geslagen, tilt hij haar van de grond. Ze doet een zwakke poging naar achteren te trappen en maait naar zijn onderarmen, maar dan verstevigt hij de greep op haar keel, waardoor ze in paniek raakt omdat ze nu helemaal geen lucht meer krijgt, en daarom staakt ze haar verzet.

Hij drukt haar stevig tegen zich aan en sleurt haar mee de bezoekersruimte uit. Hoewel ze al zeventien is, is ze klein van stuk en weegt ze niet meer dan vijfenveertig kilo. Hij zou haar met gemak een eind op sleeptouw kunnen nemen als dat moest.

De deur naar de intensive care zit dicht. Maar aan de rechterkant, zo'n vijftien meter verderop, staat een groepje mensen in witte uniformen – drie zusters, twee broeders. Ze komen aarzelend zijn kant op, omdat ze de schoten en de kreten van het meisje gehoord hebben. Ze houden hun pas in als ze hem zien.

Om hun verwarring alleen maar groter te maken, roept hij: 'Politie! Achteruit!'

Als ze het meisje wat beter zouden bekijken, zouden ze snappen dat ze voor wie dan ook geen bedreiging vormt, dus daarom is Andy Tane niet van plan langs het groepje naar de liften te lopen. Bovendien is er een snellere route naar de plek waar de ruiter hem naartoe wil hebben. Tegenover de deur naar de ic is een nooduitgang, die is te openen door een stang omlaag te drukken. Hij dendert met het meisje de deur door en komt in het trappenhuis.

Als hij naar beneden zou gaan, wordt hij vast staande gehouden voordat hij bij de auto is. Hij kan het beste maar naar boven gaan om datgene te doen wat hij met haar van plan is.

Enrique Juarez nam afscheid van John, haalde zijn duim van de knop waarmee de liftdeur openbleef, en duwde de roestvrijstalen kar de vijfde verdieping op.

De liftdeuren gingen dicht, en de lift zoefde weer verder naar beneden. Tussen de derde en de tweede verdieping klonk er een stem in de liftschacht, klaarblijkelijk van een andere liftcabine. Iemand sprak met luide stem. Opgewonden. Aan de telefoon, zo leek het. De lift zoefde voorbij, omhoog, en de stem ebde weg.

35

BRIGADIER TANE, DIE VAN ZIJN ONBEKENDE RUITER DE
sporen krijgt, draagt en sleept het door de pepperspray be-
dwelmde meisje twee betonnen trappen op, naar de bovenste
verdieping van het gebouw. Daar is niet alleen de administratie
gevestigd, maar ook de directie van de overkoepelende organi-
satie, en er zijn twee vergaderzalen. De ruiter heeft deze informatie niet van Andy Candy, maar van Kaylin Amhurst, de verpleegkundige die als volgeling van Jack Kevorkian eigenhandig
de Dood assisteerde.

De deur boven aan het trappenhuis komt uit in een raamlo-
ze ontvangstruimte met houten lambrisering, waar geen meubels staan. Er gaan maar drie liften door naar deze verdieping.
Tegenover het trappenhuis bevindt zich de dubbele deur naar
een receptieruimte. Op dit tijdstip zit die deur op slot. De directie werkt niet in ploegendienst. Andy trekt zijn pistool en
schiet twee keer, niet op de deur met het slot, maar in de deurpost waar het slot in valt. Hout knalt in splinters en stukjes uit
elkaar. Het mahoniehout rond het slot geeft mee. Hij schopt de
deur open.

Geschrokken door de schoten en de in het rond vliegende

houtsplinters probeert het meisje te gillen. Ze produceert geen geluid, maar door de inspanning krijgt ze nog minder lucht. Ze maakt piepende, verstikte, kokhalzende geluiden – en ze verzet zich nog steeds, al heeft ze daar nauwelijks nog de kracht voor.

Een alarm gaat af, geen sirene – want per slot van rekening is dit een ziekenhuis – maar een zacht *piep-piep-piep* gevolgd door een bandopname: 'U bevindt zich op verboden terrein. Ga hier onmiddellijk weg. De politie is ingeschakeld.'

Met zijn linkerhand nog steeds om de hals van het meisje geslagen duwt Andy haar de receptieruimte binnen. Groot bureau, granieten werkblad. Stoelen. Salontafel met tijdschriften. Grote reproducties van impressionistische schilderijen aan de muur.

Twee gesloten deuren. Die aan de linkerkant zal naar de gang leiden die naar de rest van de kamers op deze verdieping voert. De deur recht voor hem is die van een vergaderzaal. Onzachtzinnig duwt hij Davinia door deze deur naar binnen.

De stem op de band meldt dat hij een ernstige overtreding begaat.

Andy Tane is zo sterk als een paard, maar zijn ruiter verleent hem daarnaast de bovennatuurlijke kracht van een ziedende, bevlogen geest. Als hij eenmaal in de vergaderzaal is, gooit Andy het meisje van zich af, opzij. Ze komt met een smak op de grond terecht, rolt door en knalt met haar hoofd tegen de muur.

Andy doet het licht aan, gooit de deur dicht en draait hem op slot. Hij zegt: 'Nu is ze van ons, Andy Candy. Nu is ze helemaal van ons.'

John stapte uit de lift en liep door de verlaten ontvangsthal, die door gedempt tl-licht werd verlicht. Het zachte gekraak van zijn schoenen op de glimmende vloer klonk als het klagende gejammer van een gewond dier.

Hij keek naar een paar camera's die hoog aan de muur hingen. De belangrijkste openbare ruimtes in het ziekenhuis werden vierentwintig uur per dag door bewakers vanuit een centrale controlekamer in de gaten gehouden. Hij wist dat een door-gedraaide wereld als deze niet zonder beveiliging kon, maar het vooruitzicht in de toekomst altijd en overal door camera's te worden bespied, ontmoedigde hem. Hij vermoedde dat de maatschappij er onder zo'n regime vreemd genoeg niet veiliger op zou worden.

De automatische deuren gleden open. Hij stapte naar buiten, bleef een ogenblik onder het afdak staan en zoog de koele nachtelijke lucht diep in zijn longen. In zijn huidige stemming zou hij bijna denken dat hij weldadige plattelandslucht inademde.

De overeenkomst tussen de Sollenburg-moorden en de aanslag op de familie Woburn was verstoord door een pientere vrouw die goed met een pistool kon omgaan. Deze vloek, deze voorbestemde dreiging, dit lot of hoe je het ook maar moest noemen, was geen uitgemaakte zaak. Als de Woburns gered konden worden, kon dat ook met de Calvino's gebeuren. Misschien was de dreiging inmiddels al geweken doordat de nieuwe cyclus van moorden doorbroken was. Het kwam vaak voor dat plannen die zorgvuldig waren voorbereid, uiteindelijk mislukten of vlak voor het einde misliepen, en een vloek kon je in zekere zin als een plan opvatten.

Er stond een politiewagen in de buitenste rijstrook geparkeerd, tussen twee zuilen van de galerij, achter Johns auto. Toen John zijn auto hier neerzette, stond de politiewagen er nog niet.

De oprijlaan van het ziekenhuis liep voor de hoofdingang langs, en boog aan beide zijden af naar de straat.

Het gebouw stond naar het oosten gericht. De ingang van de spoedeisende hulp lag op het westen. Misschien was daar heel wat aan de hand, maar hier aan de oostkant, nu het bezoekuur allang achter de rug was, was het griezelig stil, niet alleen in het ziekenhuis maar ook in de met lichtjes bestippelde straten van de stad in de verte, die door de maan beschenen werden.

John bleef staan kijken en genoot van de koelte en van de stilte in de stad.

Davinia knippert met haar ogen omdat die prikken. Ze huilt aan één stuk door en krijgt nu iets meer lucht, al gaat het ademen nog steeds moeizaam, spuugt om de bittere, scherpe smaak in haar mond kwijt te raken, en kruipt langs de lange vergadertafel. Steeds pakt ze op de tast de stoelen vast om te voelen wat daarna komt, misschien iets wat ze als wapen kan gebruiken.

Andy Tane hoeft niet naar een wapen te zoeken. Hij is zelf een wandelend wapen: zijn vuisten, zijn tanden, de uitzonderlijke boosaardigheid van zijn berijder. Bovendien draagt hij twee dodelijke wapens bij zich. Een is het pistool. Aan zijn riem heeft hij niet alleen zijn holster met het pistool hangen, maar ook twee leren tasjes met elk een reservemagazijn, een houder voor de spuitbus met traangas, handboeien, een sleutelbos met daaraan een glimmende vernikkelde fluit, en een dubbel foedraal met klepje om pennen in op te bergen. In een ervan zit een pen, en in de andere een dunne stiletto. Het is geen mes dat door het politiekorps aan de agenten wordt verstrekt. Het is zelfs bij de wet verboden. Hij heeft het mes bij zich om stiekem in de zak van een verdachte te kunnen laten glijden als alibi voor een schietpartij waar anders geen goede reden voor te geven is.

Als je op een verzonken knop op het paarlemoeren heft drukt, springt het mes open. Een vlijmscherp lemmet van twaalf centimeter lang. Een punt die zo scherp is dat die gemakkelijk door leer prikt.

Tijd is het probleem. Hij heeft niet genoeg tijd om haar zowel te ontmaagden als haar levend aan flarden te snijden. Het een of het ander. Haar eer roven of haar buik opensnijden. Haar seksueel misbruiken of haar afslachten. Het is de ruiter om het even. De stem op de bandopname klinkt nog steeds. De politie kan er elk moment aankomen. Het beveiligingspersoneel van het ziekenhuis zal er nog eerder zijn, over een paar minuten, en ook die mensen zullen gewapend zijn. Verkrachten of opensnijden. Het doel is om angst te zaaien. Om haar geest te breken. Om haar te reduceren tot één brok wanhoop.

Snijden gaat het worden. Van alles wat je bent, is het gezicht – onafgeschermd, niet te verbergen – het belangrijkst. Je gezicht is wat anderen voor ogen komt als ze aan je denken, of je nu foeilelijk bent of een engelengezicht hebt. Hij zal haar gezicht aan flarden snijden, en daarmee zal hij haar eigenwaarde en haar hoop kapotmaken. Hij zal dit fijngevormde gezicht kapotsnijden, dit gezicht dat zo mooi is dat het een belediging is voor alle gezichten die minder mooi zijn, en door dat te vernielen, drijft hij de spot met alle schoonheid, met alles wat mooi of fijn of gracieus is, alles van de schepping.

Ze is aan het eind van de lange tafel aangekomen, bij de laatste stoel. Ze kruipt verder over de lege vloer en vindt dan een tafeltje, waar ze zichzelf aan optrekt. Terwijl Davinia overeind krabbelt, lopen Andy Candy Tane en zijn berijder op haar af, het mes in de hand. Ze hebben de volgorde al bepaald: eerst de oren, dan de neus, daarna de lippen en tot slot de ogen.

Er wordt op de dichte deur gebonsd, eerder dan hij had verwacht, en daarna wordt er tegen de deur geschopt. De ruiter dacht dat er een paar minuten heen zullen gaan doordat de anderen zullen willen onderhandelen. Maar misschien hebben deze autoriteiten gezien dat drie van de Woburns vermoord zijn en dat de tante knock-out is geslagen, en hebben ze besloten zich niet te houden aan het moderne protocol om een gesprek aan te gaan en concessies te doen. Als het tot een vuurgevecht komt, delft Andy onherroepelijk het onderspit, dus nu kan hij niet meer kiezen tussen de opties verkrachten of overhoopsteken. Er rest hem niets anders dan het meisje te vermoorden en op die manier deze fase van de Belofte af te ronden.

Als hij nog maar een stap van het meisje verwijderd is, gooit hij het mes weg, en trekt hij zijn pistool. Hij draait zich om naar de glaswand die een panoramisch uitzicht biedt op de stad. Een, twee, drie schoten. Een enorm raam gaat aan gruzelementen en valt naar buiten, en een nachtelijk briesje waait door het versplinterende raam naar binnen.

Hij draait zich naar de bevallige Davinia toe op het moment dat zij naar hem uithaalt. Op de tast heeft ze op het kastje een bronzen beeldje gevonden, zestig centimeter hoog, een esculaapteken, het embleem van de medische stand, een mercuriusstaf, genoemd naar de boodschapper van de goden. Ze kan Andy niet zien, maar ze voelt waar hij ongeveer moet zijn, en ze maait met de mercuriusstaf om zich heen, in de hoop zijn hoofd te raken, maar in plaats daarvan komt ze tegen zijn rechterarm aan. Zijn hand verkrampt van de pijn, en het pistool valt op de grond.

Zijn gewonde arm zou hem nu niet meer tot nut zijn als hij alleen maar Andy Tane was. Maar hij is nu ook nog iets anders, en zijn berijder drukt zijn pijn weg. Het meisje haalt een tweede keer uit, de mercuriusstaf zeilt door de lucht, maar Andy duikt snel omlaag en naar voren. Met al zijn kracht duwt hij haar tegen het kastje, pakt haar pols, haar slanke, soepele pols, en dwingt haar om het bronzen beeld te laten vallen.

Het geluid van versplinterend hout. De dreun van een trap, en versplinterend hout. Ze trappen de deur in. De drieëndertigste dag is nauwelijks een uur oud, de taak is bijna volbracht, en nu trappen ze de deur in.

Andy neemt het meisje in zijn armen, het snikkende meisje, dat meisje met al haar bevalligheid in zijn armen. Drukt haar tegen zich aan. Tilt haar een paar centimeter van de grond. Met beide handen slaat ze op zijn gezicht in, maar haar vuisten zijn zo licht als een veertje. Hij zegt: 'Mijn bruid in de hel,' en loopt snel met haar naar het verbrijzelde raam, waggelt naar het raam en de stad en de nacht, in de richting van een duisternis die dieper is dan het nachtelijk donker, waar geen sterren flonkeren en waar nooit een maan te zien is geweest.

Toen John zijn auto opendeed, hoorde hij een gedempt plopgeluid, en tegelijkertijd het broze geluid van een raam dat in duizend stukjes uiteenviel, gevolgd door twee hardere geluiden die hij herkende als pistoolschoten. Hij keek in zuidelijke richting, waar ongeveer dertig meter verderop een regen van fonkelende glasscherven langs de verlichte gevel van het ziekenhuis vanaf de bovenste verdieping naar beneden viel. Zijn instinct en opleiding zetten hem ertoe aan onmiddellijk die kant op te rennen. Het glas versplinterde nog meer toen het de grond raakte en als ijzige plassen voor het gebouw bleef liggen.

Hij was bijna halverwege toen hij tot zijn schrik twee mensen uit het gapende gat zag springen waar eerst het reusachtige raam had gezeten. Het leek of ze ervan overtuigd waren dat ze konden vliegen. Maar John besefte bijna ogenblikkelijk dat het meisje door de man werd meegesleurd, en dat ze probeerde uit zijn greep los te komen, al maakte ze verder geen enkele kans tegen de genadeloze zwaartekracht. Toen hij haar hoog in de lucht waarnam, herkende hij haar aan haar lange blonde haar, aan haar gele blouse en haar spijkerbroek. In zijn leven had hij heel wat afschuwelijke dingen meegemaakt, maar dat maakte dit schouwspel er niet minder gruwelijk om. Heel even leek het vliegwiel van de tijd langzamer te gaan dan anders, en was het net of ze met een griezelige bevalligheid door de lucht zweefden. Je zou zelfs even kunnen denken, bidden, dat de natuurkundige wetten tijdelijk werden uitgeschakeld en dat de twee net zo langzaam naar beneden zouden komen als een steen die in water zinkt, niet als een steen die door de lucht zeilt, en dat ze de grond zouden raken als circusartiesten, op hun voeten, afrondend met een zwierige buiging. Deze kortstondige illusie werd al spoedig verbroken naarmate ze steeds sneller vielen, zag John duidelijk. Toen ze de grond raakten, deed het geluid ervan hem denken aan een ontploffing in de verte, de doffe dreun van een mortier die de aarde vlak achter een heuvel deed trillen.

Door de jaren heen had John verschillende zelfmoorden onderzocht omdat er met de mogelijkheid rekening gehouden werd dat het slachtoffer ook vermoord zou kunnen zijn. Twee ervan waren inderdaad naar hun dood gesprongen. Ze hadden zichzelf van een geringere hoogte dan deze laten vallen, vijfentwintig meter in het ene geval, dertig in het andere, maar nu ging het om minstens veertig meter. In beide gevallen was de menselijke gedaante van de slachtoffers nog wel herkenbaar, maar niet meer als de persoon die ze waren geweest. Afhankelijk van de hoek waaronder ze tegen de grond waren gesmakt, was het skelet op een onvoorspelbare manier afgebroken en ingeklapt of uiteengespat. Het gehavende heupgewricht kon helemaal in de ribbenkast zijn geschoven. De ruggengraat kon het hoofd als een spies doorboord hebben. Bij die laatste klap werden de brekende botten zwaarden die tegen elkaar aan kwamen. Zelfs als het slachtoffer niet op zijn hoofd terechtkwam, werd het lichaam in elkaar gedrukt en werd het gezicht door de klap onherkenbaar vervormd, nog erger dan bij een portret van Picasso.

Als deze twee mensen een val van tien verdiepingen maakten en dan in zand of in dicht struikgewas terecht zouden komen, bestond er een kans van een op duizend dat ze het overleefden. Maar bij die snelheid, met een ondergrond van beton, hadden ze net zo weinig kans het er levend van af te brengen als muggen die tegen de voorruit van een snel rijdende auto kapotsloegen. Dat er op een steenworp afstand medische specialisten waren, had net zo weinig betekenis als een zee van lucht voor gescheurde longen.

Hoewel niemand uit de dood kon worden teruggehaald, schrok John zelf van zijn reactie toen de twee dan uiteindelijk toch tegen de grond smakten. Hij stond meer dan dertig meter van de noodlottige plek af, minder dan dertig meter bij zijn Ford vandaan, draaide zich om en rende zo snel hij kon naar zijn auto. Dat deed hij niet omdat hij de dood van Davinia niet aankon, en ook niet omdat hij het te afschuwelijk vond om naar haar en haar net zo hopeloos verbrijzelde moordenaar te kijken. Ook maakte hij zich geen zorgen om het feit dat hij hier aanwezig was terwijl hij geacht werd met onbetaald verlof te zijn en zich niet met politiewerkzaamheden bezig te houden.

Nooit eerder had hij zich voor wat dan ook uit de voeten gemaakt.

Hij besefte pas waarom hij ervandoor was gegaan toen hij achter het stuur zat en hij de auto startte. De man die van tienhoog naar beneden was gesprongen om Davinia in de dood mee te sleuren, was er waarschijnlijk net zo aan toe als Billy Lucas toen hij zijn familie om het leven bracht. Een marionet. Een handschoen waarin de hand van Alton Blackwood was gestoken. Tijdens de val of op het moment van de dood was het mogelijk dat de geest die zich meester van de moordenaar had gemaakt, diens lichaam verliet. John wist niet hoe de geest zich verplaatste en welke beperkingen daarbij golden, als daar al sprake van was. Hij had de geest vanuit de kliniek met zich mee naar huis genomen, en voor zover hij kon nagaan was de geest toen niet zijn lichaam binnengedrongen. Blijkbaar kon de geest niet alleen bezit van een persoon nemen, maar ook van een plek: een kliniek, een auto, een huis. Of misschien kon dat alleen maar bij *sommige* personen. De afgelopen middag had hij gemerkt dat de geest uit zijn huis was verdwenen; de sfeer was opgeklaard, het harmonieuze gevoel was teruggekeerd. Als hij het ziekenhuisterrein kon verlaten zonder de geest met zich mee te nemen, zou die misschien op een andere manier zijn huis weten te bereiken, maar in elk geval viel hem dat dan niet te verwijten.

Waanzin. Hij was op de vlucht voor een geest, terwijl hij nooit voor een gewapend persoon op de vlucht zou gaan.

Hij deed de handrem eraf. Schakelde. Drukte het gaspedaal hard in. Scheurde in noordelijke richting over de oprijlaan van het St. Joseph's Hospital. Schoot hobbelend door een afwateringsgeul. De straat. Geen verkeer. Hij maakte met gierende banden een scherpe bocht naar links.

Hij werd verteerd door angst en mededogen, was geen rationeel denkend wezen meer, maar in de koortsachtige greep van wild bijgeloof.

Of misschien was de moderne maatschappij een grot vol kabaal en hectische bewegingen, waarin primitievelingen prat gingen op hun kennis en verstandelijke vermogens, terwijl ze in feite meer van de waarheid kwijt waren dan ze hadden geleerd, en een lichte bagage van bestudeerde onwetendheid hadden verkozen boven een werkelijke ontwikkeling, het vermogen om na te denken hadden verruild voor de kille troost van ideologieën, voor de stelling dat het geluid en de razernij van het leven niets voorstelden.

Zelfs voor dit late tijdstip leken de straten merkwaardig stil, alsof de volledige bevolking van de aardbodem was verdwenen. Er was geen verkeer te zien. Geen voetgangers. Niet eens een dakloze die een winkelwagentje vol rotzooi naar een ingebeeld onderkomen duwde. Niets bewoog, behalve de stoom die uit de gaten van een putdeksel kwam, de verspringende cijfers op een digitale klok boven de ingang van een bank, een vliegende schotel die ronddraaide op een reusachtig elektronisch billboard, een kat die over het trottoir sloop en in een steegje verdween, en de voortjakkerende Ford die probeerde te ontkomen aan wat onvermijdelijk was...

Waarschijnlijk waren ze allemaal dood, niet alleen Davinia. Jack, Brenda, Lenny, misschien zelfs de tante. Met terugwerkende kracht besefte John dat de man die het meisje met zich mee de dood in had gesleurd, een uniform droeg. De politiewagen voor de hoofdingang. Een van de agenten die poolshoogte was gaan nemen nadat er een melding uit het huis van de familie Woburn was gekomen, zou door Blackwood overmeesterd kunnen zijn nadat Reese Salsetto hem in de steek gelaten had.

Twee gezinnen afgeslacht. Twee andere gezinnen die nog in het verderf gestort zouden worden. Zesenzestig dagen om zijn vrouw en kinderen te beschermen tegen een onweerstaanbare kracht.

Hij liet het gaspedaal los, remde af en parkeerde zijn auto in een straat vol dure winkels en chique restaurants.

Plotseling leek de auto hem te klein. Hij gooide het portier open, stapte uit. Hij liep een paar meter bij de auto vandaan en zocht steun bij een parkeermeter.

In gedachten zag hij Davinia Woburn weer in de bezoekersruimte van de ic staan, en hij probeerde dat beeld van het stralende meisje bij zich te houden. Maar het was niet te vermijden dat die herinnering plaatsmaakte voor het beeld van de glasregen en het naar beneden stortende paar. Davinia's haar wapperend als een vale vlag, de genadeloze klap, de lichamen die zich als giftige olie over het trottoir verspreidden.

John hield de parkeermeter met een hand vast, boog voorover en gaf over in de goot. Hij kon zijn maag leegmaken, maar de herinnering aan het meisje dat haar dood tegemoet viel, zou hij altijd bij zich houden.

36

DE RUITER HOUDT HET GEZICHT VAN DE DOODSBANGE
davinia nauwlettend in de gaten tijdens de val vanaf de tiende
verdieping en stijgt van brigadier Andy Tane af, een fractie van
een seconde voordat ze te pletter slaan. Hij veert terug, als een
jojo die weer omhooggaat, en belandt via het verbrijzelde raam
weer in de vergaderzaal op de tiende verdieping. Drie beveiligingsmedewerkers van het ziekenhuis, die de deur van de vergaderzaal hebben ingetrapt, zijn verlamd van ontzetting, verbijsterd dat de agent zijn dood tegemoet is gesprongen, met het
meisje in zijn armen.

Niets wat door mensenhanden is gemaakt, kan de ruiter te-
genhouden. Alles wat de mens gebouwd heeft, is poreus en biedt
de ruiter een onderkomen. Hij gaat de vergaderzaal binnen en
verplaatst zich snel via de muren en het plafond, door buizen en
kabels en circuits, overal waar hij maar wil. Alles wat mensenhanden hebben gemaakt, is doordrenkt van de menselijke geest
en kan daardoor in bezit worden genomen, biedt mogelijkheden
voor de geest om zich te ankeren in deze wereld. Deze ruiter voedt
zich met name met de menselijke geest. Het ziekenhuis is zijn
voorlopige lichaam, tot hij weer een man of vrouw heeft uitge-

kozen. Elke stalen balk is een bot, en gasbeton is het vlees. Zonder een paard heeft de ruiter geen ogen, maar toch kan hij zien, en hij heeft geen oren, maar toch kan hij horen. Hij kijkt, luistert, loert en ontdekt, een immaterieel spook in een materiële wereld, met tal van algemene verlangens van gecorrumpeerde menselijke aard, maar met nog meer wilde verlangens van zichzelf.

Een patiënt drukt op de knop om iemand van de verpleging te roepen – en wordt gekend. Een verpleegkundige doet de deur van de medicijnkamer dicht – en wordt gekend. Een broeder doet de deur van een voorraadkamer open, iemand van de huishoudelijke dienst maakt een spiegel schoon, een vermoeide arts in opleiding gaat op de spoedeisende hulp in een stoel zitten en leunt met zijn hoofd tegen de muur, een onderhoudsmonteur tapt in de kelder een boiler af – ze worden stuk voor stuk gekend, beter dan wie dan ook hen kent, vollediger dan ze zichzelf ooit zullen kennen.

Sommigen van hen zijn niet kwetsbaar, kunnen niet worden genomen en bereden. Anderen hebben voldoende zwakke punten – of één opvallende zwakheid – waardoor ze bestegen kunnen worden. De ruiter heeft geen belangstelling voor deze mensen. Er zijn nu talloze agenten in het gebouw aanwezig, en sommige zijn de moeite waard. Verslaggevers van tv, radio en de kranten hebben zich voor de hoofdingang verzameld, een mogelijke verzameling edele paarden.

De ziekenhuisdirecteur, dr. Harvey Leopold, arriveert ter plaatse en heeft slechts één doel voor ogen: ervoor zorgen dat de goede naam van het ziekenhuis niet door deze gebeurtenissen wordt aangetast. Leopold weet hoe hij de media moet bespelen, laat de menigte niet buiten in de kou wachten maar geeft de beveiligingsmedewerkers de opdracht iedereen in de hal toe te laten voor een persconferentie. Nelson Burchard, het hoofd van de recherche, doet alleen mee omdat hij dr. Leopold er niet van heeft kunnen overtuigen dat het beter is een uur te wachten tot er meer feiten over de zaak bekend zijn.

Tijdens de verklaring die beide mannen afleggen en de vraag-
en antwoordsessie die daarop volgt, verkent de ruiter het aanwezige journalistenkorps en zoekt mogelijkheden om hen te
kennen. Na een groot aantal van hen te hebben verkend, kiest
hij Roger Hodd van *The Daily Post* uit.

Hodd is een alcoholist met een nare inborst. Hij is een nar-
cist en een vrouwenhater. Hij is vervreemd van zijn volwassen
kinderen. Zijn eerste twee vrouwen koesteren een diepe minachting voor hem, en dat gevoel is wederzijds. Hij verwacht dat
zijn huidige vrouw binnenkort een scheiding zal aanvragen. Hij
is het makkelijkst via de mond binnen te dringen. *Genomen.*

De ruiter wil Hodd gebruiken, maar voorlopig houdt hij zich
in. Hij berijdt zijn paard heel licht. De journalist beseft niet eens
dat hij niet meer de enige is in zijn lijf.

37

NADAT HIJ HET HUIS VAN DE FAMILIE WOBURN HAD afgesloten, ging Lionel Timmins naar het appartement van Reese Salsetto met de sleutels die hij op het lichaam van de doodgeschoten man had aangetroffen. Hij hoopte foto's of ander bewijsmateriaal te vinden dat het vermoeden bevestigde dat Salsetto een erotische obsessie voor zijn nicht had gehad. De man was dood. Brenda Woburn zou niet in staat van beschuldiging gesteld worden, omdat het duidelijk was dat ze uit noodweer had gehandeld. Maar Lionel vond het altijd vervelend als er onduidelijkheden bleven bestaan, ook bij afgesloten zaken die nooit voor de rechter gebracht zouden worden.

De gevel van het gebouw was uit kalksteen opgetrokken, en de ramen waren voorzien van uitgesneden sierranden. De complete hal was van marmer, met uitzondering van het nepbladzilveren plafond. Hier woonde geen oud geld, maar juist lieden die iedereen wilden laten zien dat ze rijk waren geworden.

Ronald Phipps, de nachtportier – in de zestig, wit haar met een keurige witte snor – kwam in voorkomen en gedrag zo gedistingeerd over dat Lionel het bedroevend vond dat de man rondliep in een goedkoop uniform, waardoor hij eruitzag als een fatterige kolonel van een bananenrepubliek in een komische operette. Hij leek op een bankier die het ooit voor de wind gegaan was maar die zich nu gedwongen voelde dit bijbaantje te nemen om zijn uitkering aan te vullen.

Phipps keek niet op toen hij vernam dat Reese Salsetto iemand had neergeschoten en vervolgens zelf ook om het leven was gekomen. Ook leek hij zich niet ongerust te maken dat de reputatie van de residentie gevaar liep, misschien omdat Salsetto niet de enige kleurrijke bewoner was en er misschien nog veel louchere types woonden. Waar hij zich wel druk om maakte, was dat de procedures correct werden gevolgd. Hij belde de politie op een apart nummer om na te gaan of het legitimatiebewijs dat Lionel had laten zien, klopte. Ondanks het nachtelijke tijdstip belde hij met de algemene beheerder van het gebouw om te vragen of de rechercheur in het appartement van Salsetto mocht worden toegelaten.

Lionel had op zijn strepen kunnen gaan staan en onmiddellijk naar de elfde verdieping kunnen stuiven, met de mededeling dat de portier de procedures maar in zijn eigen tijd moest bewaken. Maar in de zes jaar dat hij in de gevangenis had gezeten, had hij geleerd geduld te hebben, en hij wilde de oude man niet tegen de haren in strijken.

Tegenwoordig lag de menselijke waardigheid zwaar onder vuur. Lionel was niet van plan met die trend mee te doen.

Toen hij met goedkeuring van de portier naar het appartement van Salsetto was gegaan, merkte hij dat de voordeur niet op slot zat en zelfs op een kier stond, alsof Reese in allerijl was vertrokken.

Volgens Phipps woonde Salsetto met zijn 'verloofde', mejuffrouw Brittany Zeller, in het appartement. Hoewel de portier het woord 'verloofde' niet spottend had gebruikt, had Lionel gezien dat de man met zijn ogen had geknipperd toen hij dat zei, en daaruit maakte hij op dat de term gebruikt was om het fatsoenlijk te houden.

Lionel bleef in de deuropening staan en riep twee keer haar naam. Er kwam geen antwoord.

Hij betrad het appartement en deed het licht aan. In de woonkamer lag een goed geklede blonde vrouw languit op de grond, op haar rug. Het tapijt onder haar was donkerrood van het bloed.

Behoedzaam, om geen sporen uit te wissen, liep Lionel naar haar toe om vast te stellen of ze inderdaad dood was. Haar opengesperde rechteroog staarde in het niets, en haar linkeroog was voor meer dan de helft gesloten, alsof ze de Dood een verleidelijke knipoog had gegeven toen hij plotseling was opgedoken.

Lionel liep terug naar de gang, belde met het bureau, gaf door dat er een moord was gepleegd, en liet de lijkschouwer en de technische recherche komen. Dit werd een lange nacht.

Terwijl hij op de komst van het forensisch team wachtte, nam hij een kijkje in de slaapkamer. Dit leek de meest voor de hand liggende plek om naar foto's van Davinia Woburn te zoeken, of naar ander bewijsmateriaal dat Reese Salsetto een erotische obsessie voor haar had gehad. Binnen twee minuten vond hij doorslaggevend bewijsmateriaal voor *andere* misdrijven.

Lionel was zo verdiept in wat hij had gevonden, dat hij pas merkte dat de forensische experts er waren toen een van hen hem vanuit de deuropening van de slaapkamer riep. Omdat ze geen van allen al in het huis van de Woburns waren geweest, bracht hij hen van de recente ontwikkelingen op de hoogte en legde hij uit welk verband er tussen de twee misdrijven bestond.

Toen de lijkschouwer en het forensisch team aan het werk gingen, liep Lionel terug naar de slaapkamer. Voordat hij het bewijsmateriaal dat hij daar had ontdekt, verder kon bekijken, ging zijn mobieltje.

Het was Nelson Burchard, het hoofd van de recherche. 'Ik ben in het St. Joseph's Hospital. Ik wil dat je hier als de bliksem naartoe komt. Een van onze collega's, Andy Tane, die ook in het huis van de Woburns is geweest, is naar het ziekenhuis gegaan en heeft ze allemaal om zeep gebracht.'

Lionel dacht aan de lieve jongen met het syndroom van Down, en aan het beeldschone meisje, en hij kreeg het gevoel dat hij een dreun in zijn maag had gekregen.

'Ik heb iemand nodig die me komt vervangen,' zei hij tegen Burchard, en hij legde uit dat hij in het appartement van Salsetto een lijk had aangetroffen.

'Wat is hier in godsnaam aan de hand?' vroeg Burchard. 'Zijn we ineens moordstad nummer één van het land geworden?'

Uit de memoires van Alton Turner Blackwood:

*Twee weken nadat de poema in hem zijn meerdere erkende,
vond de jongen de begraafplaats op een open plek in het bos,
omgeven door een muur van dennen.*

*Hij was hier vaak geweest, de afgelopen jaren waarin hij
bij de nacht in de leer was, en nooit eerder was hem iets
opgevallen.*

*Het ovale veldje was ongeveer twintig meter lang en
vijftien meter breed. Wild gras was meestal lang en zacht,
maar hier was het stoppelig en weerbarstig en groeide het alle
kanten op in plaats van naar één kant, zoals dat meestal het
geval was door de invloed van de regen, de wind en de
invalshoek van het zonlicht. Het gras vormde niet een geheel,
er groeide onkruid tussendoor, en de grond voelde zacht aan
als je erover liep.*

*Toen hij het veldje betrad, kleurde de schemering de lucht
roze en paars, en daarom kon hij niet goed de plek zien waar
de aarde onlangs was omgewoeld door een ijverig beest,
misschien een wolf of een lynx, of mogelijk een troep
wasberen. In de omhooggewerkte losse aarde lagen menselijke
botten. Het geraamte van een complete hand, waarvan alleen*

het laatste kootje van de duim ontbrak. Het spaakbeen en de
ellepijp van een arm.

Terwijl de lucht bloedrood kleurde, stond de jongen naar de
opgegraven botten te kijken, die in de paarse schaduwen
haast leken te gaan gloeien, alsof ze radioactief waren. De
sterren waren al flonkerend aan de hemel verschenen toen hij
zich van het bewijsmateriaal afwendde — deze botten waren
meer dan alleen maar overblijfselen — en naar huis terugging.

Een stenen gebouwtje met ramen zonder glas erin, dat een
eind van het hoofdgebouw af stond, deed dienst als
werkplaats. Er stonden houtbewerkingsmachines, allerlei
gereedschappen en spullen om de tuin te onderhouden. Teejay,
patriarch en jager, bewaarde hier ook zijn vis- en
jachtspullen.

In een tas vond de jongen een Coleman-lamp met een blik
petroleum, een pak gloeikousjes, en een doos lucifers. Hij nam
de tas mee, plus een schep en een pikhouweel, en terwijl de
maan aan de hemel verscheen, liep hij terug naar de open
plek in het bos.

Hij voelde dat de raaf hoog boven hem meevloog, maar hij
hoorde alleen maar uilen, die vanaf verschillende plekken in
het bos naar elkaar riepen.

Bij het schijnsel van de sissende petroleumlamp begon de
jongen het ondiepe graf uit te graven, heel voorzichtig, niet
uit respect voor de overledene maar omdat hij bang was dat
hij anders iets over het hoofd zou zien of iets zou kapotmaken
en dan het stoffelijk overschot niet meer kon identificeren. Hij
was niet van plan de politie in te schakelen. Hij wilde alleen
de identiteit van de overledene achterhalen, omdat hij daar
nieuwsgierig naar was. Het lijk leek te zijn begraven in een
kuil van hooguit een meter diep.

Om het ontbindingsproces te versnellen en te voorkomen
dat dieren op de stank af zouden komen, was het lijk op een
bed van ongebluste kalk gelegd en afgedekt met een dikke laag

van hetzelfde spul. De witte kalk was aan elkaar gekoekt en hard geworden en had met andere mineralen kristallen gevormd, en er waren gele en grijze adertjes op verschenen, maar het werkte wel. De botten waren schoon en wit.

Bij nadere inspectie bleken sommige botten kuiltjes te bevatten – kuiltjes en gaatjes waarvan het net was of die er met een vreemde kronkeling in waren geëtst. Dit deed vermoeden dat de moordenaar een of ander zuur had toegevoegd om het lijk sneller zacht te maken en het ontbindingsproces te versnellen.

Aan de schedel was te zien dat het slachtoffer was doodgeknuppeld; beide wandbeenderen waren kapotgeslagen. De hersenen die door versplinterd bot waren doorboord, waren allang vergaan. Alleen een paar stukjes van de kleding waren nog over. Maar misschien lag het lijk hier al jaren.

De jongen wist niet waarom de wasberen of andere dieren hier waren gaan graven, maar het kon niet vanwege de geur van verrotting zijn geweest. Tijdens het graven rook hij de lichte maar onmiskenbare kalkgeur, en los daarvan een minder duidelijke geur die van het toegevoegde zuur zou kunnen komen, en ook de geur van vochtige aarde.

Toen hij met de lamp in zijn hand over het veld liep, bespeurde hij een regelmatig wafelpatroon van kuilen, dat niet door de invloed van de tijd, het weer en pollen wild gras was gemaskeerd. Het was niet één graf dat hij gevonden had, het bewijs van één misdrijf dat hier gepleegd was, maar een complete begraafplaats zonder zerken, zonder bloemen, behalve dan de uitgebloeide bloemen van het half vergane onkruid.

Hij was nu veel sterker dan jaren geleden, toen de raaf hem had uitverkoren, en de aarde was zacht. Hij spitte sneller en minder voorzichtig dan eerst.

De met ongebluste kalk vermengde aarde gaf de stoffelijke overschotten prijs van degenen die erin begraven lagen.

Steeds waren de lijken zonder kist aan de aarde toevertrouwd en vond hij alleen botten, stukjes kleding, de rubberen zolen van vergane schoenen.

Ook vond hij drie gehavende schedels van baby's, die zo snel na hun geboorte waren vermoord dat de fontanel, het zachte plekje boven op het schedeldak van een pasgeborene, nog niet dicht was gegroeid en was uitgehard. Babybotten vergingen meestal snel. Er waren alleen nog een paar gladde witte schijfjes over, als door water gladgeschuurde stenen, die mogelijk van de heup en de schouderbladen afkomstig waren.

Het derde volwassen skelet was niet het laatste dat opgegraven kon worden, maar de jongen groef geen vierde meer op. Ook de botten hiervan waren helemaal kaal, maar toch wist hij hoe lang het slachtoffer hier gelegen moest hebben. Zeven jaar, twee maanden en een paar dagen.

Dit was tot nu toe het meest recente lijk dat hij had opgegraven. De nog niet uit elkaar gevallen stukjes kleding waren groter en vertoonden meer kleur dan die uit de andere graven. Hij herkende de jurk die zijn moeder aan had gehad op de laatste dag dat hij haar gezien had.

De jongen bleef een tijdje bij zijn vondst staan, dacht na over het leven dat hij met zijn moeder in het tuinhuis had geleid, en vergeleek dat met zijn leven in de toren nadat ze hem ogenschijnlijk in de steek had gelaten.

Lang geleden hadden de uilen naar prooi gezocht in door de maan beschenen velden, en het bos eromheen leek te slapen en te dromen.

De lamp siste als een slang, en de gloeikousjes – onbrandbare kleine zakjes die met petroleumdamp gevuld waren – flakkerden zachtjes.

De jongen trilde niet, maar zijn schaduw schokte over het borstelige gras en de omhooggewerkte aarde van de geheime begraafplaats.

Het licht speelde een spel met zijn misvormde schouders en wanstaltige hoofd, waardoor zijn schaduw in een mantel met capuchon gehuld leek. Toen hij het pikhouweel van de grond oppakte, leek de schaduw een zeis op te rapen.

De jongen was niet de gehoornde god met de bokkenpoten die hij ooit had willen zijn. Hij was de Dood, en misschien kon hij als de Dood een leven vol voldoening leiden.

38

JOHN KWAM OM 2.46 UUR THUIS EN BELDE OP ZIJN MO-
bieltje de computer om het alarm uit te schakelen voordat hij de
garage betrad.

Toen hij in die onderaardse ruimte uit de auto stapte, had hij
nog steeds het prettige gevoel dat het huis bevrijd was van de
verstikkende aanwezigheid die wekenlang had rondgewaard.
Maar nu de Woburns alsnog waren vermoord, zou het niet lang
meer duren voor de haatdragende geest hier terugkwam.

Geest. Hij kwam bijna automatisch tot deze conclusie, en het
bewijs daarvan leek nu onweerlegbaar. En toch verzette hij zich
er soms tegen. *Geest. Spook.* Hij wilde er liever andere termen
voor verzinnen. *Corruptie. Infectie. Ziekte.* Of misschien moest
hij een psycholoog raadplegen om erachter te komen wat hij diep
vanbinnen wist maar niet onder ogen durfde te zien.

En dat was het meest opzienbarende aan deze opstandige gedachten: ergens wilde hij dit liever in psychiatrische termen analyseren dan dat hij de waarheid onder ogen zag, niet alleen omdat de waarheid een vijand impliceerde die misschien niet te
verslaan was, maar ook omdat de waarheid in dit geval niet in
het moderne denken paste. In dit tijdsgewricht was het geloof

tot op zekere hoogte geaccepteerd, maar als je verkondigde in het bestaan van een *duistere* bovennatuurlijke kracht te geloven, werd je algauw afgeschilderd als een onnozele dwaas. Het Kwaad aller kwaden voer wel bij de ontkenning van zijn bestaan.

De laatste keer dat hij met whisky geprobeerd had zijn zenuwen onder controle te krijgen, de avond nadat hij voor het eerst bij Billy Lucas in de kliniek langs was geweest, had dat niet geholpen. Toch liep hij nu naar de keuken en schonk zichzelf een dubbele whisky met ijs in. Zijn hand trilde, en de hals van de Chivas-fles kletterde tegen de rand van het glas.

Over drieëndertig dagen zou er weer een gezin worden getroffen. Met geen mogelijkheid viel te voorspellen wie de slachtoffers zouden zijn of van welke persoon de geest zich meester zou maken om zijn wandaden te voltrekken.

Brenda Woburn had het gemerkt toen de geest geprobeerd had bezit van haar te nemen. *Koud en kruipend, kronkelend... Door mijn hele lichaam... Van mijn huid tot op het bot.* Ze was in staat geweest zich te verzetten – maar alleen door een extreme actie te ondernemen.

Blijkbaar was het de geest niet gelukt om bezit te nemen van Lenny of Davinia, anders zou hij de gezinsleden tegen elkaar hebben uitgespeeld, waarschijnlijk Lenny tegen zijn zus.

Een jeugdige leeftijd was geen garantie dat de geest geen bezit van je kon nemen. Billy Lucas was nog maar veertien geweest, maar bij hem was het de geest wel gelukt om binnen te dringen.

John betwijfelde of Lenny's beperkte verstandelijke vermogens hem hadden beschermd. Davinia was zeer intelligent – en toch had de geest niets met haar kunnen beginnen.

Omdat John de jongen niet gesproken had en hij maar heel even met het meisje had kennisgemaakt, wist hij niet welke eigenschappen broer en zus gemeen hadden. Hij vermoedde dat onschuld er een van was. Het meisje leek uitzonderlijk, aardig, zachtmoedig. Misschien was de jongen dat ook wel geweest.

Met zijn whisky in de hand liep John door de kamers op de begane grond. In donkere of spaarzaam verlichte vertrekken ging hij voor het raam staan en tuurde hij naar buiten, maar hij wist dat hij niets verdachts zou zien. Er zouden voorlopig geen moorden meer plaatsvinden, althans hier niet, de komende vijfenzestig dagen.

Toch was de drang om te patrouilleren bijna onweerstaanbaar. Hij zou de rest van zijn leven een waakhond blijven, zoals hij dat geworden was op die avond toen hij door zijn stomme schuld zijn familie had laten afslachten. Zijn straf was eeuwige waakzaamheid. Nooit zou hij meer de gemoedsrust van de onschuldigen kennen.

Minette, Naomi en Zach waren in Johns ogen onschuldige, lieve kinderen, moreel weliswaar niet boven de mensheid verheven, maar ze hadden geen kwalijke eigenschappen. Niet alleen hield hij van zijn kinderen, maar hij was ook trots op hen. Hij achtte de kans nihil dat een van hen de handschoen zou zijn waarin Alton Turner Blackwood zich zou kunnen verbergen.

Misschien was geen enkele volwassene onschuldig. Maar Nicolette was zo deugdzaam als maar mogelijk was, vrijgevig en vriendelijk. Ze was sterk en stoer genoeg om zich net als Brenda Woburn te verzetten als ze voelde dat een geest bezit van haar nam.

De zwakste schakel in het gezin Calvino was John zelf. Die conclusie leek niet alleen gerechtvaardigd, maar ook angstwekkend.

In de keuken schonk hij zich nog een dubbele whisky in.

Op zijn zeventiende, toen hij het St. Christopher's Home and School had verlaten, maar voordat hij Nicky een jaar later zou tegenkomen, had hij een paar maanden lang bij de lunch en het avondeten gedronken: mixdrankjes die hij met bier wegspoelde, een efficiënte manier om in de vergetelheid weg te zakken. Omdat hij het zonder de emotionele steun van de leraren op school en zonder familie of vrienden moest stellen, zocht hij zijn heil in de drank. Hij had een erfenis gekregen – de levensverzekering van zijn ouders, het geld van het huis – maar dat vond hij bloedgeld. Het was in zijn ogen een ironische vorm van gerechtigheid dat hij zijn erfenis gebruikte om zichzelf te gronde te richten, glas voor glas. Hij was te jong om zelf zijn vergif te kunnen kopen, maar hij gebruikte daklozen als tussenpersoon, die bereid bleken hem voor een ruime commissie ter wille te zijn. Hij noemde hen zijn geliefde beulen, en als ze aan cyanide hadden kunnen komen, zou hij dat ook op hun boodschappenlijstje hebben gezet.

Gelukkig bleek hij niet voor dronkaard in de wieg te zijn gelegd, niet alleen omdat hij niet gewend was alcohol te drinken, maar ook omdat hij er geen kick van kreeg. Het bleek minder makkelijk zich in de vergetelheid te storten dan hij had gedacht. Als hij dronken was, werd hij altijd vreselijk zwaarmoedig en drong zijn verlies nog meer tot hem door dan wanneer hij nuchter was. Mixdrankjes en bier bleken geen snelle manier om alles te vergeten, maar brachten de dwangmatige herinneringen aan zijn pijnlijke ervaringen juist levendiger bij hem naar boven.

Als hij alleen was en in zijn appartement zat, aan de keukentafel of laveloos in een luie stoel in de woonkamer, door de drank totaal van de wereld, begon hij altijd tegen geliefde geesten en in zichzelf te praten. Op een gegeven moment, als de vloer niet meer helemaal horizontaal liep en begon te deinen als het dek van een schip, als de vorm van de dingen niet langer klopte – muren die naar binnen bogen, het plafond dat als een opgezwollen buik doorzakte – en als de lange gebogen kraan in de keuken op een dreigende cobra leek die op het punt stond aan te vallen, richtte de jonge John zich tot God.

De monologen die hij dan voerde, waren voor zijn gevoel indrukwekkende staaltjes van theologisch inzicht, weerleggingen van de wijsheid van de Schepper van het universum, briljante redevoeringen waarin het concept van een liefdevolle schepper totaal onderuit werd gehaald, jeremiades die qua logica zo goed in elkaar zaten dat God totaal geen weerwoord had.

Op een avond, toen hij weer net zo dronken was als zo vaak, hoorde hij zichzelf ineens praten zoals een onpartijdige getuige hem gehoord zou kunnen hebben, en hij schaamde zich, niet alleen voor het feit dat zijn gebrabbel kant noch wal raakte, maar ook door de arrogantie die uit zijn argumenten en beschuldigingen sprak. Hij sloeg een hand voor zijn mond om zichzelf tot zwijgen te manen, maar de hand gleed in een boos gebaar voor zijn mond weg. Hij bleef maar doorrateren, nu nog onsamenhangender, zonder enig verband. Het was prietpraat die hij uitkraamde, hij verviel steeds in herhaling, en het sloeg allemaal nergens op, zodat het pure zelfkastijding was om zichzelf te horen praten. Toch ging hij maar door, alsof hij geen controle meer over zijn tong had en hij niet in staat was de krankzinnige stroom woorden een halt toe te roepen. Bij elk argument dat hij aanvoerde, lag het er steeds dik bovenop dat hij ontzettend ingenomen was met zichzelf, en daar walgde hij van. Bij elke klaagzang die hij aanhief, hoorde hij een stumper die zichzelf vreselijk zielig vond. Uit elke vermoeiende beschuldiging sprak de onvolwassenheid van een jongen die in de put zat en niet het lef had om de verantwoordelijkheid voor zijn eigen daden op zich te nemen, een jongen die niet de kracht bezat om die verantwoordelijkheid als een man te dragen.

Toen de zelfkastijding omsloeg in een gevoel van beschaamdheid, lukte het hem eindelijk zijn stormvloed aan woorden te stoppen. Hij kwam moeizaam overeind en strompelde naar de badkamer, waar hij voor de toiletpot knielde. In plaats van woorden braakte hij nu kots uit, afschuwelijk veel. De volgende dag herinnerde hij zich dat het zwart was geweest, hoewel het braaksel in werkelijkheid een andere kleur had gehad.

Sindsdien was hij niet meer dronken geweest. Bij het eten nam hij altijd wijn, maar nooit zoveel dat hij er aangeschoten van raakte. Zeventien jaar gematigd met de drank. Nu keek hij naar zijn tweede glas Chivas Regal – en keerde het glas in de gootsteen om.

Hij zou toch geen oog dichtdoen, of hij nu nog een glas whisky nam of niet. Hij was bang dat hij zou dromen van het meisje dat naar beneden stortte.

Hij had geen idee wat hij nu moest beginnen, voelde zich hulpeloos en kon met geen mogelijkheid verzinnen hoe hij zijn gezin kon beschermen.

Hij bad om steun, liep naar de keukendeur en betrad het terras aan de achterkant van het huis. Misschien zou hij door de nachtelijke kou verfrist worden en beter in staat zijn na te denken.

Het was inderdaad fris, maar niet zo koud dat hij er last van had. Hij ademde diep in en blies vervolgens een rookwolkje uit.

Vanuit het noorden dreven langzaam een paar wolken als dunne slierten zijn kant op. De rode maan stond aan de westelijke hemel, zakte naar een verre einder, maar zette de tuin nog steeds in een zacht schijnsel.

John zou willen dat hij zijn vrouw en kinderen kon beschermen door eenvoudigweg een boot of een vliegtuig te nemen en met hen naar een afgelegen oord te gaan. Maar een wezen dat de lange reis uit de dood had ondernomen, zou zich niet laten afschrikken door een bergketen of een oceaan, of landsgrenzen.

Hij verliet het terras en liep over een pad van flagstones naar het rozenprieel. De laatste bloemen van het seizoen waren verwelkt en verdord en bruin geworden. De blaadjes waren dood. De doornige stelen moesten worden teruggesnoeid, zodat de rozen volgend jaar weer volop zouden bloeien. In het schijnsel van de maan leken de opklimmende plantenstengels op zwarte en zilveren tentakels van prikkeldraad.

Toen John drie passen van de boog verwijderd was, bleef hij staan omdat hij ineens het gevoel kreeg dat er gevaar dreigde. Het kwam niet door de kou dat zijn nekhaartjes rechtovereind gingen staan. Voorzichtig liep hij naar de ingang van het prieel. Een koude rilling gleed langs zijn ruggengraat naar beneden, van wervel tot wervel, als een op de vlucht geslagen duizendpoot.

In het vier meter lange prieel was het pikkedonker. Aan het eind ervan kon John duidelijk het door de maan beschenen grasveld zien. Niemand stond hem in het prieel op te wachten.

Door de gebeurtenissen in het ziekenhuis voelde John zich nog steeds slecht op zijn gemak. Het was of hem constant een dreiging boven het hoofd hing, hoewel het nog zesenzestig dagen duurde voordat Zach veertien werd. Als hij nu al bij elke donkere ruimte de zenuwen kreeg en bij elke nis en dichte deur gevaar vermoedde, zou hij totaal gesloopt zijn als er uiteindelijk echt gevaar dreigde, en dan had niemand meer iets aan hem. Hij moest voorkomen dat hij in elk donker hoekje Alton Turner Blackwood zag.

Hij deed een stap naar voren maar bleef weer staan, geschrokken, doordat er iets langs zijn been streek, niet lichtjes maar met kracht. Laag, van rechts naar links. Een of ander dier. Hij draaide zich om en tuurde in het duister.

Weer voelde hij iets langs zijn been strijken, en nu keek hij omlaag, maar hij zag niets. Hij voelde duidelijk iets langs zijn knie en zijn kuiten gaan, maar kon niets ontwaren.

Toen John een stap achteruit deed, hoorde hij het geritsel van afgevallen bladeren, die links van hem omhoogdwarrelden. Ze waren afkomstig van de eik die aan de zuidkant van het huis stond. Maar op dit moment hingen de bladeren roerloos aan de bomen en stond er geen zuchtje wind, zodat het een raadsel was hoe de bladeren op het gazon in beweging waren gekomen.

De onverklaarbare wervelwind trok een spoor door de bladeren tot achter in de tuin, kwam in een cirkel terug naar John, beschreef een boog om hem heen, ging er weer vandoor, alsof een winduiveltje door de tuin danste. Toch stoven de bladeren niet in een wervelstroom omhoog maar vlogen ze alle kanten op. Terwijl hij ernaar keek, bekroop hem het gevoel dat hij naar een dartel wezentje keek dat niets te maken had met zijn angst voor het prieel. Sterker nog: het was net of dit wezentje – dat geen winduivel was – hem bij het rozenprieel had weggelokt.

Hij zag dat het fenomeen langzaam verdween. De blaadjes kwamen tot rust, en het werd weer doodstil.

Terwijl de laatste blaadjes op het gras terechtkwamen, dacht John dat hij een bekende zucht van genot hoorde, een geluid dat hij al een hele tijd niet meer had gehoord. Als dit een geest was geweest, was het er een van de vrolijke soort. Plotseling kwam er een zekere verwondering over hem. Hij dacht aan hun golden retriever die twee jaar geleden was overleden, en fluisterde: 'Willard?'

39

ROGER HODD ZIT IN DE KANTOORTUIN VAN *THE DAILY* *Post* een artikel te schrijven over de gebeurtenissen die zich in het huis van de familie Woburn en in het St. Joseph's Hospital hebben afgespeeld. Tussendoor neemt hij steeds een slok uit zijn fles met tequila en citroensap. Hij heeft al jaren geleden alle werkelijke interesse in de journalistiek verloren, maar deze gebeurtenissen zijn zo opmerkelijk dat hij zich meer dan anders bij het verhaal betrokken voelt.

Zijn berijder, van wie Hodd zich niet bewust is, fluistert hem bepaalde zinsneden en slimme frasen in die het artikel uittillen boven de gebruikelijke schrijfsels van de journalist. De ruiter wil dat zijn werk op een mooie manier wordt beschreven, hoewel dit op zich niet de reden is waarom hij bezit van Hodd heeft genomen.

Vlak na zonsopgang, als hij de kopij heeft ingeleverd, gaat Hodd naar huis, naar Georgia, zijn derde vrouw. Ze werkt als specialist in een ontwenningskliniek voor verslaafden en is vreemd genoeg een verstokte romantica. Georgia heeft haar hele leven al een geïdealiseerd en geromantiseerd beeld van journalisten gehad. Toen ze met Roger Hodd trouwde, wist ze dat hij aan de drank was, maar ze dacht dat zij als enige in staat zou zijn hem van zijn verslaving af te helpen en hem ertoe te stimuleren artikelen te schrijven die hem de Pulitzer-prijs zouden opleveren.

Hodd wist altijd al dat ze daar niet in zou slagen, en dat besef is inmiddels ook tot haar doorgedrongen. Pas toen ze met hem getrouwd was, kwam ze erachter dat Hodd goud zou winnen op het onderdeel narcisme als dat een olympische sport was, en dat hij heel gemeen deed als hij dronken was. Het geweld dat hij uitoefent is niet zozeer van fysieke als wel van psychologische en verbale aard. Georgia kan het niet uitstaan dat ze zich zo door hem laat kwetsen, vooral ook omdat ze psychologie heeft gestudeerd. Meer dan eens is ze huilend in slaap gevallen, en sinds ze tien maanden geleden in het huwelijk traden is ze vijf kilo afgevallen.

Soms is ze bang dat ze niet aan Hodd verslaafd is, maar aan het feit dat hij haar misbruikt, iets wat de ruiter te weten komt als Hodd haar met een citroen-tequilazoen wakker maakt. De journalist frunnikt klungelig aan zijn vrouw en doet net of hij veel zin heeft, maar in werkelijkheid is hij te lam om iets klaar te spelen. Ze walgt ervan dat hij dronken is, iets wat hij maar al te goed weet, en juist daarom probeert hij haar pyjamajasje los te knopen om haar borsten te ontbloten.

Hodd denkt dat Georgia binnenkort van hem wil scheiden, maar door de kus weet de ruiter alles over haar, ook dat ze niet zozeer nadenkt over een scheiding als wel hoe ze haar echtgenoot uit de weg kan ruimen zonder de verdenking op zichzelf te laden. Georgia is gemakkelijk te bestijgen, en de ruiter wisselt tijdens een morsige zoen van paard, waarbij hij ervoor zorgt dat Hodd onder zeil gaat, en ook implanteert hij in diens geest een kom-bij-me-vloek.

Georgia is zich er net zomin als haar echtgenoot destijds van bewust dat ze nu een ruiter heeft. Ze doucht zich, kleedt zich aan, eet een ontbijtje en gaat naar haar werk in de ontwenningskliniek, de New Hope Rehabilitation Hospital. Er staan een paar sessies met patiënten op het programma, maar omdat ze meer dan een uur te vroeg is, heeft ze tijd om voor een van hen een ontslagbrief te schrijven, drie dagen voordat zijn traject van dertig dagen officieel om is. Het besluit om deze patiënt te ontslaan, is een idee van haar berijder. Zonder al te veel moeite geeft hij Georgia het idee dat ze daar zelf toe besloten heeft en dat het een goede zaak is.

Als ze de patiënt in zijn kamer opzoekt om hem mee te delen dat hij uit de kliniek ontslagen is, hoort Preston Nash tot zijn verbazing dat zijn verslaafdheid aan drugs alleen maar tussen de oren zit en dat hij daarvan genezen is. Als hij uit dankbaarheid Georgia's handen vastpakt, *kent* de ruiter hem. Preston wil zo snel mogelijk terug naar het souterrain in het huis van zijn ouders om zijn dealer te bellen en zich weer in het pillencircus te storten. Hij luistert echter aandachtig toe als Georgia hem vertelt wat hij moet gaan doen als hij uit de kliniek komt. Ze geeft hem het telefoonnummer waarop ze dag en nacht bereikbaar is, en wenst hem het allerbeste toe in zijn nieuwe, drugsvrije leven.

De ruiter zet Georgia ertoe aan Preston een hand te geven, en nu ze elkaar voor de tweede keer een hand geven, stapt de ruiter over van de merrie op zijn nieuwe paard, nadat hij over haar een kom-bij-me-vloek heeft uitgesproken. Preston pakt zijn spullen en belt een taxi. Hij beseft niet dat hij zijn lichaam met een ander deelt en is onderweg naar huis een en al glimlach.

Wanneer hij thuiskomt, blijken zijn ouders – Walter en Imogene – al naar hun werk bij de Calvino's te zijn gegaan. Preston baalt ervan dat ze zijn twee kamers en zijn bad in het souterrain rigoureus hebben schoongemaakt. Dat kan hij heus zelf wel doen. Dat hij dat nog nooit gedaan heeft, betekent alleen maar dat hij niet zo neurotisch en dwangmatig is als zij om alle bacteriën uit hun leven te bannen. Desinfecterende schoonmaakmiddelen, die in de afvoer en het riool terechtkomen – en dus uiteindelijk in het drinkwater – dragen bij tot de vervuiling van de aarde. Bovendien, als je steeds aan het poetsen bent en constant Purell gebruikt en elk contact met bacteriën vermijdt, bouw je geen afweer op, en dan kun je er donder op zeggen dat je een van de eersten bent die het loodje legt als er een pestepidemie uitbreekt – en die staat er onherroepelijk aan te komen – en de mensheid massaal dood zal gaan.

Preston denkt dat er eerst een pestepidemie zal uitbreken en dat daarna de zeeën zullen verdwijnen. Daarna breekt er een atoomoorlog uit, omdat de voedselvoorraden zullen krimpen, en als klap op de vuurpijl zal er een komeet bij de aarde inslaan. Hij hoopt dat hij zo veel mogelijk rampen overleeft en dat de mensheid dan nog steeds over drugs en elektriciteit beschikt.

Hij wil graag weer terug naar zijn videogames, zijn porno en zijn pillencocktails. Maar eerst heeft zijn berijder een taak voor hem.

Preston voelt plotseling de drang om maatregelen nemen voor het geval zijn ouders hem financieel van hen afhankelijk willen maken door ervoor te zorgen dat zijn arbeidsongeschiktheidsuitkering wordt ingetrokken. Waarschijnlijk loopt er vast wel een malloot rond die een zesendertigjarige man zonder enige capaciteiten in dienst wil nemen, maar Preston zou wel gek zijn als hij een baan accepteerde. Het leven is veel te kort om te gaan werken. Vooral als je weet dat er een pestepidemie voor de deur staat. Hij zou het verlies van zijn uitkering kunnen compenseren door dat bedrag bij elkaar te stelen. Dat is eigenlijk de enige manier die hij kan verzinnen om dan rond te komen.

Rijke mensen bewaren thuis altijd een schat aan waardevolle spullen. De ouders van Preston runnen het huishouden – wat dat ook maar mag inhouden – voor een succesvolle kunstenares en haar man. Zijn ouders hebben de sleutels van dat huis.

Preston heeft al zevenentwintig dagen lang geen drugs en drank meer gehad, en tot nu toe is hij zo helder dat hij de gedachten kan volgen die zijn geheime berijder in zijn hoofd plant. Maar nu ziet hij zich voor een onoplosbaar dilemma gesteld en wil hij liever dronken worden en gaan gamen tot zijn ogen ervan gaan bloeden. Het punt is: hij kan met geen mogelijkheid in het bezit van de sleutels komen die zijn ouders van het huis van de kunstenares hebben. Ze passen nog beter op de sleutels van de Calvino's dan op hun eigen sleutels, en hebben die altijd bij zich. Walter en Imogene doen al net zo neurotisch over verantwoordelijkheid en plichtsbesef als over het schoonhouden van het huis. Alleen al over hun dwangmatigheden zou je een compleet psychologieboek van duizend pagina's kunnen schrijven. Ze zijn niet goed snik, zo zit het, en Preston wordt er helemaal gek van.

Dat is precies wat er mis is met het leven. Niets gaat ooit vanzelf. Je komt van het ene gedoe in het andere. De lijn tussen waar je bent en waar je naartoe wilt is nooit recht of op een eenvoudige manier te volgen. Er zijn altijd muren waar je omheen moet, schuttingen waar je overheen moet klimmen, en als je denkt dat je alles gehad hebt, kom je potverdomme ineens bij een ravijn, een canyon, een afgrond.

Omdat Walter en Imogene veel spullen in het huis van de Calvino's hebben aangeraakt toen de ruiter er nog was, kent hij ze tot in hun diepste wezen. Hij weet dat hier in huis, in de kast op de slaapkamer, een reservesleutel van de Calvino's ligt, met tape vastgeplakt tegen de onderkant van een la. Hoewel Preston daar geen weet van heeft, plant zijn berijder een vage herinnering eraan in zijn hoofd, en opgewonden gaat Preston naar boven om zijn schat te zoeken.

Met de sleutel in zijn hand gaat hij naar de dichtstbijzijnde sleutelmaker om een paar exemplaren bij te laten maken. Van zijn ouders mag hij hun tweede auto niet gebruiken, maar hij noch zijn berijder laten zich daardoor weerhouden. Omdat Nash jr. op dit moment nuchter is en omdat hij door zijn berijder in toom gehouden wordt zodat hij het gaspedaal niet te hard intrapt, niet door rood rijdt en ook geen obscene gebaren naar zijn medeweggebruikers maakt, krijgt hij geen botsing en rijdt hij geen voetgangers aan.

Zijn ouders zouden bepaald niet gemakkelijk te bestijgen zijn, maar Preston zelf is net zo gemakkelijk in de hand te houden als een hobbelpaard.

Als Preston weer thuis is, plakt hij de sleutel terug op de plek waar hij die gevonden heeft. Vervolgens verstopt hij de drie reserve-exemplaren op zijn kamer, belt met zijn pillenman, dr. Charles Burton Glock, die diverse medische titels onder diverse namen in zijn bezit heeft, allemaal afkomstig uit derdewereldlanden. Preston vraagt om een receptje voor zijn drie favoriete antidepressiva. Het doet dr. Glock een genoegen te horen dat Preston uit de ontwenningskliniek is ontslagen. Vrijgevig biedt hij Preston deze eerste bestelling gratis aan.

Prestons band met dr. Glock is de belangrijkste die hij heeft. Zijn casemanager had hem doorverwezen naar de arts, de arts verklaarde hem arbeidsongeschikt, en nu zorgt de arts ervoor dat Preston geen fantoompijn en andere zorgen heeft.

Dr. Glock heeft wat vingers in de pap bij een aantal apothekers in de stad, en de medicijnen worden sneller bezorgd dan een pizza, maar daarbij moet men niet vergeten dat een apotheker niets hoeft te bakken.

De keurig geklede jonge vrouw die de medicijnen komt brengen, ziet eruit als een evangeliste die haar geloof van deur tot deur verkondigt, maar als de ruiter Preston ertoe aanzet haar hand aan te raken als hij de medicijnen betaalt, merkt hij dat ze gemakkelijk te bestijgen is. Ze heet Melody Lane, maar er is geen enkele melodie in haar hart te horen, alleen maar een aanhoudende dissonant, en de ruiter beseft dat ze meer kan zijn dan slechts een vervoermiddel.

Op instigatie van de ruiter vraagt Preston of Melody even wil wachten. Hij gaat terug naar zijn appartement en pakt een van de sleutels die hij heeft laten bijmaken, loopt terug naar de jonge vrouw en reikt haar de sleutel aan.

De ruiter wisselt van paard en laat een kom-bij-me-vloek bij Preston achter, maar die is zich daar niet van bewust, noch van het feit dat hij bereden werd.

Als de vrouw de sleutel van hem aanneemt, zegt hij tot zijn eigen verbazing: 'Ik heb geen idee waarom ik dit doe.'

'Ik wel,' zegt Melody terwijl ze de sleutel bij zich steekt. 'Dit zal toch niet de eerste keer zijn dat je niet snapt waarom je iets doet?'

'Daar heb je gelijk in.'

'Tot later,' zegt ze, waarna ze naar buiten loopt en de deur achter zich dichttrekt.

Voordat de ruiter Melody helemaal kende, wilde hij haar alleen maar gebruiken om weer bij het huis van de Calvino's te komen. Maar hij vindt haar zo interessant dat hij besluit nog een paar uur langer bij haar te blijven en haar ook een rol in zijn missie te geven.

Melody is niet lelijk, maar ook niet overdonderend mooi. Ze heeft een fris gezichtje, bruine ogen waarmee ze anderen recht aankijkt, en een prettige glimlach. Ze is bedeesd, bijna verlegen. Ze komt bescheiden en vriendelijk over. Haar stem klinkt prettig, en ze heeft een charmante, vertrouwenwekkende manier van doen. Zo'n vermomming zou elk monster goed kunnen gebruiken, maar het is met name nuttig als je net als Melody een kindermoordenaar bent.

Ze zou wel eens een cruciale rol kunnen spelen in het plan om de familie Calvino kapot te maken.

40

JOHN HAD 'S NACHTS GEEN OOG DICHTGEDAAN EN VER-
telde aan het ontbijt dat hij doodop was en zich niet helemaal
honderd procent voelde, alsof hij griep kreeg, wat op zich waar
kon zijn. Hij liet Nicky in de waan dat hij zich ziek had gemeld,
terwijl hij natuurlijk al onbetaald verlof had genomen.

Hij trok zich met een thermoskan cafeïnevrije koffie terug op
zijn werkkamer en bleef een tijdje voor het raam staan.

Het gazon in de achtertuin lag bezaaid met roodbruine eikenbladeren, als schubben die van een draak afkomstig waren.
Drakenschubben was typisch iets voor Naomi om te verzinnen,
en toen John aan haar dacht, moest hij glimlachen. Misschien
had ze haar levendige fantasie niet enkel van haar moeder.

De afgevallen bladeren lagen roerloos op de grond. Overdag
banjerde er geen enkele geest doorheen, blijmoedig of anders-
zins.

Hij wist niet wat hij van het incident met de bladeren moest
denken. 's Avonds, toen hij zichzelf op een groot glas Chivas
Regal had getrakteerd, had hij de aanwezigheid – eerst waar-
schuwend, daarna speels – als net zo echt ervaren als het wolk-
je dat hij in de kille avondlucht had uitgeademd. Maar nu…

Hij vroeg zich af waarom het makkelijker was te geloven in een kwade geest dan in een goede. Soms leek het erop dat het menselijk hart aan deze kant van het paradijs banger was voor het eeuwige leven dan voor de dood, banger voor het licht dan voor de duisternis, banger voor de vrijheid dan voor de onderdrukking.

Met een beker koffie in zijn hand ging hij in zijn leunstoel zitten. Hij legde zijn voeten op het voetenbankje en nam zich voor systematisch de voortschrijdende dreiging van Alton Turner Blackwood te analyseren tot hij wist wat hij ertegen kon beginnen. Maar de vermoeidheid was een zee waarin hij wegzonk, en nadenken ging net zo moeizaam als vooruitkomen op de bodem van de zee terwijl een grote watermassa op je drukte.

Hij droomde van een surrealistische reis in een wereld vol vallende eikenbladeren, naar beneden stortende meisjes, naar beneden suizende guillotines. De blaadjes waren niet langer blaadjes maar bloedspetters die door de lucht vlogen, afkomstig van de afgehakte hoofden, en toen waren het geen spetters of blaadjes meer, maar vellen papier, bladzijden uit een boek, en er stond iets belangrijks op wat hij moest lezen, *moest* lezen, maar ze zweefden weg voordat hij ze uit de lucht kon plukken, gleden als rook door zijn vingers, zoals ook de meisjes hem ontglipten toen hij bij de rand van de afgrond stond en ze probeerde te redden, Davinia en Marnie en Giselle, meisjes aan de rand van de afgrond, die in zijn handen rook leken maar plotseling weer van vlees en bloed waren toen ze sprongen, ze spróngen, Minette en Naomi, alle meisjes sprongen bij hem vandaan, stortten zich in de afgrond in een regen van blaadjes en vellen papier en glimmende, genadeloze guillotinemessen, daarna geen blaadjes of vellen papier of messen maar alleen sneeuw, meisjes die door een nachtelijke sneeuwbui naar beneden vielen en op het met sneeuw bedekte wegdek te pletter vielen − *plof!* − met dodelijke vaart, het ene meisje na het andere − *plof! plof! plof!* − en op straat lag Lionel Timmins, met zijn rug in de sneeuw, starend in het niets, alsof hij dood was, de blik omhooggericht, en om hem heen vielen de meisjes te pletter – *plof! plof!* – en dikke sneeuwvlokken vielen op Lionels roerloze, blinde, bevroren ogen.

'John?'

Iemand schudde hem wakker, en toen hij zijn ogen opendeed, dacht hij dat hij nog steeds droomde, want Lionel Timmins stond over hem heen gebogen.

'John, we moeten praten.'

De sneeuwvlokken op Lionels gezicht waren bij nader inzien witte baardstoppels. De man had zich een tijdje niet geschoren.

John ging rechtop zitten, haalde zijn voeten van het voetenbankje, en zei: 'Wat doe jij hier? Wat is er aan de hand? Wat is er?'

Lionel ging op het voetenbankje zitten en zei: 'Dat zou ik ook graag willen weten, collega. Wat is er in godsnaam aan de hand?'

John streek met beide handen over zijn gezicht, alsof de slaap een cocon was waaruit hij net tevoorschijn was gekropen en hij de draden die nog aan hem kleefden van zich af wilde trekken. 'Sinds wanneer heb jij een witte baard?'

'Al sinds jaren. Daarom probeer ik me ook altijd twee keer per dag te scheren. Anders lijk ik net de Kerstman. Zeg, wat heb ik gehoord: heb jij mevrouw Fontere je visitekaartje met al je telefoonnummers gegeven?'

'Mevrouw wie?'

'Fontere. Lois Fontere. De zus van Jack Woburn.'

'O, die. Ja, klopt. Tante Lois.'

Het was of de slaap als een statische lading aan John bleef hangen en hij zijn gedachten daardoor niet op orde kreeg. Hij wilde de slaap van zich afschudden nu Lionel er was.

'Ik ben al de hele nacht met die zaak bezig,' zei Lionel, 'en nu ben ik er net achter gekomen dat jij in het ziekenhuis bent geweest.'

'Hoe is het met haar?'

'Ze is er slecht aan toe, maar ze leeft nog. John, toen jij daar was, is Andy Tane een paar minuten daarna compleet over de rooie gegaan.'

'Was hij het? Tane? Is hij met dat meisje naar beneden gesprongen?'

'Hij heeft ze allemaal om zeep gebracht. Ook Mickey Scriver, zijn naaste collega.'

'Ik heb ze zien springen. Toen ik naar mijn auto liep, hoorde ik de schoten en zag ik dat het raam aan gruzelementen ging.'

Lionel keek hem met een uitgestreken gezicht aan, zoals hij soms ook keek als hij getuigen sprak, en vaak ook in gesprekken met verdachten, om de tegenpartij niet te laten merken hoeveel hij wist. 'Je hebt ze zien springen.'

'Ze was heel aardig. Een lief meisje.'

'Je hebt ze zien springen, en toen? Ben je weggegaan?'

Toen John uit zijn stoel opstond, kwam Lionel ook overeind. 'Wil je koffie?' vroeg John.

'Nee.'

'Iets anders?'

'Nee.'

John liep naar de muur waar de foto's van de kinderen hingen. Lionel liep met hem mee, maar John richtte zijn aandacht op de foto's.

'Je bent met verlof, John. Ben je nog steeds met verlof?'

'Ja.'

'Waarom bemoei je je dan met deze zaak? Waarom wilde je met Brenda Woburn praten?'

'Ik was daar niet in functie. Het was iets persoonlijks.'

'Na middernacht. Op de intensive care. Die vrouw lag bij te komen van een operatie omdat ze was neergeschoten, en jij gaat langs om een praatje te maken? Met een vrouw die je volgens mij daarvoor nog niet had ontmoet?'

John gaf geen antwoord. Hij keek naar een foto van Naomi toen ze zeven werd. Ze droeg een Schotse baret. Ze was altijd al dol op hoeden geweest. Er waren talloze redenen op te noemen waarom hij zielsveel van Naomi hield, maar een van de belangrijkste redenen was dat ze zo intens kon genieten van de wereld. Ze kon heel enthousiast worden over doodgewone dingen, waar ze soms zelfs helemaal in op kon gaan.

'John, deze zaak zal alle aandacht krijgen. Een agent schiet zijn collega overhoop, daarna nog vier mensen, en vervolgens berooft hij zichzelf van het leven. De pers zit er al bovenop. Dit is niet alleen mijn zaak meer. Er is een kleine taskforce samengesteld. Sharp en Tanner – die doen nu ook mee.'

John draaide zich om. 'Weten ze dat ik in het ziekenhuis was?'

'Nog niet. Maar ik weet niet of ik dat kan verzwijgen. John, waarom heb je dertig dagen onbetaald verlof genomen?'

'Een familiekwestie. Dat heb ik je al verteld.'

'Ik wil niet dat je tegen me liegt.'

John keek hem recht in de ogen. 'Het is geen leugen. Het is alleen niet alles.'

'Ken Sharp beweerde dat jij je met de zaak Lucas hebt bemoeid.'

'Wat zei hij precies?'

'Als je verlof was afgelopen, wilde hij niet meer met je aan de zaak Tane werken. Dat wilde hij even duidelijk aan me kwijt.'

'Dat is geen probleem.'

'Hij zei alleen maar dat hij niet hetzelfde wilde als wat er bij de zaak Lucas was gebeurd. Hij had geen zin om naar het huis van de Tanes toe te gaan om vervolgens te ontdekken dat jij daar verstoppertje zit te spelen.'

Verstoppertje was een eufemisme; het impliceerde dat John bewijsmateriaal op de plaats delict had neergelegd. Ken was misschien tot die conclusie gekomen nadat hij in de psychiatrische kliniek met Coleman Hanes had gepraat, die vermoedde dat John in Billy Lucas' onschuld geloofde, ook al had de jongen een bekentenis afgelegd.

Lionel zei: 'Ben je echt bij de Lucassen thuis geweest?'

'Ja.'

'Wat had je daar in godsnaam te zoeken?'

John tuurde door de openstaande deur van de werkkamer naar de gang. Hij wilde voorkomen dat anderen konden meeluisteren. 'Laten we maar even naar buiten gaan.'

Buiten in de schaduw was het fris. Ze gingen in de zon zitten, op smeedijzeren stoelen, aan de tafel op het terras.

In dezelfde beknopte bewoordingen als tegen Nelson Burchard vertelde John over de moorden die Blackwood twintig jaar geleden gepleegd had, over de slachtpartij waarbij zijn familie om het leven was gekomen.

Lionel reageerde niet zo zoetig als Burchard. Hij wist dat medelijden als een belediging kon worden opgevat. Hij zei alleen 'Shit', en met die term uitte hij zijn welgemeende betrokkenheid en liet hij merken een echte vriend te zijn.

Toen John de griezelige overeenkomsten opsomde tussen de recente moorden die Lucas gepleegd had en de moorden op de familie Valdane twee decennia geleden, hoorde Lionel hem geïnteresseerd aan. Maar toen John vertelde dat drie van de Sollenburgs waren doodgeschoten, en dat twintig jaar later ook drie van de Woburns waren doodgeschoten, en toen hij opmerkte dat de dochter in beide gevallen als laatste om het leven was gebracht, knipperde Lionel niet-begrijpend met zijn ogen en keek hij John met een afkeurende blik aan.

'Denk je dat die zaken iets met elkaar te maken hebben?'

'De moorden zijn drieëndertig dagen na elkaar gepleegd, net als toen. Ik heb Burchard daar ook op gewezen – drieëndertig dagen.'

'Dat kan toeval zijn.'

'Dat is geen toeval.'

De hemel was bleek, de zon was wit in plaats van geel, alsof er door een fijne laag stof hoog in de lucht een sluier over de natuurlijke kleuren lag.

Lionel boog zich voorover, legde zijn armen op tafel, en zei:

'Wat wil je daarmee zeggen? Ik snap het niet. Zeg maar hoe ik het moet zien.'

Hoewel John zich ervan bewust was dat hij misschien zou overkomen als iemand die psychisch niet helemaal in orde was, besloot hij Lionel toch in vertrouwen te nemen, omdat hij wanhopig naar een bondgenoot verlangde. 'Over drieëndertig dagen na de moord is het 7 november. Als derde gezin heeft Blackwood de Paxtons afgeslacht. Moeder, vader, twee zoons, twee dochters.'

'Wil je beweren dat er een copycat aan het werk is? Iemand die de moorden van Alton Blackwood nog eens dunnetjes overdoet?'

Een zwak briesje deed de paarse blaadjes op het half verdroogde gazon trillen, maar de laaghangende takken van de Himalaja-ceder noch de rozen in het prieeltje bewogen.

'Als er op 7 november een derde gezin wordt vermoord, zal er op 10 december een vierde gezin worden omgebracht.'

Lionel schudde zijn hoofd. 'Er waren twee verschillende moordenaars. Billy Lucas en Andy Tane. Die zijn allebei dood.'

De glasplaat op de smeedijzeren tafel weerspiegelde de kleurloze hemel. Een havik gleed in een steeds kleiner wordende cirkel door de lucht.

'En in het geval van de Sollenburgs,' zei Lionel, 'en in al die andere gevallen destijds was er een meisje dat verkracht en gemarteld werd.'

'Billy Lucas had een zus, Celine, die door hem verkracht en gemarteld is.'

'Maar Davinia Woburn niet.'

'Reese Salsetto was van plan de Woburns te vermoorden. Als Brenda hem niet had uitgeschakeld, zou hij haar en haar zoon hebben doodgeschoten. Daarna zou hij met het meisje hebben gedaan wat Alton Blackwood met Sharon Sollenburg heeft gedaan.'

'Ik snap het nog steeds niet goed. Je kunt toch niet serieus beweren dat Billy, Reese en Andy in een complot zaten om de Blackwood-moorden nieuw leven in te blazen?'

'Nee. Ze hoefden elkaar niet te kennen als ze allemaal een geheime medeplichtige hadden en als dat steeds dezelfde persoon was.'

'Maar er zijn helemaal geen aanwijzingen dat Billy Lucas een handlanger had. En Andy Tane had verder niemand bij zich toen hij met dat meisje naar beneden is gesprongen.'

'Niemand die we konden zien.'

Verbijsterd zakte Lionel terug in zijn stoel. 'Wie ben jij, man, en wat heb je gedaan met mijn nuchtere collega?'

Met zijn blik gericht op de havik die in het tafelblad weerspiegeld werd, zei John: 'Ik ben twee keer bij de psychiatrische kliniek langs geweest om met Billy Lucas te praten.'

'Nou, daar zal Ken Sharp niet blij mee zijn.'

'Hij weet het al. Tijdens mijn eerste bezoek noemde Billy me Johnny, terwijl hij alleen mijn achternaam te horen had gekregen.'

'Je hoeft geen Sherlock te zijn om te bedenken hoe dat zou kunnen.'

''s Avonds belde hij me op een nummer dat niet in het telefoonboek staat en dat ik niet aan hem had gegeven. Met een mobieltje, terwijl gezegd werd dat hij geen mobieltje had. Hij zei toen iets tegen me dat Blackwood letterlijk heeft gezegd, vlak voordat ik hem heb vermoord. Iets waar ik met niemand over gesproken heb. Iets wat alleen Alton Blackwood wist.'

Lionel viel even stil, net zo stil als de vale lucht en de witte zon en de rondcirkelende havik in de glasplaat.

Uiteindelijk zei hij: 'Ik hou me niet met x-files bezig, en jij ook niet. Kom maar weer terug in de werkelijkheid, oké?'

John keek op, en hun blikken kruisten elkaar. 'Hoe wil *jij* dan verklaren dat Andy Tane zoiets vreemds deed?'

'Dat weet ik nog niet, maar daar kom ik wel op. Ik heb een

link ontdekt tussen Reese Salsetto en Andy. De oplossing ligt voor het oprapen. Ik moet het alleen nog even uitwerken.'

Verbaasd zei John: 'Wat voor link dan?'

'Salsetto was een dealer, een dief, een schurk, een heler. Noem maar een misdrijf en hij had er ervaring mee. En de lijst met lieden aan wie hij steekpenningen gaf, was zo lang als de lul van King Kong – politiemensen, allerlei bobo's van het stadsbestuur. In een dubbele bodem in zijn nachtkastje heb ik een register gevonden. Alle steekpenningen die hij uitdeelde, noteerde hij – bedrag, datum, tijd, plaats, begunstigde. Als dat plaatsvond op een parkeerplaats of in een park of zo, liet hij een handlanger stiekem foto's maken, want mocht het ooit zover komen dat hij werd aangeklaagd, dan had hij zoveel belastend materiaal achter de hand dat iedere officier van justitie hem niet alleen een hand boven het hoofd zou houden, maar hem ter plekke als zijn zoon zou adopteren. Andy Tane komt ook veelvuldig op die lijst voor, net als diens voormalige collega, Vin Wasco. Het zou goed kunnen dat Salsetto's zus Brenda en haar man betrokken waren in een smerig zaakje met Reese, en met Tane.'

'Zo waren ze helemaal niet.'

'Maar misschien ook wel. Misschien hadden ze iets met Reese en Andy bekokstoofd en is dat scheefgelopen. Reese flipte, iets waar hij wel vaker last van had. Reese gaat de pijp uit, Andy's wereld stort ook in elkaar, en dus neemt hij wraak en houdt het verder voor gezien. Zoiets.'

John keek naar de lucht. De havik was verdwenen. Hij had alleen de weerspiegeling van de vogel in de tafel gezien. Hij vroeg zich af of er echt een havik had rondgevlogen, of dat er alleen een weerspiegeling was geweest.

'Ik weet dat jij dat wel aannemelijk vindt,' zei John, 'maar dat spoor loopt dood. Het zit anders in elkaar dan je denkt.'

'Toch zoek ik het liever in die richting dan in geesten of wat je ook maar denkt dat erachter steekt.'

'Als er op 7 november inderdaad een gezin wordt uitgemoord, wat gaan we dan doen?'

'Gewoon de zaak onderzoeken. Trouwens: als jouw verklaring klopt, wat zouden we dan kunnen doen?'

'Misschien niets,' gaf John toe.

Lionel liet zijn blik door de grote tuin met de ceder gaan. De man zag er afgepeigerd uit, niet gewoon vermoeid maar afgemat en ouder dan hij was, door het slopende bestaan als rechercheur Moordzaken.

Toen hij weer naar John keek, zei hij: 'Hoor eens, man, dat is een afschuwelijk verhaal waar je al die jaren mee hebt rondgelopen, je hele familie uitgemoord. Heb je er ooit met iemand over gesproken?'

'Nicky weet ervan. Al vanaf het begin. De kinderen niet. Alleen Nicky, en nu dus Burchard en jij. Maar bij Burchard ben ik niet zo ver gegaan dat ik heb gezegd… dat Blackwood zelf er nu weer achter kon zitten. Moet je dat per se aan hem doorbrieven?'

Lionel schudde zijn hoofd. 'Nee. Maar hoe lang heb je nog vrij?'

'Tien dagen ongeveer.'

'Misschien moet je er nog wat dagen bij nemen tot je alles voor jezelf op een rijtje hebt gezet. Tot je weer greep op de dingen hebt. Snap je wat ik bedoel?'

'Ja. Misschien kan ik er nog dertig dagen bij krijgen.'

Lionel schoof zijn stoel naar achteren, bedacht zich, trok de stoel weer bij en leunde met zijn armen op de dikke glasplaat. 'Ik heb het gevoel dat ik je heb laten stikken.'

'Je hebt me nooit laten stikken. Ook nu niet.'

'Het moet vast moeilijk voor je zijn geweest om te zeggen wat er echt in je omging, omdat het zo buiten de normale aard van de dingen viel.'

'Ik heb wel even moeten slikken,' gaf John toe.

'Weet je wat het probleem is? Ik moet denken aan een van

die oude films, die waren al oud toen ik klein was, die film waarin midden in de nacht iets engs te horen is, en het is niet eens iets bovennatuurlijks, maar dan komt er een neger aan en die zegt: "Feets don't fail me now," en dan zoekt hij gauw een goed heenkomen. Dat vond ik altijd zo gênant om te zien.'

'Ik ook.'

'Dus ik zal niet proberen te zijn wat ik niet ben.'

'Zeg maar tegen je moeder dat ze trots op je mag zijn.'

'Je bedoelt: gezien het basismateriaal waarmee ze moest werken.'

John glimlachte. 'Het mag met recht een wonder heten.'

Toen ze overeind kwamen, stak er een briesje op. Door de hele tuin tuimelden afgevallen bladeren over elkaar heen en belandden bij andere bladeren tegen het rozenprieel en tegen de schutting die de tuin van het ravijn scheidde. Het was gewoon een briesje.

41

NADAT ZE DE KINDEREN 'S OCHTENDS HAD LESGEGEVEN, trok Nicolette zich terug in haar atelier boven in het huis, om verder te werken aan het schilderij waarin Zach, Naomi en Minette een prominente rol speelden. Ze had heerlijk geslapen en niet gedroomd, en ze voelde zich uitgerust en stralend. Maar toen ze bij het onvoltooide doek kwam, raakte ze er weer net zo door van slag als de vorige avond. Nog steeds vond ze dat het schilderij verlies en wanhoop uitstraalde, en dat was absoluut niet wat haar voor ogen had gestaan toen ze eraan begon.

Ze besloot zich de komende dagen niet met het lastige doek bezig te houden maar een voorstudie te maken voor een ander schilderij. Ze pakte de vaas met gele deemoedsrozen en de thermoskan met verfrissende thee van het hoge tafeltje bij haar ezel en zette ze op een ander hoog tafeltje bij de tekentafel neer.

Meestal werkte ze in stilte. Ze vond dat kunst niet alleen met beelden maar ook met muziek te maken had, en soms leidde echte muziek haar af van de klanken in haar hoofd.

Toen ze 's ochtends tijdens het aankleden de tv had aangezet, had ze het afschuwelijke nieuws gehoord over de doorgeslagen politieman en het gezin dat hij had uitgemoord, en nu moest ze er de hele tijd aan denken. Op tv hadden ze een foto van Davinia Woburn laten zien, en Nicky zag dat beeld steeds voor zich, als een spook dat uit een wolk ectoplasma tevoorschijn kwam. Ze programmeerde een paar uur aan cd's van Connie Dover, betoverende muziek om haar aan iets anders te laten denken dan aan het betoverende gezicht van het meisje.

Ondanks de tragedie die op het nieuws was geweest en het feit dat het schilderij van de kinderen niet opschoot, bleef de stemming in huis onverminderd positief. De drukkende sfeer die de afgelopen dagen in huis had gehangen, onverklaarbaar maar ontegenzeggelijk aanwezig, was de vorige middag als bij toverslag verdwenen – maar nu voelde ze weer dezelfde spanning, vanaf tien minuten over twee.

Toen Nicky de derde schets van de voorstudie maakte, sloeg de sfeer in huis zo duidelijk en plotsklaps om dat ze op haar horloge keek, zoals ze dat ook gedaan zou hebben als er buiten op straat een ongeluk gebeurde of als ze het onheilspellende geluid van een neerstortend vliegtuig had gehoord.

Ze stond van haar plek achter de tekentafel op, alsof zich iets voordeed waarbij haar aanwezigheid dringend gewenst was, maar toen aarzelde ze en ging ze weer zitten. Ze had geen alarmerende geluiden gehoord. Niemand schreeuwde. Geen kreten van angst. Het bleef net zo rustig in huis als een minuut daarvoor.

Bij nader inzien leek het haar aannemelijker dat het haar eigen stemming was geweest die abrupt was omgeslagen. Een huis was niet onderhevig aan stemmingswisselingen, net zomin als een huis van gedachten kon veranderen.

Toch vond ze de plotselinge omslag bevreemdend. Nicky was niet manisch-depressief. Ze belandde nooit plotseling in een dip, en ook steeg haar stemming niet plotseling als een heliumballon tot ongekende hoogte.

Ze liet haar potlood liggen en bleef luisteren naar 'The Holly and the Ivy', een lied van Connie Dover waar ze helemaal in opging. Maar toen ze weer begon te tekenen, kon ze de gedachte maar niet van zich afzetten dat er in huis iets niet in de haak was.

Toen Lionel Timmins was weggegaan, dacht John dat hij geen slaap meer had. Hij ging in zijn werkkamer zitten om *The Daily Post* te lezen, maar legde de krant al snel weg.

In zijn slaap doolde hij door reusachtige ondergrondse ruimtes en eindeloos lange gangen van koud steen, liep hij in rotsen uitgehouwen trappen op en af die als een Möbiusband waren gevormd: een omgeving zonder uitgang, waar ontsnappen onmogelijk was: je zoektocht had geen zin, je kracht was ontoereikend, je vluchtplan was waardeloos. Hij sleepte zichzelf in alle eenzaamheid voort, tot een wrede stem uit het labyrint tot hem sprak: 'Verderf.' De stem klonk net zo dichtbij als die van Lionel toen hij zich over de leunstoel had gebogen om John aan zijn schouder wakker te schudden, en John werd er wakker van, heel even maar, lang genoeg om op het bureauklokje te zien hoe laat het was. Hij had nog geen uur geslapen. Het was tien over twee. Weer zonk hij weg in een doolhof die uit een berg van graniet was gehouwen.

Omdat de oude Sinjavski die middag niet zou langskomen om wiskunde te geven, en Zach ook geen tekenles had en hij Laura Leigh Highsmith met haar gigaperfecte mond dus niet zou zien, ging hij naar de kleine ondergrondse fitnessruimte om te gaan gewichtheffen. Hoewel hij gespierder was dan de meeste van zijn leeftijdsgenoten, zou hij over twee maanden veertien worden, en dan zou het nog maar ongeveer drieënhalf jaar duren voordat hij zou proberen bij de mariniers te gaan, dus daarom moest hij nu aan zijn conditie blijven werken. Hij moest met die domme gewichten blijven oefenen, als een uitgehongerde aap die in een experiment als een razende moest bankdrukken om iets te eten te krijgen.

Gewichtheffen was stom, maar er waren wel meer dingen die stom waren en die je toch moest doen om te krijgen wat je wilde. Hij zette zijn gedachten in de neanderthalerstand, zodat hij zich volledig kon concentreren op korte halters en lange halters, waarbij hij zou proberen te voorkomen dat zijn testikels tijdens bepaalde oefeningen draaiden. Hij had laatst een artikel over gedraaide testikels gelezen, en dat leek hem een sensatie die vergelijkbaar was met een besnijdenis met een heggenschaar.

Ongeveer veertig minuten lang ging het lekker en drukte hij de halter als een uitgehongerde maar voorzichtige aap op, tot hij echt baadde in het zweet en afschuwelijk stonk. Zijn bewegingen waren soepel en ritmisch, zijn houding was correct. Het vernederende en uiterst merkwaardige moment dat het was of zijn spieren in slappe elastiekjes veranderden, deed zich voor toen hij net met gestrekte armen de gewichten in de hoogste stand had gebracht, de achtste keer in een serie van tien. Hij bracht de halter weer omlaag naar zijn borst, en plotseling leek het of het ding ineens drie keer zo zwaar was geworden. Zijn armen begonnen te trillen, hij kon het gewicht niet meer houden, deed nog een poging de halter omhoog te drukken, maar er leek totaal geen kracht meer in zijn armen te zitten, en de halter kwam niet op zijn borst maar op zijn keel terecht. Vol op zijn adamsappel. Watje.

Zach wist honderd procent zeker dat hij niet te veel gewicht aan die stomme halter had gehangen. Zo achterlijk was hij nou ook weer niet. Hij schroefde er alleen meer gewicht aan als zijn vader in de buurt was en hem kon helpen als het toch te zwaar voor hem mocht blijken te zijn. Hij had een gevoel alsof een of andere idioot *op* de halter drukte, als een doorgedraaide fitnessleraar die eropuit was zijn luchtpijp te vermorzelen. Het was of hij in gedachten een gestoorde, boosaardige lach hoorde, niet zijn eigen lach, maar een gemene, afstotelijke lach. Wat hij een tijd geleden in de mezzanine was tegengekomen – *Ik ken je, jongen. Ik ken je nu* – zou zo'n lach hebben gehad.

Zach spande zijn spieren met zoveel kracht aan dat hij zijn

hart in zijn slapen voelde bonzen. Zijn ogen puilden uit hun kassen, zijn keel zwol door de inspanning op, en als dit zo doorging, zou hij binnen twee minuten of zo bezwijken aan een verbrijzelde luchtweg of aan een stomme slagader die in zijn idiote brein uit elkaar klapte. Langer dan twee minuten hield hij dit niet vol. Hij keek naar de klok aan de muur om zijn tijdstip van overlijden in te schatten: het was nu tien over twee. Als hij het nog twee minuten volhield, zou hij om twaalf over twee sterven, want dit was potdomme San Quentin niet, waar de lijpe gouverneur op het laatste moment een verlossend telefoontje naar de gevangenis pleegde, zoals dat altijd in die achterlijke gevangenisfilms gebeurde. Hij was nota bene aan het janken, potdomme nog aan toe, niet uit angst of uit zelfmedelijden, maar omdat hij zo godallemachtig veel kracht moest zetten dat de tranen uit zijn ogen werden geperst, als zweet uit zijn poriën.

Toen de klok des doods van 14:10 op 14:11 sprong, kreeg de halter weer het normale gewicht terug. Zach duwde het ding met kracht van zijn keel af, zette hem met een harde klap in de steunen en ging op de rand van de fitnessbank zitten, hijgend, trillend. Toen hij met zijn opvallend koude handen het zweet van zijn gezicht veegde, merkte hij dat hij zich zo intensief had ingespannen dat hij een bloedneus had gekregen.

Soms vond Naomi het leuk om met een boek in het koninklijke arendsnest te gaan zitten. Zo noemde ze de brede vensterbank van de logeerkamer op de eerste verdieping. Het was er ongeveer tweeënhalve meter lang en bijna een meter breed, met comfortabele pluchen kussens, waarop ze op elegante wijze plaatsnam, vorstelijk, alsof ze de koningin van Frankrijk was die zich in een chaise longue vleide om bij te komen van haar inspanningen om een welwillende vorstin voor haar liefhebbende onderdanen te zijn. Drie openslaande ramen keken uit op de zuidkant van de tuin, waar de grote eik zijn roodbruine blaadjes op het gazon had gedrapeerd. *Très belle.*

Ze hoefde nog maar tachtig bladzijden van het boek over de intelligente draak die tot taak had een ongecultiveerd meisje wat beschaving bij te brengen en haar te veranderen in een soort Jeanne d'Arc die een koninkrijk van de ondergang zou redden. Naomi wilde het boek graag uitlezen om daarna aan het vervolg erop te beginnen. Het verhaal had iets van *My Fair Lady*, maar dan met zwaardgevechten en waaghalzen en tovenaars, en in plaats van professor Higgins was er een draak die Drumbelzorn heette, wat de hele zaak juist gigantisch interessant maakte zonder aan literaire kwaliteit in te boeten.

Naomi ging helemaal in het verhaal op, tot ze op ruwe wijze terug in de werkelijkheid belandde doordat de wind plotseling opstak en de takken van de boom tegen de ramen sloegen. Geschrokken keek ze naar buiten, in de roodbruine zee van blaadjes, bijna met de verwachting daar de slurf van een tornado te zien. De blaadjes joegen ruisend en tikkend *takketakketak* tegen het raam, en dat ging minstens een minuut zo door, een prachtig schouwspel, maar ook een beetje beangstigend. Dit was zo'n moment dat de wijze Drumbelzorn een is-maar-is-niet-echt-moment noemde, als gewone dingen en krachten – bladeren en wind – een effect teweegbrachten dat ogenschijnlijk heel gewoon was maar dat niet was, wanneer de verborgen realiteit achter de schijnbare werkelijkheid van onze wereld bijna zichtbaar werd.

Bij de vensterbank stond een theetafel met twee stoelen, een elegant conversatiehoekje waar Minnie Halfwas altijd steevast weigerde om dames-aan-de-thee te spelen en mondaine gesprekken te voeren. De wervelwind ging net zo abrupt liggen als hij was begonnen, en toen de bladeren niet meer tegen de ramen sloegen, concentreerde Naomi zich weer op haar boek, toen ze vanuit haar ooghoek een vrouw in een van de stoelen bij het raam zag zitten. Geschrokken maar niet verontrust zette Naomi grote ogen op en boog zich vanuit haar zitje van sierkussens naar de dame.

De onbekende vrouw ging gekleed in een antieke outfit: een

eenvoudige lange jurk met polsmouwen die de benen tot aan de enkels bedekte, een ronde hoog gesloten kraag, grijs met blauwe biesjes. Ze was knap, maar had niet de moeite genomen haar sterke punten te accentueren. Ze droeg geen make-up, geen lippenstift, geen nagellak, en haar ongecoiffeerde bruine haar hing er futloos en saai bij, alsof ze bij de Amish of een andere godsdienstige sekte zat.

Met een zachte, vriendelijke en betoverend zangerige stem waarvan Naomi helemaal in de ban raakte, zei de vrouw: 'Het verdriet me ten zeerste als ik u onverhoopt heb laten schrikken, hoogheid.'

Hoogheid! Wauw! Naomi wist onmiddellijk, nog onmiddellijker dan onmiddellijk, dat dit absoluut geen is-maar-is-niet-echt-moment was, dat zich voor haar ogen Iets Groots ontvouwde, terwijl ze al bijna had berust in het idee dat ze alleen in boeken avonturen zou kunnen beleven, maar nooit in het echte leven.

'Ik zou liever niet op de vleugels van de wind en de boom tot u zijn gekomen, met zoveel vertoon. Maar de spiegel was geverfd, hoogheid, waardoor me maar één manier restte om hier binnen te komen.'

'Mijn zus,' zei Naomi, 'die is nog maar acht, u weet hoe kinderen zijn, haar hersentjes zijn nog niet volgroeid, en ze is ook nog eens een schijtlijster. Maar ja. Wat kun je eraan doen? Toch hou ik veel van haar.'

Ze wist dat ze raaskalde. Er waren honderdduizend vragen die ze kon stellen, maar geen enkele daarvan kwam bij haar op. Ze dwarrelden als blaadjes in haar hoofd rond, zo snel dat ze er geen enkele te pakken kon krijgen.

'Ik ben Melody,' zei de vrouw, 'en als de bewuste dag is aangebroken, zal het me een eer en genoegen zijn u als uw leidsvrouw en uw geleide te escorteren op weg naar huis.'

Eer en genoegen? Leidsvrouw? Escorteren? *Naar huis?*

Naomi legde haar boek aan de kant, zwaaide haar benen van

de vensterbank, ging op de rand zitten en zei: 'Maar ik ben al thuis. Want hier woon ik toch? Ja, natuurlijk. Ik woon hier al sinds... ik hier ben komen wonen.'

Melody boog zich samenzweerderig naar haar toe en zei: 'Hoogheid, het is voor uw eigen veiligheid dat de herinnering aan uw waarlijke thuis door een toverspreuk onderdrukt wordt, net als bij uw broer en zus. De agenten van het koninkrijk zouden u allang gevonden hebben als u zelf wist waar u vandaan kwam, en de moordenaars van de apocalyps zouden u dan allang hebben opgespoord.'

Dat klonk allemaal opwindend en romantisch en had precies het juiste gehalte aan griezeligheid, en Melody straalde bijna van oprechtheid, en haar blik was open en onafgewend en ontwapenend en eerlijk, en haar onopgesmukte manier van doen was kenmerkend voor iemand die niets te verbergen had. Maar hoewel Naomi niet precies kon zeggen waar het aan lag, voelde ze dat er iets niet in de haak was met het scenario dat haar werd voorgespiegeld.

Alsof Melody de twijfels van de prinses aanvoelde, zei ze: 'Uw waarlijke thuis is een koninkrijk dat zindert van de magie, iets wat u waarschijnlijk allang hebt vermoed.'

Met die uitspraak stak de vrouw een hand in de lucht en richtte ze haar wijsvinger op het plafond, alsof ze een of andere kracht van boven aanriep.

Alle laatjes van de lage kast, van de hoge kast, en van de nachtkastjes vlogen open, zo ver als mogelijk was zonder dat ze op de grond vielen, en het boek over Drumbelzorn, dat op de vensterbank lag, begon te zweven, een meter omhoog, anderhalve meter. Toen de vrouw haar opgeheven hand tot een vuist balde, schoven alle laden met een klap dicht – *donk, donk, donk, donk, donk!* – en het boek vloog door de kamer, knalde tegen een muur en viel op de grond.

Opgewonden sprong Naomi overeind.

Melody ging ook staan en zei: 'Over een maand of iets langer, hoogheid, zal het land gereed zijn voor uw terugkomst, alle vijanden zullen dan verslagen zijn, zodat u veilig zult kunnen reizen. Ik ben hier vandaag alleen maar naartoe gekomen opdat u gereed zult zijn als ik hier weer verschijn, op de avond dat we de reis moeten aanvaarden. Tegen die tijd zal uw geheugen hersteld zijn, en het zal dan van cruciaal belang zijn dat u doet wat ik u als uw dienares verzoek.'

Al die jaren dat ze had gefantaseerd over het moment waarop haar lotsbestemming aan haar werd geopenbaard, had Naomi duizenden keren verzonnen hoe ze op duizenden verschillende slimme manieren zou kunnen reageren, maar ze had nooit gedacht dat ze niet wist wat ze moest zeggen. Ze hoorde zichzelf onsamenhangende lettergrepen uitkramen die mogelijk het begin van woorden konden zijn, en daarna lukte het haar om complete woorden te stamelen, maar kon ze die niet aaneenrijgen tot zinnen die ergens op sloegen. Ze voelde zich helemaal geen prinses maar meer een zielige achtjarige halfwas domkop, en ze zei: 'Wist weten Zach Minnie dat, wat u me verteld hebt, deed hebt u dat hun ook gezegd, en mijn ouders?'

Melody bracht haar stem terug tot een fluistertoon: 'Nee, hoogheid. U bent de enige erfgename van het koninkrijk, en alleen u hoeft van tevoren voorbereid te zijn. Tot het moment waarop de laatste moordenaars van de apocalyps zijn uitgeschakeld, is het veel te gevaarlijk als u allen van de plannen op de hoogte bent. Dit moet uw geheim blijven, en u moet dat geheim koesteren tot ik op een avond terugkom, anders bestaat de mogelijkheid dat u en degenen die u liefhebt de dood vinden.'

'*Kastanjes!*' riep Naomi uit.

Melody wees naar het raam en zei: 'Kijk naar de boom, hoogheid. Kijk naar de boom.'

Toen Naomi zich naar de ramen omdraaide, stak er weer vanuit het niets een stevige wind op, waardoor de grote eikenboom heen en weer werd geschud, alsof de boom omver moest en de afgebroken takken het huis moesten belagen. Eikenblaadjes werden van de takken gerukt en belandden in grote hoeveelheden tegen de ramen. Het klonk alsof wilde vleugels tegen de ruiten fladderden. Het was een griezelig schouwspel, maar ook mooi: het spel van zon en schaduwen op het glas, trillende blaadjes als kleurige vlinders.

Toen de wind plotsklaps ging liggen, dacht Naomi weer aan Melody. Toen ze zich omdraaide, merkte ze dat de vrouw verdwenen was. Blijkbaar was ze op de vleugels van de wind en de boom vertrokken, wat dat ook maar mocht betekenen.

De deur naar de gang stond op een kier. Naomi kon zich niet herinneren dat ze de deur open had laten staan.

Ze rende de logeerkamer uit, keek links en rechts, maar zag niemand op de gang staan. Ze luisterde naar snelle voetstappen op de twee trappen aan de voor- en achterkant van het huis, maar ze hoorde niets.

Terug in de logeerkamer liep ze naar het boek dat was gaan zweven en door de lucht was gevlogen. Ze raapte het van het vloerkleed op, rende naar het raam, knielde op de kussens en zag het laatste blaadje van de prachtige blaadjesregen naar beneden dwarrelen. Ze drukte haar voorhoofd tegen het koude glas, in een poging een glimp van Melody op te vangen, die vast op weg was naar een magisch koninkrijk of die een onmogelijke deur in de bast van de eik achter zich dichttrok. Maar het enige wat ze zag, was een prachtige oude eik die zich op de komst van de winter voorbereidde.

Ze was bang dat haar wild bonzende hart nooit meer tot rust zou komen. Ze was opgewonden maar verward, opgetogen maar bang, totaal overtuigd en toch verscheurd door ongeloof, verbijsterd, verbouwereerd, verlangend maar op haar hoede, impulsief, voorzichtig, stralend maar ook verdrietig. Dichter bij de waanzin was ze nog nooit geweest.

Naomi kon zich niet voorstellen hoe ze zo'n geheim zelfs maar een week voor zich kon houden, laat staan langer dan een maand, of een *dag*, laat staan een hele week. Aan de andere kant wist ze dat ze diep vanbinnen een protagonist was, geen antagonist, geen figurant die zich al dan niet in het duister zou storten en die de schranderheid ontbeerde om het juiste te kiezen. Ze was de enige echte hoofdrolspeelster, uit het juiste hout gesneden, een waarlijke Jeanne d'Arc die zich door draken liet adviseren maar daar in nog geen honderd jaar door verslagen zou worden. Misschien zou ze haar haar in een pagekopje moeten laten knippen, zoals Jeanne d'Arc soms stond afgebeeld, of misschien nog korter en een beetje noncha, zoals Amelia Earhart, de verdwenen vliegenierster. Zoveel dingen om over na te denken, zoveel mogelijkheden om uit te kiezen. *Varkensvet!*

Al eerder is Melody Lane in haar Honda van het huis van de familie Nash naar de woning van de Calvino's gereden, in het volle besef dat een geest bezit van haar heeft genomen, en met inzicht in de aard van haar berijder. Ze verzet zich niet. Ze is niet bang. Nog meer dan Reese Salsetto verwelkomt Melody hem. Ze verheugt zich erop met hem samen te werken, vindt het fijn om van zijn bescherming en zijn kracht gebruik te mogen maken.

Op haar vierentwintigste heeft Melody haar drie kinderen om het leven gebracht – vier, drie en een jaar oud – nadat ze tot de conclusie was gekomen dat het moederschap saai was en haar in haar mogelijkheden beperkte, en nadat ze tot het besef was gekomen dat de mensheid een kwaadaardig virus is, een pestplaag waar de aarde uiteindelijk aan ten onder zal gaan. Dat heeft ze op tv gezien. Een documentaire over het einde van de wereld en over hoe dat onafwendbaar is. We hebben allen onze verantwoordelijkheden. Op het moment dat elk kind stierf, gaf Melody het een zoen en zoog ze de laatste ademtocht op, wat symbool stond voor het feit dat ze probeerde de planeet te redden door anderen om het leven te brengen omdat die alleen maar voor meer uitstoot van CO_2 zorgden, elke keer als ze uitademden. De planeet is een levend wezen. Wij zijn luizen op de planeet.

Ze had haar luis vermoord: Ned, haar man, en deed het voorkomen alsof hij zelfmoord had gepleegd. Op internet had ze gezien hoe dat kon: talloze manieren waarop je iemand kon vermoorden en het kon laten lijken op zelfmoord. Met haar poging om te doen of de moord op haar kinderen het werk van Ned was, leidde ze zelfs de meest ervaren forensische experts om de tuin, ondanks hun geavanceerde spullen en hun wetenschappelijke expertise. Toch niet zulke slimmeriken als ze zelf wel dachten. Haar alibi bleek ijzersterk.

Dit succes krikte haar eigenwaarde op. Eigenwaarde is van cruciaal belang. Je krijgt niet het leven dat je verdient als je niet genoeg eigenwaarde hebt.

Te lang had ze gedacht dat ze heel gewoontjes was, iemand met weinig fantasie, niet zo slim, een beetje een loser, zo kleurloos als afwaswater. Maar dan komt ze ineens weg met vier moorden, waarmee ze de maatschappij tegelijkertijd ook nog een dienst bewijst, een belangrijke dienst. Ze beseft dat ze eigenlijk best een interessant persoon is, zoals Dr. Phil en veel anderen met een tv-show altijd al beweerd hebben.

De afgelopen vier jaar heeft ze nog drie kinderen vermoord, in twee verschillende steden. Het liefst had ze er tientallen omgebracht, maar ze kiest haar slachtoffers steeds met zorg uit. De aardoliemaatschappijen zijn op zoek naar nieuwe generaties om uit te buiten, en als die erachter komen dat zij hun toekomstige klantenbestand uitdunt, zullen ze haar zonder pardon aanpakken.

Ned was de enige in haar leven die haar enige aandacht schonk. En Ned was een schoft. Hij vond haar alleen aardig omdat ze nooit voor zichzelf opkwam en alles altijd over zich heen liet komen. Hij kon ongestoord op haar schelden en vloeken – tot ze daar op een gegeven moment een einde aan maakte. Er wordt wel eens gezegd dat je bent wat je eet, en Ned at veel ham en spek en varkensvlees. Nu weet ze dat ze door haar geheime leven net zo interessant is als de meeste mensen en zelfs interessanter dan velen.

Er wordt wel eens gezegd dat de zachtmoedigen het aardrijk zullen beërven, maar als dat waar is, zal de aarde geen hol meer waard zijn als het tijd is om die erfenis te cashen, omdat de planeet dan net als Mars zal zijn leeggeroofd en opgebrand. Op tv hebben ze danswedstrijden, talentenjachten, kookwedstrijden, ontwerpwedstrijden, en daarbij winnen de zachtmoedigen nooit, ongeacht om welke wedstrijd het gaat. De hoofdprijs gaat altijd naar degene die zich het meest agressief opstelt, die het meeste zelfvertrouwen heeft, die de meeste eigenwaarde heeft. Dat heeft Melody met eigen ogen geconstateerd.

Ze parkeert haar auto voor het huis van de Calvino's, loopt zonder schroom naar de voordeur en laat zichzelf binnen door de sleutel te gebruiken die ze van Preston Nash heeft gekregen. Ze is niet bang dat ze betrapt wordt. Haar berijder weet te allen tijde op welke plek iedereen zich in het huis bevindt, en hij zal haar door deze gangen en vertrekken leiden zonder dat ze iemand tegenkomt die haar missie in gevaar kan brengen.

Haar berijder zet een korte wervelstorm in gang, wat haar in de gelegenheid stelt een dramatische entree te maken om met Naomi Calvino in contact te treden. De ruiter kent het meisje tot op het bot, maar Melody weet hoe ze met het meisje moet *praten*. Ze heeft altijd goed met kinderen op hun eigen niveau kunnen praten, won hun vertrouwen, vertelde verhalen waarmee ze hen inpalmde, maakte hen aan het lachen. Dit leek een waardeloze gave, tot ze kinderen begon te vermoorden om de wereld te redden en merkte dat het haar goed af ging om het vertrouwen van haar slachtoffers te winnen. Haar eigen kinderen hadden gegrinnikt toen ze hen begon te vermoorden, omdat ze dachten dat het voor de lol was. Nou, zij beleefde er wel lol aan, maar haar kinderen niet. Zij zijn de pestplaag. Zij is het desinfecterend middel. We hebben allen onze verantwoordelijkheden.

Nadat ze haar klus met het Calvino-meisje heeft voltooid, verlaat Melody de eerste verdieping via de trap aan de voorkant van het huis, geluidloos als een spook. Als ze haar hand op de kruk van de voordeur legt, verlaat de ruiter haar en blijft hij in het huis achter.

Melody Lane is zich ervan bewust dat de ruiter haar later tot zich zal roepen, ongetwijfeld meer dan eens. Ze zal komen als ze geroepen wordt en zal de geest weer verwelkomen als hij bezit van haar bloed en botten neemt. Als het tijdstip aanbreekt om te gaan moorden, hoopt ze dat Naomi van haar is en dat ze de laatste ademtocht zal opslokken die het meisje uitstoot.

Ondertussen heeft de ruiter haar verschillende opdrachten gegeven. Ze moet bepaalde spullen kopen en die in gereedheid brengen, en ze weet precies hoe ze dat moet doen. Melody hoeft niet bereden te worden om te doen wat haar meester van haar verlangt. Ze is uit eigen vrije wil van plan de geest te dienen, om het plezier te mogen smaken de Calvino's af te slachten, en dan vooral de kinderen.

Minnie had net een fles vruchtensap uit de koelkast gehaald en draaide de dop eraf, toen ze zich omdraaide naar de openslaande tuindeuren naar het terras... en de golden retriever zag die door de ruiten naar haar keek.

Willard was al twee jaar dood, maar ze wist nog precies hoe hij eruit had gezien. Dit was Willard inderdaad, of eigenlijk de geest van Willard, net als die geesten in de supermarkt, met dit verschil dat Willard geen enge kop had die voor de helft kapot was geschoten.

Hij was prachtig, net zoals hij was toen hij nog leefde, de liefste hond ter wereld. Minnies hart zwol op – ze had echt het gevoel dat haar hart als een ballon in haar lijf opzwol – toen ze het beest zag. Ze voelde dat haar hart als een ballon naar haar keel steeg.

Ineens kreeg ze in de gaten dat Willard niet uit de hemel was teruggekomen om met haar te spelen of om haar aan het huilen te maken, maar om haar iets te laten zien. Hij klauwde met zijn poot tegen het raam, zonder geluid te maken, maar klauwde toch. Hij kwispelde niet met zijn staart, wat hij wel gedaan zou hebben als hij met de bal wilde spelen of iets lekkers wilde hebben. En de blik in zijn ogen, de manier waarop hij de linkerkant van zijn bovenlip optrok, het betekende allemaal wat het in de goede oude tijd had betekend, toen hij nog leefde: *Ik probeer je iets duidelijk te maken. Het ligt er zo dik bovenop dat zelfs een kat het zou snappen. Wil je alsjealsjealsjeblieft even opletten?*

Minnie zette haar flesje op het kookeiland en liep snel naar de deur. Willard rende weg toen ze op hem afliep, en toen ze de deur opendeed en het terras betrad, stond de hond al aan de noordkant van het huis op haar te wachten.

Willard had zijn voorpoten schuin naar voren neergezet, hield zijn kop een beetje laag, zodat het net was of hij een kleine buiging maakte en wilde zeggen *Kom achter me aan! Kom achter me aan! Je krijgt me toch niet te pakken! Ik ben een hond, ik ben sneller dan de wind!*

Ze rende naar hem toe, waarna hij langs de zijkant van het huis sprintte, in de richting van de straat. Toen ze de hoek om kwam, zag ze dat hij in de tuin voor het huis stond en afwachtend naar haar keek.

Toen ze op Willard afrende, vervaagde het beeld van de retriever: eerst nog zijn prachtige roodachtig gouden tint, daarna zijn prachtige gouden tint, daarna prachtig en wit, vervolgens half doorzichtig en nog steeds prachtig, maar toen opgelost in het niets. Minnie voelde weer dat haar hart opzwol, en ze zou het liefst op haar knieën zakken om in huilen uit te barsten. Maar ze liep door tot ze op de plek stond waar ze Willard voor het laatst gezien had.

Op het trottoir zag ze een vrouw in een lange grijze jurk, alsof die daar net vanaf de veranda naartoe was gelopen. De vrouw liep naar een auto die voor het huis geparkeerd stond. Ze oogde als iemand die langs de deuren ging om iedereen de oren van het hoofd te kletsen over Jezus, maar ze had geen tijdschriften of foldertjes bij zich, en zelfs geen tas. Blijkbaar had ze gehoord dat Minnie over het gras naar de plek was gerend waar Willard was verdwenen, want ze hield haar pas in en draaide zich naar Minnie om.

Ze stonden ongeveer vier meter bij elkaar vandaan. Minnie kon het gezicht van de vrouw duidelijk zien, een op het oog vriendelijk gelaat, maar de gelaatstrekken leken niet helemaal af te zijn, alsof er nog wat details aan toegevoegd moesten worden omdat je er anders over tien minuten geen beeld meer van kon vormen. Nu leek het net zo'n gezicht in een van de schilderijen van mamma, voordat het helemaal af was. De vrouw glimlachte zo'n beetje afwezig, alsof ze Minnie wel zag maar eigenlijk aan iets anders dacht en daar niet van afgeleid wilde worden.

Ze bleven elkaar ongeveer vijftien seconden aanstaren, een griezelig lange tijd omdat geen van beiden iets zei. Minnie wist niet waarom de vrouw naar haar bleef kijken, maar zelf bleef ze naar de vrouw kijken omdat ze voelde dat er iets met haar niet in de haak was. Minnie dacht dat ze er wel achter zou komen als ze maar lang genoeg keek, dat ze wel zou ontdekken wat er niet klopte, maar daar slaagde ze niet in.

Uiteindelijk zei de vrouw: 'Wat een leuke roze schoenen heb je aan.'

Minnie werd door deze opmerking geheel uit het veld geslagen, omdat ze helemaal geen roze schoenen had. Als iemand het ooit in zijn hoofd haalde haar roze schoenen te geven, zou ze niet eens zeggen *Ik trek ze wel aan als de hel bevriest*, want je wist maar nooit hoe het werd met het weer. Ze wilde geen marinier worden, zoals Zach, maar in tegenstelling tot Naomi lag ze ook niet meteen in zwijm als ze een tiara zag, of een cape die was afgezet met diamanten, of roze glazen muiltjes.

De opmerking drong vertraagd tot Minnie door. Ze keek omlaag naar haar voeten, haar gympies, die een diep koraalrode kleur hadden en helemaal niet roze waren. Langzaam drong het tot haar door dat de vrouw waarschijnlijk kleurenblind was.

'Je doet me denken aan een dochtertje dat ik vroeger had,' zei de vrouw. 'Een heel lief meisje.'

Minnie had geleerd dat ze altijd beleefd moest blijven, en dat betekende ook dat je iets terug moest zeggen als iemand het woord tot je richtte. Maar in dit geval hield ze haar mond, niet alleen omdat ze geen idee had wat ze zou moeten zeggen, maar ook omdat ze aanvoelde dat het foute boel zou zijn als ze iets tegen deze vrouw zou zeggen, zoals het ook foute boel was om iets tegen een geest te zeggen: als je ook maar één woord sprak, kon dat als een uitnodiging worden opgevat.

De onbekende vrouw was zo te zien geen geest, maar wel had ze iets met geesten gemeen, wat Minnie aanvoelde maar niet goed kon benoemen.

Na weer een stilte, deze keer iets minder lang, deed de vrouw in het grijs een stap in Minnies richting, maar bleef toen staan.

Hoewel ze gewoon op straat stonden, werd Minnie zich ervan bewust dat ze helemaal alleen was en kreeg ze het gevoel dat ze op een gevaarlijke manier van de rest van de wereld afgezonderd was. Er kwam geen verkeer voorbij, ook niet in de straat verderop. Er waren geen voetgangers te bekennen. Nergens waren kinderen op het gazon voor hun huis aan het spelen. De lucht was bleek, er stond geen wind, de takken van de bomen hingen roerloos in de lucht, zodat het leek alsof de tijd voor iedereen op aarde stil was blijven staan, behalve voor hun twee.

Minnie wilde dat Willard niet in het niets was verdwenen. Ze wilde dat hij weer zou verschijnen, zichtbaar zou worden, niet alleen voor haar maar ook voor de vrouw die een paar meter van haar af stond. Toen hij nog leefde, kon de hond heel stom maar dreigend grommen, en zijn geest had nog steeds grote tanden, ook al kon hij er niemand meer mee bijten.

De dromerige glimlach van de vrouw, die eerst heel vriendelijk had geleken, leek nu op de starre grijns van een slang, die helemaal geen glimlach was maar alleen de *vorm* van een glimlach had.

Net toen Minnie zich wilde omkeren en het ontzettend op een lopen wilde zetten, draaide de vrouw zich om en liep ze naar de auto die voor het huis stond. Ze keek nog even om toen ze instapte, maar daarna deed ze het portier dicht en reed ze weg.

Terwijl Minnie de auto nakeek, snapte ze wat de vrouw in het grijs met geesten gemeen had. De dood. Ze hadden allebei iets met de dood te maken.

Uit de memoires van Alton Turner Blackwood:

Nadat de jongen 's nachts op het open veldje in het dennenbos skeletten had opgegraven, ging hij voor zonsopgang terug naar zijn kamer in de toren, en daar dacht hij de hele dag na over wat hij ontdekt had.

Een uur voordat de zon weer onderging en hij geacht werd zich verborgen te houden en zijn afstotelijke verschijning niet aan de familie of het personeel te laten zien, ging hij naar het tuinhuis. In een deel van dit zeer comfortabele onderkomen had hij ooit met zijn moeder Anita gewoond. Nu verbleef Regina, de zus van zijn moeder, er met haar dochter Melissa.

De jongen had zich niet voorgenomen geweld te gebruiken. Het was hem alleen maar om de waarheid te doen. Maar als hij moest, zou hij er niet voor terugdeinzen geweld te gebruiken om van hen de waarheid te horen.

Bij het doden van konijnen en herten had hij gemerkt dat hij er genoegen in schiep om mooie wezens van het leven te beroven.

Tante Regina en nicht Melissa zaten aan een tafel op de veranda achter het huis te kaarten, in de schaduw van een grote Japanse notenboom. Ze vonden het vervelend dat de jongen plotseling bij hen kwam staan, maar ze wantrouwden hem niet.

Soms schrok het personeel als ze zijn verminkte gezicht en zijn misvormde lichaam zagen, en ze waren zelfs bang voor hem, hoewel hij tot dan toe geen mens kwaad had gedaan. Regina was nooit bang voor hem geweest, en Melissa alleen toen ze nog heel klein was. Nu ze veertien was, behandelde ze hem met tegenzin en minachting, iets wat ze van haar moeder had overgenomen.

Doordat de jongen dieren had doodgemaakt, en doordat een poema hem had erkend als de Dood in eigen persoon, zag hij de dingen door een nieuwe, glasheldere lens. Voorheen, toen hij naïever was dan nu, had hij de indruk gekregen dat Regina en Melissa arrogant en onsympathiek en voor niets en niemand bang waren vanwege hun uiterlijke schoonheid. Hij dacht dat daarin niet alleen hun kracht school, maar dat het ook hun pantser was, en dat je geen ontzag en vrees kende als je zo mooi was als zij, omdat je dan van nature bevoorrecht en onoverwinnelijk was. Nu besefte hij dat hun hooghartig gedrag, hun minachting voor hem en hun onbevreesde houding ook gebaseerd waren op geheime kennis, op iets wat zij wisten maar hij niet. Hij was een buitenstaander op Crown Hill, niet alleen vanwege zijn groteske voorkomen maar ook vanwege zijn onwetendheid.

Toen hij Regina vertelde dat hij het skelet van zijn moeder in het bos had opgegraven, verwachtte hij dat ze geschokt zou reageren, of ontzet of boos vanwege het ellendige lot dat haar zus had getroffen. Maar in plaats daarvan bleef ze gewoon zitten zonder haar kaartspel te onderbreken en leek ze totaal niet onder de indruk van dit afschuwelijke bericht. Ze zei dat het een stomme actie van hem was geweest en dat het hem nog zou berouwen dat hij als een hond een stel botten had opgegraven.

Nu hij zich ervan bewust werd dat de waarheid die hem

onthouden was, nog veelomvattender was dan hij zich verbeeld had, dacht hij dat hij Regina bij de keel moest grijpen of toetakelen of in elkaar slaan om te horen wat er werkelijk gebeurd was. Maar hoewel ze hem geen stoel aanbood, bleek ze wel bereid hem te vertellen hoe de dingen waren gelopen. Met een kil, verzuurd genoegen vertelde ze hem alles tot in detail, en hoe langer ze aan het woord bleef, hoe meer het tot de jongen doordrong dat ze niet goed bij haar hoofd was.

Melissa, die tijdens het relaas van haar moeder glimlachend bleef kaarten, bleek al net zo krankzinnig als haar moeder. Maar Teejay, Terrence James Turner Blackwood, de patriarch van de clan, spande wat dat betrof wel de kroon.

Omdat Teejay veel geld had geërfd en zijn fortuin had gebruikt om nog vermogender te worden, beschouwde hij geld niet als het grootste goed. Hij was een buitengewoon knappe man die altijd veel tijd aan zijn uiterlijk besteedde. Hij aanbad schoonheid, en dat kwam deels neer op zelfaanbidding.

Hij aanbad schoonheid maar was niet in staat het zelf te creëren, zoals zijn films en zijn nepkasteel overduidelijk bewezen. Hij was nog maar een tiener toen zijn voorliefde voor schoonheid zich ontwikkelde tot een sterke obsessie – en een tegennatuurlijke hartstocht – voor zijn zus Alissa, die een jaar jonger was dan hij. Regina kon er alleen maar naar raden wanneer hij Alissa had verleid, maar het werd al snel duidelijk welke invloed dat op Alissa's geestesgesteldheid had.

Op een gegeven moment had Alissa een zekere faam als filmster verworven, onder de naam Jillian Hathaway. Het waren de tijden van de stomme film, en bioscopen werden beschouwd als plat vermaak voor de lagere standen, net als het circus en het variété. In die begintijd van de film werkten sommige actrices onder een pseudoniem en werden er biografieën over hen verzonnen, die speciaal op de markt werden gebracht door de filmstudio's waar ze bij in dienst waren.

Jillian zou in 1926 met Teejay zijn getrouwd, tijdens een chique plechtigheid vol pracht en praal in Acapulco, toen zij vijfentwintig was en hij zesentwintig. In werkelijkheid waren ze niet met elkaar in het huwelijk getreden, omdat ze broer en zus waren en niets daar iets aan konden veranderen.

Terwijl Regina de kaarten schudde en de feitelijkheden aan de mismaakte jongen openbaarde, overzag hij niet meteen op welke manier deze ontaarde relatie, een verdorven band die eenendertig jaar voor zijn geboorte een aanvang nam, zijn lot had bezegeld en zijn leven vol eenzaamheid, verbitterdheid en geweld had bepaald.

Regina deelde de kaarten voor een nieuw potje Rummy 500. Regina vertelde dat het enige kind van Teejay en Jillian – Marjorie, die in 1929 ter wereld kwam – uiteraard een product van een incestueuze relatie was. Haar vader was ook haar oom. Haar moeder was ook haar tante.

Het meisje werd nog mooier dan haar moeder – wat de theorie van Teejay bevestigde dat er uit mindere schoonheid superieure schoonheid kon ontstaan. Hij geloofde dat een stamboom verbeterd en verfijnd kon worden, zoals je ook een veredeld hondenras kon fokken. Als je ervoor zorgde dat een stamboom niet door minderwaardige genen werd vervuild en dat alleen mensen met dezelfde superieure kwaliteiten zich voortplantten, zouden er na verloop van tijd binnen een familie individuen van adembenemende schoonheid moeten kunnen ontstaan, mooier dan er ooit op de wereld hadden rondgelopen.

Veertien jaar nadat Jillian Marjorie op de wereld had gezet en erachter kwam dat haar dochter zwanger was van Teejay, verhing ze zich in de zuidelijke torenkamer. Teejay kwam dit eigenlijk wel goed uit, omdat hij daardoor verlost

was van zijn echtelijke plichten en zich geheel kon wijden
aan de gerichte verspreiding van zijn zaad.

In 1942, toen Teejay tweeënveertig was, beviel de jonge
Marjorie van Anita en Regina, geen identieke maar een
twee-eiige tweeling. Hun vader was ook hun opa en hun
oudoom. De twee kinderen waren nog knapper dan hun
moeder, wat Teejays theorie onderbouwde en hem sterkte in
zijn daden.

'Het zou nog vijftien jaar duren voordat jij geboren werd,'
zei Regina tegen het ongewenste bezoek op de veranda
terwijl ze de klaverboer, -vrouw en -heer op tafel legde. 'En
door jou zijn ik en mijn dochter de enige erfgenamen van
alles op Crown Hill.'

De jongen begon in te zien dat het onvermijdelijk was dat
hij in de mismaakte staat waarin hij verkeerde ter wereld
was gekomen. Hij stond op het punt te ontdekken wat hij zou
worden en wat hij met zijn leven aan moest. Het zou nog
een paar uur duren voordat de jongen mij werd.

42

DE NATTE SNEEUW DIE TEGEN HET RAAM TIKTE, KLONK als het geluid van klauwende rattenpoten, of als een vleermuis die met zijn scherpe tanden het pantser van kevers kapotbijt.

Het was nu tien dagen geleden dat de Woburns waren afgeslacht, en John Calvino voelde zich gedeprimeerd. Hij leek niet bij machte om daar iets aan te doen. De terugkeer van de benauwende aanwezigheid die in hun huis rondwaarde, waarvan hij niet geloofde dat die ingebeeld was, had zo'n drukkende invloed op hem gehad dat hij enkel nog aan ondergang en dood kon denken, iets waar hij zich zonder succes tegen verzette.

Ook als hij niet thuis was, zoals nu, bleef hij in die sombere bui hangen. Er kwamen veel meer dan eerst verontrustende beelden bij hem boven, van ratten, vleermuizen, kevers, beelden die werden opgeroepen door uiterst onschuldige zaken als het tikken van natte sneeuw tegen de ramen.

Nu John in het kantoor van pastoor Bill James in de pastorie naast St. Henry's Church zat, verwachtte hij dat hij wat minder gedeprimeerd zou raken, al was het alleen maar door de godsdienstige bestemming van het gebouw waarin hij zich bevond. Maar toch bleef hij last houden van een aanhoudend gevoel van onheil.

Hij ging bij het raam staan, misschien juist omdat het uitzicht tamelijk deprimerend was. De lucht was zo grijs als een grafzerk, en daaronder hing een dunne nevel, als rook van nasmeulend hout. De zwarte stammen en kale takken van de bomen vormden een lelijke hoekige chaos die ooit door het lover aan het oog onttrokken werd.

Pastoor William James kwam vijf minuten te laat binnen en bood daar zijn excuses voor aan. Pastoor Bill – zoals hij het liefst genoemd wilde worden – was rond de veertig, met kort bruin haar, stevig gebouwd maar fit en in goede conditie, en oogde niet als een ouderwetse priester maar meer als een tijdloze gymleraar op een middelbare school. Nu hij thuis was, maar niet alleen dan, droeg hij geen priestergewaad en een priesterboord, maar sportschoenen, grijze Dockers en een blauw sweatshirt. Uiteraard droeg hij alleen zijn ambtsgewaad als hij dat passend vond.

Hij schudde John enthousiast de hand en ging hem voor naar een zithoek met vier zwartleren Herman Miller-stoelen – verrijdbare kantoormeubelen die ergonomisch, comfortabel en stijlvol waren – en een ronde salontafel met een gestaalborstelde poot en een glazen blad. Een ander raam bood ook uitzicht op skeletachtige bomen, ijle mist, en natte sneeuw.

Het kantoor zag er anders uit dan twee jaar geleden, toen pastoor Albright nog niet met emeritaat was gegaan. Het victoriaanse salonmeubilair stond er nu niet meer, en ook de rare schilderijen en de gedetailleerde beeldhouwwerken waren verdwenen. Achter het bureau van de pastoor hing een abstract bronzen crucifix, dat John meer vond lijken op een ouderwetse kruissleutel waar een doek omheen gewikkeld was.

Hier werden serieuze zaken besproken. Deze pastoor begreep dat hij niet alleen de herder van zijn schaapskudde was, maar dat hij de parochie ook financieel draaiende moest houden, dat hij het welzijn van zijn cliënten moest promoten, dat hij de krachten binnen de kerkelijke gemeenschap moest managen en praktische oplossingen voor maatschappelijke problemen moest aandragen, en nog veel meer.

Pastoor Bill wees naar de natte sneeuw die tegen de ramen tikte, en zei: 'Ik kan me niet heugen dat het ooit in oktober al zo koud was.'

John knikte. 'Ze zeggen dat we een korte herfst krijgen en dat de winter vroeg valt.'

'Het weer speelt vast geen grote rol in jouw branche.'

'Wat moordzaken betreft, bedoelt u? Bij extreem hoge temperaturen worden er altijd iets meer moorden gepleegd, net als bij extreme kou. Aan het eind van het jaar hebben we het net zo druk als altijd.'

'En in moeilijke tijden zul je het nog drukker hebben.'

'Nou, eigenlijk worden er aanzienlijk minder moorden gepleegd als het economisch slecht gaat, en veel meer bij een bloeiende welvaart.'

Met een frons op zijn voorhoofd zei pastoor Bill: 'Je zou juist het tegenovergestelde verwachten.'

'Niemand snapt er wat van, de theoretici niet, noch jongens als ik, die in de praktijk werken. Maar zo zit het nou eenmaal. De moorden op de familie Lucas en Woburn hebben de statistieken natuurlijk wel buitenproportioneel beïnvloed.'

'Wat een tragische gevallen. Afschuwelijk. Onbegrijpelijk, lijkt me. Was je bij het onderzoek betrokken?'

'Nee,' zei John. 'Maar ze zijn wel deels de aanleiding waarom ik u wilde spreken, meneer pastoor.'

In de afgelopen weken had John het vaker over de wandaden van Alton Turner Blackwood gehad dan in de twintig jaar daarvoor, maar elke keer viel het hem weer zwaar om erover te beginnen. Net als hij bij Nelson Burchard en Lionel Timmins had gedaan, vertelde hij hoe de vier gezinnen aan hun eind waren gekomen, ook zijn eigen familie. Hij sprak zonder emotie, trad alleen in details als dat relevant was, zoals hij in een rechtszaak een plaats delict zou beschrijven. Toch kreeg hij ook nu weer een brok in zijn keel.

Pastoor Bill luisterde met zoveel respect dat John zich al snel op zijn gemak voelde. Zo nu en dan zei de man iets bemoedigends, zonder dat het medelijden er vanaf droop, of iets medelevends, op een ingetogen manier, waarbij duidelijk was dat hij het meende. Toen John vertelde over de overeenkomsten tussen de moorden van twintig jaar terug en de wandaden die onlangs gepleegd waren, luisterde pastoor Bill gefascineerd en ontzet toe. Hij vond het een beangstigend idee dat er ergens in de stad een copycat van een moordenaar rondliep die twintig jaar geleden om het leven was gekomen.

Toen de pastoor hoorde wat Alton Turner Blackwood vlak voor zijn dood had gezegd, het enige wat John tegenover Nicolette had verzwegen, verscheen er een andere uitdrukking op zijn gezicht. Hij keek steeds somberder toen John vertelde over zijn angst dat Blackwood op de een of andere manier *in* Andy Tane was gekropen, zoals hij ook bezit van Billy Lucas had genomen. John betoogde op een systematische manier dat er mogelijk een ogenschijnlijk bovennatuurlijke kracht aan het werk was; het was voor het eerst dat hij hier met iemand over sprak die hem misschien wilde geloven. Pastoor Bill deed hem denken aan een footballcoach wiens team aan de verliezende hand was en die de negatieve instelling van zijn spelers afkeurde.

'Wat ik hoop,' zei John, 'is dat ik mijn gezin ergens veilig kan onderbrengen tot 10 december achter de rug is. Als er iets in mijn huis – een aanwezigheid, een geest, een spook, ik weet niet precies wat – maar als er iets in mijn huis aanwezig is, en daar ben ik stellig van overtuigd, meneer pastoor, dan wil ik weten wat ik ertegen kan doen, hoe ik het huis weer veilig kan maken, een fort. Want als we het kunnen volhouden tot de tiende december, denk ik dat dit allemaal voorbij zou kunnen zijn. Dat mag ik tenminste hopen. Anders zou ik niet weten wat ik moest beginnen.'

De priester knikte nadenkend, draaide zijn stoel om naar het raam, tuurde naar de sneeuw die tegen het raam plakte en dacht na over wat hij te horen had gekregen.

Nu John zijn hart had gelucht en zijn diepste en vreemdste angsten had gedeeld met iemand die hem serieus zou kunnen nemen, was hij opgeluchter dan hij verwacht had. Hij was nog niet bevrijd van alle zorgen, maar het gevoel van complete hulpeloosheid was van hem afgegleden, de hulpeloosheid die het draaipunt was geweest waardoor hij in zo'n sombere stemming was geraakt.

Pastoor Bill keerde zich in zijn stoel naar John toe en zei: 'Roosevelt had gelijk toen hij zei dat we niets hebben te vrezen dan de angst zelf. En onze angst kan ons alleen verpletteren als we er in ons eentje voor staan. Ik kan je hier wel bij helpen, John.'

Dankbaar voor deze toezegging zei John: 'Dank u, meneer pastoor. Ik heb geen idee hoe we dit zouden moeten aanpakken. Het is een huis, geen persoon. Een geest, neem ik aan, niet iets demonisch. Dus misschien hebben we niet te maken met duiveluitdrijving in de klassieke zin...'

Pastoor Bill schudde zijn hoofd. 'Als we de dogma's van de kerk erkennen en kijken wat er over dit speciale onderwerp gezegd is, kunnen we niet in geesten geloven. De ziel van een overledene kan niet in deze wereld rond blijven dolen. Alle zielen gaan naar God of naar het vagevuur, en in elk geval blijven ze niet op aarde. Seances en dat soort zaken zijn zondig, ongezond, gevaarlijk voor de geest en de ziel.'

'Ja, dat begrijp ik, echt waar, maar als de duivel de prins van deze wereld is, zoals de kerk beweert... kan hij dan geen ziel uit de hel bevrijden om iets op aarde af te maken wat hij hier tijdens zijn leven is begonnen?'

Pastoor Bill keek gekwetst, en er lag een trieste blik in zijn ogen. Hoewel hij nog steeds betrokken en bezorgd leek, klonk er een lichte ondertoon van ongeduld in zijn stem door. 'We zijn de laatste eeuwen veel opgeschoten, en dat geldt zeker voor de afgelopen decennia, maar tegenwoordig wordt het geloof in zijn ontwikkeling belemmerd door middeleeuwse ideeën, ideeën die de indruk wekken dat de kerk hopeloos lichtgelovig is. Je moet geloof niet met bijgeloof verwarren, John. Bijgeloof is een smet op het geloof, een verdraaiing van het religieuze gevoel, en mogelijk een fatale ontaarding ervan.'

Deze woorden brachten bij John geen verwarring maar wel verbijstering teweeg. Hij probeerde het ogenschijnlijke misverstand op te heffen. 'Ik verzeker u, meneer pastoor, dat ik geen beeldjes van Sint-Antonius ondersteboven in de tuin begraaf om kopers te lokken voor een huis dat moeilijk verkoopbaar is of iets van dien aard. Ik weet dat sommige mensen wat voodoo in hun geloof stoppen en zich niet realiseren wat ze aan het doen zijn. Maar als er ooit iemand is geweest die de bewondering en steun van demonen verdiende, dan was het Alton Blackwood wel. Hij was…'

Zonder zijn geduld te verliezen, reageerde pastoor Bill op een uiterst welwillende en verstandelijke toon. 'In dit atoomtijdperk hebben we geen behoefte meer aan hel en demonen, aan succubi en de incubus en bloeddorstige vampiers. We hebben voedselbanken nodig, John, en kringloopwinkels, opvangtehuizen voor daklozen, en de moed om ons geloof in maatschappelijk relevante daden om te zetten. Ooit werd er in elk bisdom een priester tot duiveluitdrijver opgeleid. In ons bisdom is het al acht jaar geleden dat we zo iemand in dienst hadden, en de laatste arme drommel die die functie bekleedde, is al niet meer in het ambt.'

De lichtval in het kantoor was dusdanig dat John zichzelf niet in de glasplaat van de tafel kon zien. Hij zei: 'Maar meneer pastoor, kunnen we niet én voedselbanken én de hel hebben?'

De priester schoot in de lach. Hij klonk opgelucht toen hij zei: 'Als je hierom kunt lachen, kun je je problemen de baas.'

John had het serieus bedoeld, absoluut niet als grapje. 'U zei dat u me kon helpen. Wat bedoelde u daarmee?'

'Je leeft nu al twintig jaar in de angst dat Blackwood misschien terugkomt. Dat je familie is afgeslacht en dat je oog in oog met de moordenaar kwam te staan, was zo traumatisch voor je dat het je psychologisch getekend heeft. Toen deze moorden werden gepleegd en je toevallige overeenkomsten met de wandaden van twintig jaar geleden bespeurde, was je als het ware dusdanig geprogrammeerd dat je zelfs in de meest alledaagse dingen allerlei tekenen en verwijzingen zag. Bijvoorbeeld tikkende waterleidingbuizen. Een vieze geur in het washok.'

Al pratend haalde pastoor Bill zijn portefeuille tevoorschijn, nam er een visitekaartje uit en schoof dat over de tafel naar John toe, alsof hij wilde gaan pokeren.

'Dit is een goeie vent, John. Echt absoluut eersteklas. Ik heb hem meer dan eens aanbevolen, en nooit heb ik daar spijt van gekregen.'

Op het vaalgele kaartje stonden de naam, het adres en het telefoonnummer van een psychiater, dr. M. Duchamp genaamd.

Voorafgaand aan dit gesprek had John bedacht dat het ergste wat er zou kunnen gebeuren, was als pastoor Bill hem op de man af zou vragen waarom Zach en Naomi en Minnie niet meer zo bij de kerk betrokken waren als in het verleden, en waarom de Calvino's niet vaker dan ongeveer twee keer per maand naar de kerk gingen, terwijl ze vroeger elke week de eucharistie vierden.

Deze ouderlijke nalatigheid ontstond toen pastoor Albright met emeritaat ging, en zo nu en dan baarde het John enige zorgen. Maar hij had er niet op aangedrongen dat de kinderen vaker naar de kerk gingen, en eigenlijk wist hij niet goed waarom dat zo was. Nu begreep hij het.

De druk om vaker naar de kerk te gaan, was niet half zo gênant als dit, als op een vriendelijke manier te horen krijgen dat je last had van hysterisch bijgeloof en dat je maar beter naar een psychiater kon gaan. John vond het gênant, niet zozeer voor zichzelf als wel voor pastoor Bill.

Op een gegeven moment hadden ze het weer over het weer, en daarna over de laatste oliecrisis en de prijs van benzine.

Al snel werd John het kantoor uit geloodst, de gang door, naar de voordeur, in een waas van niet gespeeld optimisme, gemeende gemeenplaatsen en oprechte woorden ter ondersteuning.

Toen hij in zijn eentje op de veranda stond en naar het trapje liep, knoopte hij het bovenste knoopje van zijn regenjas dicht en zette hij zijn capuchon op.

Een dun laagje sneeuw had de zwarte takken van de kale bomen bedekt, en het ijs was als het ivoorkleurige omhulsel op een botscan, de bast een kwaadaardig gezwel in het merg.

De natte sneeuw verleende de omgeving geen glans, alsof de ijslaagjes van troebel water waren gemaakt.

Nog maar tweeëntwintig dagen te gaan voordat het 7 november was. Nog maar zesenvijftig dagen tot het 10 december was.

43

NAARMATE DE DAGEN VOORBIJGLEDEN NA DE WONDER-
lijke ontmoeting in de logeerkamer, verloor Naomi's geheim een
deel van de glans, hoewel ze dat zo regelmatig en zo intens met
haar fantasie oppoetste dat het geheim als een diadeem vol juwelen zou moeten fonkelen. Steeds weer liet ze het incident afspelen in haar hoofd, en soms verzon ze daar zulke fantastische
dingen bij en raakte ze zo in de ban van haar verbeeldingskracht
dat de herinnering zelf als een waskaars smolt tot een glinsterende plas van onsamenhangende fantasie en puur genot. Op
andere tijden kwamen de gebeurtenissen in en rond de vensterbank haar bij nader inzien als al te gemakkelijk voor, haast bedacht, onwerkelijk, of zelfs belachelijk.

Maar was het niet schandalig ondankbaar om haar hele leven
naar een moment van magische openbaring te verlangen en vervolgens te gaan twijfelen of het allemaal wel klopte als het moment werkelijk was aangebroken? Impliceerde ze niet dat Melody een leugenaar was door het verhaal over de moordenaars van
de apocalyps en het bedreigde koninkrijk als een tikkeltje afge-
zaagd af te doen? En als je jezelf dergelijke vragen ging stellen,
alsof je zowel de rechercheur als de verdachte was, was dat geen

zeker teken dat je de antwoorden eigenlijk al wist en daar niet van gecharmeerd was? Nou? Dat was toch zo?

Op de ochtend van 16 oktober, twaalf slopende dagen na het geheimgehouden bezoek van Melody, realiseerde Naomi zich dat al haar twijfels uit één enkele bron ontsproten: de magische trucs die Melody had opgevoerd. Als je er goed over nadacht, was het open- en dichtschuiven van laatjes en het laten rondvliegen van een boek helemaal niet zo supermegamagisch.

Eigenlijk had het niets met magie te maken. Een pompoen in een elegante koets met paarden veranderen was magie. Met een toverspreuk van zeven woorden een kameleon veranderen in een piepklein mensje was magie. Maar de trucs die Melody in de logeerkamer had laten zien, waren gewoon *fenomenen*. Paranormaal: zeker. Magisch: nee. Zoals het opsporen van water met een wichelroede een fenomeen was, maar geen magie.

Melody was geen Merlijn of Gandalf. Ze beschikte ontegenzeglijk over bepaalde krachten, dat stond als een paal boven water, maar dat was geen magische gave waardoor de talentenscouts van Zweinsteins Hogeschool voor Hekserij en Hocus Pocus onmiddellijk bij haar op de stoep zouden staan. Dat gedoe met die laatjes en het geweld waarmee het boek door de kamer en tegen de muur was gevlogen – dat leek allemaal meer het werk van een poltergeist. Paranormale fenomenen misten de charme en de finesse van echte magie.

Op de middag van de zestiende, toen Naomi door Walter Nash naar de repetitie van het jeugdorkest werd gebracht, lag ze compleet in de kreukels. Fysiek niet, natuurlijk. Of ze nu al dan niet een magisch koninkrijk zou erven, ze zou elke dag precies honderd keer met de borstel door haar haar gaan, ze zou altijd haar tanden blijven poetsen, en dat soort dingen. Ook haar kleren lagen niet in de kreukels. Ze droeg een blauwe rok en een bijpassend jasje met een smetteloze witte blouse en een helemaal te gekke blauwe baret met een rode pompon van bont, zodat ze er stijlvol uitzag zonder dat het overdressed was. Ze vond dat ze eruitzag als een eerste fluitiste, wat ook precies de positie was die ze in het jeugdorkest innam. Ze lag *geestelijk* in de kreukels, omdat ze voortdurend terugdacht aan het verhaal dat Melody haar verteld had. Steeds keek ze er met een kritische blik naar, ook al *wilde* ze er heel graag in geloven.

De orkestrepetitie ging best wel goed, maar Naomi voelde de muziek niet tot in haar diepste wezen, zoals anders meestal wel het geval was. Bij één stuk had ze een kleine solo, en de dirigent, meneer Hummelstein, was vol lof over haar spel. Maar meneer Hummelstein was een oude man, en daar was op zich niets mis mee, maar hij was een van die oude mannen die een gigantische bos haar in zijn beide oren had. Dus als hij je een compliment gaf, stelde dat niet veel voor, omdat je nooit goed wist of hij je wel goed had kunnen horen.

In de twintig minuten pauze tussen twee repetitieblokken van vijftig minuten in, gingen de jonge musici altijd met elkaar kletsen. Naomi vond dat altijd ontzettend leuk. In een kletsende menigte kon ze zich van de een naar de ander bewegen, als een dansende derwisj, maar dan met veel meer verfijnde sociale souplesse. Maar deze keer was ze in zichzelf gekeerd en net zo in beslag genomen door het Melody-dilemma als tijdens de repetitie.

Aan het eind van het tweede repetitieblok, toen ze haar fluit had ingepakt en langs het middenpad van de aula naar de hal ging, merkte Naomi dat Melody ineens naast haar liep. Geen wind. Geen eik. Alleen Melody.

Verbaasd zei Naomi: 'Waar komt u ineens vandaan?'

'Ik bid u, hoogheid, laten we doorlopen,' zei Melody. 'Ik kan Walter op dit moment zien, door middel van telepathie. Hij kon zijn auto alleen maar kwijt op een plek waar je niet mag parkeren. Als we niet opschieten, krijgt hij een bon.'

'Telepathie?'

'Van een pompoen kan ik geen koets met paarden maken.'

Naomi bleef niet van verwondering staan toen ze dit hoorde,

al keek ze Melody wel met open mond aan terwijl ze verder liepen, te verbouwereerd om iets te zeggen.

Op fluistertoon, zodat anderen in hun buurt haar niet konden verstaan, zei Melody: 'Ook kan ik een kameleon niet in een klein mensje veranderen, maar aan de andere kant moet u niet vergeten, hoogheid, dat ik ook nooit beweerd heb een tovenares of witte heks te zijn.'

Naomi dacht terug aan het gesprek dat ze twaalf dagen daarvoor in de logeerkamer hadden gehad en vond dat hier een kern van waarheid in zat.

Melody ging verder. 'Ik heb alleen gezegd dat u de enige en ware erfgenaam was van een koninkrijk van waarlijke magie. In uw koninkrijk zult u over magische krachten beschikken. Zelf ben ik niet van koninklijken bloede. Degenen die van dezelfde nederige afkomst zijn als ik, beschikken alleen over bepaalde psychische krachten, zoals telepathie, een lichte vorm van helderziendheid, en een beetje telekinese, de kracht om kleine voorwerpen – zoals uw boek – met de geest te verplaatsen.'

Aan het eind van het gangpad ging Melody opzij, achter de achterste rij stoelen, om niet het gangpad te versperren voor de musici die naar de hal liepen.

Toen Naomi bij haar ging staan, liet de vrouw een klein koffertje zien dat ze steeds bij zich had gehad. 'Bij dezen vertrouw ik deze attachécase aan uw zorgen toe, hoogheid.'

Ieder ander zou het over een gewoon koffertje hebben gehad, en toen Naomi hoorde dat Melody de term *attachécase* gebruikte – om maar te zwijgen van *bij dezen* – gleed er een rilling van genot over haar rug en werd ze er weer aan herinnerd dat er een fantastisch avontuur stond te gebeuren.

Toen Naomi het koffertje in ontvangst nam, zei Melody: 'Er zitten spullen van buitengewoon magische proporties in, die u nodig zult hebben op de glorieuze avond wanneer onze reis een aanvang neemt. Tot die tijd moet u ze goed bewaren, en u moet ervoor zorgen dat niemand ze te zien krijgt.'

'Mag ik zelf wel in de koffer kijken?'

'Later, wanneer u thuis bent. Nu niet. Maar u mag niet de deksel van het reliquiarium halen – dat is de glazen pot. Er mag pas lucht bij komen op het moment dat ze gebruikt worden. Anders is alles verloren.'

'Ik zal er heel voorzichtig mee zijn. Daar kunt u van op aan,' zei Naomi zachtjes.

'U moet zweren dat u dit geheim zult houden, hoogheid.'

'Dat zal ik doen. Dat zweer ik.'

'Het leven van tallozen hangt af van uw discretie.'

'Ja. Tallozen. Dat zweer ik.'

'Ten slotte moet ik u vragen, hoogheid, om uw twijfel terzijde te schuiven. Uw twijfel zie ik niet als een belediging. Maar als het moment aanbreekt om de grote reis te gaan maken, moet u me volledig vertrouwen. Wie vol twijfels zit, zal niet in staat zijn van de ene wereld naar de andere te vliegen. Wie vol twijfels zit, zal niet in staat zijn terug te keren op de troon. Als u twijfelt, bent u verloren, en niet alleen u maar ook uw familie, en iedereen uit uw koninkrijk. Alles en iedereen is dan verloren.'

Bezorgd zei Naomi: 'Zo te horen gaat dat nogal snel, dat alles verloren is.'

'Zo snel, hoogheid. Zo ontzettend snel. Uw twijfel kan onze dood betekenen. Probeer de moed bij elkaar te schrapen om te geloven. Gaat u nu maar, voordat uw koetsier de krenking moet ondergaan door een gendarme gerapporteerd te worden.'

Koetsier, krenking, gendarme, gerapporteerd: die woorden bezorgden haar rillingen, net als het woord *attachécase*. Van alle fantastische eigenschappen waarover magische wezens beschikten, vond Naomi hun vocabulaire en aparte woordgebruik bijna net zo opwindend als hun speciale krachten.

'Een vraagje,' zei Naomi. '*Wanneer* vliegen we naar de andere wereld?'

'Het enige wat ik daarover mag zeggen, is *weldra*, hoogheid.'

En toen deed Melody iets wat heel verontrustend was. Ze stonden met hun hoofd dicht bij elkaar, omdat ze samenzweerderig met elkaar praatten. Er verscheen een vreemde blik in de ogen van de vrouw, waarna ze Naomi op de lippen zoende. Het was een lichte kus, geen lippen die gigantisch met elkaar versmolten, maar meer als de vluchtige aanraking van een vlinder. Het was niet alleen een kus, maar ook iets wat Naomi niet onder woorden kon brengen. Ze had haar adem ingehouden doordat ze schrok door deze intieme actie, en toen ze uitademde, merkte ze dat Melody haar uitgeademde lucht opzoog, ogenschijnlijk met opzet, als een kolibrie die nectar uit een bloem snoepte.

Doordat Melody haar strak aankeek, voelde Naomi zich gedwongen haar blik te beantwoorden en weg te zinken in die donkerbruine ogen, als in donker water. Net toen het leek of er iets griezeligs en zelfs afschuwelijks zou gebeuren, zei de vrouw: 'U moet nu snel gaan, hoogheid. De rijp ligt op de doornige rozenstruik, en de naderende schemering is ons niet gunstig gezind. Snel, ga nu!'

Naomi liep gehaast de aula uit, de hal door, waar nog maar een paar musici waren achtergebleven. Ze deed een van de buitendeuren open en keek nog even achterom, maar Melody was zo te zien in de aula gebleven.

Op een plek waar het verboden was te parkeren, zat Walter Nash al in de terreinwagen van Nicky te wachten. Naomi ging vaak voorin zitten om met meneer Nash te praten, maar deze keer stapte ze achterin, omdat ze geen zin had in een gesprek. Stilte was waar ze nu ontzettend veel behoefte aan had, en privacy om grondig te overdenken wat er net was voorgevallen.

De rijp ligt op de doornige rozenstruik, en de naderende schemering is ons niet gunstig gezind.

Naomi had geen idee wat Melody daarmee had willen zeggen, maar ze had het idee dat de woorden *alles* betekenden. Het was fantastisch als iemand zoiets tegen je zei, vooral iemand die mysterieus was en van de ene naar de andere wereld kon vliegen.

De zoen was bizar geweest, zelfs eng, en de blik waarmee Melody haar had aangekeken, was zo intens dat je bijna zou verwachten dat je gezicht ervan in brand vloog. Maar nu ze erop terugkeek, besefte Naomi dat het haar niet zou lukken de betekenis van de ademopzuigende zoen en de blik te duiden aan de hand van de normen die in deze wereld golden. Melody kwam uit een heel andere wereld, waar bovennatuurlijke, magische krachten heersten. De cultuur van die wereld verschilde waarschijnlijk net zo van die van ons als die van ons verschilde van de cultuur van een stam roodharige, kannibalistische dwergen ergens in de binnenlanden van Zuid-Amerika, gesteld dat er zulke roodharige, kannibalistische dwergen bestonden. Misschien betoonde een hofdame in Melody's wereld juist wel respect aan haar prinses door haar adem met een zoen op te zuigen.

De autorit naar huis leek onnoemelijk traag te gaan, alsof ze door halfdode paarden in een slee over niet-besneeuwde grond werden voortgetrokken.

Toen ze thuis aankwamen, stapte ze snel met haar fluitkoffer en haar handtasje en haar fantastische attachécase uit. Ze rende de trap op naar de eerste verdieping en holde over de gang naar haar kamer. Toen ze voor haar slaapkamerdeur stond, realiseerde ze zich dat die goeie ouwe Minnie daar misschien zat, en als dat inderdaad zo was, zou ze vast nieuwsgierig worden naar de attachécase en de inhoud ervan.

Naomi besloot naar de logeerkamer te gaan, waar ze haar tasje en fluit op de grond zette. Zachtjes deed ze de deur op slot, zette de attachécase op de diepe vensterbank en knielde ervoor neer.

De koffer leek van slangenleer of misschien van krokodillenleer te zijn gemaakt. Het was natuurlijk goed mogelijk dat de koffer niet in deze wereld maar in de wereld van haar koninkrijk gemaakt was, en in dat geval zou er voor de koffer ook drakenhuid gebruikt kunnen zijn.

Hoewel ze nu veel minder dagen van de twaalf dan van de elf af zat, en hoewel ze zonder twijfel schrander was, was Naomi nu in een situatie terechtgekomen waarin haar wilde fantasie het liet afweten, als een besluiteloze merrie die met haar hoeven over de grond schraapte en niets dan stof omhoogwoelde. Ze had geen idee wat voor 'spullen van buitengewoon magische proporties' er in de attachécase konden zitten, en haar verbeeldingskracht schoot voor de verandering eens te kort.

Toen ze de slotjes van de koffer had opengeklikt, zag ze dat er een ongeveer tien centimeter wit doosje in zat. De ruimte eromheen was met proppen zijdepapier opgevuld.

Heel voorzichtig, alsof er een heilige, buitengewoon kostbare schat inzat, tilde ze de doos op en zette hem naast de koffer neer. De deksel zat met vier plakbandjes vast. Ze sneed ze met een nagel door en deed de doos open.

Er zat een afgesloten plastic zakje in, met daarin vijf muntjes. Kwartjes. Ze waren zwart geverfd.

Gewikkeld in zacht papier lag een glazen potje, waar ooit misschien olijven in hadden gezeten. Nu zaten er vijf droge, ronde, bruine schijfjes in die iets groter waren dan de zwarte kwartjes, en ongeveer twee keer zo dik. Ze lagen op een bedje van watten.

Er was haar met nadruk op gewezen dat ze de pot niet mocht openmaken. Pas op het allerlaatste moment, als de schijfjes gebruikt moesten worden, mocht er lucht bij komen.

Anders is alles verloren.

Een ander afgesloten plastic zakje bevatte een tube epoxylijm, een bolletje touw en een schaar, spullen die er verbazingwekkend alledaags uitzagen. Naomi vroeg zich af of die per ongeluk in de doos terecht waren gekomen, hoewel Melody niet iemand leek die zulke dingen er onnadenkend in had gelegd, in plaats van bijvoorbeeld een monocle van een tovenaar waarmee je in de toekomst kon kijken.

De laatste spullen die ze in de doos zag liggen, waren het interessantst en mysterieust: vijf kippeneieren, ingepakt in proppen zijdepapier. Op elk ei was met een rode viltstift een naam geschreven: JOHN, NICOLETTE, ZACHARY, NAOMI, MINETTE.

Naomi pakte het ei waar haar naam op stond en merkte dat het bijna niets woog, en dat het leeg was. In het ei zat aan beide uiteinden een gaatje. Het eiwit en eigeel waren uit de schaal geblazen.

Toen ze het ei omkeerde, hoorde ze dat er een fluisterend geluid uit kwam. Ze bracht het ei naar haar oor en luisterde ingespannen, maar kon niet goed bepalen wat er in het ei zat. Het klonk als een stukje papier, of misschien een dood insect met broze vleugeltjes.

Naomi had geen idee welk doel deze voorwerpen dienden, en wat voor spectaculaire effecten ze zouden sorteren. Maar magisch waren ze in elk geval wel. Het leek haar niet onwaarschijnlijk dat ze elk moment konden beginnen te gloeien en te knisperen van kobold-energie. *Kobold* stond voor alles wat eng en vreemd en spookachtig was. Het was vlak voor haar elfde verjaardag haar favoriete woord geworden en was heel geschikt om de onbeschrijfelijke knulligheid van tien definitief van zich af te schudden. Ze had het woord een tijdje niet gebruikt, maar het leek haar nu de perfecte gelegenheid ervoor.

Ze moest zich ertoe zetten de spullen terug in de doos te doen, precies zoals ze ze had aangetroffen. Ze legde de doos in de attachécase, die ze vervolgens sloot.

Melody had haar er nadrukkelijk op gewezen dat deze magische objecten verborgen moesten blijven tot het moment waarop de Calvino's naar een nieuwe wereld gebracht zouden worden. Er kwamen wel tien plekken bij Naomi op waar ze de attachécase in de logeerkamer kon verstoppen, maar geen daarvan leek veilig genoeg.

Ook als de kamer niet in gebruik was, maakten meneer en mevrouw Nash hem elke week schoon. Ze gingen altijd zo grondig te werk dat als ze bij een Egyptische farao in dienst waren geweest, zijn mummie drieduizend jaar later nog in perfecte staat zou zijn geweest. Ze zouden het koffertje ongetwijfeld vinden.

Uiteindelijk zette Naomi een keukentrapje in de inloopkast neer en legde ze haar waardevolle koffer op een hoge plank. Ze dekte hem af met reservedekens die in plastic zaten om te voorkomen dat ze stoffig zouden worden.

Er zou voorlopig niemand komen logeren, zodat ze niet bang was dat meneer en mevrouw Nash de dekens van hun plek zouden halen.

Toen ze bij de deur naar de gang stond en haar fluit en haar tasje opraapte, dacht ze weer aan de vreemde zoen en de dwingende blik die zo diep in haar ogen doordrong dat ze het bijna kon voelen dat haar grijze materie ergens in haar middenhersenen oververhit raakte.

Weer werd Naomi geplaagd door twijfel, hoewel alles verloren zou zijn als ze twijfelde. Maar toen ze terugdacht aan de cryptische waarschuwing – *De rijp ligt op de doornige rozenstruik, en de naderende schemering is ons niet gunstig gezind* – en aan haar door de lucht zwevende boek en de witte druiven die in de spiegel waren verdwenen, werd ze weer helemaal overtuigd van de adembenemende schoonheid ervan. Vlinders begonnen in haar buik rond te fladderen, en ze kreeg een tintelend gevoel achter in haar nek.

Naomi stapte de gang op en liep naar haar eigen kamer.

Minnie zat aan de tafel in de speelhoek en keek op van haar legoproject. 'Ik heb eens een clown gezien die een blauwe baret met een rode pompon ophad.'

'Afzeikhumor is gewoon niet je sterkste punt, lieve zus van mij. Doe dat in het vervolg dus maar niet meer, anders zet je jezelf compleet voor schut.'

'Nee, ik bedoel dat ik echt zo'n clown heb gezien.'

Naomi legde haar tas en haar fluit op haar bureau, trok haar jasje uit en zei: 'Als jij het zegt.'

'Was meneer Hummelstein ook bij de orkestrepetitie?'

'Hij is onze dirigent. Hij is er altijd.'

'Heeft hij de haren al uit zijn oren geknipt?'

Naomi liet zich op bed vallen en zei: 'Nee, hij heeft nog steeds twee enorme bossen haar. Je zou haast denken dat er eenden uit op zouden vliegen.'

'Heb je je solo gespeeld?'

'Ja. Twee keer.'

'En dat was het?'

Naomi dacht terug aan de inhoud van de attachécase en vroeg: 'Dat was wat?'

'Je kreeg geen staande ovatie, geen applaus als een onweersbui, en bij de uitgang werd je niet opgewacht door een horde bewonderaars met bossen rozen?'

Naomi dacht aan de eieren. Een ei had vast een symbolische betekenis. Waar stond een leeg ei voor?

Minnie kwam naar haar toe. 'Wat voer jij in je schild?'

'Hoe bedoel je? Ik lig hier omdat ik uitgeput ben.'

'Je voert wat in je schild,' zei Minnie en keek streng op haar neer.

'Lieve paranoïde zus, als je niet oppast, zul je later nog eens de grootinquisiteur en opperbeul van een of andere gestoorde dictator worden.'

'Jij voert echt wel wat in je schild. Zeker weten.'

Gekweld blies Naomi de lucht uit haar longen.

'Er staat iets te gebeuren,' zei Minnie.

'Nou, misschien gebeurt er wel iets moois.'

'Nee. Iets afschuwelijks.'

'Daar hebben we mevrouw Griezeljurk weer.'

'Er is iets mis met dit huis,' zei Minnie. Ze keek naar het plafond. 'Het is met die spiegel begonnen.'

'Die heb jij zwart geverfd.'

'Misschien was dat niet genoeg.'

Minnie liep naar het raam en tuurde in het schemerdonker.

Naomi ging op de rand van haar bed zitten en zei: 'De rijp ligt op de doornige rozenstruik.'

'Wat moet dat betekenen?'

'Ik weet het niet,' zei Naomi, 'maar klinkt dat niet superop-windend?'

'Nee. Ik ben bang.'

Naomi liep naar het raam en legde een hand op Minnies schouder. 'Er is niets om bang voor te zijn, liefje.'

Minnie tuurde omhoog naar de donkerende lucht en zei: 'Er is alles om bang voor te zijn.'

'Dat gevoel krijg je soms als je acht bent. Maar als je elf bent, zie je alles in een heel ander perspectief.'

44

EEN TIJDJE LIEP ALLES SOEPEL OP DE CRUISECONTROL, niet echt normaal maar ook niet recht-in-je-gezicht bizar, en toen begon Zach weer over Lelijke Al te dromen – hoewel er nu wel iets veranderd was. Deze nieuwe films van de geest waren megatonnen erger dan nachtmerries. Ze waren zo giga-levensecht dat Zach bij het wakker worden meer dan eens moest overgeven en nauwelijks op tijd bij de wc-pot kon komen.

De stomme clichématige kermis vond nu ineens plaats in hun huis of op het terrein eromheen, en hoewel het nog steeds griezelfilms waren, waren het geen achterlijke griezelfilms. Ze leken nu meer een soort van documentaire.

In de eerste daarvan klom Zach in de stomme ceder, naar de stomme boomhut, waar hij in het echte leven nooit kwam, omdat het meer iets voor meisjes was. Het sneeuwde, op de treden van de ladder lag een laagje ijs, en hij had een ontbloot boven-lijf en blote voeten, met alleen een spijkerbroek aan. Hij voelde de sneeuw die in zijn gezicht striemde, het glibberige ijs onder zijn voeten, voelde dat het brak en hoorde kleine flintertjes ijs die tussen de donkere takken door naar beneden vielen. Nooit eerder was een droom zo levensecht overgekomen: het voelbare oppervlak van alles, de kou, zijn gevoelloze voeten, die desondanks prikten door het contact met het ijs.

Ook rook hij van alles, iets wat hem nooit eerder in dromen was overkomen. Hij rook de ceder toen hij tussen de takken door naar boven klom. Hij rook het natte hout van de boomhut – en het bloed toen hij er naar binnen ging.

In het flakkerende schijnsel van een gaslamp zag hij het afgehakte hoofd van Naomi in een plas bloed op tafel staan. Lelijke Al stapte uit de schaduwen tevoorschijn en zei: 'Haar lekkere lijfje kan ik wel gebruiken, maar haar kop heb ik niet nodig. Jij mag de kop van die kleine slet wel hebben.' Zach probeerde weg te komen, maar dat lukte niet. Lelijke Al duwde het hoofd in zijn handen. Zach voelde het plakkerige, lauwe bloed en het haar dat op zijn polsen kriebelde. Hij werd hier ontzettend bang van. Hij werd overmand door verdriet, hij huilde van droefenis, zo erg dat zijn keel er zeer van deed. Zijn zus was *dood*. Misschien zou het niet zo erg zijn geweest als hij alleen maar doodsbang was geweest, maar Naomi was *dood*, en dat deed hem meer pijn dan als zijn hart met een spies doorboord werd. Hij wilde het hoofd van zijn geliefde zus ergens op een veilige plek neerzetten en er een doek overheen leggen, zodat niemand die briljante Naomi kon zien, die prachtige Naomi die tot deze ellendige staat verlaagd was, maar Lelijke Al pakte Zachs handen en dwong hem om het hoofd dichter bij zijn gezicht te brengen, steeds dichter, terwijl hij hem toebeet: 'Geef haar maar eens een lekkere natte zoen.'

Hierna werden de dromen alleen nog maar erger.

Zach wist dat hij het er met zijn ouders over moest hebben, omdat de dromen zo gigantisch intens waren, en zo vreemd, dat hij misschien wel een hersentumor ter grootte van een sinaasappel had of zo. Hij was echt van plan het er met ze over te hebben, maar toen werden de dromen ziekelijker, anders dan ze waren geweest, nog steeds gewelddadig maar nu ook heel pervers. Er gebeurden walgelijke, verstandsverbijsterende dingen in deze nachtmerries in het kwadraat, dingen die Zach in nog geen miljoen jaar met iemand zou durven bespreken, omdat ze dan geheid zouden denken dat hij een wandelende etterkop was, dat hij door hondsdolle vleermuizen gebeten was en compleet gestoord was, omdat hij anders nooit zulke groteske dingen had kunnen verzinnen. Eigenlijk dacht hijzelf dat hij niets had verzonnen maar dat hij deze smerigheid toebedeeld had gekregen, alsof het als een filmpje vanaf internet in zijn hersenen was gedownload. Het stond in elk geval als een paal boven water dat hij psychiaters hiermee niet om de tuin kon leiden.

Op de avond van de achttiende oktober verdampte het laatste restje voornemen dat hij had om zijn vader en moeder van zijn nachtmerries op de hoogte te stellen, als een theelepeltje water op het punt van inslag bij een kernexplosie. In zijn terugkerende droom vond iets plaats waar hij zich zo voor schaamde, dat hem geen andere keuze restte dan deze marteling te verduren tot die ophield of tot hij een acute aanval van hersenverweking kreeg.

In de droom werd Zach door Lelijke Al tot iets gedwongen wat zo kwaadaardig en walgelijk was dat hij zelfs de hel niet binnen zou komen als hij dat daadwerkelijk deed. Toen hij weigerde, haalde Lelijke Al een vleesmes tevoorschijn en haalde daarmee een, twee, drie keer naar Zachs kruis uit.

Hij schreeuwde het uit met een gortdroge fluisterstem, schoot rechtovereind in bed, en voelde warm bloed in zijn schoot. Nadat hij wanhopig en op de tast naar het knopje van de lamp had gezocht, iets wat eindeloos lang leek te duren, ontdekte hij dat hij natuurlijk niet echt gecastreerd was, alleen symbolisch: hij had in zijn stomme bed geplast. Toen hij klein was, was hem dat nooit overkomen. Nu hij bijna veertien was, had hij zijn bed potdomme compleet ondergezeken.

Hij sprong uit bed alsof het een frituurpan vol kokendhete olie was, trok zijn kletsnatte onderbroek uit en gooide die op het laken. Daarna haalde hij zijn bed snel af, voordat het matras kletsnat werd, en legde alles op zijn bureau, nadat hij zijn schrijfblad en tekenblok op de grond had gelegd. Het liefst zou hij alles op zijn bureaustoel hebben gelegd, maar omdat hij een achterlijke paranoïde sukkel was geworden, had hij de stoel gebruikt om daarmee de kastdeur te barricaderen.

Om tien voor halfdrie, in een schone onderbroek en spijkerbroek, sloop hij superstil zijn kamer uit. Hij durfde het licht op de gang of de trap niet aan te doen, liep met het vieze beddengoed en zijn natte kleren naar beneden, naar het washok. Daar moest hij het licht aandoen om uit te vissen hoe die stomme wasmachine werkte en hoe je hem aan moest zetten.

Dit was nota bene de technisch zo geavanceerde eenentwintigste eeuw, een tijd waarin elk gat in de derde wereld over kernwapens beschikte en je mobieltje zo'n beetje alles kon behalve gedachtelezen, dus je zou verwachten dat de was binnen een minuut gedaan kon worden, plus twee extra minuten voor de droger, maar nee hoor. Hij moest eindeloos lang in het washok zitten wachten. Straks kwam er nog iemand aan en werd hij ontdekt, een totale vernedering: een dertienjarig knulletje dat marinier wilde worden en in zijn bed had geplast.

45

OP DE AVOND VAN DE NEGENTIENDE OKTOBER, TOEN
John al een tijdje last had van slapeloosheid, vertelde hij dat hij
dr. Neimeyer, hun internist, had opgebeld met de vraag een receptje voor Lunesta uit te schrijven. Hij nam een pilletje en ging
vroeg naar bed. Nicolette maakte zich de laatste tijd zorgen om hem. De
zaak waarmee hij zich tegenwoordig bezighield, leek hem helemaal op te slokken, meer dan bij voorgaande zaken. Zijn eetlust was de laatste tijd afgenomen. Ze was ervan overtuigd dat
hij was afgevallen, minstens twee kilo, maar zelf beweerde hij
dat hij zich fit voelde en dat hij nog steeds op hetzelfde gewicht zat.

Toen hij voor de eerste keer vertelde dat hij slecht sliep, raad-
de ze hem aan contact met dr. Neimeyer op te nemen, maar dan
voor een volledig lichamelijk onderzoek en niet alleen om pillen voorgeschreven te krijgen. Meestal wilde hij niets van medicijnen weten. Blijkbaar had hij meer last van slapeloosheid dan
hij had laten doorschemeren.

Omdat John vroeg was gaan slapen en de kinderen verdiept
waren in hun eigen bezigheden, ging Nicky naar haar atelier. Ze

wilde een paar uurtjes aan het problematische schilderij van Naomi, Zach en Minnie werken.

Toen ze haar kwasten en verf klaarlegde, bedacht ze dat Johns klachten misschien iets te maken hadden met de tijd van het jaar. Zijn ouders en zussen waren op 25 oktober om het leven gebracht, wat over zes dagen was. Elk jaar werd hij rond die datum tobberig en trok hij zich enigszins terug. Hoewel John het nooit over die donkere dag had, wist Nicky dat het zwaar op hem drukte. Misschien had hij er dit jaar extra veel last van omdat het twintig jaar geleden was. In tegenstelling tot wat er vaak gezegd werd, heelde de tijd niet alle wonden. Hoewel het directe verdriet uiteindelijk sleet, woog het gevoel van gemis dat ervoor in de plaats kwam misschien zwaarder.

Toen Nicky alles klaar had liggen om te beginnen, belde haar jongere zus Stephanie uit Boston op. Stephie werkte als souschef in een restaurant en was net van haar werk thuisgekomen, vroeger dan anders. Door de huidige haperende economie liep het al een tijdje niet meer zo goed met de zaak. Nicky ging op haar hoge kruk zitten, draaide zich om naar de vaas met de perzikkleurige deemoedsrozen en besprak met haar zus de economische malaise. Verder praatten ze over eten en wisselden nieuwtjes over hun kinderen uit.

Ze konden altijd goed met elkaar overweg, maar Nicky kreeg nu het gevoel dat er iets was wat haar zus wilde bespreken, maar wat ze zelf niet ter sprake durfde te brengen. Deze indruk bleek juist te zijn, want op een gegeven moment zei Stephie: 'Misschien denk je wel dat ik geschift ben om dit tegen je te zeggen...'

'Schat,' zei Nicky, 'ik heb je altijd al net zo geschift gevonden als warme melk met citroen. Vertel het maar.'

'Het punt is... hebben jullie een goed alarmsysteem op je huis?'

'Een alarmsysteem? Jazeker. Je weet misschien nog wel dat dat ding vorig jaar door jouw schuld een keer is afgegaan.'

'Dus jullie hebben hem niet weggedaan of zo. Weet je zeker dat hij het nog goed doet?'

'De buitendeuren en de ramen – het alarm daarvan staat op dit moment aan. John vergeet nooit om 's avonds het alarm erop te zetten. Daar is hij rechercheur voor.'

'Mag ik aannemen dat het beveiligingsbedrijf het systeem regelmatig controleert?'

'Waar wil je precies heen, Stephie? Al die enge moorden die de laatste tijd op het nieuws waren?'

'Nee. Nou, misschien wel. Ik weet het niet. Gisteren heb ik over jullie gedroomd. Over jou en John en de kinderen.'

'Wat voor droom was het?'

'Het was walgelijk. Ik heb nooit eerder zo'n walgelijke droom gehad, en ik hoop dat ik die ook nooit meer krijg. Ik heb geen zin om jou alle smerige details te vertellen, oké?'

'Ik geloof niet dat ik ze hoef te horen.'

'Er gebeurde iets vreselijks met jullie, volgens mij deels doordat jullie alarmsysteem het niet deed.'

'Maar dat doet het wel, hoor.'

'De paniekknop,' zei Stephie. 'Dat alarmsysteem van jullie heeft toch ook een paniekknop?'

'Op elk paneeltje en elke telefoon, ja.'

'De paniekknop deed het niet. Vind je dat niet raar voor een droom? Zo gedetailleerd?'

Nicky draaide zich om naar het schilderij van Naomi, Zach en Minnie. De onafgemaakte gezichten.

Stephanie wist niets van de tragedie die John twintig jaar eerder was overkomen, maar na een korte aarzeling zei ze: 'Gaat het goed met John?'

'Hoe bedoel je?'

'Op zijn werk. Gewoon. Zijn gezondheid. En tussen jullie – alles goed?'

'Stephie, tussen John en mij gaat het altijd geweldig. John is zo'n lieve man.'

'O, ik wilde er ook niets mee zeggen, hoor. Ik vind John een geweldige vent, echt waar. Ik bedoelde eigenlijk… Ik weet niet goed wat ik bedoelde. Het komt door die stomme droom, Nicky. Die spookt de hele dag door mijn hoofd. Ik snap maar steeds niet wat ik ermee moet. Je weet hoe dat gaat met dromen. Soms kun je er geen touw aan vastknopen en weet je niet goed wat je in je droom hebt gezien.'

Nicolette keek langs de kinderen die op het doek afgebeeld stonden, naar de half zichtbare spiegel op de donkere achtergrond. De schimmige figuur die op vijf van de voorstudiefoto's stond, had ze niet afgebeeld, maar bijna zou ze verwachten hem wel op het schilderij te zien.

'Morgenochtend zal ik meteen het beveiligingsbedrijf bellen,' zei ze. 'Ik zal vragen of ze het systeem willen controleren. Stelt dat je een beetje gerust?'

'Ja, absoluut,' zei Stephie. 'Het is maar een droom. Ik moet me niet aanstellen. Maar ik ben er al een stuk geruster op.'

'Ik ook. Ik had het gevoel alsof je een duizendpoot in mijn blouse had laten vallen.'

'Sorry, Nicky. Het was niet mijn bedoeling om je aan het schrikken te maken. Of misschien maar een heel klein beetje. Ik was door die droom echt van slag. Je bent nu toch niet boos op me?'

'Natuurlijk niet, Stephie. Ik ben dol op je, en ik zou je wel dood kunnen knuffelen.'

'Jeetje, Nicky, zulke dingen moet je niet zeggen.'

'Sorry. Hoe is het nu met Harry?' Harry was de man van Stephanie. 'Doet hij nog steeds jurken van zijn moeder aan?'

'Hè?'

'Ja, hij draagt toch de jurken van zijn moeder? En dan steekt hij toch sexy blondjes neer die staan te douchen?'

'Ah, ik snap het. Dit is je wraak. Mijn verdiende loon. Ja, Harry trekt nog steeds de jurken van zijn moeder aan, maar hij heeft zich inmiddels over dat gedoe met die messen heen gezet.'

Een paar minuten later, nadat ze het gesprek hadden beëindigd, staarde Nicky weer naar het onvoltooide schilderij van haar kinderen. John Singer Sargent was onnavolgbaar. Misschien was dat het enige probleem. Ze borg haar kwasten en haar verf op.

In de slaapkamer ging ze bij het bed staan en keek ze naar haar slapende echtgenoot, wiens gezicht door het schijnsel van de lamp beschenen werd. Hij zag er vredig uit. De Lunesta had zijn werk gedaan.

Ze hadden de laatste tijd te weinig gevreeën. Als de stemming er niet naar was, moest je daar iets aan doen.

Ze liep de trap af, een verdieping lager, klopte op Zachs deur, en daarna op die van Naomi en Minnie. De kinderen zaten veilig aan hun huiswerk, hoewel ze alle drie wat stiller leken dan anders.

Hoewel John waarschijnlijk door het huis was geweest en alle deuren en ramen had gecontroleerd, liep Nicky alles zelf ook nog langs. Alles was in orde.

In de woonkamer bleef ze een tijdje voor de hoge spiegel met de barokke lijst staan. Haar weerspiegeling was aanzienlijk kleiner dan de schimmige figuur op de foto's.

Er hing nu al zo lang een rare stemming in huis dat ze eraan gewend was geraakt en er niet meer zoveel last van had. Maar het verschil was wel degelijk merkbaar, al zou Nicky het niet goed hebben kunnen omschrijven. Het was iets wat je gewoon voelde; woorden schoten tekort.

Het vreemdste van dit alles was nog wel dat ze haar unheimische gevoel niet met John besproken had, ook al zou ze niet goed weten hoe ze dat onder woorden had moeten brengen. Het was alsof het huis een vreemde kracht uitoefende – een kracht die levenloze voorwerpen nooit konden hebben – en hen uit elkaar dreef, ieder afgezonderd op haar of zijn kamer.

46

HET HUIS VAN TWEE VERDIEPINGEN, OPGETROKKEN UIT gele baksteen, stond in een buurt waar ooit de welvarende middenklasse woonde, maar die nu het toonbeeld was van de teloorgang van de dromen van generaties, het bewijs van de destructieve hebzucht van een politieke klasse die welvaart beloofde maar ondertussen van zowel de rijken als de armen stal. Er zaten barsten in het trottoir, de straten waren verzakt. Lantaarnpalen waren gaan roesten en hadden hoognodig een likje verf nodig. Langs de kant van de weg stonden kale bomen die al zo lang niet meer gesnoeid waren dat er nu geen goede vorm meer in te krijgen was, en die hun kromgegroeide armen en gebalde vuisten naar de grijze lucht hieven.

Het huis doemde op achter een hek waarvan de ijzeren punten op sommige plekken ontbraken. 's Zomers was het gazon waarschijnlijk net zo dood als nu op deze vijfentwintigste oktober.

Binnen vormden de kamers en gangen smalle passages die tussen de klippen van het oude, zware meubilair door liepen. Ondanks de muffe lucht waarin sigarettenrook van jaren was blijven hangen, vond John dat alles er keurig netjes uitzag.

Peter Abelard, die vroeger priester was geweest, ging nog steeds als een geestelijke gekleed: zwarte schoenen, zwarte broek, zwart overhemd, en een donkergrijs vest. Vreemd genoeg droeg hij aan beide polsen een horloge.

Hij was zesenvijftig, had een smal ascetisch gezicht en asgrijs haar dat naar achteren gekamd was, zodat zijn bleke voorhoofd bloot kwam te liggen. Hij was zo mager en tanig dat hij de indruk wekte dat hij enkel op sigaretten leefde, die hij achter elkaar opstak, de volgende met het vuur van de vorige.

Het huis was van zijn moeder van negentig, die in het ziekenhuis lag en terminale kanker had. Abelard was hier ingetrokken nadat de kerk hem had afgedankt.

Na zijn ontmoeting met pastoor Bill op de veertiende had John er acht dagen over gedaan om erachter te komen wie de laatste duiveluitdrijver was en waar hij woonde. De zoektocht werd gecompliceerd doordat de moeder van Abelard na het overlijden van haar man was hertrouwd en nu Mary Dorn heette.

Daarna had het nog drie dagen geduurd om Abelard via via en per telefoon tot een gesprek te bewegen. Als hij al niet bang was voor de politie, had hij er in elk geval een aversie tegen ontwikkeld.

Ze namen plaats in de keuken. De kastjes waren lichtgroen, het aanrechtblad was van geel formica. Het oude fornuis met ovens was log en zwaar, alsof het gemodelleerd was naar de smeedijzeren keukenapparatuur uit de voormalige Sovjet-Unie.

Op de tafel waaraan ze zaten, lag geel-wit geblokt zeildoek. Abelard had een glazen asbak onder handbereik, een pakje sigaretten, een pocketuitgave van *The Deceiver* van Livio Fanzaga, en een glazen kop met donkere koffie. Het tafelkleed was versleten op de plekken waar zijn armen op het tafelblad rustten, wat deed vermoeden dat hij elders in huis weinig tijd doorbracht.

Hij bood John koffie noch een sigaret aan. Door de telefoon had hij al te kennen gegeven dat dit wat hem betrof geen lang gesprek zou worden.

Voor de vierde keer in minder dan twee maanden vertelde John het verhaal van Alton Turner Blackwood. Hij liet niets weg, omdat hij er zeker van wilde zijn dat Peter Abelard alle feiten te horen kreeg die van belang konden zijn.

Hij vertelde van de recente moorden en zijn onderzoek, vanaf het moment dat hij Billy Lucas voor het eerst in de psychiatrische kliniek bezocht.

'Blackwood zal over dertien dagen weer een gezin uitmoorden. Als ik hem niet tegenhoud, zal hij mijn vrouw en kinderen op 10 december aanpakken. Twintig jaar geleden, precies op deze dag, heb ik mijn ouders en mijn zussen verloren. Niet nog eens. Ik ben bereid van alles te doen om Nicky en de kinderen te beschermen. Ik zou mijn ziel er nog voor verkopen.'

De ogen van Abelard vertoonden dezelfde grijstint als zijn haar, alsof ze ooit een andere kleur hadden gehad maar net als de rest van hem zo lang aan rook waren blootgesteld dat ze verschoten waren tot deze sombere tint. Zijn ogen leken poelen van verdriet en voortdurende angst.

'Nooit ofte nimmer mag u uw ziel aanbieden, ook niet bij wijze van grapje of uit frustratie. U denkt misschien dat niemand luistert of erop in zal gaan. Maar er luistert wel degelijk iemand. En die gaat er wel degelijk op in.'

'Dus u gelooft nog steeds.'

'Ik heb als priester en als mens gefaald. Maar ook toen al geloofde ik. En nu meer dan ooit. Dat is het afschuwelijke van mijn situatie.'

Hij dronk een slok van de inktzwarte koffie, nam een diepe teug van zijn sigaret, en blies een rookwolk uit, die om zijn hoofd bleef hangen.

'Pastoor Bill had het op één punt bij het rechte eind,' zei Abelard. 'Uw echte vijand is geen geest. Het komt zelden voor dat er in het vagevuur een lijdende ziel zit die goddelijke toestemming krijgt om terug te keren naar deze wereld om een bemiddelaar te zoeken die de periode van loutering voor hem kan verkorten, zodat hij sneller naar de hemel kan. Maar er is geen enkele ziel die uit de hel komt en daar dan vrijwillig weer naartoe gaat.'

Omdat Abelard gezag uitstraalde zonder dat hij trots of onecht overkwam, en omdat het leek alsof zijn stem niet alleen door tabak maar ook door berouw getekend was, ging John daar niet over in discussie.

'De rituelen van Blackwood zijn een indicatie voor wie uw echte tegenstander is.'

'Dat ritueel kan wel op honderd manieren worden uitgelegd.'

Abelard liet de rook via zijn neusgaten uit zijn longen ontsnappen. 'Er is maar één interpretatie die de juiste is. De rest is getheoretiseer van psychologen. De kwartjes vormden een symbolisch bedrag aan de Dood om ervoor te zorgen dat de zielen van zijn slachtoffers naar de hel gebracht werden, waar hij ze ooit wilde volgen. De schijfjes ontlasting waren bedoeld om de spot te drijven met de eucharistie, om de gunst van zijn duivelse meester af te dwingen. De eieren symboliseren de ziel van de slachtoffers. Elk ei heeft het Latijnse woord voor dienaar meegekregen, omdat Blackwood zijn slachtoffers naar de hel stuurde opdat ze hem daar later konden dienen. Ze vormen zijn gevolg, zijn hofhouding, zijn slaven voor de eeuwigheid.'

John zei met aangedane stem: 'Mijn ouders en mijn zussen zitten niet in de hel.'

'Dat wil ik ook niet beweren. Het ritueel van Blackwood was een misvatting van hem. Maar het lijdt geen twijfel dat hij wel naar de hel is gegaan, meteen nadat u hem had vermoord.'

Het recherchewerk was een carrière in waanzin. Soms vroeg John zich af of hij zodanig besmet kon raken door het contact met zoveel gestoorde types dat hij op een gegeven moment zelf het spoor volledig bijster zou zijn.

'Hoe zit het met die drie belletjes die hij bij zich had?'

Abelard zei: 'Die vormen een aanwijzing omtrent de identiteit van uw echte vijand. Blackwood is door die vijand gebruikt, maar die vijand is de enige kracht die in dit spel van belang is. Gelooft u in demonen, meneer Calvino?'

'Drie maanden geleden zou ik die vraag waarschijnlijk ontkennend hebben beantwoord.'

'U behoort tot die "ellendige generatie van verlichte lieden", zoals Eliot het noemde. Maar nu?'

'In mijn beroep draait alles om voldoende bewijsmateriaal – constateren wat waar is en wat niet, en of het in de rechtszaal overeind zal blijven. Ik kan dat meestal goed inschatten. Het bewijs dat Blackwood uit de dood is teruggekeerd – daar zou ik in een rechtszaak mee aan durven komen.'

Met de vaardigheid van een verstokte roker pakte Abelard met één hand een nieuwe sigaret uit het pakje, liet die tussen zijn vingers door gaan zoals een goochelaar dat met een muntje zou doen, bracht hem naar zijn lippen en stak hem aan met de gloeiende peuk, die hij vervolgens in de asbak uitdrukte.

'De namen van de belangrijkste demonen staan in de Bijbel of zijn van generatie op generatie aan ons doorgegeven. Asmodeus, Beëlzebub, Belial, Lucifer, Mephisto, Meridian, Zebulon… Maar als de exorcist bij een duiveluitdrijving aan de demon vraagt om zich bekend te maken, wordt vaak de naam gebruikt van het voornaamste doel of de zonde waarmee de demon zich heeft verbonden – namen als Tweedracht, Afgunst, Jaloezie, of Ondergang, Ziekte, Verderf.'

'Verderf,' zei John. 'Het woord dat in de belletjes was gegraveerd.'

'Hij vroeg om bemiddeling van de demon Verderf om er zeker van te zijn dat de zielen van zijn slachtoffers in de hel werden ontvangen. Waarschijnlijk was hij de enige van hen die daar terecht is gekomen, maar misschien was de entiteit Verderf gecharmeerd van Blackwoods levenswandel vol moordpartijen en nihilisme, en misschien wil hij nu dat de moordenaar zijn belofte aan u gestand doet.'

'Waarom?'

'Waarom niet? Het kwaad hoeft zichzelf niet te rechtvaardigen om te kunnen bestaan. Het kwaad bestaat vanwege het genoegen in ontaarding en de vernietiging van de onschuldigen. Uw kinderen vormen het voornaamste doelwit. Jong en kwetsbaar.'

John kreeg het gevoel dat hij bijna geen adem meer kreeg in de rokerige lucht, alsof hij verdronk en zijn longen vol water stroomden. Hij ademde dieper door, en sneller, om helder te kunnen nadenken.

'Dit ding, dit Verderf, zit in mijn huis. Dat weet ik zeker. Kan het er door duiveluitdrijving uit verjaagd worden?'

'Het uitdrijven van een geest uit een woning of een ander gebouw wordt wel eens gedaan, maar niet vaak. Een demonische aanwezigheid in een huis kan weinig echte schade aanrichten. 's Nachts wat geluiden. Voetstappen. Deuren die open- en dichtgaan. Onwelriekende geurtjes. In het ergste geval een poltergeist die meubels laat zweven en dat soort dingen. Een demon verveelt zich al snel met dat soort simpele spelletjes.'

Hij gebaarde steeds met de hand waarin hij zijn sigaret vasthield. De hand was zo bleek als die van een spook, met uitzondering van twee door nicotine verkleurde vingers, die de kenmerkende groengelige tint vertoonden van een lijk in een bepaalde fase van ontbinding.

Peter Abelard zei: 'Als een geest eenmaal het lichaam van iemand is binnengedrongen, kan hij veel meer schade berokkenen, zowel aan degene van wie hij bezit heeft genomen als aan anderen. Als deze demon de geest van Alton Blackwood heeft teruggehaald naar onze wereld om hem aan zijn belofte te houden, zal hij uw gezin niet vermoorden door bezit te nemen van het huis, meneer Calvino. Hij zal uw gezin vermoorden door zich van een van u meester te maken.'

John zou het liefst opstaan en naar de veranda gaan om deze verstikkende lucht te ontvluchten. Een dag eerder was er vanuit het noorden een koufront komen opzetten. Hoewel de hemel donkergrijs was, was de lucht fris en helder. Maar John bleef zitten, omdat hij door radeloosheid overmand was.

'Wie loopt het gevaar door die geest in bezit te worden genomen?' vroeg hij.

'Dat kan iedereen overkomen,' zei Abelard. 'Misschien niet iemand die in een waarlijk heilige staat verkeert. Maar ook al zou ik zulke mensen kennen, dan zou ik ze op de vingers van een hand kunnen tellen.'

'Maar voor een demon is het toch veel gemakkelijker om zich meester te maken van een verdorven iemand als Andy Tane, om hem tot moorden aan te zetten, en zelfs tot zelfmoord?'

'Nu hebt u het over twee verschillende dingen. Als de demon bezit van iemand wil nemen met als doel de ontaarding en ondergang van die persoon te bewerkstelligen, is één zwakke karaktertrek voldoende om de deur naar die demon open te zetten.'

Met zijn asgrijze ogen keek Abelard hoe de as van zijn Marlboro in de glazen asbak viel.

Hij vervolgde zijn uiteenzetting. 'De demon kan alleen volledig bezit van iemand nemen als die persoon zich geheel van de genade Gods heeft afgewend en het pad naar de verlossing is afgesneden.'

'Billy Lucas was een jongen van veertien. En afgaand op de verhalen helemaal geen slechte knul.'

'Hoe oud moet een moordenaar zijn om als volwassene berecht te worden?' vroeg Abelard. 'Wat staat daarover in de wet?'

'In de meeste staten gaat men ervan uit dat kinderen vanaf hun veertiende onderscheid kunnen maken tussen goed en kwaad.'

'Laten we er dan eens van uitgaan dat ze tot die leeftijd nog niet in staat zijn om een adequaat moreel oordeel te vellen. En als die kinderen daarvoor niet spiritueel bij de hand genomen zijn, zou een demon dan niet net zo makkelijk bezit van hen kunnen nemen als van die Andy Tane die u net noemde?'

'Maar een onschuldig kind...'

'Misschien zijn de meeste kinderen onschuldig, maar niet allemaal. Er zijn vast wel moordenaars geweest die jonger waren dan Billy Lucas.'

'Ik kan me een geval herinneren van een aantal jaren geleden. Een jongen van elf.'

'Wie had hij vermoord?'

'Een vriendje van tien. Op brute wijze.'

Met duim en wijsvinger plukte Abelard een sliertje tabak van zijn tong en deed dat in de asbak.

'U hebt verteld dat mevrouw Lucas geloofde in de helende kracht van kruiden en obelisken en geoden. Er zijn kruiden die een zekere medicinale werking hebben, maar kristallen beeldjes en dergelijke hebben dat niet. Hoe sterk geloofde ze daarin?'

John haalde zijn schouders op. 'Ik weet het niet. Ze kocht vaak dat soort spullen.'

'Misschien geloofde ze in voodoo.'

'Nee. Ik heb nergens echt bizarre voorwerpen zien staan.'

'Zei u niet dat er in die winkel ook High John the Conqueror en wonderewereldkruid werden verkocht?'

'Er waren daar honderden kruiden en poeders te koop. Die namen zijn me bijgebleven omdat ze zo bijzonder waren.'

'Het zijn beide poeders die bij voodoo gebruikt worden. O, ik wil niet beweren dat die winkel een bastion van woeste voodoopriesters is en dat de eigenaar kwade bedoelingen heeft. Zo te horen verkopen ze daar het gouden kalf in allerlei varianten, ongetwijfeld in de stellige overtuiging dat ze daar goed aan doen.'

In zekere zin hadden de gebeurtenissen van de afgelopen weken de wereld die John kende in kleurige stukjes versplinterd, die net als de stukjes glas in een caleidoscoop steeds verschillende combinaties vormden en een toenemend complexe werkelijkheid toonden.

Abelard zei: 'Maar als mevrouw Lucas een diepgeworteld geloof had in de kracht van die dingen, heeft haar zoon dat geloof misschien wel overgenomen.'

'Dat zou best kunnen,' zei John. 'Hij had verschillende van dat soort voorwerpen in zijn kamer staan, maar zijn zus en zijn oma niet. Maar waarom is dat van belang?'

Abelard zweeg even en keek naar een rooksliert die vanaf het uiteinde van zijn sigaret omhoogkringelde, alsof er een gedaante uit zou kunnen verschijnen, zoals een geest uit een olielamp.

Uiteindelijk zei hij: 'Hebt u wel eens gehoord dat het gevaarlijk kan zijn om een ouijabord te gebruiken omdat je in je poging om met geesten in contact te treden de deur naar duistere krachten kunt openen?'

'Dat heb ik vaak gehoord, ja. Ik dacht zelfs dat het als waarschuwing op de verpakking van ouijaborden vermeld stond.'

Er gleed een lichte glimlach om de mond van Abelard. 'Volgens mij stelt de overheid dat nog niet verplicht. Er zijn verschillende manieren om de deur naar die wachtende duisternis te openen. En soms doen we dingen waardoor niet alleen die deur wordt geopend, maar waardoor we de kans lopen door een geest in bezit te worden genomen en alle controle over onszelf te verliezen. Die Reese die u noemde...'

'Reese Salsetto.'

'Die man aanbad geld en macht,' zei Abelard. 'Daardoor werd de deur op een kier gezet én bestond het gevaar dat hij door een geest onderworpen werd. Een obsessief, blind geloof in materiële zaken – kristallen, kruiden, geoden, poeders – kan soms net zo werken als een ouijabord. En als je gelooft dat je alleen door obelisken en wonderewereldkruid beschermd kunt worden, als je bovennatuurlijke krachten toekent aan dingen die die krachten uiteraard niet bezitten, ben je niet alleen kwetsbaar, maar kun je je op geen enkele manier verweren.'

Het was alsof er door het gesprek over deuren een deur in de hemel was opengezet, want ineens begon het in de tuin te waaien. Een grote hoeveelheid dode bladeren werd door de wind meegevoerd en sloeg met kracht tegen het raam, waardoor John schrok. Abelard gaf geen krimp. De tweede ademstoot van de wind was minder heftig van aard, en terwijl de blaadjes werden weggeblazen, dwarrelden de eerste sneeuwvlokken van het seizoen tegen het raam, zo groot als dollarmunten en zo mooi als een sluier van kant.

John zei: 'Als ik een geest heb aangeroepen zonder het te weten, zou die dan bezit van me kunnen nemen?'

Abelard keek naar de sneeuwvlokken die tegen het raam kleefden, en mompelde: 'Dat is niet de vraag die het meest op uw lippen brandt.'

Nadat John zo lang zweeg dat de ex-priester een vragende blik op hem richtte, zei hij: 'Als ik door een geest bezeten was, zou hij dan dusdanig bezit van me kunnen nemen dat hij me kon gebruiken om... zelfs de mensen waar ik het meest van hou om het leven te brengen?'

Abelard zocht de blik van John door de nevel van sigarettenrook heen en bleef hem strak aankijken. 'Zo goed ken ik u niet, meneer Calvino. Om die vraag te kunnen beantwoorden, zou ik u beter moeten kennen.'

'Op 10 december, wanneer we denk ik allemaal gevaar lopen...'

'Ja?'

'Zoudt u dat etmaal bij ons willen komen? Bij ons thuis?'

'Acht jaar geleden ben ik uit het ambt gezet. Niet geëxcommuniceerd, maar het priesterschap en het daaraan verbonden gezag is me ontnomen.'

'Maar de rituelen rond de duiveluitdrijving kent u nog steeds.'

'Die ken ik, maar het zou heiligschennis zijn als ik die in mijn huidige positie zou uitvoeren.'

Met de behendige vingers van zijn vrije hand haalde Abelard een nieuwe sigaret uit het pakje, bracht die naar zijn lippen, en stak hem aan met de peuk die hij bijna had opgerookt.

John hoorde zichzelf praten alsof hij als derde persoon bij het gesprek aanwezig was. 'Ik ben doodsbenauwd dat ik misschien net zo weerloos ben als Billy Lucas, net zo weerloos als Andy Tane die met Davinia uit het raam is gesprongen. Stel dat ik voel dat iets zich bij me naar binnen wurmt... en stel dat ik dan niet de helderheid van geest heb om datgene te doen wat Brenda Woburn deed, de helderheid van geest om mezelf van het leven te beroven voordat iets bezit van me neemt en me gebruikt?'

Met zichtbaar genot nam Peter Abelard een trek van zijn nieuwe Marlboro en blies de rook omhoog naar het plafond. Toen leunde hij voorover in zijn stoel, legde zijn armen voor zich op tafel, op de plek waar het zeildoek slijtplekken vertoonde, en zei uiteindelijk: 'U bent niet alleen. Vergeet niet dat de krachten van het duister in evenwicht worden gehouden door de krachten van het licht.'

'Ik bid regelmatig,' zei John.

'Fijn voor u, meneer Calvino. Ik ook. Maar afgezien daarvan: pas op dat de angst u niet blind maakt voor de genade die u wordt aangereikt.'

'Zoals?'

'Zoals die zich voordoet.'

'Hou nou toch op, zeg. Aan raadseltjes heb ik niets.'

Abelard keek hem een ogenblik aan, en zijn ogen leken nu niet asgrijs maar staalblauw. Uiteindelijk zei hij: 'De overgrote meerderheid van mensen die om een duiveluitdrijving vragen of die daarom verlegen lijken te zitten, hebben alleen maar last van een of andere psychische ziekte.'

'Dit is niet alleen maar psychisch.'

'Dat heb ik ook niet gezegd, meneer Calvino. In de loop der jaren heb ik heel wat duiveluitdrijvingen gedaan waarbij er sprake was van een echte demonische aanwezigheid. En er waren momenten waarbij de demon zo machtig was en zich zo sterk in zijn slachtoffer had vastgezet dat het me niet lukte om hem uit te drijven, ook al verrichtte ik nog zo vaak het Ritueel, zette ik nog zulke krachtige gebeden in en ging ik nog zo vaak met de sacramenten in de weer – water, olie, zout. Maar toen...'

Hij was steeds zachter gaan praten, en hij sprak de laatste twee woorden fluisterend uit. Zijn blik gleed van Johns ogen naar de sigarettenrook die omhoogkringelde.

'Maar toen?' drong John aan.

'Steeds wanneer alles verloren leek, heb ik in alle gevallen een goddelijke bezoeking ervaren, waardoor de demon uit het slacht-offer werd verdreven. Goddelijke bezoekingen, meneer Calvi-no. Bent u in uw wil om te geloven zo flexibel dat u bereid bent zo ver te gaan?'

'Ik heb het demonische gezien. Als dat bestaat, zal het te-gendeel ook bestaan.'

Abelard zei: 'We leven niet meer in bijbelse tijden. God open-baart zich niet in brandende struiken en dergelijke. Engelen ver-schijnen niet in hun volledige gevleugelde glorie. Ik denk dat het goddelijke zich van de mensheid heeft afgekeerd, misschien uit walging, misschien omdat we het niet meer verdienen om rechtstreeks heilige wezens te zien. Als het goddelijke tegen-woordig van buiten de tijd onze wereld betreedt, zo is mijn er-varing, dan manifesteert het zich discreet in de persoon van kin-deren en dieren.'

John wachtte terwijl er weer een rooksliert in stilte naar het plafond steeg en Abelard in gedachten verzonken leek, maar uit-eindelijk zei hij: 'Vertelt u daar eens wat meer over.'

'Met het Ritueel slaagde ik er bij herhaling niet in om de de-mon uit te drijven bij een twintigjarige man die werd geplaagd door afschuwelijke fysieke pijnen en een diepe depressie. Toen kwam er een buurjongen langs, die beweerde dat hij kon hel-pen, hoewel de ouders van de getroffen twintigjarige man tegen niemand iets hadden gezegd over mijn komst of het doel van mijn bezoek. Dat kind was nog maar vijf jaar oud, maar hij had een enorme uitstraling. Er hing een stilte om hem heen, een ge-voel van vrede dat ik moeilijk onder woorden kan brengen. En hij had een gewoon drinkglas bij zich. Hij liep naar het bed en zette het glas omgekeerd op de borst van de twintigjarige jongeman en zei alleen maar: "Kom eruit." Ik zag dat er uit de borst van de jongeman iets donkers kwam, dat het glas vulde, niet als rook of als wat dan ook maar als zichzelf. De jongen keerde het glas om, waarna de duisternis omhoogzweefde en een halve minuut in de lucht bleef hangen en toen in het niets oploste. Het slachtoffer had op slag geen last meer van zijn depressie, en de afschuwelijke zweren waartegen de antibiotica niets hadden kunnen uitrichten, verdwenen binnen enkele minuten. Ik heb dat met eigen ogen gezien. Bij een ander geval kwam er zomaar een prachtige zwerfhond het huis in, een beest dat niemand ooit had gezien en dat naast de getroffene ging liggen, met zijn kop op diens borst, met een soortgelijk resultaat.'

Toen Abelard een tijdje gezwegen had en weer oogcontact zocht, zei John: 'En wat wilt u daar precies mee zeggen?'

'Pas op dat de angst u niet blind maakt voor de genade die u wordt aangereikt,' zei Abelard nog eens. 'Kijk goed naar de kinderen om u heen, naar dieren als u die hebt. Een daarvan zou de avatar van het goddelijke kunnen zijn.'

Het was alsof Abelard emotioneel werd nu hij deze voorvallen weer in herinnering bracht; zijn hand trilde toen hij zijn Marlboro naar zijn lippen bracht.

John waagde nog een poging. 'Ook als u geen duiveluitdrijving of zo meer kunt uitvoeren, zou ik u willen vragen of u die dag bij ons wilt komen om ons… bij te staan.'

Terwijl Peter Abelard een trek van zijn sigaret nam, keek hij John strak aan, deze keer alsof hij wilde dat John zijn blik zou afwenden. Uiteindelijk zei hij: 'Weet u eigenlijk wel waarom ik uit het ambt ben gezet, rechercheur Calvino?'

'Ja,' zei John, en vol ontzetting besefte hij dat zijn emoties waarschijnlijk van zijn gezicht af te lezen waren. Iemand die zo'n scherpe opmerkingsgave had als Abelard zou het onmogelijk kunnen ontgaan dat hij walgde bij de gedachte.

'Dat ik mijn gelofte van kuisheid heb gebroken, is al erg genoeg. Dat ik me zo sterk aangetrokken voelde tot tieners is misschien het meest laakbaar. Jongens of meisjes, dat maakte me niet uit.'

John keek naar buiten. De eerste sneeuwbui van het seizoen was geluwd, en nu dwarrelden er kleine vlokken door de lucht.

Toen John het op kon brengen om Abelard recht in de ogen te kijken, zei hij: 'Het punt is alleen dat ik niemand anders ken tot wie ik me kan wenden.'

'Het horloge aan mijn rechterpols,' zei Abelard, 'geeft altijd de juiste tijd aan. En ook de juiste datum. In het horloge aan mijn linkerpols zitten geen batterijen.'

Hij stak zijn linkerarm uit, zodat John kon zien dat het horloge aan zijn dunne pols stilstond.

'De datum in het kleine venstertje moet zo nu en dan worden bijgesteld. U ziet dat het nu acht weken en drie dagen geleden is. Ik stel de datum steeds bij wanneer het me toch weer niet is gelukt om me te beheersen. Het herinnert mij eraan hoe zwak ik ben. Het is de datum waarop ik voor het laatst seks met een tiener heb gehad.'

John kreeg het kouder dan het buiten was, en hij zei: 'Acht weken, niet acht jaar.'

'Dat klopt. Ik kom tegenwoordig niet meer aan mijn trekken door anderen te manipuleren en hun vertrouwen te schenden. Ik betaal ervoor. Ik verzet me er hevig tegen. Ik bid en ik ga vasten en pijnig mezelf, door naalden in mezelf te steken, in een poging niet te denken aan het pad dat ik wil inslaan. Soms lukt het. Soms niet.'

In zijn stem klonk pijn en zelfhaat door. John kon het nauwelijks opbrengen om in de vaalgrijze ogen van de man te kijken terwijl hij zijn zonden opbiechtte, maar omdat hij maar al te goed wist wat voor een kwelling het was als je jezelf haatte, keek hij niet van Abelard weg.

'Dan ga ik naar die buurten in de stad waar mannen voor dit soort dingen naartoe gaan,' zei Abelard. 'U weet wel wat ik bedoel. Iedere politieman weet dat. Ik pik altijd de jonkies uit, die van huis zijn weggelopen. Jongens of meisjes, dat maakt me nog steeds niets uit. Ze bieden zichzelf toch al voor geld aan, dus ik beroof ze niet van hun onschuld. Ik heb ze alleen nog dieper in de shit geduwd, alsof dat er in de krochten van de hel toe doet.'

John schoof zijn stoel naar achteren. Hij had niet de kracht om onmiddellijk op te staan.

'Er is geen demon die bezit van me genomen heeft, meneer Calvino. Ik ben de enige die in mezelf huist. Het lukt me maar niet om tot verlossing te komen. U hebt een zoon van dertien. Mijn ogen gaan over wat ze begeren, zonder dat ik daar controle over lijk te hebben. Ziet uw elfjarige dochter er iets ouder uit voor haar leeftijd? Er zit geen demon in mij, meneer Calvino, maar God sta u bij als u mij in uw huis toelaat.'

John kwam overeind.

Abelard ademde sigarettenrook uit door zijn neus en zei: 'U laat zichzelf wel uit?'

'Ja.'

Toen John bij de deur naar de gang gekomen was, zei Abelard: 'Als u inderdaad bidt…'

'Ja, ik zal voor u bidden.'

'Niet voor mij,' zei Abelard. 'Voor mijn moeder. Ze heeft kanker. Bidt u alstublieft voor haar. Het zet vast meer zoden aan de dijk als het gebed van u komt dan van mij.'

John liep door de canyons van het overvolle huis. Het opdoemende meubilair leek gotischer dan eerst, kolossaal en afschrikwekkend, en de geur van sigarettenrook leek net zo bitter als braakwortel op de tong.

Buiten: de bevroren hemel, de ijskoude lucht die door een stevige bries werd aangevoerd. De louterende sneeuw die uit de lucht neerdwarrelde. De zwarte spinachtige takken van de slapende bomen onder een laagje pasgevallen sneeuw. Kale tuinen en kapotte schuttingen en gescheurd beton en neerdwarrelende sneeuw.

Eenmaal op het trottoir bleef hij bij zijn auto staan en wilde eigenlijk nog niet instappen. De kou prikte in zijn gezicht, en sneeuw bleef op zijn wimpers liggen tot hij met zijn ogen knipperde.

Op de dag af twintig jaar geleden.

Twintig jaar geleden, en het aftellen was begonnen.

Hij ademde sneeuwvlokken in, ademde de verschaalde geur van sigaretten uit. Die geur raakte hij niet onmiddellijk kwijt.

Boven zijn hoofd joeg de wind door de kale takken en schudde aan de jonge scheuten, ratelend als de breekbare botten van kleine dode dingen.

Op de dag af twintig jaar geleden.

En hij had niemand tot wie hij zich kon wenden.

Het moment was aangebroken om met Nicolette te gaan praten, om met haar zijn angst te bespreken dat Alton Turner Blackwood weer in de wereld was verschenen, een angst die hij ooit als irrationeel had afgedaan. Hij moest haar het enige vertellen wat hij al die tijd voor haar had verzwegen, datgene wat had plaatsgevonden tijdens zijn confrontatie met de moordenaar op die avond in het verleden. Het moment was aangebroken om een plan te bedenken voor de tiende december, als daar al een plan voor te bedenken was.

Hij stapte in, startte de motor en reed weg.

Vanavond zou hij voor de moeder van Peter Abelard bidden, en ook voor Abelard zelf. Hij zou bidden voor de familieleden die hij had verloren, voor zijn vrouw en kinderen, die nog steeds in leven waren, voor zichzelf, voor iedereen die wist wat het was om te lijden, dus eigenlijk voor iedereen met een menselijk gezicht.

Uit de memoires van Alton Turner Blackwood:

*De mismaakte jongen stond onbeholpen op de veranda, in de
schaduw van de grote notenboom, bij de twee vrouwen die
aan een tafel aan het kaarten waren: de prachtige Regina,
zijn tante, en haar nog knappere dochter, Melissa.*

*De zelfvoldane Regina schepte er een boosaardig genoegen
in om de jongen uitvoerig in te lichten over de geschiedenis
van zijn familie, die deels op de geheime begraafplaats in het
bos begraven lag. Jillian had Marjorie op de wereld gezet, en
Marjorie was bevallen van Regina en Anita, de moeder van
de jongen. Alle vrouwen waren door Teejay zwanger
gemaakt. Toen Anita en Regina, twee-eiige tweelingen, op
hun beurt zwanger raakten, kreeg Regina Melissa, die zo
knap was dat Teejay zijn krankzinnige theorie over selectieve
voortplanting eens te meer bevestigd zag. Maar de geboorte
van de jongen, bijna een maand later, gooide op dramatische
wijze roet in het eten.*

*Teejay wilde de pasgeboren jongen doodmaken en hem in
het bos begraven – of hem anders in elk geval in een gesticht
stoppen, maar Anita kwam daartegen in opstand. Als Teejay
zijn experiment met haar wilde voortzetten, als hij nog meer*

kinderen bij haar wilde verwekken, moest haar zoon blijven leven. Op die manier dwong de moeder van het jongetje zijn voortbestaan af.

In het daaropvolgende decennium kreeg Regina drie zonen, maar Teejay interesseerde zich niet voor zonen, want die konden geen kinderen baren, en waren dus niet van nut om zijn unieke genen te destilleren tot een menselijk wezen van een schoonheid die ongekend was in de geschiedenis van de mensheid. Hij smoorde de jongetjes meteen na de geboorte en begroef ze in het bos.

'Waarom hebt u hem zijn gang laten gaan?' wilde de jongen weten.

'Wat moet ik met zonen?' vroeg Regina.

'Ik bedoel: waarom mocht hij kinderen bij u verwekken?'

'Zo is het altijd gegaan. Ik weet niet anders. Het is zijn religie, en die van mij. Wat heb ik als ik wegga? Wat heb ik eraan als ik ermee naar buiten treed en alles kapotmaak? Crown Hill betekent luxe, en ik ben gewend aan luxe.'

De jongen vond dat het personeel op de hoogte gebracht moest worden, maar Regina deed dat af als naïef en lachte om het idee. Mensen waren geneigd zichzelf voor de waarheid af te schermen, zei ze. Bovendien werden er een paar keer per jaar op Crown Hill gasten uitgenodigd om een lang weekend te blijven logeren, en onder de genodigden bevonden zich mannen die vast wel eens een jong meisje hadden verleid. Soms nam Teejay zijn dochters mee op reis, en misschien was hij op die tochtjes niet zo'n strenge chaperon. Teejay was rond de eeuwwisseling geboren, toen er bij praktisch elke geboorte een vroedvrouw aanwezig was. Zelf nam hij bij alle bevallingen op Crown Hill de rol van vroedvrouw op zich, zodat geen enkele arts te weten kwam dat de 'doodgeboren' jongetjes in werkelijkheid na de geboorte in de wieg waren gesmoord. Als iemand van het personeel argwaan kreeg, werd de betreffende persoon vervroegd met

pensioen gestuurd en kreeg hij een uiterst ruime toelage mee,
in de vorm van een onweerstaanbaar dikke maandelijkse
cheque. Zijn luxeleventje was afhankelijk van zijn
stilzwijgen. Of misschien zou hij met onmiddellijke ingang
zijn positie opgeven – om zijn mooie kamer met eigen bad in
de comfortabele personeelsvleugel te verruilen voor een nieuw
bed in het bos, waar hij dan lang kon blijven slapen.

'In het bos,' zei de jongen. 'Mijn moeder, uw zus.'
'Mijn concurrent,' zei Regina.

Daar stond de mismaakte jongen onder de notenboom, op
die heerlijke middag, in de gouden gloed van de zon die steeds
lager zakte en zo groot werd dat het leek of hij uit elkaar zou
spatten. De afzichtelijke jongen stond aan de grond genageld,
boomlang en rauw en met een misvormd gezicht, en hij keek
naar de gracieuze handen van de prachtige vrouwen, die de
kaarten uitdeelden en rangschikten, terwijl zich
waterdruppels vormden op hun hoge glazen met ijsthee en
schijfjes citroen en blaadjes munt, hun huid zo smetteloos als
die van de porseleinen figuurtjes in de vitrine in de salon, en
hij werd vervuld van een groot verlangen terwijl de
vrouwen aan het kaarten waren, geen verlangen naar de
vrouwen, maar naar iets wat hij niet onder woorden kon
brengen. Hij keek toe hoe Melissa voor zich op tafel vier
drieën uitlegde, van elke kleur een, waarmee ze het potje
won. Hij zag dat Regina hun scores noteerde, vervolgens
kundig schudde, traag de kaarten ronddeelde, de gracieuze
bewegingen van de vrouwen, hun katachtige
zelfverzekerdheid, hun fonkelende ogen toen Regina vertelde
hoe haar zus, de moeder van de mismaakte jongen,
uiteindelijk om het leven was gekomen en in het bos was
begraven.

47

IN VOORGAANDE JAREN WAS ER IN OKTOBER WEL VA-
ker sneeuw gevallen in de stad, maar dan meestal alleen korte
buitjes, een laag van hooguit acht centimeter. Volgens de weers-
voorspelling zou er nu vijftien centimeter vallen, voor de tijd van
het jaar een flink pak, al was het geen absoluut record.

De kinderen waren in de bibliotheek en lieten de wiskundeles van Leonid Sinjavski over zich heen komen, en John en Nicolette zaten in gemakkelijke stoelen in de werkkamer op de begane grond, waar de uitgebreide fotocollectie aan de muur hen
er op schrijnende manier aan herinnerde dat hun bestaan aan
een zijden draadje hing. Buiten was de hemel nu niet meer zichtbaar. Er vielen miljoenen witte vlokken als bloemblaadjes uit de
lucht, en de ceder achter in de tuin droeg al een winterkleed.

Rustig, zonder zich verdedigend op te stellen, vertelde John
aan Nicky dat hij al voor de tweede keer een maand onbetaald
verlof had opgenomen, dat hij steeds gedaan had alsof hij naar
zijn werk ging, maar dat hij op eigen houtje een onderzoek was
begonnen. Net zo bondig als hij tegenover Nelson Burchard of
een hulpofficier van justitie de feiten van een onderzoek op een
rijtje zou hebben gezet, presenteerde hij haar de hele geschie-

denis, vanaf zijn eerste bezoek aan Billy Lucas in de psychiatrische kliniek.

Ze snapte dat hij haar niet met de situatie had willen belasten voordat hij beter wist wat er werkelijk aan de hand was, en ze voelde zich niet beledigd vanwege het feit dat hij dingen achter haar rug om had gedaan, en ook was ze niet teleurgesteld. Zoals alle goede kunstenaars kon Nicky zich goed verplaatsen in de angst en zorgen van anderen. En net als de *beste* kunstenaars, die altijd oog hadden voor het menselijk perspectief, plaatste ze zichzelf niet in het middelpunt van de wereld en eiste ze niet van anderen dat die haar altijd als eerste van alles op de hoogte zouden stellen. In plaats daarvan verkeerde ze in de overtuiging dat haar talent en haar succes haar noopten tot een nederige, ruimdenkende levensinstelling.

Uiteindelijk vertelde hij haar datgene wat hij al die jaren voor haar verzwegen had, het laatste wat Blackwood had gezegd voordat John hem doodschoot: *Later zul je een gezin stichten. Dan kom ik terug, en dan zal ik je vrouw en kinderen op brutere wijze misbruiken dan ik bij die slettenbakken van zussen van je gedaan heb.*

'Ik heb je altijd alleen maar verteld dat ik hem heb neergeschoten. Nou… ik heb hem van dichtbij in zijn gezicht geschoten. Hij was al dood voordat hij in elkaar zakte. Maar toch heb ik toen mijn hele pistool op zijn hoofd leeggeschoten. Ik bleef maar schieten, Nicky, ik schoot net zolang tot hij geen gezicht meer overhad.'

'Goed zo,' zei Nicky. 'En ook goed dat je me niet eerder verteld hebt wat hij als laatste tegen je heeft gezegd. Waarom zou dat in mijn hoofd moeten rondspoken, al die heerlijke maanden waarin ik Zach en Naomi en Minnie in mijn buik ronddroeg? Ik hou alleen maar meer van je omdat je me die waanzin bespaard hebt, zolang je dat nog kon opbrengen.'

Hoewel John verwacht had dat ze begrip voor hem zou hebben, verraste ze hem door de mogelijkheid van een bovennatuurlijke dreiging niet meteen van tafel te vegen, maar vervolgens sloeg hij steil van verbazing achterover toen hij hoorde dat ook zij het gevoel had dat er iets griezeligs of zelfs kwaadaardigs in het huis was gekomen, en dat er bepaalde dingen waren voorgevallen die ze als occult had ervaren. De man die ze in de spiegel had gezien – *Kus me* – voordat de spiegel voor haar ogen uit elkaar sprong. Misschien dezelfde man die op de foto's stond die ze als voorstudie voor het portret van de kinderen had gemaakt.

Toen Nicky vertelde van haar onvermogen om dat schilderij af te maken, haar verontrustende gevoel dat het doek een studie naar verlies en wanhoop was geworden, werd John zo van zijn stuk gebracht dat hij het gevoel had alsof er iets engs met veel poten over zijn nek kroop. Toen hij uit een reflex zijn hand naar zijn nek bracht om het niet-bestaande insect dood te maken, merkte hij dat zijn handen koud en klam waren geworden.

Hij stond op uit zijn stoel omdat hij te onrustig was om te kunnen blijven zitten. Hij liep naar het raam en tuurde in de besneeuwde achtertuin, bijna in de verwachting daar een geschubd en gehoornd demonisch monster met oplichtende ogen naar het huis te zien sluipen, zevenenveertig dagen op het schema vooruitlopend en vastberaden de kinderen op te gaan eten.

Nicky zei: 'Het is alsof het huis – of datgene wat zijn intrek erin heeft genomen – ontzettend zijn best heeft gedaan om ons van elkaar te isoleren, door kundig op onze angst – en onze liefde – in te spelen, zodat we in onszelf gekeerd raakten.'

Hij hoorde dat ze opstond. Toen ze weer iets zei, klonk het alsof ze bij de fotowand stond, maar hij draaide zich niet naar haar om. Om de een of andere reden werd hij door de sneeuwstorm steeds onrustiger, en hij wilde de boel in de gaten houden.

'Heb je Blackwoods memoires nooit gelezen?' vroeg ze.

'Nee. Hij leefde niet meer. Ik had geen zin om te lezen hoe hij zijn daden rechtvaardigde en hoe gestoord hij was. Ik wilde niet nog meer over hem nadenken. Ik weet niet... ik zou het ge-voel hebben gehad dat ik weer in mijn ouderlijk huis was, met mijn hele familie uitgemoord.'

'Hij kon niet meer aan die memoires hebben gewerkt nadat jij hem had doodgeschoten.'

'Nee. Dat klopt. Maar zo dacht ik er wel over. De politie heeft de therapeut van het weeshuis een kopie gegeven. Hij heeft de memoires gelezen om een beter beeld van Blackwood te krijgen, en om te begrijpen hoe mijn confrontatie met hem zou kunnen zijn verlopen. Hij vertelde me er wel iets over, maar hij heeft me er nooit iets uit voorgelezen.'

'Ik wil het lezen,' zei Nicky. 'Ik bedoel... Ik heb daar niet echt zin in, maar het moet. Hoe komen we aan een kopie? Zou die therapeut er nog een hebben, denk je? Of de politie?'

'Zou kunnen. Ik weet het niet. Die website waar Billy Lucas de foto's van mijn ouders en mijn zussen vanaf had geplukt. Die is gewijd aan seriemoordenaars en massamoordenaars. Mis-schien kun je daar gaan kijken.'

'Weet je nog hoe die site heet?' Toen hij haar dat had ver-teld, zei ze: 'Laten we jouw computer gebruiken,' en hij hoorde dat ze naar zijn bureau liep.

John draaide zich om en zei: 'Dat is allemaal oud nieuws. Als ik die site bekijk, word ik alleen nog maar gestrester. Ik ben al zo gespannen dat ik niet meer helder kan nadenken. Terwijl dat nu verdomme juist zo belangrijk is.' Hij keek op zijn horloge – 3:38. 'Walter en Imogene kunnen maar beter wat vroeger naar huis gaan. De straten zijn al bijna niet meer begaanbaar. Ze moe-ten zien thuis te komen voordat het wegennet door ongelukken geblokkeerd raakt.'

Nicky ging achter het bureau zitten en deed de computer aan. 'Ik roep je wel als ik wat gevonden heb.'

'Je zult niets dan waanzin vinden. Krankzinnigheid, het kwaad, de duistere kant van de maan. Tegen de tijd dat we gaan eten, heb jij geen trek meer.'

Toen hij de deur naar de gang opendeed, zei ze zijn naam. Hij draaide zich naar haar om.

'Tot nu toe hebben we ons altijd overal doorheen kunnen slaan,' zei ze. 'En hier zullen we ons ook wel weer doorheen slaan. Pastoor Bill is niet de hele kerk, en Peter Abelard ook niet. We hebben nog zevenenveertig dagen te gaan. We kunnen een plan maken. Jij en ik tegen de wereld, dat lijkt me wel wat.'

Zelfs onder deze omstandigheden viel hij voor haar charmante glimlach.

John zei: 'Ik hou van je.' Wat hij verder dacht, vertelde hij niet. *Lieverd, het is niet alleen jij en ik tegen de wereld, het is jij en ik tegen de complete hel.*

De website was opgesplitst in een gratis deel en een deel waarvoor je moest betalen. Natuurlijk bleek het gratis deel een lokkertje te zijn en bevatte het andere deel de archieven met informatie.

Toen Nicky ontdekte dat de handgeschreven memoires van Alton Turner Blackwood alleen voor betalende leden toegankelijk waren, gebruikte ze een creditcard om zich bij de site aan te melden.

Het eerste wat haar aan het document opviel, was dat de moordenaar een buitengewoon verzorgd handschrift had, bijna overdreven nauwkeurig, alsof hij dacht dat hij met zijn nauwgezette schrift zijn gestoorde overpeinzingen een zekere rationaliteit kon verlenen. En van het puntje van de i maakte hij consequent een klein rondje.

Nadat John Walter en Imogene naar huis had gestuurd, ondanks hun protesten dat ze nog lang niet klaar waren met het werk, ging hij naar boven, naar de bibliotheek, met als doel professor Sinjavski erop te wijzen dat hij maar beter kon vertrekken, omdat hij anders misschien in de sneeuwstorm vast zou komen te zitten. Maar hij trof niemand in de bibliotheek aan, en er brandde geen licht.

In zijn huidige geestesgesteldheid vond hij elke verandering in de routine van de kinderen alarmerend. Snel liep hij de gang door, naar de kamer van de meisjes, klopte, geen reactie, klopte nogmaals en deed de deur toen open. Niemand aanwezig.

Hij liep naar de deur ertegenover, die van Zach, en klopte ongeduldig aan. Tot zijn opluchting hoorde hij zijn zoon zeggen: 'Binnen.'

John deed de deur open, stak zijn hoofd om de hoek en zag Zach achter een tekenblok zitten. 'Ben je uitgeleerd wat wiskunde betreft?'

'Zo'n beetje wel. Professor Sinjavski wilde eerder weg. Hij vond het vervelend om door de sneeuw te moeten. Weet je nog, vorig jaar, toen zijn vriendin hem altijd bracht als het sneeuwde, die vrouw met die gigantische bos haar en...'

'Waar zijn de meisjes?'

'Naomi deed helemaal wat Naomi altijd doet als het voor het eerst in het seizoen sneeuwt. Volgens mij is Minnie met haar mee naar buiten.'

Beneden liep John van het ene raam naar het andere, om te kijken of hij zijn dochters ergens buiten kon zien. Hij vond ze uiteindelijk in het laarzenhok, waar ze net hun laarzen hadden uitgetrokken en hun jas hadden opgehangen. Ze hadden een rode neus, roze wangen, en levendige ogen.

'Er ligt veel te weinig sneeuw, een zielig beetje. Daar kun je geen grootse dingen van maken,' legde Naomi uit. 'Een fatsoenlijke sneeuwengel gaat niet eens, om nog maar te zwijgen van een sneeuwballengevecht.'

'Ik had het toch gezegd?' zei Minnie.

'Dat klopt. Ze had het gezegd. Jij zegt dat soort dingen altijd.'

'Ik wacht op het moment dat je naar me luistert,' zei Minnie.

'Dan kun je nog lang wachten, Muis.'

'Waarschijnlijk zal ik nog wel honderd jaar moeten wachten voordat dat een keertje gebeurt. En noem me niet Muis.'

'Jullie mogen niet meer zonder mij naar buiten gaan. Oké?'

'Wil je een sneeuwballengevecht gaan doen?' vroeg Minnie.

'Ik win altijd,' zei John.

'Maar vorig jaar heb je niet zo dik gewonnen,' zei Naomi. 'Dit jaar gaan we je gigantisch inmaken.'

'Misschien. Maar tot het zover is, moeten jullie binnenblijven.'

Toen Naomi eenmaal verlost was van de onbeschrijfelijke marteling van de wiskundeles raakte ze in een opperbeste stemming. Maar die werd weer getemperd doordat er megaweinig sneeuw lag en doordat zus Halfwas natuurlijk weer gelijk had, wat supervernederend was. O, ze was niet depri, ze was nooit depri, daar had ze gewoon geen tijd voor, maar ze was nu ook niet bepaald in een stemming om tien strikjes in haar haar te doen en radslagen door het hele huis te gaan maken.

Het was nu negen dagen geleden dat de mysterieuze Melody was opgestraald of neergestraald of doorgestraald of wat dan ook, *pats* in de aula van de muziekschool, en daar had ze een gigantisch mooie attachécase van haar gekregen, vol zogenaamd magische spullen, die – dat moest ze toegeven – er behoorlijk magisch uitzagen. De rijp mocht dan wel op die saaie doornige rozenstruik liggen, maar Melody leek niet te weten hoe je een echt opwindend avontuur met vaart kon vertellen. Melody zou nooit een Louisa May Alcott worden. Als het in dit tempo doorging zou Minnie al honderd zijn tegen de tijd dat ze van de ene naar de andere saaie wereld zouden vliegen, en Naomi zou dan al zo seniel zijn dat ze geen prinses van wat dan ook meer kon zijn.

Toen ze teleurgesteld door de flutsneeuw weer naar binnen was gegaan, zat ze veertig minuten lang met haar ziel onder haar arm en wist ze niet wat ze moest doen. Ze banjerde wat door het huis als een compleet gefrustreerde motvlinder die op zoek was naar een openstaand raam. Maar om tien voor halfvijf banjerde ze de bibliotheek binnen, en ze besloot dat ze het allerbeste het *derde* boek kon gaan lezen in de reeks van de draak Drumbelzorn en zijn niet meer zo compleet verwilderde jonge pupil, die een soort Jeanne d'Arc moest worden.

Toen ze het boek zag staan en het van de plank trok, tikte er iemand op haar schouder, en toen ze zich omdraaide – als je het over de duivel hebt – stond *Melody* daar! Ze droeg nog steeds dezelfde flodderjurk, maar in haar gezicht leek ze veel levendiger dan eerst, en haar ogen glommen praktisch van opwinding.

'Hoogheid, ik ben trots op u – dat u uw koninkrijk boven uw familie hebt gesteld en de aanwezigheid van de attachécase geheim hebt gehouden.'

Dat vond Naomi niet fijn klinken. 'Nou, ik ben kampioen mondje dichthouden, maar ik zou mijn koninkrijk niet boven mijn familie stellen, en waarom zou dat trouwens ook moeten?'

'Maar u hebt het toch gedaan, en dat is magnifiek. Want... de tijd is gekomen. Vanavond gaat het gebeuren. Nog even en we zullen van de ene wereld naar de andere vliegen.'

48

NICOLETTE ZAT AAN HET BUREAU VAN JOHN EN LAS DE
memoires van Alton Turner Blackwood in een holografische op-
maak op de computer, eerst met academische interesse maar
daarna gefascineerd door het lugubere karakter ervan. Terwijl ze
de elektronische bladzijden een voor een doornam, werd ze
steeds meer door angst bevangen. Haar respect groeide voor de
enorme dreiging die er van de misvormde man uitging tijdens
zijn leven, en mogelijk ook over de dood heen.

Ze had niet verwacht dat ze zo van slag zou raken. Ze geloofde absoluut elk woord dat John haar verteld had. En ze had
zelf ook enge dingen meegemaakt. En dat Stephanie haar de
negentiende uit bezorgdheid had opgebeld, zes dagen geleden,
kon je opvatten als een waarschuwing van de voorzienigheid.
Toch hoopte Nicky dat ze na lezing van de memoires tot haar
opluchting zou ontdekken dat Blackwood net als de meeste psychopathische moordenaars over beperkte intelligente vermogens
beschikte, misschien best slim en gevaarlijk, maar toch met gigantische oogkleppen op, zoals een bidsprinkhaan alleen maar
oog had voor zijn prooi, of zoals een spin alleen maar de wereld
binnen zijn web kende. Als zijn innerlijke landschap er net zo

uitzag als dat van de ontelbare moordende monsters die hem waren voorgegaan, zou het minder aannemelijk zijn dat hij van alle bloeddorstige monsters in menselijke gedaante degene was die vanuit het hiernamaals was teruggekeerd, al dan niet met behulp van demonen.

Ze was gelovig, maar dan op de moderne manier: tot nu toe had ze wel in een hemel geloofd, maar of er een hel was, had ze steeds betwijfeld. Het idee dat er engelen bestonden, sprak haar wel aan, maar ze verwees het bestaan van duivels naar het rijk der stripverhalen en griezelfilms. Nadat ze een halfuur in Blackwoods lugubere relaas over zijn afkomst had gelezen, voelde ze diep vanbinnen dat ze het concept van zijn voortlevende geest serieus moest nemen. Dat idee kon niet zo gemakkelijk aan de kant worden geschoven als het idee van de verschrikkelijke sneeuwman of vampiers, of het monster van Loch Ness. Hij was als de aanwezigheid waarvan je je bewust werd als je midden in de nacht ontwaakte, de aanwezigheid die er wel was maar die je niet kon zien, ook niet nadat je het licht had aangedaan. Hij was zoiets als hetgeen wat je intuïtie prikkelde in de schemering, op een afgelegen plek, een prikkeling die zo scherp voelbaar was dat je de indruk kreeg dat er zuigwormpjes in je bloed kronkelden.

Ze keek langs het computerscherm door het raam aan de andere kant van de kamer en zag daar in een flits iemand voorbijlopen, door de sneeuw, over het terras. Misschien waren Walter en Imogene nog niet weg en deden ze nog een laatste klusje voordat ze naar huis gingen om niet ingesneeuwd te raken.

Een minuut later werd er een deur zo zachtjes dichtgedaan dat Nicky het bijna niet hoorde. Daarna snelle gedempte voetstappen door de gang.

Ze keek op en verwachtte eigenlijk dat iemand binnen zou komen. Nu stond de deur op een kier. Toen de voetstappen verdergingen zonder dat iemand de kamer binnenkwam, riep ze: 'John?'

Het was duidelijk dat degene op de gang haar niet had gehoord. De persoon in kwestie kwam niet terug om te vragen of ze iets bliefde.

Hoewel de memoires van Blackwood haar op een morbide manier aanspraken, bleef ze te lang bij het eerste gedeelte hangen. Ze kon dat later nog wel uitgebreider gaan lezen als ze daar dan nog behoefte aan had. Nu liet ze haar ogen sneller over de schijnbaar eindeloze regels gaan die met zoveel zorg aan het papier waren toevertrouwd, en ze probeerde erachter te komen waarom de moordenaar was overgestapt van het om het leven brengen van individuen op het uitmoorden van complete gezinnen.

Preston Nash zit alleen in zijn appartement in het souterrain. Hij eet tortillachips met salsadipsaus, drinkt er bier bij, en speelt Grand Theft Auto, gaat er helemaal in op, wanneer hij plotseling, zonder dat daar een reden voor is, hardop zegt: 'Kom bij me.'

Het volgende moment heeft hij de huissleutel van de Calvino's in zijn broekzak en rijdt hij in de tweede auto van zijn ouders, wat ze hem verboden hebben, ondanks het feit dat hij zesendertig is en dus al volwassen. Preston heeft in het verleden last gehad van fugue-aanvallen, waarbij hij onder invloed van drugs of drank in een dissociatieve staat terechtkwam. Dan doet hij dingen die hij zich nauwelijks bewust is en ontplooit hij activiteiten die hij zich later niet of nauwelijks kan herinneren. Maar nu heeft hij niet genoeg bier achterovergeslagen of genoeg pillen geslikt om in die toestand te geraken.

Bovendien is dit anders dan een fugue. Raarder. Hij is zich wel degelijk bewust van wat hij doet, en hoewel hij het helemaal niet wil, kan hij niet stoppen. Willoos gaat hij naar het huis van de familie Calvino. Hij heeft het gevoel dat zijn leven ervan afhangt, maar hij heeft geen idee waarom dat zo is. Ondanks de storm ervaart hij de wereld om hem heen niet als vaag en ver weg. Die wereld *is* zwart-wit, en dat heeft niets te maken met de sneeuw en de kale bomen, want alle andere voertuigen op de weg zijn of zwart of wit, of ze hebben een grijstint, net als de reclameborden op de winkels en alle kleren die de voetgangers aanhebben. De enige kleuren die op dit moment bestaan, zijn de kleuren van Preston zelf: zijn kleren, en de auto waarin hij rijdt.

Hij is niet bang. Hij denkt dat hij eigenlijk zou moeten baden in het angstzweet, en dat hij heftig zou moeten trillen, als zo'n bed in een goedkoop motel dat je lijf masseert als je er een muntje in gooit. Iets binnen in hem zegt dat hij rustig moet blijven, dat alles goed komt. De keren dat hij ooit bang is geweest, was hij altijd nuchter. Wat hem nu overkomt, heeft niets met dronkenschap te maken, maar toch lijkt het net genoeg op dronkenschap om niet compleet te gaan flippen.

Hij zet de auto een straat van het huis van de Calvino's vandaan en loopt er met energieke tred naartoe, alsof hij een belangrijke afspraak heeft en niet te laat wil komen. Hij heeft geen elegante manier van voortbewegen. Meestal ervaart Preston de wereld als het dek van een schip in een storm, en is hij al blij als hij overeind kan blijven en niet overboord slaat. Maar nu beent hij doelgericht over het besneeuwde trottoir zonder zich ook maar één keer te verstappen. Het gazon op, langs de noordkant van het mooie witte huis. Over het terras naar een deur zonder raampjes erin. Die zit op slot. Hij gebruikt zijn sleutel.

Genomen.

Het is voor het eerst sinds de vijfde oktober dat de ruiter dit paard bestijgt. Destijds bereed hij Preston stiekem, maar nu maakt hij zich aan de man bekend. Preston geeft zich zonder slag of stoot over en schikt zich nog gedienstiger naar zijn meester dan een avatar in een videospelletje zich schikt naar degene die de joystick in handen heeft. De wereld om hem heen krijgt alle kleur weer terug.

Preston laat zijn sleutel in de deur zitten en gaat het laarzenhok binnen. De laarzen van de meisjes staan op een rubberen mat die glinstert van de gesmolten sneeuw, en hun jassen hangen aan haken aan de muur. Preston doet de deur achter zich dicht. Tegen een muur staat een kast met bovenin deurtjes en beneden laatjes. Preston, die hier nog nooit is geweest, trekt precies de goede la open en haalt er een klauwhamer uit.

Twee deuren geven toegang tot de rest van het huis. Een deur komt uit in de keuken, de andere in de gang. Preston loopt de gang in en gaat snel maar zo zachtjes mogelijk naar de voorkant van het huis.

Als hij langs een deur komt die op een kiertje staat, roept Nicolette Calvino: 'John?'

Hij zou de werkkamer binnen kunnen lopen en haar schedel kunnen verbrijzelen. Maar hij begrijpt dat ze een begerenswaardige teef is die eerst gebruikt moet worden. Later, als ze om haar dood smeekt, zou het geinig zijn om met de hamer haar gezicht te verbouwen.

Als dat is wat zijn berijder wil, heeft Preston daar geen moeite mee. Het zal een soort kruising zijn tussen een van zijn pornofilms en een van de Saw-films, met dit verschil dat het nu helemaal 3D zal zijn, en intiemer.

In de hal bevindt zich een kleine inloopkast. Preston stapt hier naar binnen en doet de deur zachtjes achter zich dicht.

Met Prestons eigen stem zegt de ruiter 'Blijf', alsof Preston een goed afgerichte hond is. In deze staat van zijn is hij meer een auto dan een hond, een betrouwbare Honda die met stationaire motor staat te wachten. Hij is nu gewoon Preston, niet Preston en Alton en Verderf, maar Preston in stilstaande staat, als een acteur in een film nadat iemand de pauzeknop van de videorecorder heeft ingedrukt. Hij weet dat hij Preston is, en hij weet dat hij in een garderobekast zit, en hij is zich ervan bewust dat hij een klauwhamer in zijn hand heeft. Hij weet ook dat hij niet echt verantwoordelijk is voor zijn daden, wat er ook maar mag gebeuren. Hij is meer een toeschouwer dan een deelnemer, al is hij wel een zeer geïnteresseerde toeschouwer die zich makkelijk laat vermaken. Zijn hele leven is Preston een toeschouwer geweest in plaats van een deelnemer, dus is hij wel gewend aan de huidige omstandigheden, behalve dan dat hij nu even geen biertje kan pakken als hij daar zin in heeft.

Minnie stond in haar kamer naast haar speeltafel en staarde naar het legoding: een wit geval van ongeveer zeven centimeter hoog, vijftien centimeter in doorsnee. Het leek op een hoge rijsttaart, maar dan glad, en het stond als een muntje op zijn kant. Eigenlijk zou het ding uit elkaar moeten vallen, in allemaal losse stukjes, maar dat gebeurde niet.

Twee jaar lang had ze aan het legoding gebouwd, al wist ze niet waarom. Het was begonnen toen ze uit het ziekenhuis was gekomen. Ze had daar gelegen omdat ze zo ziek was dat iedereen dacht dat ze dood zou gaan.

Of eigenlijk was het begonnen toen ze nog in het ziekenhuis lag...

Ze had hoge koorts, en de gebruikelijke medicijnen hielpen niet. Koorts, maar ook koude rillingen, zweetaanvallen, afschuwelijke hoofdpijn. De dorst was bijna het ergste van alles. Soms had ze zo'n erge dorst dat ze het gevoel had een pond zout te hebben gegeten zonder dat ze water kreeg. Het grootste deel van de tijd gaven ze haar vocht door een naaldje dat in een ader in haar arm zat, maar dat hielp niet tegen de dorst. De artsen wilden precies weten hoeveel vocht ze binnenkreeg, want soms dronk ze zoveel dat haar buik pijnlijk opzwol, en hoewel het zeer deed, wilde ze dan nog meer drinken – zelfs in haar dromen.

Toen ze op de ic lag, had ze vaak de vreemdste dromen, soms zelfs als ze wakker was. Voordat ze in het ziekenhuis belandde, wist ze niet wat het woord *delirium* betekende, maar tegen de tijd dat ze weer beter was en naar huis mocht, wist ze daar alles van. De dromen, of ze nu wakker was of niet, hadden vaak iets met dorst te maken: woestijnen waarin alle water een fata morgana bleek te zijn, kannen en kranen waar alleen maar zand uit kwam, op een snikhete dag door een soort monster achterna worden gezeten langs droge rivierbeddingen, een bos met verdorde, dode bomen die een stoffige open vlakte omzoomden waarin broze botten in het dorre gras verspreid lagen, waar alleen onder in een open graf wat water was, maar toen ze zich in het graf liet zakken, bleek ook dat water een fata morgana te zijn geweest, en boven haar werd kalkachtige grond de kuil in geschept, door hetzelfde monster dat haar langs de opgedroogde rivier achterna had gezeten.

Een delirium was grappig, niet in de betekenis van om te lachen, maar in de betekenis van merkwaardig. Als je een delirium had, kon je er zeker van zijn dat niet alleen monsters je naar het leven stonden, maar ook mensen die je juist wilden helpen, zoals Kaylin Amhurst, de verpleegkundige van de ic. Toen Minnie op de intensive care lag en hallucineerde en nachtmerries had, dacht ze dat zuster Amhurst probeerde haar te vergiftigen.

Soms, meestal aan het eind van haar ergste nachtmerries en hallucinaties, verscheen pastoor Albright. Ze was dol op hem. Hij was de superliefste persoon die ze kende, na mamma, pappa, Naomi en Zach. Vlak voordat Minnie in het ziekenhuis werd opgenomen, was hij met pensioen gegaan, en pastoor Bill had toen zijn plaats ingenomen, dus misschien gaf ze pastoor Albright een rol in haar koortsdromen omdat ze alleen nog op die manier contact met hem kon onderhouden. Hij was het enige goede in haar dromen. Hij gaf haar altijd water, en dat veranderde dan nooit in zout of zand.

Dat was een slecht jaar, en niet alleen vanwege haar ziekte. Een maand voordat pastoor Albright met pensioen ging, stierf Willard. Pappa en Lionel Timmins werden door een slechterik bijna doodgeschoten, en hoewel ze daarna onderscheiden wer-

den omdat ze zo moedig waren geweest, was pappa bijna doodgegaan, en dat idee beangstigde Minnie nog lang daarna. Misschien was het enige goede wat dat jaar gebeurde dat Zach besloot dat hij absoluut bij het korps mariniers wilde.

Minnie wist niet of de legovormen iets goeds of iets slechts
waren. Ze had ze voor het eerst in haar koortsdromen gezien,
alleen waren ze toen niet van legoblokjes gemaakt. Het waren
gewoon vormen die ze van een afstandje zag, maar toen liep ze
ineens *op* die vormen, alsof het gebouwen waren, en uiteindelijk liep ze er *in* rond. Ze wist toen dat ze net als Alice in *Alice
in Wonderland* gekrompen was, tot ze het kleinste wezentje van
de hele schepping was geworden, en dat de vreemde vormen die
ze aan het verkennen was, aan de voet van het universum lagen
en het ondersteunden.

Haar moeder had gezegd dat er drie grote krachten waren
waarop het universum steunde. De eerste en sterkste was God.
De andere twee krachten waren allebei even sterk: liefde en voorstellingsvermogen. Van die drie krachten waren God en liefde
altijd goed, maar voorstellingsvermogen kon goed of slecht zijn.
Mozart bedacht geweldige muziek. Maar Hitler had concentra-
tiekampen bedacht en gebouwd. Het voorstellingsvermogen was
zo'n sterke kracht dat je ermee moest oppassen, omdat je dingen kon bedenken die dan misschien werkelijkheid werden, terwijl je dat helemaal niet wilde. Alles in het heelal was eerst een
gedachte voordat het werkelijkheid werd. Toen Minnie in haar
deliriumdromen rondliep in de vormen, wist ze dat het ideeën
waren waaruit alles was ontstaan, hoewel ze toen – en nu nog
steeds – niet wist wat dat *betekende*. Per slot van rekening was
ze nog maar acht.

Ze draaide zich om, liep naar het raam en keek naar de
sneeuwvlokken die tussen de kale takken van de eik dwarrelden. De weersverwachting klopte niet. Er zou meer dan dertig
centimeter sneeuw vallen, niet vijftien centimeter. Ze wist niet
waarom ze dit zo zeker wist, maar ze twijfelde er geen moment

aan. Het was nu eenmaal een van die dingen die ze gewoon wist.

Vrij snel nadat ze met Naomi in de sneeuw had gespeeld, was Minnie in een spookstemming geraakt. Ze voelde zo sterk aan dat er onzichtbare krachten in huis rondhingen dat ze wist dat die zich op een gegeven moment aan haar zouden openbaren, net als toen in de supermarkt met de man wiens gezicht voor de helft kapot was geschoten. Deze keer zou het erger worden dan toen.

Ze zag iets in de tuin aan de zuidkant van het huis bewegen, deels verborgen door de takken van de eik. Toen datgene wat bewoog achter de boom vandaan kwam, zag ze dat het Willard was. Hij keek op naar het raam waar ze stond.

'Lieve ouwe hond,' fluisterde ze. 'Lieve ouwe Willard.'

Willard bleef een hele tijd in de sneeuwbui naar haar staan kijken en liep toen naar het huis toe.

Minnie zag hem niet meer. Ze vroeg zich af of de hond misschien naar binnen was gegaan.

Roger Hodd, journalist van *The Daily Post*, heeft met zijn vrouw Georgia afgesproken om na haar werk uit eten te gaan. Ze heeft voorgesteld naar zijn favoriete restaurant te gaan, hoewel het geen etablissement is waar ze zelf graag komt. Hieruit maakt Hodd op dat ze hem tijdens het nagerecht zal gaan vertellen dat ze van hem wil scheiden. Ze wil al een hele tijd van hem af. Omdat hij opvliegend is en geneigd is in dergelijke situaties zijn stem te verheffen, hoopt ze dat hij in een restaurant minder geneigd zal zijn te gaan vloeken en tieren dan bij hen thuis. Hij zal helemaal niet gaan vloeken, omdat hij van plan is niet naar het restaurant toe te gaan, zodat ze pas doorkrijgt dat hij haar heeft laten stikken als ze daar al een hele tijd heeft zitten wachten. Uiteindelijk zal hij haar toestemming geven van hem te scheiden, maar eerst wil hij haar tot wanhoop drijven.

Hij zit in een hotelkamer, in het gezelschap van een hoer, die hij van tevoren heeft betaald, en hij heeft nog maar één van zijn manchetknopen losgemaakt, wanneer hij zegt: 'Kom bij me.' Het meisje dat op het bed ligt, heeft alleen haar slipje nog aan, en ze zegt met de verleidelijke allure van Miss Piggy: 'Kom *jij* maar bij *mij*. Ik ben er helemaal *klaar* voor.' Hij maakt zijn manchetknoop weer vast en pakt zijn zwarte leren jas die over een stoel hangt. Hij zegt: 'Ik kom er net achter dat ik toch heel slecht tegen wijven kan die een lelijke kop hebben.' Ze is nog aan het vloeken als hij de deur van de kamer achter zich dichttrekt.

Hij haast zich door de gang van het hotel en beseft pas gaandeweg wat hij net heeft gedaan. Hij heeft geen idee waarom hij dat deed. Ze was niet lelijk. En ook al was ze dat wel, dan nog kan hij goed tegen een lelijke kop als de rest van de bestelling oké is. Hij is al vanaf elf uur aan het drinken, maar niet heftig. Kleine slokjes. Hij is niet dronken. Hij drinkt al zo lang dat hij nauwelijks nog dronken wordt, althans niet dat hij weet.

Tegen de tijd dat hij in zijn auto zit en zich een weg door de sneeuwstorm baant, voelt hij zich als Richard Dreyfuss in die oude sciencefictionfilm *Close Encounters of the Third Kind*. Hij heeft een drang om ergens naartoe te gaan, niet naar een of ander afgelegen gat in Wyoming waar het moederschip zal landen, maar naar een plek die hij niet kan benoemen. Hij zou eigenlijk bang moeten zijn, maar dat is hij niet. Ten eerste omdat hij nooit bang is. Hij is zogezegd een taaie rakker. Hij is trouwens al jaren bezig zichzelf langzaam te gronde te richten door middel van drank en neurotische vrouwen, wat een veel gruwelijkere manier is om aan je einde te komen dan wanneer je jezelf gewoon in brand steekt. Een andere reden waarom hij niet bang is: elke keer als dit vreemde dwangmatige handelen zijn ademhaling en hartslag versnelt, klinkt er een rustgevende stem in zijn hoofd die een woordloos slaapliedje zingt, waarna hij weer tot bedaren komt.

Hij zet zijn auto in een chique buurt neer, in de buurt van een wit huis, waar hij blijkbaar moet zijn. Hij loopt achterom, door de besneeuwde tuin, over een terras naar een deur waarvan de sleutel nog in het slot zit. Als hij de deur opendoet en de sleutel uit het slot haalt, knalt er iets kouds en zwarts tegen zijn hoofd, althans dat is hoe het op hem overkomt. Daarna zit het *in* zijn hoofd, al is zijn schedel nog intact. Hij schreeuwt, maar het is een geluidloze schreeuw, omdat hij zijn eigen stem niet meer onder controle heeft.

Terwijl hij een laarzenhok binnengaat en de deur achter zich dichtdoet, wil hij nog steeds schreeuwen, omdat hij bang is, veel banger dan op de weg hiernaartoe. Door doodsangst bevangen komt hij via het laarzenhok in een keuken, loopt via een eetkamer naar de voorkant van het huis, en hij voelt zich reddeloos verloren, omdat hij nu niet langer die stoere Roger Hodd is, maar het slaafje van iemand.

Naomi stapte uit de inloopkast in de logeerkamer en reikte Melody de attachécase aan. 'U zult zien dat alles er nog precies zo in ligt als toen u hem aan me gaf. Maar die eieren – waarom staan onze namen er eigenlijk op? En er zit wat in, maar ik ben er niet achter gekomen wat dat precies was. Eieren worden vaak als symbool gebruikt, die kunnen wel duizend dingen symboliseren. Staan deze eieren ook ergens voor? Wat is er eigenlijk voor magisch aan, hoe werken ze? Ligt de rijp nog op de rozenstruik, en wat betekent dat sowieso eigenlijk?'

'Hoogheid, al uw vragen zullen binnen niet al te lange tijd worden beantwoord. Vanavond zullen we op de vleugels van de storm reizen.'

'Op de vleugels van de storm?' zei Naomi. Ze vond dat heerlijk klinken – reizen op de vleugels van de storm.

Melody's aangename gezicht was nu zo levendig dat ze echt knap te noemen was. Ze straalde veel meer energie uit dan eerst. Haar bruine ogen waren wonderbaarlijk, helder en doordringend, alsof er vanbinnen een licht scheen. En haar stem, die altijd al bijzonder, zangerig en absoluut mysterieus was, klonk betoverender dan ooit. 'Dit is geen natuurlijke storm, hoogheid. Dit is sneeuw die door toverkracht is opgeroepen, sneeuw die in deze wereld valt maar die zich ook ophoopt in de eenzame ruimte tussen werelden, sneeuw die naar opzij wordt geblazen door de tijd heen, tot er een brug tussen onze wereld en uw koninkrijk is ontstaan, zodat we net zo soepel naar de andere wereld kunnen glijden als olie op glas, net zo kwiek als kwikzilver.' Naomi zoog elk woord verrukt op, behalve een. 'Glijden? Ik dacht dat we zouden gaan vliegen.' 'We doen dat allebei tegelijk, hoogheid. Dat zult u begrijpen als u ziet met wat voor slee we de tijd zullen doorkruisen, met grote zeilen die opbollen door de winden der tijd.' Naomi werd zo overweldigd door het taalgebruik en de fantasie en de mogelijkheden dat ze even geen woord kon uitbrengen. Toen kwam er een woord bij haar op dat een tamelijk simpel meisje in *Despereaux* vaak zei wanneer ze verbijsterd was, en Naomi vond het leuk om die term te gebruiken om haar gevoelens te verwoorden: '*Gossie!*'

'Nu moet u me terstond vergezellen naar het hoogste puntje van het huis om nadere voorbereidingen te treffen, hoogheid. Kom, we gaan, voordat een onverlaat ons belet onze bestemming te bereiken.'

Melody stoof naar de deur, en Naomi liep snel achter haar aan. Ze vroeg zich af of ze ooit zo fantastisch mooi zou kunnen praten als alle onderdanen in haar koninkrijk dat blijkbaar deden.

Ze liepen snel over de gang van de eerste verdieping naar de trap aan de achterkant van het huis, renden naar boven, langs het atelier van Nicky, stoven door weer een deur naar de overloop boven aan de grote trap.

Toen Naomi doorkreeg dat Melody van plan was de slaapkamer van haar ouders binnen te gaan, zei ze: 'Hola! Dat is het privévertrek van mijn ouders. Daar mag je alleen naar binnen als ze dat gevraagd hebben.'

'We moeten onze voorbereidingen op het hoogste punt van het huis treffen, hoogheid. Alleen daar kunnen we straks vertrekken.'

'Het atelier ligt net zo hoog.'

'Maar het atelier is niet geschikt.' Ze wees op de slaapkamerdeur van Naomi's ouders en zei: 'Bovendien is hier nu niemand.'

'Hoe weet u dat?'

'Dat weet ik omdat ik dat weet.'

'Dan moeten we in elk geval kloppen voor we binnengaan,' zei Naomi. 'Dat is de regel.'

Melody glimlachte met een kwajongensachtige blik, balde haar rechterhand tot een vuist en klopte geluidloos in de lucht. Voor haar ging de deur als door toverkracht open.

Tegen beter weten in, en in weerwil van de regels, maar grinnikend van plezier liep Naomi achter Melody de slaapkamer binnen, waarna ze de deur achter zich dichtdeed.

Hier, aan het eind van de dag, terwijl de schemering inzette, was de wereld buiten wit van de dwarrelende sneeuw, maar in de slaapkamer was het bijna helemaal donker. Toen Melody met de attachécase naar het bed liep, gingen beide lampjes naast het bed aan, alsof een onzichtbaar kamermeisje dat had gedaan, en toen baadde de ruimte in een prachtig zacht schijnsel.

'Zulke dingen moet u me ook leren,' zei Naomi.

'Uw krachten zullen terugkomen als uw geheugen zich herstelt, hoogheid. En vanavond zult u veel nieuwe dingen leren. Wonderbaarlijke dingen. U zult vanavond meer leren dan u tot nu toe in uw hele leven geleerd hebt.'

Melody zette de attachécase op het bed en klopte toen op de plek ernaast, ten teken dat Naomi daar moest gaan zitten.

Naomi ging op het bed zitten, met haar benen over de rand bungelend. 'En nu?'

'Nu blijft u hier zitten wachten, op deze plek, dan ga ik naar beneden om mezelf op majesteitelijke wijze aan ieder van uw familieleden kenbaar te maken en hen ervan te overtuigen dat dit een avond vol magie is. Ik zal hen een voor een hiernaartoe brengen.'

'Mag ik niet mee? Ik zou wel eens willen zien hoe u zich op majesteitelijke wijze kenbaar maakt.'

'Ik moet doen wat er geschreven staat dat ik moet doen,' zei Melody op licht vermanende toon. 'Alles moet geschieden volgens de richtlijnen van de koninklijke magiër.'

Met die woorden beende ze energiek naar de deur, waarna ze de gang op liep, de deur dichtdeed en Naomi achterliet.

Naomi wilde dat ze de gedachtestroom in haar hoofd vijf minuutjes kon stilzetten zodat de talloze voortrazende gedachten tot stilstand kwamen en ze er niet zo duizelig meer van werd. Minstens duizend gedachten tolden in haar hoofd rond, elk om hun eigen as, maar ook cirkelend rond het middelpunt van haar geest, als planeten rond de zon. Het waren stuk voor stuk prachtige, wonderbaarlijke gedachten, behalve twee of drie schijtlijstergedachten die haar zonder enige twijfel onwaardig waren, maar dat kwam door Minnies besmettelijke pessimisme. Naomi was vastbesloten ervoor te zorgen dat die ja-maars en steldats zich niet als lelijke wratten in haar hoofd zouden nestelen en de sfeer en de magie verbroken werd. Ze was een positief ingesteld persoon, ze geloofde in geloven, ze was een eerste fluitist, en ook al wist ze niet veel van wiskunde af, ze wist wel gigantisch veel over magie.

Ze keek naar de sneeuw die schuin langs het raam dwarrelde. De wind was een zacht briesje geworden. De onophoudelijk door elkaar heen buitelende sneeuwvlokken vormden een rustgevend gezicht.

Een diepe stilte daalde in de slaapkamer neer. Naomi probeerde die stilte tot haar lawaaierige hoofd toe te laten.

Met toenemende onrust doolde John door de gangen en vertrekken op de begane grond en de kelder. Hij was niet precies op zoek naar iets, maar verwachtte wel iets belangrijks of zelfs bedreigends te vinden, al had hij geen idee wat dat dan zou moeten zijn.

Uiteindelijk, toen hij weer in de keuken stond, toetste hij op het paneeltje naast de achterdeur een code in om het alarm te activeren. Het zou ongeveer een uur duren voordat het donker was, maar het had voor geen van hen zin om in dit weer naar buiten te gaan. Hij had de meisjes verteld dat ze binnen moesten blijven. Zach leek heel tevreden te zitten tekenen op zijn kamer. John voelde zich beter als hij het alarm erop deed. Niet dat hij de illusie koesterde dat ze nu volkomen veilig waren. Niemand was ooit ergens volkomen veilig.

Het duurde nog zevenenveertig dagen voordat het 10 december was. De klok was nog niet aan het aftellen, maar toch had John het gevoel dat het aftellen al begonnen was. Hij kon de klok bijna *horen* tikken.

Toen de duisternis inviel, zou het verlichte huis voor iemand die buiten stond zo zichtbaar zijn als een vissenkom. Hij besloot alle gordijnen dicht te doen en de luxaflex neer te laten, om te beginnen in de keuken. Terwijl hij van het ene vertrek naar het andere ging, controleerde hij of alle ramen en deuren dichtzaten.

Het was nu twintig jaar geleden dat de zwartste nacht van zijn leven had plaatsgevonden, en elk raam dat hij controleerde, herinnerde hem eraan dat zijn ouders en zussen om het leven waren gekomen terwijl hij in leven bleef omdat hij egoïstisch en zwak was.

Doordeweeks gingen Marnie en Giselle altijd om negen uur naar boven om te gaan slapen. Johns ouders zaten in het onderwijs, stonden altijd vroeg op en gingen meestal rond tien uur naar bed.

Omdat John veertien was, hoefde hij niet zo vroeg naar bed, maar die avond zei hij dat hij moe was en ging hij net als zijn zussen om negen uur naar zijn kamer. Hij bleef in het donker zitten wachten tot hij om twintig voor tien hoorde dat zijn vader en moeder hun slaapkamerdeur dichtdeden.

Zijn kamer lag tegenover die van zijn ouders en keek uit op het dak van de veranda aan de voorkant van het huis.

Hij sloopt door het goed geoliede raam naar buiten en schoof het weer dicht. Omdat het raam niet vergrendeld was, kon hij het zo openschuiven als hij weer terugkwam.

De laatste maanden was hij vaak stiekem naar buiten geglipt. Hij was er zeer bedreven in geworden en maakte net zo weinig geluid als een kat.

Aan de noordkant van de veranda hing een dikke tak van een boom. Hij strekte zich, pakte de tak, zette zich met beide voeten af, ging aan de tak hangen en verplaatste zich hand voor hand tot hij ver genoeg van het huis verwijderd was om zich op het gras te laten vallen. Als hij terugkwam, klom hij altijd via de boom op het dak, ging door het slaapkamerraam naar binnen en was dan zo uitgeput dat hij meteen als een blok in slaap viel.

Ze heette Cindy Shooner. Ze woonde twee straten verderop, een afstand die hij in drie minuten kon overbruggen.

Meneer en mevrouw Shooner waren een asociaal stel, zei Cindy. Ze hadden een hekel aan hun werk, ze hadden een hekel aan hun familie, en ze waren ook niet bepaald dol op elkaar. Als ze niet dronken, vochten ze, en omdat ze geen ruzie maakten als ze dronken waren, begonnen ze elke avond al vroeg te drinken, om het in huis nog een beetje te kunnen uithouden. Rond tienen vielen ze vaak laveloos in slaap, of soms sliepen ze dan al, of lagen ze in bed naar worstelwedstrijden te kijken, omdat ze allebei nogal gecharmeerd waren van spierbundels in strakke broekjes.

Ze sliepen boven, en de slaapkamer van Cindy lag op de begane grond. Ze kon daarom nog makkelijker het huis uit glippen dan John.

Begin augustus, toen het allemaal begon, namen ze regelmatig een deken mee naar een weiland in de buurt, waar ze dan onder de sterrenhemel gingen liggen.

Meneer Bellingham, een buurman van de Shooners twee huizen verderop, moest voor zijn werk negen maanden naar een andere staat, omdat er problemen waren met een fabriek daar. Mevrouw Bellingham besloot met hem mee te gaan. Ze wilden het huis niet verhuren, dus vroegen ze Cindy of ze tegen betaling op het huis wilde passen en om de zoveel weken wilde stoffen en zuigen.

Vanaf die tijd hoefden zij en John niet meer naar het weiland toe. Ze konden kaarsjes aansteken, muziek opzetten, en een echt bed gebruiken.

Cindy was zestien, anderhalf jaar ouder dan John. Ze was zijn eerste vriendinnetje. Hij was niet haar eerste vriendje. Ondanks haar leeftijd was ze in sommige opzichten al een volwassen vrouw. Ze was zelfverzekerd in bed, wist het een en ander, had een gezonde libido en kreeg de pil van haar moeder, omdat die er niet aan moest denken oma te worden.

Cindy had een slechte invloed op John, hoewel hij dat zelf toen niet zo zag. Sterker nog, als de verkeerde persoon dat tegen hem gezegd had, zou hij er onmiddellijk op geslagen hebben.

Feit was dat hij ook een slechte invloed op haar had. Hij was absoluut op haar gesteld, en hij vond het fijn om bij haar te zijn, maar hij hield niet van haar. Als een meisje niet bemind werd, ook al was het maar in zo geringe mate dat het kon doorgaan voor liefde, dan werd ze misbruikt en werd geen van beide partijen daar beter van.

Hij bleef die avond bij haar, van iets voor tienen tot later dan anders, tot kwart voor vier. Nadat ze in het huis van de Bellinghams hadden gevreeën, dommelden ze in slaap.

Tegen de tijd dat hij afscheid van haar had genomen, snel naar huis was gegaan, op het dak was geklauterd en door het raam naar binnen was geklommen, was het vier uur.

Als hij zich toen had uitgekleed, zou hij als een blok in slaap zijn gevallen. Hij zou dan 's morgens wakker zijn geworden, tevreden over zijn geheime escapade, en zou ontdekt hebben dat hij in het huis van de dood had geslapen.

Toen hij het raam voorzichtig dichtschoof, hoorde hij ergens op de eerste verdieping in huis belletjes rinkelen. Een zilveren geluidje, griezelig, iets wat hij nooit eerder had gehoord. Na een korte stilte hoorde hij het gerinkel weer. Zonder het licht aan te doen sloop hij naar de deur om te luisteren. De belletjes klonken een derde keer.

Hij deed zijn slaapkamerdeur open en zag dat er licht op de overloop viel, vanuit de kamers van zijn ouders en zijn zussen.

Op de overloop stond een zwarte rugzak. Ernaast lag een pistool.

John was bekend met wapens. Zijn vader, die goed kon schieten, ging altijd op hertenjacht als het seizoen geopend was, en had zijn zoon geleerd hoe hij met wapens om moest gaan. Dit was niet het pistool van zijn vader.

Er zat een zelfgemaakte geluiddemper op. Die haalde hij eraf.

Vanuit de slaapkamer van zijn zussen hoorde hij vreemde geluiden komen. Daar moest de indringer dus zijn.

Hij hoorde niemand huilen of schreeuwen, en hij wist wat de stilte van de meisjes te betekenen had. Als hij daar te lang bij stil bleef staan, zou hij zich van schrik niet meer kunnen bewegen of zou hij niet meer de kracht hebben om in actie te komen, dus daarom concentreerde hij zich op het pistool en op wat hij ermee moest doen.

Met het wapen in de hand sloop hij naar de slaapkamer van zijn ouders. De deur stond open. Ze lagen in een bebloed bed. In hun slaap doodgeschoten. Er lag iets op hun ogen. Ze hadden iets in hun handen.

Zijn angstige hart ging als een razende tekeer. Maar hij moest door.

Na een korte stilte hoorde hij de belletjes weer.

John verplaatste zich zijdelings over de overloop en hield het pistool met beide handen vast. Toen hij vlak bij de slaapkamer van de meisjes was, bleef hij vertwijfeld staan.

Weer die belletjes.

Hij ging in de deuropening staan. Het licht, de akelige toekomst.

Giselle op de grond. Dood. Erger dan dood. Marnie. Die kleine Marnie. Het lijden. Onvoorstelbaar. Hij was beter af als hij nu blind was, als hij zonder ogen geboren was.

John was het liefst ter plekke doodgegaan. Hij wilde zijn twee zussen met een deken toedekken, tussen hen in gaan liggen, en doodgaan.

De moordenaar, die over Giselle heen gebogen zat, rinkelde nog een keer met de belletjes. Een lange man, een soort kakkerlak, trillend van opwinding. Vel over been. Wrede botten, grijpgrage handen.

Terwijl het klagelijke geluid van de belletjes nog nagalmde, hief het monster zijn kop en draaide zich om. Zijn afzichtelijke gezicht gloeide van monsterlijke verrukking, zijn mond was rood besmeurd door wrede zoenen, zijn ogen waren zwarte gaten waar complete werelden naartoe werden gezogen om in hun onmetelijke dieptes verpletterd te worden.

De sinistere stem beukte met woorden op John in. 'Dit meisje zei dat je deze week bij oma was.'

Als hij geweten had dat John 's nachts zou terugkomen, zou hij hem in zijn onverlichte slaapkamer hebben opgewacht. Ondanks haar doodsangst had Giselle nog de tegenwoordigheid van geest gehad om het leven van haar broer te redden door een slimme leugen te vertellen. Ze stierf opdat John het zou kunnen overleven.

De moordenaar kwam uit zijn hurkzit overeind, strekte zijn armen als een weerzinwekkende pterodactylus uit, en zei: 'Die lekkere zus van je. Giselle. Ze had van die mooie, kleine, ontluikende borstjes.'

John hield zijn armen gestrekt voor zich uit, het pistool in beide handen vastgeklemd, maar zijn hart bonkte zo hard dat hij stond te trillen, en het pistool trilde mee, de loop schokte en bibberde.

De moordenaar deed een stap naar John toe en zei: 'Later zul je een gezin stichten. Dan kom ik terug, en dan zal ik je vrouw en kinderen op brutere wijze misbruiken dan ik bij die slettenbakken van zussen van je gedaan heb.'

Het eerste schot galmde keihard in die beperkte ruimte, als kanongebulder, schokgolven die tussen de muren kaatsten, en de kogel zoog het versplinterde kraakbeen van de neus mee de koortsige hersenen in. De moordenaar waggelde, struikelde, kwam ten val.

John liep de slaapkamer in, ging bij het gevloerde monster staan en schoot zijn pistool leeg in het hatelijke gezicht, blies de ogen weg die zijn zussen in hun angst en wanhoop hadden gadegeslagen, verwoestte de mond waarmee hij hen ontheiligd had. Na het eerste schot hoorde hij niets meer, maar zag hij in een schijnbare stilte hoe het misvormde gezicht tot een chaos verwerd.

John kon zich niet herinneren daarna naar beneden te zijn gegaan. Wat hij nog wel wist, was dat hij kogels in een van de pistolen van zijn vader deed, met de bedoeling een gat in zijn verhemelte te schieten, opdat zijn schande en verdriet tegelijk met zijn hersenen zouden worden weggeblazen.

Vlak voordat zijn zus was gestorven, had ze gelogen dat John bij zijn oma was, in de hoop daarmee zijn leven te redden. Hij kon haar liefde onmogelijk beantwoorden door nu een laffe uitweg te kiezen. Zijn straf zou eruit bestaan dat hij in leven moest blijven.

De smaak en het gewicht van koud staal lagen op zijn tong toen hij de sirenes hoorde die zijn schoten hadden opgeroepen.

Ze troffen hem snikkend aan, op zijn knieën.

In de kamer waar Walter en Imogene Nash altijd zaten te lunchen en hun werkplanning voor de dag bekeken, liet John net de luxaflex neer toen Nicolette hem kwam zoeken.

Ze had op de computer de memoires van Alton Turner Blackwood zitten lezen, en ze zag zo wit als de grondlaag van witte gesso waarmee ze haar doeken prepareerde om te kunnen gaan schilderen.

'Jouw familie was niet als vierde aan de beurt. Hij was van plan de Calvino's als derde te vermoorden, en de Paxtons als vierde.'

Hij keek haar wezenloos aan, intuïtief gealarmeerd, zonder dat de reikwijdte van haar woorden onmiddellijk tot hem doordrong.

'Die therapeut die zijn memoires gelezen had. Die heeft het je nooit verteld. Blackwood had jouw familie als derde op de lijst gezet. Toen hij die avond naar jullie huis ging, stond er toevallig een politiewagen bij jullie in de straat. Met twee agenten erin. Waarschijnlijk hielden ze even pauze. Maar Blackwood raakte in paniek. Hij is toen naar de Paxtons gegaan. Drieëndertig dagen later is hij teruggekomen om jouw familie uit te moorden.'

John had het gevoel dat hij een doelwit vormde. Dat iemand hem in het vizier had. Dat er een kogel voor de loop zat die op hem gericht was.

'Als we als derde aan de beurt zijn,' zei Nicky, 'hebben we niet tot 10 december de tijd. Dan hebben we nog maar dertien dagen te gaan.'

'Maar waarom zou hij nu ineens wel de oorspronkelijke volgorde aanhouden?'

'Waarom niet? Misschien wil hij het doen in de volgorde die hij eerst van plan was. Maar John… mijn god.'

'Wat?'

'Als hij de volgorde kan veranderen, waarom zou hij zich dan nog aan die drieëndertig dagen houden?'

'De rituelen van een seriemoordenaar. Wie zal het zeggen? Ze snappen het zelf soms ook niet.'

Ze schudde haar hoofd. 'Maar vandaag. *Vandaag*, John. Vandaag was het precies twintig jaar geleden. Als hij de volgorde kan omgooien en ons op de derde plaats kan zetten, kan hij de dag ook veranderen. Misschien komt vandaag hem wel beter uit dan dat hij nog een tijd wacht.'

Uit de memoires van Alton Turner Blackwood:

*Melissa deelde de kaarten, en Regina pakte die van haar niet
een voor een op maar wachtte tot ze alle kaarten had
gekregen. De jongen luisterde naar het verhaal hoe zijn
moeder was vermoord, en het kwam hem voor dat het knappe
meisje zijn lot met zeven kaarten had bepaald, en dat haar
knappe moeder zijn lot in een waaier van cijferkaarten en
plaatjes in haar hand hield.*

*Nadat de vruchtbare Regina bevallen was van Melissa, had
ze drie zoons gekregen, van wie de jonge botjes in de
omhooggewoelde aarde in het bos verspreid lagen. Maar nadat
Anita de misvormde jongen op de wereld had gezet, werd ze
negen jaar lang niet meer zwanger, hoewel Teejay zich intensief met haar bemoeide. Het geduld van de oude man raakte
uiteindelijk op, en op een avond, toen Anita net iets te dwing-
gend eiste dat haar zoon meer privileges zou krijgen, de zoon
die hij het liefst in een gesticht zou stoppen, haalde hij in een
vlaag van onverholen woede naar haar uit met de ijzeren pook
waarmee hij het vuur in de slaapkamer had zitten opstoken.
Toen hij zag dat hij in zijn woede het gezicht van Anita had
verwoest, gebruikte hij de pook om haar van kant te maken.*

Dus de moeder had de jongen niet verlaten, en wat hem altijd verteld was over haar toenemende walging over zijn uiterlijk bleek de zoveelste leugen te zijn die op Crown Hill in de familie Blackwood de ronde deed.

Omdat Anita dood was en niet meer voor haar kind kon opkomen, had Teejay wellicht overwogen de jongen alsnog te vermoorden, maar in plaats daarvan besloot hij zijn enige zoon die in leven was gebleven – en die in de verwrongen takken van de stamboom ook zijn kleinzoon en achterkleinzoon was – te verbannen naar de eenzame torenkamer, om zichzelf er blijvend aan te herinneren dat er in de zoektocht naar ultieme schoonheid middels incestueuze voortplanting geen roos kon worden geplukt zonder dat men daarbij het risico liep zich aan een onverhoopte doorn te verwonden.

Nadat Regina een kaart had gepakt, legde ze drie van haar acht kaarten open op tafel: drie vrouwen.

'Ik vertel je dit allemaal omdat Melissa en ik, wij allebei, vier weken zwanger zijn. Ik denk dat ik inmiddels genoeg heb gedaan – meer dan genoeg – om datgene te verdienen wat me toekomt.'

De misvormde jongen stond naar de drie vrouwen op tafel te kijken, en in zijn fantasie verschenen de gezichten van zijn knappe moeder, zijn prachtige tante en zijn nog knappere nicht op de drie kaarten.

Regina had nog meer kaarten die ze kon uitleggen; ze liet twee drieën zien, die ze aanvulde met een joker.

'Als je gaat nadenken over wat dit allemaal voor je te betekenen heeft, en wat je er eventueel aan zou kunnen doen,' vervolgde ze haar verhaal, 'moet je drie dingen goed onthouden. Ten eerste dat ik de zus van je moeder ben. Ten tweede dat Melissa niet alleen de nicht van je moeder is, maar ook haar halfzus. En ten derde dat ik de enige op Crown Hill ben die je van de waarheid op de hoogte heeft gebracht. Zelfs je moeder heeft dat niet gedaan.'

Achteraf begreep de jongen dat ze verwachtte dat hij Teejay zou vermoorden. In plaats daarvan nam hij die avond een knapzak, deed daar alleen wat spullen in die hij van wezenlijk belang achtte, waaronder de foto van de naakte Jillian die zichzelf aan een zolderbalk had opgehangen. Hij verschafte zich toegang tot de privésuite van Teejay, bedreigde de oude man met een mes en eiste geld van hem. Hij was niet van plan Teejay iets aan te doen – de krasse man was toen drieënzeventig – want als hij dat deed, zou hij moeten vluchten en zou hij zeker worden opgepakt, terwijl het hem niet om wraak maar om vrijheid te doen was. Teejay bleek tweeëntwintigduizend dollar in een muurkluis te hebben liggen. De jongen nam ook tien oude munten mee die zo'n vijftigduizend dollar waard waren.

Om twaalf uur 's nachts liep de jongen langs de oprijlaan naar de poorten van Crown Hill. De raaf had hem de nacht gegeven, en de nacht was zijn leermeester geweest.

De jongen wist nu alles wat de nacht wist, had lessen voor het leven geleerd dat nu voor hem openstond. Iedereen kwam ter wereld om uiteindelijk dood te gaan. Seks was de dood. De dood was seks. Je kon beter een roofdier zijn dan een prooi. Er moest wel een hel zijn, omdat daar dringend en constant behoefte aan was. Hij had geen behoefte aan de hemel, omdat hij een bevoorrecht ereplekje in de hel zou reserveren.

Enkele minuten na middernacht liep de jongen door de poort van Crown Hill, de wereld tegemoet. Op dat moment werd hij mij. Ik ben Alton Turner Blackwood, en ik ben de dood.

49

MELODY LANE – GETALENTEERD BEDENKSTER VAN STER-
ke verhalen over andere werelden en sleeën die met bollende zeilen door de tijd glijden, de onderdanige, gedreven dienares van
Verderf, en dus een soort van spirituele zus van Alton Turner
Blackwood – heeft Naomi in de ouderslaapkamer op de tweede
verdieping achtergelaten en gaat via de trap aan de achterkant
van het huis naar beneden. Als ze de deur naar de keuken opendoet, hoort ze stemmen, van de bezorgde moeder en vader. Het
geluid komt uit een van de aangrenzende vertrekken. Ze blijft
aan de voet van de trap staan luisteren, achter de deur, die ze op
een kiertje houdt. Als John en Nicolette zich naar elders spoe-
den, betreedt Melody de keuken.

Ze ziet dat er heel wat mooie, vlijmscherp geslepen messen
tot haar beschikking staan: een broodmes, slagersmes, vleesmes,
fileermes... De bewoners van dit huis zijn goede klanten van
Williams-Sonoma en kopen keukenspullen van de beste kwaliteit. Hoewel ze hun spullen bewondert, denkt ze dat ze meer
consumeren dan waar ze recht op hebben. We hebben allen onze verantwoordelijkheden. Nou, vanavond wordt hun con-
sumptiepatroon een halt toegeroepen. Als ze een la opentrekt

en het hakmes met het vlakgeslepen lemmet ziet, pakt ze het en bekijkt ze zichzelf in het weerspiegelende, glimmende staal. Een kind van één of jonger verdrinkt ze het liefst in bad. Een kind tussen twee en vier smoort of wurgt ze het liefst. Botte voorwerpen kunnen voor elke leeftijd. Maar bij een sterke jongen van dertien, die door recente ervaringen op zijn hoede is, lijkt het raadzaam om een scherp wapen te nemen dat met kracht gehanteerd kan worden.

Nadat ze de messenla heeft dichtgedaan en de knop van de la stevig blijft vasthouden, vraagt ze om advies, want omdat ze nu niet wordt bereden, weet ze niet als Verderf waar iedereen in huis zich bevindt. De jongen is op zijn kamer – en straks zal het jongste meisje naar hem toe gaan. Het kwetsbare meisje moet voor later bewaard worden, en Melody zal hulp ontvangen om Minette bezig te houden zonder dat er bloed bij zal vloeien. Melody mag de jongen hebben, een opwindend vooruitzicht. Hij zal het oudste kind zijn dat ze tot dan toe vermoord heeft, en als hij zijn laatste adem uitblaast, zal ze die ten volle opzuigen en uit de diepste nissen van zijn rijpe mond likken.

Met haar linkerarm drukte Minnie het wielvormige ding van lego tegen zich aan, en met haar rechtervuist klopte ze op Zachs slaapkamerdeur. 'Ik ben het, en het is belangrijk.'

Hij zei dat ze binnen mocht komen, en ze zag dat hij achter zijn bureau zat en net zijn tekenblok dichtdeed.

'Wat is er?' vroeg hij.

'Er gaat iets ergs gebeuren?'

'Wat heb je dan gedaan? Heb je iets kapotgemaakt?'

'Ik niet. Ik heb niets gedaan. Het zit in het huis.'

'Hè? Wat zit in het huis?'

'Verderf. Hij heet Verderf.'

'Verderf? Wat is dat nou weer voor naam? Ik snap de grap niet.'

'Voel je hem niet in het huis zitten? Hij zit hier al weken. Hij haat ons, Zach. Ik ben bang.'

Hij was ondertussen overeind gekomen. Nu liep hij langs haar om de deur dicht te doen die ze op een kiertje had laten staan.

Hij draaide zich naar haar om en zei: 'Ik heb ook een paar... dingen meegemaakt.'

Knikkend zei ze: 'Een paar dingen meegemaakt.'

'Ik dacht dat ik compleet gestoord werd.'

'Hij wacht op het juiste ogenblik.'

'Wie bedoel je? Wie is dat Verderf-type?'

'Hij is niet zoals jij en ik en Naomi. Hij... of het... wat het ook maar mag zijn, volgens mij is het een soort geest, maar ook meer dan dat, al weet ik niet precies wat.'

'Geesten. Ik ben niet zo weg van dat geestige gedoe, hoor. Het hele idee lijkt me stom.'

Minnie zag wel dat hij er nu veel minder sterk van overtuigd was dat geesten een stom idee waren dan in september of augustus.

'Wat heb je daar bij je?' vroeg hij. Hij wees op het wielvormige ding van lego dat ze nog steeds met haar linkerarm tegen zich aan gedrukt hield.

'Dit heb ik van een droom nagemaakt, al weet ik niet meer hoe ik hem in elkaar heb gezet.'

Hij keek bedenkelijk en zei: 'Legoblokjes kunnen helemaal niet op die manier aan elkaar worden gezet, en het kan ook nooit zo rond en glad en gelaagd worden.'

'Nou, maar toch heb ik het gedaan. En vannacht moeten we dit ding steeds bij ons houden, omdat we dit heel erg nodig gaan hebben.'

'Waarvoor dan?' vroeg Zach.

Minnie schudde haar hoofd. 'Ik mag dood neervallen als ik het weet.'

Hij keek haar aan tot ze haar schouders ophaalde. Toen zei hij: 'Soms ben je zelf ook wel een beetje eng.'

'Vertel mij wat,' zei ze instemmend.

Nicky had de computer in Johns werkkamer niet uitgezet. Een bladzijde van de holografische memoires van Alton Turner Blackwood stond nog op het scherm. John keek ernaar, verbaasd dat een apostel van de chaos zijn misdaden in zo'n verzorgd handschrift had opgeschreven. Natuurlijk zag je bij het kwaad van de ergste soort wel vaker een ontzag voor een zekere orde – lijsten met vijanden, goelags, vernietigingskampen.

Uit een bureaula haalde hij de holster en het pistool dat hij daar had neergelegd voordat hij in de stoel een dutje was gaan doen.

Terwijl hij de holster omdeed, zag hij dat Nicky de hoge wapenkast in de hoek opendeed. Ze haalde er een jachtgeweer kaliber 12 met pistoolgreep uit en gaf dat aan hem.

De meeste van Nicky's kennissen in de kunstwereld hadden niet veel op met de politie en waren bang voor wapens. Ze vonden John wel aardig en namen aan dat ze met hem getrouwd was omdat hij heel anders was dan de meeste agenten, maar in feite was zij in haar hart evengoed een agent als een kunstenaar. Ze werkte niet alleen vanuit haar emotie maar ook vanuit haar verstand, niet alleen intuïtief maar ook analytisch, zag het niet alleen als haar werk maar ook als een roeping, en ze voelde zich verplicht om de waarheid meer nog dan de kunst te dienen. Hij kende veel agenten waar hij volledig op vertrouwde, maar op Nicky vertrouwde hij nog het meest.

Toen ze een doos met kogels uit een van de onderste laden pakte, zei ze: 'Waar zijn de kinderen?'

'Op hun kamer, denk ik.' Hij pakte een kogel van haar aan en stopte die in het geweer. 'Ik heb tegen de meisjes gezegd dat ze niet meer naar buiten mochten.'

'We moeten bij elkaar blijven,' zei ze. Ze gaf hem de eerste van nog drie kogels aan. 'Ik weet zeker dat hij ons uit elkaar wil drijven, want daar is hij steeds mee bezig geweest. Samen staan we sterker. Waar in huis kunnen we ons het beste verdedigen?'

'Ik zal eens denken.' Hij stopte een, twee, drie kogels in het magazijn. 'Geef me ook maar wat reservekogels.'

Uit de computerspeakers klonk muziek. Een opname van een van Naomi's fluitsolo's waar ze bijzonder trots op was.

John en Nicky keken naar het beeldscherm. De pagina uit de memoires van Blackwood begon te knipperen en verdween. Er kwam een foto in beeld. Dezelfde foto van Johns moeder die op de computer van Billy Lucas had gestaan, opgeslagen onder CAL-VINOI, de foto die hij van dezelfde site over seriemoordenaars had gehaald. Die foto verdween, waarna er een van Johns vader verscheen.

Nicky zei: 'Wat gebeurt er?'

Johns vader verdween van het scherm en werd vervangen door zijn zus Marnie. Daarna Giselle. Vervolgens verschenen de gezichten een voor een op het scherm, snel, sneller, oogverblindend snel.

John keek naar de foto's die op de verjaardagen van zijn kinderen gemaakt waren, en naar het bekende meubilair, de muren, het plafond. Hun huis, hun thuis. Niet alleen meer van hen.

Het scherm werd wit. Nog steeds klonk de fluitmuziek. Een nieuwe foto. Zach. Daarna Naomi. Minnie. Nicky. John.

'Het begint,' zei John.

'Verdomme. Daar gaan we iets tegen doen,' zei Nicky, bijna op woeste toon. Ze deed de computer uit en zette de doos met kogels op het bureau. 'Maar hoe pakken we dat aan? Het is gekkenwerk, John. Hoe kunnen we ons tegen zoiets verdedigen?'

John stopte vier kogels in zijn ene broekzak en vier in de andere, en zei: 'Abelard zei dat hij ons met het huis zelf weinig kwaad kan berokkenen. Hij moet het lichaam van iemand binnendringen om ons iets te kunnen aandoen.'

Nicky keek naar het pistool dat in zijn holster zat, naar het geweer dat hij met beide handen vasthield. Hij wist wat ze dacht.

Billy Lucas had zijn eigen familie uitgemoord. De vijand in eigen gelederen.

'Het is niet goed als ik als enige wapens heb.' Hij gaf het pistool aan haar. 'Jij kunt goed met wapens overweg. Het is een zogenaamde *double action*; je moet wat kracht zetten om de trekker over te halen. Dat gaat lastiger dan je gewend bent, maar het lukt vast wel.'

Met een blik van ontsteltenis keek ze naar het wapen dat hij haar in de handen had gedrukt.

John begreep wat er in haar omging. 'Nicky, luister, je moet me goed in de gaten houden of je iets aan me ziet, en of ik... mezelf misschien niet meer ben.'

Haar lippen begonnen te trillen. 'En stel dat *ik*...'

'Jou niet,' onderbrak hij haar. 'Jou kan hij niet in bezit nemen. *Jou* niet.'

'Stel dat ik een van de kinderen iets aan zou doen...'

'Daar ben je een te goed mens voor,' zei hij stellig. 'Ik ben degene waar ik niet helemaal zeker van ben. Want ik heb in het verleden... het team in de steek gelaten.'

'Wat een onzin. Jij bent de liefste man die ik ken. En van de kinderen hebben we ook niets te vrezen. Van onze kinderen niet. Hij zal op een andere manier toeslaan, in de gedaante van iemand van buitenaf.'

'Toch moet je me goed in de gaten houden,' benadrukte hij nog eens. 'Het minste of geringste teken. Aarzel niet om de trekker over te halen. Dan lijk ik wel mezelf, maar ik ben het dan niet meer. En als hij in mij zit, zal hij jou het eerst proberen te pakken, omdat jij het andere vuurwapen hebt.'

Ze legde een hand in zijn nek, trok zijn gezicht naar zich toe, en zoende hem alsof het de laatste keer was.

In de afgelopen drie weken had Lionel Timmins geen enkele vooruitgang in de zaak Woburn geboekt. Hij had een link tussen Reese Salsetto en Andy Tane ontdekt, maar dat leek steeds minder met deze zaak te maken te hebben en enkel op toeval te berusten. Hoe meer hij zich verdiepte in de vreemde gebeurtenissen die er op de vierde waren voorgevallen – en die hadden geleid tot het geweld in het ziekenhuis – hoe minder hij ervan snapte.

Elke dag moest hij denken aan de vreemde sfeer die er bij de Woburns in huis had gehangen, en aan de blauwe hand die op het beeldscherm van Davinia's computer was verschenen. De afstotende kou die hij onder zijn handpalm en vingers had voelen kronkelen. De scherpe prikkeling alsof hij gebeten werd. Het gevoel dat hij constant in de gaten gehouden werd. Het geluid van deuren die een verdieping hoger open- en dichtgingen, voetstappen in lege kamers.

Lionel vroeg zich af of hij wel goed bij zijn hoofd was toen hij op de middag van de vijfentwintigste bij een voormalige duiveluitdrijver langsging. Hij hield zich voor dat hij alleen maar informatie wilde achterhalen om John Calvino gerust te stellen. Hij had niet van tevoren opgebeld en rekende erop dat hij Peter Abelard door zijn imposante fysieke verschijning en zijn politiebadge tot een gesprek zou kunnen overhalen. Met zijn wollen ijsmuts en zijn donkerblauwe duffelse jas oogde hij niet meteen als een agent, maar toch liet de ex-priester hem in zijn huis binnen.

Lionel keek er niet van op toen hij hoorde dat John ook al langs was geweest. Hij had echter niet verwacht dat deze naar sigarettenrook stinkende man die op geen enkele manier aan een priester deed denken, toch griezelig authentiek bleek over te komen.

Toen hij weer buitenstond en zag dat er sneeuwkristallen uit de witte lucht dwarrelden, stak hij zijn tong uit om de vlokken op te vangen, zoals hij dat ook als kleine jongen had gedaan. Hij probeerde zich te herinneren hoe het had gevoeld om een jongen te zijn die in wonderen geloofde, en in Mysterie met een hoofdletter.

Nu hij in zijn auto zat, een paar straten van de Calvino's af, wist hij nog steeds niet of hij in de trein van het bijgeloof helemaal tot het eind zou blijven zitten of dat hij bij het volgende station zou uitstappen. Wat er ook gebeurde, hij was het aan John Calvino verplicht om het bewijsmateriaal langdurig en grondig met hem te bespreken, en wel zo snel mogelijk.

Naomi zat op het bed van haar ouders, met naast haar de attachécase, en keek naar buiten, naar de glorieuze sneeuw. Ze hoopte dat de stilte van de kamer haar drukke hoofd zou binnendringen en haar helderheid van geest zou verschaffen. Ze dacht dat ze een zangerige stem hoorde, alsof er zachtjes een radio aanstond. Op het nachtkastje stond een wekkerradio, maar daar kwam het ritmische gemompel niet vandaan.

Het zangerige geluid zakte geregeld weg, al verdween het nooit helemaal. Steeds zwol het volume weer aan, al kwam het nooit boven het geluidsniveau van in het begin, zodat ze niet kon horen wat er gezegd werd. Al snel kon Naomi haar nieuwsgierigheid niet bedwingen, precies zoals het nieuwsgierigheid betaamde, althans in haar ogen, want zonder nieuwsgierigheid bestond er geen vooruitgang en zou de mensheid nog steeds in belachelijk primitieve omstandigheden vertoeven, zonder iPods, caloriearme yoghurt en winkelcentra.

Ze wist tamelijk zeker dat Melody haar had opgedragen niet van haar plaats te komen. Ze wilde geen misbruik maken van haar positie om tegendraads gedrag goed te praten, want zo verwaand was ze niet, maar het leek haar wel overduidelijk dat als er in dit huis al iemand van koninklijken bloede uit een andere wereld aanwezig was, het Melody in elk geval niet was. Degene Die Gehoorzaamd Diende Te Worden was in plaats daarvan een bepaalde bijna-twaalfjarige. Ze ging van het bed af en draaide haar hoofd om te horen waar het geluid vandaan kwam.

Een klein halletje grensde aan de slaapkamer, met aan weerszijden een inloopkast. Naomi deed het licht in het halletje aan. Het zangerige geluid kwam niet uit een van de kasten.

Aan het eind van het gangetje bevond zich de deur naar de

badkamer, die op een kier stond. De ruimte daarachter was op dit tijdstip van de dag bijna donker, omdat de raampjes hoog in de muren weinig licht van buiten doorlieten.

Het ritmische geluid klonk duidelijk zangerig. Een mannenstem. Maar ze kon nog steeds niet goed horen wat er gezegd werd.

Naomi was geen onbezonnen meisje dat zich roekeloos in allerlei gevaarlijke situaties stortte. Dit zangerige geluid was raar, maar ze vond dat ze duidelijk kon horen dat de persoon in kwestie niets kwaads in de zin had. Melody zou haar hier nooit naartoe hebben gebracht als er iets niet in de haak was. Het zangerige geprevel had vast iets te maken met de voorbereidingen die voor het vertrek getroffen moesten worden. Tovenaars prevelden hun toverspreuken ook altijd op zo'n zangerige manier.

Ze duwde de badkamerdeur verder open, zocht op de tast naar de lichtschakelaar en zette het vertrek in een fel schijnsel.

Ze zag een man die de wanhoop nabij was. Hij zat ineengedoken op de grond en had zijn armen om zijn opgetrokken benen heen geslagen, drukte die tegen zijn borst en maakte zich zo klein mogelijk, als een rolpissebed. Hij had zijn doffe ogen zo erg opengesperd dat het leek of ze uit hun kassen zouden vallen. Hij zat met zijn hoofd te wiegen, op en neer, op en neer. Alsof hij zichzelf wilde overtuigen, mompelde hij: 'Ik ben Roger Hodd van *The Daily Post*, ik ben Roger Hodd van *The Daily Post*, ik ben Roger Hodd van *The Daily Post*...'

John had zijn geweer bij zich, Nicky haar pistool, en samen liepen ze door de hal op de begane grond naar de trap, op zoek naar de kinderen, die boven op hun kamer zouden moeten zijn.

Er werd aangebeld.

Nicky zei: 'Niet opendoen!'

Ze stonden aan de voet van de trap, met alleen de hal tussen hen en de voordeur. John hoorde duidelijk dat het nachtslot met een harde klik opensprong.

'Nee,' zei Nicky, en ze richtte haar pistool.

John hield zijn geweer in de aanslag toen de voordeur naar binnen openzwaaide. Het alarm stond aan, en eigenlijk zou er een sirene moeten afgaan. Maar dat gebeurde niet. Een bemoeizieke geest had het systeem onklaar gemaakt.

De deur zwaaide helemaal open, maar er stond niemand in de deuropening. Een list. Een valstrik. Iemand zou daarbuiten kunnen staan, links of rechts van de deuropening, tegen de muur van het huis gedrukt, wachtend tot John in de val zou trappen.

Er klonk geen muziek, er waren geen fluittonen of andere geluiden te horen, en er was nauwelijks wind, maar de sneeuw kolkte dansend de veranda op, en de vlokken dwarrelden in een sluier naar binnen, fonkelend in het licht van de kroonluchter.

Achttien jaar lang had John dit moment gevreesd, zonder helemaal te onderkennen dat hij op een onbewust niveau impliciet geloofde dat het onmogelijke zou gebeuren, namelijk dat de moordenaar van zijn familie werkelijk uit het graf zou terugkeren. Twee jaar geleden, toen Minnie op het randje van de dood balanceerde en een mysterieuze ziekte onder de leden leek te hebben, raakte John ervan overtuigd dat Blackwood zijn belofte aan hem zou houden. Toen Minnie deliria had en haar koorts niet te stuiten leek, kwam Blackwood om de hoek van Johns fantasie kijken en raakte hij er steeds meer van overtuigd dat Minnie door een geest in plaats van een virus belaagd werd. Sinds die tijd was zijn angst alleen maar toegenomen, en nu leek het of hij Blackwood weer uit de dood had teruggeroepen, of hij hem daartoe had uitgenodigd door zo vaak het ergste te vrezen.

Nu noopten de openstaande deur en de lege deuropening tot kloeke actie van zijn kant, omdat hij hoe dan ook het laatste slachtoffer was op het lijstje van de moordenaar, want die wilde dat hij met eigen ogen zou zien hoe zijn geliefde vrouw en kinderen werden afgeslacht voordat hijzelf in de winterse nacht werd opengereten. Op dit moment liep Nicky veel meer gevaar dan hij.

'Ga naar boven, naar de kinderen,' zei hij. 'Ik zal dit wel af-handelen.'

'Nee. Ik ben nu bij je. Ga snel kijken. Doe het nu.'

Zach stond bij de deur die hij net had dichtgedaan, Minnie bevond zich bij het bureau van haar broer, en Willard materialiseerde door een muur heen.

Altijd wanneer Minnie terugdacht aan hoe Willard was geweest, zag ze hem blij spelen en werd ze overspoeld door liefde en vrolijkheid. Zelfs bij de aanblik van Dooie Willard sprong haar hart op, al was de hond niet in deze wereld teruggekeerd om te spelen of haar aan het lachen te maken. Hij was niet zo eng als de geest met het kapotgeschoten gezicht die ze in de winkel had gezien, maar aan de andere kant kon je niet met Dooie Willard knuffelen. Hij zou niet meer zacht, donzig en warm aanvoelen. Misschien voelde je alleen een kilte als je probeerde hem aan te raken, of helemaal niets, wat misschien nog wel erger zou zijn. Minnie werd bang nu ze Willard zag, omdat zijn aanwezigheid betekende dat er narigheid op komst was.

De hond rende naar haar toe, dartelde om Zach heen, verdween door de deur naar de gang en kwam onmiddellijk via dezelfde route terug.

'Wat heb jij ineens?' vroeg Zach aan Minnie. Haar zag hij wel, maar niet de hond die zij wel kon zien.

Willard blafte en blafte, maar zelfs Minnie kon hem niet horen. Ze kon alleen zien dat hij vanuit zijn werkelijkheid naar die van hen wilde blaffen.

Ze zei: 'Zach, ga bij die deur weg.'

'Waarom?'

'Ga bij die deur weg!'

De hond deed zijn best. Niemand kon die goeie ouwe Willard iets kwalijk nemen toen de vrouw in de grijze jurk, die twintig dagen geleden ook al uit het niets was verschenen, de vrouw die oogde als iemand die langs de deuren ging om over Jezus te vertellen, maar die dat absoluut niet was, plotseling de kamer binnenstormde en met een hakmes naar Zach uithaalde.

Roger Hodd heeft in zijn eigen stem te horen gekregen dat hij moet blijven zitten. *Blijf.* Hij merkt dat hij dat commando niet kan negeren. Hij is een hond, geen mens meer, slechts een hond die gehoorzaamt aan een meester die hem in zijn greep heeft, en elke minuut valt hij meer en meer ten prooi aan de waanzin. Als journalist mag hij vragen stellen, en dan kun je hem de waarheid vertellen, je kunt liegen, of je kunt 'geen commentaar' zeggen, en ongeacht wat je zegt kan hij dat opvatten als de waarheid of een leugen. Dat gezag, die macht, had hij, maar nu niet meer. Hier mag hij geen vragen stellen, en iets heeft bezit van hem genomen, iets wat op dit moment even niet in hem zit maar wat hem toch kan dwingen *Blijf* te zeggen. Dat iets zal hem gebruiken om iets monsterlijks te doen, en daarna zal het hem iets monsterlijks aandoen.

Het meisje duwt de deur steeds verder open, doet het licht aan, en staat hem in de deuropening aan te staren. Ze vraagt of het wel goed met hem gaat, of hij hulp nodig heeft. Hoe achterlijk is die stomme gleuf? Natuurlijk heeft hij hulp nodig, hij zit hier dood te gaan. Hij wil tegen haar zeggen dat ze een hersendode hoer is, dat ze stommer is dan wat ze tussen haar benen heeft zitten, maar dan komt zijn berijder terug, die hem weer volledig in bezit neemt. Hij zegt tegen het meisje: 'Jij bent een lekker lief ding, hè? Ik heb wel zin in jou. Laat me maar eens wat lekkers zien, stomme trut.' Net zo abrupt als de ruiter gekomen is, stijgt hij nu weer af, omdat hij elders iets te doen heeft. Roger Hodd blijft zitten en volgt het bevel *Blijf* gehoorzaam op.

Omgeven door de geur van wollen jassen en nepbonten kragen en voeringen van schaapsvacht zit Preston Nash in de onverlichte kast te wachten, als een *level 3 threat* in een videogame.

Hij heeft de klauwhamer paraat. Hij is nog steeds niet bang. Al bijna twintig jaar heeft hij zoveel drugs en drank gebruikt dat hij vaak een loopje met de dood heeft genomen. Zijn vermogen om bang te worden, heeft hij verbruikt. Het enige waar hij nog bang van wordt, zijn zijn ergste hallucinaties. Mensen die over een langere periode xtc hebben gebruikt – een drug waar Preston niets van moet hebben – verliezen het vermogen om *via natuurlijke weg* blij te zijn, omdat hun hersenen geen endorfine meer aanmaken. Zoals zij afhankelijk zijn van hun uitverkoren drug om gelukkig te zijn, zo is hij afhankelijk van zijn drug om angst te voelen, iets wat de echte wereld – in zijn ogen een kleurloos, achterhaald oord – hem niet meer kan bieden. Daarom kijkt hij reikhalzend uit naar de komst van de nieuwe en interessante metgezel waarmee hij zijn lichaam deelt.

Na het *Blijf*-bevel zit hij te wachten op een nieuw commando. Ondertussen kan hij alleen maar nadenken, en dat vindt hij fijn. Hoewel hij geen heer en meester over zijn lichaam is, heeft hij wel de beschikking over al zijn zintuigen als zijn berijder achter het wiel plaatsneemt en hem bestuurt. Prestons gezichtsvermogen, reukvermogen, tastzin, smaak en gehoor zijn onverminderd scherp, maar de intensiteit van deze zintuiglijke ervaringen zullen al zijn voorgaande overstijgen, aangezien hij zijn hele leven meer toeschouwer dan deelnemer is geweest. Hij heeft duizenden tegenstanders in de virtuele wereld van het gamen om het leven gebracht, maar *dit* zal echt en heftig zijn. Hij is wel met vrouwen naar bed geweest, meestal tegen betaling, en hij heeft in pornofilms duizenden vrouwen gebruikt en wild misbruikt zien worden, maar nog nooit heeft hij zelf een vrouw verkracht of geslagen. Hij verwacht dat zijn berijder hem er vanavond toe aan zal zetten dingen te doen die wilder en opwindender zijn dan wat hij ooit in een film heeft gezien. Hij hoopt dat hij de vrouw mag hebben. Of in elk geval de meisjes. Wat er voor hem in het verschiet ligt, is de gelegenheid om in de echte wereld te spelen, zoals hij hiervoor alleen in virtuele werelden gespeeld heeft.

Op het moment dat Preston hoort dat John en Nicolette Calvino de hal betreden, komt zijn berijder terug.

John liep naar de veranda op dezelfde manier waarop hij een huis zou doorzoeken waarin zich mogelijk een moordenaar schuilhield: zo laag mogelijk, snel, het geweer van links naar rechts meebewegend met zijn blik. De veranda bleek verlaten. Hij tuurde naar het herfstig bruine gazon dat half verscholen lag onder de eerste laag winterse sneeuw, maar hij zag niemand, ook niet op straat.

Hij liep weer naar binnen, keek naar Nicky en schudde zijn hoofd. Hij deed de deur dicht, draaide het slot om en bleef ernaar staan kijken alsof hij verwachtte dat het weer zou openspringen.

'De kinderen,' zei ze op bezorgde toon.

Hij liep naar Nicky toe, tuurde langs de trap naar boven, en zei: 'Ik ga wel voorop. Blijf een paar passen achter me, zodat we samen niet één doelwit vormen.'

'Denk je dat er al iemand in huis is?'

'Het alarm staat erop, maar het ging niet af toen de deur openging. Het zou kunnen dat iemand hier al eerder is binnengedrongen zonder dat het alarm toen is afgegaan.'

Hij had haar nog nooit zo verbeten zien kijken. Ze keek naar het pistool dat ze in haar rechterhand hield en zei: 'Kunnen we niet de politie bellen? Iemand die je kent?'

'Ik kende Andy Tane. De enige agent die je kunt vertrouwen, ben ik – en misschien zelfs dat niet. Nadat we de kinderen veilig bij ons hebben, barricaderen we de deuren of spijkeren ze dicht of zo, en dan zullen we alle kamers een voor een doorzoeken. Begrijp je dat?'

'Ja.'

'Niet vergeten om een eindje achter me te blijven. Twee doelwitten, niet één.'

Hij liep drie treden op, keek achterom en zag dat ze naar het plafond tuurde, op een manier alsof dit niet haar huis was maar een of andere grot die ze niet kende, waarin allemaal vleermuizen en andere enge beesten zich verborgen hielden.

Nu Preston weer bereden wordt, siddert hij door de kwaadaardige woede van de demon, zijn meester. Het is een haat die ontzettend diep gaat, als een oneindig grote achtbaan die nooit omhooggaat maar alleen adembenemende dieptes in stort, de ene na de andere, waarbij je nauwelijks op adem komt voordat je trillend door de woede de volgende vrije val beleeft.

Voorzichtig doet hij de kastdeur open en stapt hij de hal in. Hij ziet John Calvino, die de trap op gaat, zijn blik omhooggericht, plus Nicolette, die achter haar man de trap op loopt. Ze is zo'n rijke trien, zo'n stijve trut, zo'n gekunsteld kunstacademietypje dat met haar pretentieuze braaksel het ene doek na het andere volstort, een babymachine die allemaal nepfiguren uitpoept om mee te doen in dat o zo rijke fantasieleventje van haar. Ze moet eens leren hoe de wereld echt in elkaar steekt, ze moet onderuitgehaald en kapotgemaakt en gedwongen worden toe te geven dat ze net als ieder ander een stuk stront is.

Prestons berijder geeft hem onvermoede krachten, waardoor hij zich snel en geruisloos kan verplaatsen – terwijl hij al tijden futloos was en zich stuntelig voortbewoog. De vrouw hoort hem niet aankomen. Hij tilt de hamer op terwijl hij naderbij sluipt, en hij is teleurgesteld dat hij alleen haar om het leven mag brengen. Maar dat teleurgestelde gevoel duurt maar heel even, omdat hij helemaal *meedoet*, opgaat in de handeling en niet slechts vanuit een stoel een spelletje speelt. Hoewel hij door de dood en een demon wordt bereden, voelt Preston meer dan ooit het leven door zich heen stromen, en hij weet dat als hij met de klauw haar schedel doorboort en voor altijd de kunst uit haar hersenen beukt, zijn genot van een magistrale orde zal zijn, intenser dan hij ooit heeft ervaren, orgastisch.

Hij zwaait de hamer omlaag.

Als Nicky achter zich al het gekraak van een schoen hoorde, of het geruis van kleren, drong dat niet tot haar bewustzijn door, maar wel rook ze zijn slechte adem – knoflook, bier, rottende tanden – en zijn sterke lichaamsgeur, en intuïtief trok ze haar hoofd in, trok haar schouders op. Iets kouds en kroms schampte haar nek en haakte blijkbaar achter de kraag van haar blouse. Ze werd naar achteren getrokken, verloor haar evenwicht en viel tegen haar belager aan.

'... stomme trut.'

Roger Hodd van *The Daily Post* had niet de stem die Naomi in september vanuit de spiegel had horen praten, maar ze twijfelde er niet aan dat het toch een en dezelfde was, dat niets was zoals ze had gedacht dat het was, en dat ze niet zozeer schrander als wel ontzettend dom had gedaan.

Ze draaide zich om en wilde ervandoor gaan, maar de badkamerdeur viel met een klap dicht. Ze pakte de deurkruk, maar daar was geen beweging in te krijgen. In de val.

Toen Minnie tegen Zach zei dat hij bij de deur weg moest gaan, draaide hij zich er juist naartoe, om te zien wat er mis was, en daar stond die vrouw.

Minnie gilde het uit toen het hakmes door de lucht flitste.

Zach liet zich vallen, dook weg en rolde over de grond. Met een zoevend geluid kliefde het vlijmscherpe mes de lucht op de plek waar hij net nog had gestaan. Toen hij snel overeind kwam, hoorde hij dat het mes een paar centimeter bij hem vandaan in het vloerkleed zonk. Dat gestoorde mens had het wapen met zoveel kracht gehanteerd dat het staal in de houten vloer vast was komen te zitten. Ze kon het mes niet onmiddellijk lostrekken, en stond te razen en te tieren als een hondsdolle wezel of zo.

Minnie hield haar legowiel met beide armen tegen zich aan gedrukt. Ze liep verschrikt achteruit naar de deur en begon weer te gillen. Man, wat kon hij daar niet tegen: zijn zus die zo bang was dat ze ging gillen. Hartverscheurend. Zach pakte de bureaustoel en gooide die naar de maniakale vrouw om een paar seconden tijd te winnen. De stoel trof doel, de vrouw stommelde achteruit, en tegen de tijd dat ze haar evenwicht hervonden had, had Zach het mammelukkenzwaard al te pakken.

Ondanks haar lange jurk kwam de tierende vrouw razendsnel op hem af, voordat hij de kans kreeg het zwaard uit de schede te trekken. Ze stormde woedend op hem af, en hij *kende* haar niet eens. Hij gebruikte het zwaard en de schede als verdedigingswapen, als een soort knuppel die hij aan de uiteinden vasthield en naar voren stootte om zich te verweren. Het mes ketste op het glimmende nikkel van de schede af, en de klap was zo hard dat Zach het mammelukkenzwaard bijna liet vallen. Ze haalde nu van links naar rechts uit, horizontaal, onder het zwaard door, waardoor zijn buik bijna werd opengereten. Hij sprong achteruit, ze zwaaide het mes nu van rechts naar links, en het staal kreeg zijn T-shirt te pakken en schoot in een flits door, maar zijn lijf werd niet geraakt.

De gladde gekromde achterkant van de hamer glijdt doelloos langs de nek van die trut, en de twee scherpe klauwen haken achter haar blouse. Preston trekt de hamer naar achteren, waardoor de kraag scheurt en zij tegen hem aan valt. Met zijn linkerarm omklemt hij haar hals. Als ze haar rechterhand optilt, misschien in een poging hem neer te knallen, haalt hij met de hamer uit naar haar hand. De hamer komt tegen het pistool aan, waardoor dat uit haar vingers vliegt, op het vloerkleed stuitert en kletterend doorrolt.

Nu hij haar voelt, haar warme verrukkelijke lijf, wil Prestons berijder haar bezitten, en Preston verlangt daar ook naar. Hij wil haar nemen en haar met een mes doodmaken *terwijl* hij haar neemt, wat extremer is dan wat hij ooit in de wildste bondagefilms heeft gezien. Haar doodmaken op het moment dat hij een orgasme heeft. Dat is wat zijn berijder ook wil, want die vindt dat de dood de beste seks is.

De echtgenoot komt de trap af, zijn geweer in de aanslag, maar hij kan niet schieten zonder zijn rijke truttige babymachine daarbij te raken. Ze schopt achteruit tegen Prestons schenen, graait met haar vingers naar de arm die hij om haar hals geslagen heeft, maar hij voelt geen pijn, hij is bovennatuurlijk *sterk*. Hij kan het met gemak opnemen tegen al die superhelden in al die films die hij keer op keer heeft gezien en waarbij hij dan steeds op de hand van de slechteriken was.

Hij gebruikt de vrouw als schild, loopt naar achteren en sleurt haar de gang door, met een grijnzende kop. Calvino volgt hen, het geweer in de aanslag, de grote stoere politieman met zijn stoere geweer, maar zijn badge en zijn wapen doen er nu niet toe.

'Knal me maar neer, dwars door haar heen,' treitert Preston. 'Ga je gang. Schiet ons beiden maar naar de hel. Als ik met haar klaar ben, hoef jij haar toch niet meer. Weet je wat er gebeurd is met die andere slet, die Cindy Shooner? Die heeft zich vijf jaar geleden van kant gemaakt, en nu zit ze in de hel op deze teef te wachten. Dan kunnen ze lekker gaan roddelen over hoe snel je altijd was in bed.'

Preston wil dat de rechercheur hem bedreigt, hem smeekt haar te sparen, hij wil dat zijn tegenstander met halfzachte psychologische trucs aan komt zetten, want hij wil zijn stem van angst horen trillen. Maar Calvino zegt niets, houdt constant de loop van zijn kaliber 12 op hem gericht en loopt achter hem aan, wachtend op een geschikt moment, maar die krijgt hij niet.

Bij de werkkamer aangekomen sleurt Preston zijn kostbare buit achteruit naar binnen. De rechercheur komt er snel aan, probeert de deur met zijn schouder verder open te duwen en steekt het geweer al naar binnen. Het huis is weliswaar niet in staat om te moorden, maar het kan wel tegenwerken. De deur gaat met een smak dicht, waardoor Calvino tussen de deur en de deurpost klem komt te zitten.

'Het huis is nu van mij,' verklaart Preston, terwijl hij tegen de volle kont van de rijke teef oprijdt, 'inclusief alles en iedereen daarbinnen.'

De rechercheur probeert zich uit alle macht te bevrijden, maar de deur geeft geen krimp, belet hem de toegang tot het vertrek en drukt zo hard tegen hem aan dat hij zich al snel gedwongen zal voelen zich terug te trekken. Preston haalt met de klauwhamer uit naar het hoofd van Calvino, maar die ontwijkt de slag, waardoor er een stuk hout uit de deurpost wordt gehakt. Die teef probeert nog steeds zich uit Prestons houdgreep los te rukken. Maar ineens pakt ze de steel van de hamer en geeft er een wilde ruk aan. Preston is totaal overdonderd door haar poging het wapen te pakken te krijgen. Hij probeert de hamer uit haar vingers te trekken, waardoor zijn greep op haar onbedoeld verslapt. Ze glijdt onder zijn arm door en probeert weg te komen. Hij krijgt haar haar te pakken en wil haar terug naar achteren trekken. Op dat moment is zijn hoofd onbeschermd.

Met een rood aangelopen gezicht en verkrampt door de poging zich de kamer binnen te wurmen, wint Calvino vijf centimeter. Hij duwt de loop van zijn geweer naar voren, boven het hoofd van zijn vrouw, in Prestons gezicht. De flits...

Zach stond tegen zijn bureau aan en probeerde wanhopig met het zwaard van het korps mariniers de slagen met het hakmes af te weren. De gestoorde vrouw haalde dan weer hoog en dan weer laag uit en deed steeds een uitval met het mes, dat zo scherp was dat je er waarschijnlijk binnen vijf seconden een complete kip mee kon fileren. Zijn hart ging zo tekeer dat hij het kon horen kloppen, een hol *beboem beboem* dat zijn oren via een achterdeurtje leek te bereiken. Hij voelde het tegen zijn borst en zijn ribben bonken.

Minnie was verschrikt achteruitgelopen en stond nu verstijfd van angst bij de slaapkamerdeur.

Zach schreeuwde naar haar: 'Ga gauw weg! Ga hulp halen!'

De doorgedraaide vrouw met het hakmes werd hierdoor aan het bestaan van Minnie herinnerd, draaide haar hoofd naar het meisje toe en overwoog het kleinste doelwit eerst in mootjes te hakken om Zach daarmee de demoraliseren. Onmiddellijk maakte hij gebruik van haar fout, deed geen poging het zwaard uit die stomme schede te trekken, maar haalde met het hele ding naar haar uit. Het geluid van de klap deed hem goed, een van de fijnste momenten van zijn leven. De vrouw liet het hakmes vallen en tuimelde achterover op de grond. Misschien was ze dood, maar waarschijnlijker was dat ze het bewustzijn had verloren.

Zach greep haar wapen en stopte dat in een la van zijn bureau. Hij ging op een knie bij haar zitten, legde zijn vingertoppen op haar hals en voelde haar hartslag. Dat luchtte hem op. Het was niet zijn bedoeling geweest haar te vermoorden als dat niet hoefde. Misschien was ze alleen maar geflipt, niet kwaadaardig. Bovendien was hij nog maar dertien en hier totaal niet op voorbereid. Misschien kon hij haar in de kast opsluiten, de deur barricaderen en dan de politie bellen.

Pas toen hij de kastdeur opendeed, drong het tot hem door dat Minnie verdwenen was.

Toen Minnie de gang op liep om hulp te halen, merkte ze dat het wielachtige geval van lego heel zwaar was geworden, minstens vijf of zes kilo, terwijl het ding hooguit vierhonderd gram behoorde te wegen. En het was net of het elke seconde zwaarder werd. Ze was bang dat Zach het niet zou redden. Ze hield van haar broer, ze wilde niet opgroeien zonder hem, en daarom had ze nu al geen kracht meer in haar benen. Doordat het rare ding van lego zo zwaar was, stond ze te wankelen op haar benen, maar ze wist dat ze het ding alleen maar mocht loslaten als ze extreem groot gevaar liep, al wist ze niet *waarom* dat zo was.

Toen ze de kamer van Zach verliet en haar mond opendeed om om hulp te roepen, zag ze professor Sinjavski, wiens haar nog verwarder zat dan anders. Hij kwam net de voorraadkast aan het eind van de gang uit. Maar hij had gezegd dat hij eerder wegging vanwege de sneeuw.

Met zijn borstelige wenkbrauwen, zijn rubberachtige neus en zijn dikke buik zag hij er meestal grappig uit, maar nu helemaal niet. Hij had zijn tanden in een vreemde grimas ontbloot, zijn gezicht stond verwrongen en vol haat, en zijn ogen leken te branden, maar tegelijkertijd was zijn blik ijskoud. Misschien was het professor Sinjavski die door die ogen naar Minnie keek, maar ze wist op slag, zonder een moment te twijfelen, dat het Verderf was die vanuit de wiskundedocent naar haar keek – en haar begeerde.

Met een stem die rauw was van woede, en slepend alsof hij had gedronken, zei de professor: 'Biggetje big. Kom eens hier, vies biggetje big, vies biggetje big.' Hij liep op haar af, stommelend, en Minnie zag eigenlijk nu pas hoe groot de Rus was, niet gewoon te zwaar maar ook groot in zijn borstomvang en schouders. Hij had een dikke nek, en meer spieren onder al dat vet dan ze daarvoor had beseft.

Dit was extreem gevaarlijk, zoveel was duidelijk. Met enige tegenzin maar zonder te aarzelen zette ze het wiel van lego op de grond, waarna ze naar de trap rende.

'Ik ben Roger Hodd van *The Daily Post*, ik ben Roger Hodd van *The Daily Post*...'

Aan de binnenkant van de badkamerdeur zat een knop waarmee hij afgesloten kon worden, maar daar zat de deur nu niet mee dicht. Naomi probeerde wanhopig de knop om te draaien, gebruikte al haar kracht, maar er was geen beweging in de deur te krijgen, alsof hij van staal was en was vastgelast.

Ze keek achterom. Roger Hodd zat nog steeds in elkaar gedoken op de grond, als een menselijke rolpissebed. Het was een beangstigend schouwspel. Hij leek nu geheel de kluts kwijt te zijn. Deze keer liet hij steeds een trillend, humorloos lachje horen als hij 'The Daily Post' zei, en Naomi wist dat hij elk moment – o god, o god – weer over het lekkers kon beginnen dat zij hem moest laten zien, en ze huiverde bij de gedachte dat hij zijn handen over haar heen zou laten gaan.

Toen Minnie bij de trap kwam, hoorde ze een verdieping lager een geweer knallen. Ze was van plan geweest naar beneden te gaan, maar nu ging ze naar de tweede verdieping. Naar het atelier van mamma. Door het atelier naar de trap achter in het huis. Niet achteromkijken. Dat was toch maar tijdverspilling en hield je alleen maar op. Ze bad en rende door, in de hoop dat God haar zou helpen als ze zichzelf hielp door haar benen uit haar lijf te rennen. Ze moest sneller zijn dan die grote ouwe professor Sinjavski. Het was een rekensommetje, en rekenen had ze van hem geleerd. Ze was acht, hij was ongeveer zeventig, dus ze zou bijna negen keer zo snel moeten kunnen zijn als hij.

De deur liet John los, en Nicky vloog hem om de hals. Ze keek niet achterom, wilde niet het kapotgeschoten gezicht van Preston zien, of de brij van bloed en hersenen die door de kamer was gespetterd.

'De kinderen,' zei ze. Samen liepen ze snel door de gang naar de trap aan de voorkant van het huis.

Een duister, primitief deel van haar maakte haar radeloos, bracht bij haar de angst boven dat dit nooit zou ophouden, dat de natuur een heidens beest was, een monster dat iedereen uiteindelijk zou verzwelgen, dat die niet-aflatende, verwrongen kracht van het kwaad – Verderf-en-Blackwood – de macht bezat om de hele wereld tegen haar gezin op te zetten, een persoon per keer, tot het beest uiteindelijk zijn zin kreeg. Maar dieper in haar zag de gelovige, die een kunstenaar was en wist dat het voorstellingsvermogen in staat was iets uit niets te creëren, dat de wereld geen kwaadaardige doolhof van oneindig veel kankergezwellen was, maar dat er een ingewikkelde, superieur ontworpen matrijs aan ten grondslag lag, die het mogelijk maakte dat hoop in vervulling ging. Als zij en John iets goeds zouden doen, iets slims, zouden ze de kinderen voor onheil kunnen behoeden en zouden ze uit deze verdomde situatie kunnen ontsnappen. In de hal haalde ze haar pistool tevoorschijn. John liep snel de trap op. Nicky liep achter hem aan. Ze merkte dat haar nek nog steeds koud was op de plek waar de ronding van de klauwhamer langs haar nek had geschampt. Ze huiverde.

Op een keer toen Naomi in een boekwinkel aan het rondsnuffelen was, had ze in een true-crime-boek een foto van een vermoord meisje gezien. Een politiefoto of zo. Een meisje dat jonger was dan zij. Ze was verkracht. Haar gezicht was toegetakeld, ze was doodgestoken. Haar ogen waren het afschuwelijkste wat Naomi ooit had gezien. Grote mooie ogen. Het was des te afschuwelijker omdat het zulke droevige ogen waren. Ze had er tranen van in haar ogen gekregen, en snel had ze het boek dichtgedaan en op de plank teruggezet, en ze nam zich voor dat toegetakelde gezicht en die ogen te vergeten. Ze deed echt haar best om er niet meer aan te denken, maar zo nu en dan doken die ogen weer in haar dromen op, en nu ze wanhopig probeerde de badkamerdeur open te krijgen, kwam het gezicht van het vermoorde meisje weer bij haar boven.

Naomi hijgde gejaagd, maakte vreemde, klagelijke geluidjes, die haar beangstigden omdat ze helemaal niet als zichzelf klonk. Ze dacht en ze hoopte en bad dat haar niks zou overkomen zolang Roger Hodd maar bleef herhalen wie hij was en waar hij werkte en geen aandacht aan haar schonk. Maar ineens hoorde ze hem bewegen, en toen ze zich omdraaide, zag ze dat hij overeind kwam.

Ze liet de deur voor wat hij was, want die kon ze toch niet open krijgen, en als Hodd in beweging kwam, durfde ze niet met haar rug naar hem toe te blijven staan. Hij stond te waggelen, mompelde nog steeds hetzelfde zangerige zinnetje, richtte zijn blik niet op haar, noch op iets anders in de badkamer, maar zijn woorden hadden een ander ritme gekregen, en een nieuwe toon kwam in zijn stem. Het zelfbeklag en de verwarring maakten plaats voor ongeduld en irritatie, en hij beklemtoonde het woord *ben* alsof hij in een discussie verwikkeld was: 'Ik BEN Roger Hodd van *The Daily Post*, ik BEN Roger Hodd van *The Daily Post*...'

Minnie rende de trap af tot ze de begane grond had bereikt. Daar bleef ze met ingehouden adem voor de deur naar de keuken staan luisteren. Op de trap bleef het stil. Professor Sinjavski – of het ding dat ooit de professor was geweest – kwam niet denderend achter haar aan de trap afgehold.

Alles bleef stil. Maar toen begon er iets op de traploper te drup-drup-druppelen. Iets roods. Lobbiger dan water. Bloed. Ze keek naar het plafond boven de trap en zag een lange streep, een scheur in het pleisterwerk, als een wond, bloed stroomde uit de wond, alsof het huis leefde.

Haar hart begon wild in haar keel te bonzen. Ze hield zichzelf voor dat het bloed niet echt was. De enige reden waarom ze het bloed zag, was omdat Verderf dat wilde. Dit was net als die hallucinaties die ze had gehad toen ze ziek was, alleen lag ze nu niet in het ziekenhuis. Of als het wel echt was, dan kwam het bloed niet van een echt mens, maar waren het tranen van bloed die de Heilige Maagd vergoot tijdens een wonder, hoewel dit zwarte magie was. Als ze zich liet meeslepen en zich hierdoor bang liet maken, was dat een uitnodiging aan Verderf om haar met andere visioenen te kwellen, misschien wel veel erger dan alleen visioenen. Maar toch bonsde haar hart wild in haar keel.

Het licht op de trap ging uit. In het pikkedonker begon het bloed harder te drup-drup-druppelen, en de metalige geur ervan drong tot in haar neus door. Ze werd overweldigd door de angst dat het aanzwellende geluid van druppelend bloed andere geluiden overstemde, geluiden van iets wat haar van boven of van opzij besloop. Maar het was niet zozeer haar fantasie die haar parten speelde als wel een waanvoorstelling die haar door Verderf werd opgedrongen, en als ze de paniek toeliet, zou ook dat een uitnodiging zijn.

Ze duwde de keukendeur open, keek naar binnen en zag niemand. Ze deed de deur achter zich dicht.

Allereerst: mamma en pappa zoeken om Zach te hulp te schieten. Minnie weigerde rekening te houden met de mogelijkheid dat Zach iets was overkomen, laat staan dat hij dood was. Aan zulke dingen moest je niet denken, want daar had je niks aan. Zach was slim en snel en sterk: hij zou die gestoorde vrouw met dat mes wel een lesje leren.

Los van de vraag of Minnie haar ouders snel zou kunnen vinden, zou ze Zachary kunnen helpen als ze een wapen had, en bovendien kon ze zichzelf dan ook beter verweren. Ze liep naar de keukenlaatjes waarin het bestek lag en koos een slagersmes uit. Ze zag nog niet meteen voor zich dat ze het mes daadwerkelijk als wapen zou gaan gebruiken, maar ook kon ze zich niet voorstellen dat iemand haar met een mes te lijf ging zonder dat ze zich dan zou verzetten.

Ze deed de la dicht, draaide zich om, waarop professor Sinjavski het mes uit haar handen griste en het door de keuken smeet. Vervolgens tilde hij haar op. Ze probeerde weerstand te bieden, maar hij was sterker dan een oude dikke professor zou moeten zijn. Hij hield haar onder zijn linkerarm vast en sloeg zijn rechterhand voor haar mond om haar het zwijgen op te leggen. 'Mijn mooie biggetje. Mijn mooie vieze biggetje.' Terwijl Minnies kreten door zijn vlezige hand gesmoord werden, liep hij snel met haar naar de deur die toegang gaf tot het terras en de tuin achter het huis.

Op de kamer van Zach zagen John en Nicky potloden, gommetjes en een paar grote tekenblokken op de grond verspreid liggen, alsof ze daar als gevolg van een worsteling waren beland. John raapte een van de tekenblokken op die was opengevallen. Verbijsterd keek hij naar het portret van Alton Turner Blackwood.

Nicky herkende de man ook, uit de beschrijving die John haar vijftien jaar geleden van hem had gegeven. Ze pakte het tekenblok van hem over, bladerde dat door, met trillende handen, en vond de ene na de andere tekening van Blackwood.

'Wat is hier gebeurd?' vroeg John ontdaan.

'Het is niet Zach,' zei ze vastberaden. 'Hij zit niet in onze Zachary. Zach zou dat nooit laten gebeuren.'

Ook John verwachtte niet dat de geest bezit van Zach had genomen, maar hij zat in iemand, of was op weg naar iemand nadat Prestons hoofd voor de helft kapot was geschoten. De geest doolde ergens in huis rond. Op zoek naar de kinderen.

Uit de kast klonk een vrouwenstem. 'Hallo? Is daar iemand?'

De deur was met een stoel gebarricadeerd.

'Is daar iemand? Kan iemand de deur opendoen? Hallo?'

'Dat is niet een van ons,' zei John.

'Nee,' zei Nicky instemmend.

'Moeten we die deur opendoen?'

'Geen sprake van.'

Snel liepen ze naar de kamer van de meisjes. Niemand te bekennen. Alles was stil. Sneeuw tegen het raam. Het hele huis was stil. Doodstil.

Nicky zei: 'Bibliotheek,' waarna ze naar de bibliotheek holden. De schooltafels. De leeshoek. Tussen de boekenrekken. Niemand. Sneeuw die in volkomen stilte tegen de ruiten kleefde.

Rustig blijven. Niemand was er aan het schreeuwen. Dat was een goed teken. Geen geschreeuw was goed. Natuurlijk konden ze niet schreeuwen als ze dood waren, alle drie dood, vermoord en opengereten, een *servus* en twee *serva*.

Logeerkamer. De kast. De aangrenzende badkamer. Niemand. De stilte, de sneeuw die voor de ramen langs dwarrelde, Nicky's paarsblauwe ogen, zo helder in haar wit weggetrokken gezicht.

Sneller, sneller. Voorraadkamer. Badkamer op de gang. Linnenkast. Niemand, niemand, niemand.

Zach bereikte de keuken via de trap achter in het huis, doodsbang en half in paniek, op zoek naar Minnie, Naomi, zijn ouders. Hij zag dat de buitendeur openstond, en dat de oude Sinjavski over het besneeuwde terras liep, met Minnie onder zijn arm, naar de tuin die in de kleurloze schemering verborgen lag. Zach snapte niet wat er gaande was, maar het kon niet veel goeds betekenen, ook al was de professor voorheen altijd een geschikte kerel geweest en hadden ze nooit kunnen vermoeden dat hij een ongelofelijk gestoorde maniak was.

Zach vond een slagersmes op de grond. Het was geen pistool, maar het was beter dan lege handen. Snel liep hij naar de openstaande deur.

Naomi stond met haar rug tegen de badkamerdeur die niet open kon en keek met toenemende angst naar Roger Hodd, die het ene laatje na het andere opentrok. Nog steeds prevelde hij op zangerige toon hetzelfde zinnetje, waarbij de klemtoon nu op twee woorden lag. 'Ik ben Roger HODD van *The Daily POST*, ik ben Roger HODD van *The Daily POST*...' Hij stond met zijn rug naar haar toe, maar Naomi kon zijn gezicht in de spiegel zien terwijl hij langs de granieten wasbak liep. Hij zag eruit als een krankzinnige, alsof hij elk moment als een chimpansee kon gaan krijsen en met ontblote tanden op haar af kon komen om haar te bijten.

In de op een na laatste la vond hij waarnaar hij klaarblijkelijk op zoek was geweest. Een schaar. Hij hield hem bij de greep vast, alsof het een mes was waarmee hij met kracht wilde uithalen.

Met de schaar in zijn hand liep hij terug, bekeek zichzelf in de spiegel alsof hij woedend was op zichzelf – 'Ik ben Roger HODD van *The Daily POST*, ik ben Roger HODD van *The Daily POST*' – en knalde de laatjes dicht die hij eerst had geopend. Toen hij weer dichter bij Naomi stond, pakte hij van de rand van de wastafel een rechthoekig doosje, dat ze niet had zien liggen omdat het donkergroen was en op het zwarte graniet stond, tegen de zwarte achterwand aan. Hij deed de deksel eraf en legde die opzij. Uit het doosje haalde hij iets van zilver waarvan ze niet onmiddellijk zag wat het was, tot ze een tingelend geluid hoorde, en toen snapte ze dat het drie belletjes waren. Drie belletjes in de vorm van bloemen.

Leonid Sinjavski is geketend, niet zijn lichaam maar zijn geest. Zijn geest zit gevangen. De afgelopen veertig jaar heeft hij geprobeerd zo goed mogelijk te leven, als boetedoening voor bepaalde dingen die hij in de voormalige Sovjet-Unie heeft gedaan, voordat hij naar het Westen vluchtte. Als jonge wiskundige die betrokken was bij militaire projecten in een periode waarin er onder Russische intellectuelen grote onrust heerste, verklikte hij een paar van zijn collega's die de val van het communisme nastreefden. Ze werden naar goelags afgevoerd, en waarschijnlijk zouden sommigen van hen nooit terugkeren. Nu is zijn eigen lichaam een goelag, en terwijl hij met Minnie naar het prieeltje loopt, schrikt hij van de dingen die hij tegen haar zegt, de dreigementen die hij uit, en hij walgt van de beelden die via de geest van zijn berijder door hem heen gaan, de wrede, vernederende dingen die hij zal gaan doen, de verminkingen en de moorden. De kamers van zijn hart bonzen, ze bonzen tegen elkaar, als dichtslaande deuren, en hoewel zijn berijder probeert hem tot bedaren te brengen, zal Leonid zich niet laten kalmeren, omdat hij weet waarvoor hij gebruikt wordt. Hij probeert ertegen in opstand te komen, zich te verzetten, en de ketenen waarin zijn geest gevangen zit, worden zo strak getrokken dat het lijkt alsof de schakels zullen breken, en weer verzet hij zich, komt hij in opstand, en de ruiter dwingt hem met nog vastere hand tot gehoorzaamheid. Hij treedt het prieeltje binnen en raapt al zijn geestelijke kracht bijeen, zijn moed, zijn gevoel van rechtvaardigheid dat hij in veertig jaar zo moeizaam heeft opgebouwd, en hij zegt met heel zijn hart: *Nee, nooit, nee, nee, nooit!* En na de tweede *nooit* slaat zijn bonzende hart nog één keer, waarna het stilstaande bloed zijn hartkamers vult en hij in elkaar zakt.

Terwijl Roger Hodd de belletjes in de vorm van aronskelken bekeek, stopte hij abrupt met het continu opdreunen van een en dezelfde zin. Een ogenblik was Naomi opgelucht, maar daarna leek de stilte erger dan het zangerige geprevel, vooral toen ze haar blik van de zilveren belletjes naar de spiegel liet gaan en zag dat hij naar haar keek. Een paar keer had Naomi mannen op die manier naar vrouwen zien kijken, als ze niet wisten dat Naomi hen kon zien, maar niemand had ooit met zo'n blik naar haar gekeken, en niemand zou ooit met zo'n blik naar een jong meisje van haar leeftijd mogen kijken. Het was een begerige blik, intens verlangend, razend, en gewelddadig.

Hodd grijnsde haar in de spiegel aan en rinkelde luid met de belletjes, één keer, twee keer, drie keer. 'Stomme trut. Ben je er klaar voor? Ben je er klaar voor om naar je tantes Marnie en Giselle te gaan? Die ken je nog helemaal niet, maar zij wachten al op je. Ze wachten op je in de hel.'

Hij legde de belletjes in de doos terug en draaide zich naar haar om, met de schaar in zijn vuist geklemd.

Naomi rukte nogmaals aan de badkamerdeur, maar die gaf nog steeds geen millimeter mee. Met een kreet van ontsteltenis dook ze langs Hodd, en ze rende naar de andere kant van de badkamer. Ze kon nergens naartoe, behalve naar de douchecabine, en ze trok de deur achter zich dicht. Een deur van glas. Ook als ze die dicht kon houden, wat toch niet zou lukken omdat hij sterker was dan zij, maar zelfs als haar dat lukte, was het slechts een deur van glas.

Belletjes. Ergens anders in huis. Enge belletjes met een zilveren klank.

John en Nicky bevonden zich op de eerste verdieping bij de trap en wisten niet goed of ze nu eerst naar boven of naar beneden zouden gaan. Toen hoorden ze de belletjes. Naar boven.

De afschuw van het verleden was nu de afschuw van het moment geworden, en John was op twee plaatsen tegelijk, in zijn huis nu en in zijn ouderlijk huis toen. Hij rende de trap op naar boven, maar tegelijkertijd liep hij over de schemerige overloop naar de kamer van zijn ouders, waar hij de deur van zijn eigen slaapkamersuite openduwde en in een andere kamer zijn vermoorde ouders in een bed vol bloed zag liggen. Hij hoorde de belletjes waarmee de moordenaar op de kamer van zijn vermoorde zussen tingelde, maar ook hoorde hij Naomi vanuit de badkamer roepen.

De badkamerdeur zat op slot. Nicky schreeuwde: 'Geweer, geweer!' Hij richtte het wapen al op het slot voordat ze riep dat hij de deur kapot moest schieten. Met twee schoten versplinterde hij het slot en het hout eromheen, maar nog steeds ging de deur niet open. Er was geen beweging in te krijgen, alsof de deur een blok van beton was in een muur van beton. Niet alleen het slot hield de deur op zijn plaats, ook de woede van Blackwood, en de kracht van Verderf. Naomi gilde het uit in de badkamer, het afgrijselijkste geluid dat John ooit had gehoord, en hier op de gang begon Nicky ook te gillen, wat nog afschuwelijker was, een mengeling van verdriet en angst, en ze klauwde met haar vingers in het gat dat in de deur was geblazen, zo wild dat haar nagels scheurden en begonnen te bloeden.

Zach bereikte de ingang van het prieel toen de oude Sinjavski drie of vier passen naar voren strompelde en vooroverviel, waardoor Minnie onder hem beklemd kwam te zitten. Zach had het slagersmes in de hand, maar toen hij naar de in elkaar gezakte man holde, zag hij dat hij het mes niet meer nodig had. De rozen waren kort teruggesnoeid, en de uitlopers waren verwijderd, zodat hij ondanks het schemerlicht en de schaduwen de in het niets starende ogen en verslapte gelaatstrekken van de professor zag. Misschien had Sinjavski een hartaanval gekregen; hij vormde hoe dan ook geen gevaar meer.

Minnie probeerde onder het zware lichaam van de wiskundeleraar uit te komen, en toen Zach haar eenmaal had geholpen, omhelsde ze hem innig en klampte ze zich aan hem vast. 'Ik hou van jou, Zach, ik hou van jou.' Hij zei dat hij ook van haar hield. Met zijn hand op haar rug voelde hij haar hart wild tekeergaan, als een basdrum, en het was een heerlijke sensatie, dat *bom-bom bom-bom* van haar hart.

Ze hoorden een gortdroog, raspend-krakend-brekend geluid dat van beide kanten van het prieel kwam, waar het houtwerk tot leven leek te komen, als tientallen platte witte slangen, kronkelend op de tonen van muziek die voor anderen niet hoorbaar was. Binnen een seconde of vier had het latwerk beide uitgangen afgesloten, waardoor Zach en Minnie bij het lijk van professor Sinjavski zaten opgesloten.

Op de gang van de eerste verdieping staat het wiel op zijn kant. Het ding is ooit met legosteentjes in elkaar gezet, maar nu is het iets totaal anders geworden, het is getransformeerd, zoals gewone voorwerpen altijd getranssubstantieerd worden als het bovennatuurlijke er van buiten de tijd intrekt, zoals brood en wijn lichaam en bloed worden – of, minder verheven, zoals Frodo's Ring van Macht meer is dan slechts een ring die in Mordor gesmeed is, of zoals de Ark des Verbonds meer is dan een houten kist. Toen Minnie het wiel maakte, werd ze geïnspireerd door een hogere macht, zoals het Licht ervoor zorgde dat Frodo de Ringdrager zou worden. Minnie is de Frodo van dit gezin, de onschuldige die ziet wat anderen niet kunnen zien, die anderen altijd meer dan zichzelf liefheeft, en die een struik kan zijn die brandt zonder door de vlammen verteerd te worden, een doorgeefluik. Op dit moment, op deze plek, is het moment van transsubstantiatie aangebroken. Het wiel is wit, maar terwijl het over de gang op de eerste verdieping rolt, krijgt het een gouden kleur, en wordt het zo zwaar dat het een blijvend spoor in het vloerkleed achterlaat. Het wiel rolt de trap af en maakt daarbij een zwaarder geluid dan een man van honderd kilo zou maken die hollend de trap af zou denderen. Het wiel rolt verder; de vloerplanken knarsen en kraken onder het gewicht.

John werd bijna gek door Naomi's gegil en wierp zichzelf tegen de deur, twee keer, zonder enig effect. Als hij zo doorging, zou hij zijn schouder breken zonder er verder iets mee op te schieten. Blinde woede had hem nu in de greep. Hij legde zijn handen plat tegen de deur en schreeuwde: 'Dit huis is van *mij*, perverse klootzak, vuilak, stuk ongeluk, dit huis is van mij, *niet van jou*, DIT IS MIJN HUIS!' De deur rammelde in de deurpost, en plotseling lukte het John de deur open te doen.

Hij pakte zijn geweer en ging de badkamer binnen, net op het moment dat de doorzichtige glazen deur van de douchecabine versplinterde en als een matglazen gordijn op de grond kletterde. Een man stapte de cabine in, met een schaar hoog in de lucht geheven om toe te steken. John greep hem bij zijn riem en trok hem naar achteren, over de verhoogde drempel heen. De man draaide zich om, maaide wild met de schaar om zich heen. Het was de journalist Roger Hodd, die John een paar keer had geïnterviewd naar aanleiding van enkele moordzaken. Het was Hodd weliswaar, maar het waren niet zijn ogen, die diepe putten vol genadeloze haat. John ontweek de schaar, duwde Hodd tegen de muur links van de douchecabine, schreeuwde tegen Naomi: 'Niet kijken!' Hij duwde de loop van zijn geweer in de buik van de bezeten man en schoot zijn ingewanden met een schot hagel aan gort.

Zach haakte zijn vingers achter het nieuwe latwerk en trok er uit alle macht aan, maar het hout was net zo stevig als de wanden en de ronde bovenkant van de constructie. Vergeleken hierbij stelden de verwrongen tanden van de vleesvork niets voor, en hij vroeg zich af of er aan weerszijden van het prieel scherpe houten tanden naar binnen zouden groeien om hen te vermorzelen, zoals vis aas door een haai wordt verschalkt.

Het leek of Minnie zijn gedachten kon lezen, want ze zei: 'Hij kan ons niet met iets als een prieel te lijf gaan, hij kan ons daarmee alleen in verwarring brengen en ons bang maken. Hij moet een *persoon* hebben om ons iets aan te doen.'

Zach hoorde iets achter zich bewegen, en toen hij zich omdraaide, zag hij dat het lijk van professor Sinjavski zich op zijn rug draaide en zich oprichtte. 'Mooi biggetje,' zei de oude Sinjavski met een stem die zo hard als steen was, en zo dik als modder. 'Mijn mooie Minnie-biggetje.'

Tegen Minnie zei Zach: 'Een lijk is een *ding*. Het is geen persoon meer. Het is gewoon een ding, zoals houtwerk een *ding* is.'

De professor pakte het latwerk met een hand beet en probeerde te gaan staan. 'Mooi biggetje, ik ga die lekkere tong van je opsabbelen.'

Naomi was danig van slag en klampte zich huilend aan de arm van haar moeder vast, maar hervond haar evenwicht sneller dan John had verwacht. Gedrieën liepen ze door het huis. John riep Minnie en Zach, maar hij kreeg geen antwoord.

Eerder was het idee bij hem opgekomen dat Blackwood – en diens meester, Verderf – juist door zijn toedoen naar deze wereld toegetrokken was, namelijk vanwege zijn angst dat de moordenaar zich aan zijn belofte zou houden, vooral sinds Minnie zo ziek was geweest. Had hij door zijn obsessie de moordenaar als het ware uitgenodigd? Had hij het gevoel gehad dat hij het verdiende om door de moordenaar belaagd te worden en de dood in gedreven te worden omdat hij de enige overlevende van zijn uitgemoorde familie was? Na het incident in de badkamer, waarbij hij pas toegang had gekregen toen hij vol overtuiging het bezit van het huis opeiste, vermoedde hij dat hij inderdaad alleen kwetsbaar was als hij zich zo opstelde. Dus als er een deur naar een andere wereld was geopend, zou hij die misschien zelf wijd open hebben gezet, ook al had hij dat niet bewust gedaan. Als hij een deur naar demonen en geesten kon openen, zou hij die ook weer dicht kunnen doen, voor eens en voor altijd. Het enige waar hij nu bang voor was, was dat hij daar misschien te laat mee was, en dat hij een gigantisch verlies moest incasseren: Minnie, Zachary, misschien allebei, misschien nog steeds hen allemaal.

Onder aan de trap, op de hoek van de hal en de gang, voelde hij weer een fantoom langs zijn benen strijken, speels en uitgelaten. Zoiets was hem een paar weken geleden ook al overkomen, in de tuin achter het huis, 's avonds, toen de afgevallen eikenbladeren omhoogdwarrelden en door de lucht buitelden, alsof een hond erin speelde. Willard.

'Hij wil dat we hierheen gaan,' zei John. Hij liep in de richting van de keuken.

'Wie wil dat?' vroeg Nicky.

'Dat leg ik later wel uit. Zach en Minnie zijn deze kant op.'

Met z'n drieën liepen ze snel door de keuken naar buiten, het terras op, waar ze een merkwaardig schouwspel aantroffen. Doordat er de afgelopen twee maanden zoveel gebeurd was, keek John van weinig dingen meer echt op, maar dit was wel iets heel bijzonders.

In de schemerige sneeuw zagen ze een gouden wiel, zo groot als dat van een Peterbilt-vrachtwagen, dat door een mysterieuze kracht voortgedreven leek en over het besneeuwde terras rolde en een spoor van droge flagstones achterliet. Het ding denderde met een zwaar dreunend geluid voort, angstaanjagender dan het gebulder van een aardbeving, alsof het veel meer woog dan de afmetingen deden vermoeden. Het wiel leek de lucht enkel door zijn aanwezigheid een lading te geven, en de sneeuw eromheen knetterde alsof de vlokken die binnen het spanningsveld kwamen, elektrische deeltjes werden. De flagstones kraakten en barstten onder het wiel, en door de zolen van zijn schoenen heen voelde John de trillingen door het beton onder de flagstones heen gaan.

Het gouden raadsel hield hun aandacht gevangen, tot ze hoorden dat Zach en Minnie om hulp riepen.

Het dode paard is voor de ruiter een onhandig wapen dat steeds lastiger te hanteren is naarmate de lichaamstemperatuur zakt en de hersenen afkoelen. Maar het is een mensenlijk, en in die hoedanigheid is het nog steeds in staat tot extreem geweld, een van de kenmerken van de soort. Misschien kan het lijk nog twee uur dienstdoen als instrument om aanzienlijke schade aan te richten, tot de eerste fase van rigor mortis intreedt, waarna het helemaal lastig wordt om er nog iets mee te doen. De ruiter geeft het lijk de sporen en dwingt het om zichzelf op te richten door zich aan de spijlen van het prieel vast te houden. De jongen doet een stap naar voren, gaat tussen de professor en zijn zus staan, zijn mes in de aanslag, maar hij zal merken dat hij niets aan het mes heeft, omdat een lijk niet uitgeschakeld kan worden met een steek in een slagader en ook niet met honderd andere steekwonden.

In Zachary's kamer schuiven de pinnen uit de scharnieren van de kastdeur, waarna ze op de grond vallen.

Door de deur aan te raken weet Melody wat voor hulp ze heeft gekregen, en ze duwt ertegenaan tot de deur loskomt van de scharnieren die aan de deurpost bevestigd zijn. Een kant ervan zakt een paar centimeter naar voren, en nu is er genoeg speelruimte om de deur heen en weer te bewegen zodat de stoel onder de deurkruk uit schuift.

De deur valt, en Melody stapt de kast uit, de kamer in. Ze gaat naar het bureau van de jongen, doet de la open waarin hij het hakmes heeft gelegd, en neemt dat uitstekende keukengerei in haar hand.

Het wiel komt tot stilstand op het besneeuwde gazon, bij het prieel, en is nu zo groot geworden als dat van een gigantisch grote bulldozer, met een doorsnee van ongeveer twee meter. Het gewicht ervan was waarschijnlijk enorm, want het had een spoor van meer dan twintig centimeter diep in de bevroren tuin achtergelaten.

De nieuwe latten die beide poorten van het prieel afsloten, vielen niet uit elkaar toen John verklaarde dat hij de eigenaar ervan was, een uitspraak waarmee hij de deur van de badkamer wel open had gekregen. Zo te zien had hij een kettingzaag nodig om een opening te forceren, vooropgesteld dat het hout niet weer onmiddellijk op magische wijze dichtgroeide. Misschien was hij niet meer in het centrum van de twilightzone, maar dan toch zeker in een van de buitenwijken.

Minnie duwde haar vingers in de gaten van het prieel, drukte haar lieve gezicht tegen het houtwerk en schreeuwde: 'De professor was dood, maar nu komt hij weer op ons af!'

Bereden door een geest strompelt de professor voorwaarts, de jongen haalt uit met zijn mes, dat er diep in gaat, maar handen die eens verraderlijke documenten ondertekenden ten nadele van verschillende veelbelovende jongemannen konden ook gebruikt worden om de hand van de jongen vast te pakken en hem te dwingen het mes dat hij vasthield los te laten. Ook grijpt de professor de jongen bij zijn keel, tilt hem op en gooit hem met kracht naar achteren, tegen de achterste wand van latwerk aan, waardoor het prieel op zijn grondvesten trilt en het meisje het van angst uitgilt. De dode man is sterk, maar heeft een slechte lichaamscoördinatie, terwijl de jongen slim is en wendbaar en bovenal ontzettend vastberaden. De jongen rukt zijn rechterhand los, schopt en kronkelt, worstelt als een bezetene en bevrijdt zich. De dode man draait zich om, probeert hem te pakken te krijgen, struikelt, komt bijna ten val, en knalt na twee ongecoördineerde stappen tegen de wand van het prieel aan. Het hout kraakt, de constructie trilt, Sinjavski valt op zijn knieën.

Met zijn hart in zijn keel, en met zulke hete adem dat het niet als wolkjes uit hem dampte maar als het ware als samengeperste lucht uit een gaatje in een stoomketel ontsnapte, rende John heen en weer langs het prieel, in een poging te achterhalen wat daarbinnen gebeurde, terwijl het in rap tempo donkerder werd. Toen hij dacht dat hij zag dat Zach aan de greep van Sinjavski ontsnapte, stak hij de loop van zijn geweer door een van de vijf centimeter grote gaten in het latwerk, maar omdat hij verder geen ruimte meer had om het geweer zijdelings te bewegen, kon hij alleen maar recht vooruit schieten. Hij kon Sinjavski alleen uitschakelen als de professor recht voor de loop ging staan. En waar was Zach? Schemerdonker, bewegende schaduwen, chaos, de kans was te groot dat hij Zach zou raken.

Minnie schreeuwde: 'Hij is al dood! Hij kan *niet nog een keer* doodgaan!'

'Hij beweegt zich erg stuntelig, pap,' zei Zach. 'Zo stuntelig als een lijk. Maar het is hier wel erg krap.'

'*Gebruik het ding!*' riep Minnie vertwijfeld.

Nicky en Naomi zaten op hun knieën in de sneeuw, tegenover Minnie, en hielden de kleine vingers vast die het meisje door de houten spijlen had gestoken. Naomi huilde. Nicky zei: 'Wat voor ding, liever? Wat voor ding?'

'Dat wiel-ding.'

John zei wanhopig: 'Wat is het voor ding, Minnie? Hoe moet ik dat gebruiken?'

'Het is een *idee*.'

'Een idee? Wat voor idee?'

'Hét idee, het idee achter alles. Pappa, het is dat glas waar dat donkere spul in trok, die zwerfhond die iemand beter gemaakt heeft.'

Overdonderd door deze verwijzing naar Peter Abelard, naar een gesprek waar ze niet bij was geweest, zei John: 'Hoe weet je dat?'

Zach riep: 'Pap, ik heb het mes weer.'

'Blijf bij die vent uit de buurt! Waar is hij nu?'

'Op zijn knieën, maar hij probeert overeind te komen,' zei Zach.

'Hoe wist je van dat glas en die hond?' vroeg John aan Minnie.

'Hoe weet ik niet, maar ik weet het gewoon.'

In gedachten hoorde John weer de woorden van Abelard: *Ik denk dat het goddelijke zich van de mensheid heeft afgekeerd, misschien uit walging, misschien omdat we het niet meer verdienen om rechtstreeks heilige wezens te zien... Als het goddelijke tegenwoordig van buiten de tijd onze wereld betreedt, zo is mijn ervaring, dan manifesteert het zich discreet in de persoon van kinderen en dieren.*

John wist niet wat het wiel precies was, maar discreet kon je het niet noemen. 'Wat is dat wiel, Minnie? Vertel eens zo duidelijk mogelijk waar dat ding voor dient.'

'Het zegt dat het de kracht is waarmee een snelweg door een zee gelegd kan worden.'

'*Het zegt?* Wat bedoel je daarmee?'

'Ik kan het wiel nu horen,' verklaarde Minnie. 'Het is de kracht waarmee een snelweg door een zee gelegd kan worden, de kracht die de doden kan wekken. Het is wat je nodig hebt als je het nodig hebt, en wat je nodig hebt is een deur. Is dat niet wat je nodig hebt, pappa, een deur?'

John had een uitnodiging laten uitgaan, waardoor het kwaad de kans had gekregen op aarde terug te keren. Hij was de enige die het kwaad weer kon uitbannen. Ze zouden geen duivel-uitdrijver sturen. Ze schaamden zich voor het ouderwetse idee dat het absolute kwaad bestond, dat het de vorm van een persoon kon aannemen, maar hij zocht het antwoord niet in voedselbanken, hij zou zijn gezin en zichzelf niet kunnen beschermen door voedsel naar dit ding te gooien, en ook niet door het een slaapplaats in een daklozencentrum aan te bieden, noch door sociale actie. Wat hij hier nodig had was wat effectieve antisociale actie, of anders iets wat ooit een *wonder* heette, iets waar je misschien een kind als Minnie voor moest zijn, iemand die de fantasie had om het zich voor te stellen, en het vertrouwen om dat wonder na te streven. Wees dus als een kind. Zet alle hoogmoed en ijdelheid van je af. Wees zo nederig als een kind dat zwak is en zijn zwakheid onderkent. Laat de angst toe in het aangezicht van de leegte. Geef toe dat je niets weet in de aanwezigheid van het onkenbare. Een kind gelooft in mysteries binnen mysteries en is op zoek naar wonderen, wat niet zo moeilijk zou moeten zijn, gezien het feit dat John hier in deze tuin op dit moment voortdobberde in een *zee* van mysterie, in een *storm* van wonderen. Wat het hart weet, is de geest vergeten, en wat het hart weet is de waarheid. 'Ik heb een deur nodig,' zei John, die weer een kind werd. 'Ik heb een deur nodig, en ik weet dat er een deur *ís*. Ik geloof in een deur, geef me alstublieft een deur, God, alstublieft, ik wil een deur, lieve God, *geef me nou verdomme een deur.*'

Zach schreeuwde: '*Pap! Hij is weer opgestaan! Hij komt op ons af!*'

Terwijl het laatste restje schemering door de ijzige lucht naar het westen verdween en het reusachtige gouden wiel van binnenuit begon te gloeien, schreeuwde Zach het uit. John zette zijn geweer tegen het prieel en pakte het latwerk met beide handen beet.

Nicky had gezien dat hij dat al eens eerder geprobeerd had.

Toen was het hem niet gelukt, en nu zou het hem weer niet lukken.

Ze wist dat ze niets aan het geweer hadden. Toch wilde ze het wapen gebruiken, om in elk geval iets te doen. Maar wat?

In het donkere prieel probeerde Zach Sinjavski naar zich toe te lokken, om de man – het ding – bij Minnie vandaan te houden. 'Hierheen, oetlul. Hierheen, monsterlijk monster.'

Nicky voelde Minnies vingers tegen die van haar trillen, met het latwerk tussen hen in. Minnie fluisterde wanhopig: 'Hij gaat Zach doodmaken.'

Het gloeiende wiel verschoot van goud naar rood en vertoonde een diepere dimensie. Binnenin bevonden zich talloze spiralende massa's die deden denken aan de draaikolken in de lucht op *De Sterrennacht* van Van Gogh. Het wiel begon te pulseren, en in de onheilspellende flikkering van draaiende lichte en donkere vlekken begonnen de vallende sneeuwvlokken als vonken te gloeien.

John schreeuwde iets tussen de spijlen van het prieel door, en Nicky begreep eerst niet wat hij bedoelde: 'Neem *mij*. Neem *mij*. Neem MIJ!'

Op slag lichtte het wiel op, en er schoten galactische spiralen van schaduw en paars licht door het rozenprieel, door de tuin, door de sneeuw, die zo dicht uit de lucht kwam vallen dat de nacht erachter schuilging.

'Neem MIJ!' John brak een vijftien centimeter lange lat af, waardoor een gat ontstond dat groot genoeg was om een hand doorheen te steken. John schreeuwde: 'Hier, verdomme, hier ben ik, neem MIJ!'

Hij dacht dat hij nu wist wat er moest gebeuren, en als hij het niet zou doen, zou er nooit een eind aan de dreiging komen. Hij kon maar één reden verzinnen waarom een goede kracht Minnie ertoe aangezet had een wiel te maken, het gematerialiseerde *idee* van een poort tussen de tijd en de eeuwigheid. Die deur moest hij gebruiken, hij en niemand anders. Hij was dit begonnen, hij moest hier een eind aan maken. Als hem een deur werd aangereikt, moest hij die gebruiken, en door die te gebruiken, zou hij zichzelf ter boetedoening offeren.

In het prieel doemde het Sinjavski-ding uit de schaduwen op, een beer van een vent in een donker pak, beschenen door het vreemde schijnsel van het wiel.

John had het gezicht van de professor nog nooit zo gezien: een grimas vol verzuurde, verrotte kwaadwilligheid, bijna vervormd van woede. Zijn ogen waren poelen van geconcentreerde haat, die glinsterden van boosaardigheid, doordrongen van wrok.

'Ik ben het die je eigenlijk moet hebben, alleen ik,' zei John. 'Ik ben degene die ontkomen is.'

Nicky kwam overeind op de plek waar ze met Minnie had gepraat, en zei: 'Wat doe je? John, nee, doe het niet.'

'Vertrouw je me?' vroeg hij aan haar.

'Doe het niet.' Bij elke keer dat ze dat herhaalde, klonk ze wanhopiger. 'O, doe het niet, doe het niet, doe het niet.'

Hij zei: 'Ik vertrouw op Minnie, en ook op degene die… haar ertoe aanzette die deur te maken. Vertrouw op me, Nicky.'

'In alles?' Haar stem was doordrenkt van angst. 'Alles?'

'Dat heb je tot nu toe toch steeds gedaan? Al vijftien jaar lang?'

'Het is te sterk, zelfs voor jou.'

Ze had hem eens verteld dat hij soms net iets te veel rechercheur was, en dat een ietsje minder ook stoer genoeg was.

Hij zei: 'Nu is een ietsje minder niet genoeg. Het is nu alles of niets.'

John richtte zich weer tot het ding dat bezit had genomen van het lijk van Sinjavski en zei: 'Neem mij. Scheur me van binnenuit maar aan flarden. En misschien kun je wel helemaal bezit van me nemen. Zou dat niet grappig zijn, om mij te gebruiken om de anderen om zeep te helpen? Om ze te misbruiken en ze aan flarden te rijten en ze te vermoorden? Zou dat niet grappig zijn, Alton? Verderf?'

Hij hoorde Nicky zeggen: 'Naomi, ga achter me staan.'

'Waarom zou je met minder dan mij genoegen nemen?' vroeg John aan het ding dat zich meester had gemaakt van de overleden professor. 'Je bent vast niet bang voor mij. Ik heb je vermoord, Alton, maar je kunt niet nog een keer doodgaan. Ik ben van vlees en bloed, en ik ben zwak. Jij bent sterk en zult eeuwig leven. Of niet?'

Het professor-ding glimlachte naar hem door de gaten in het latwerk heen, een sluwe en giftige grijns. Zijn ogen waren van donker staal en niet van de professor zelf.

John hield zijn hand met de handpalm naar boven, en Sinjavski legde zijn hand er met de handpalm omlaag op. Iets kouds en heftigs drukte wriemelend op Johns huid. Bijna had hij zijn hand teruggetrokken. Het kostte hem moeite zich te ontspannen en geen weerstand te bieden. Hij voelde een ijzige, kronkelende aanwezigheid, nu niet meer op zijn hand, maar erin, en iets gleed naar zijn pols... maar toen niet verder.

Hij zette alle gedachten aan zijn ouders en zijn zussen van zich af, en voor het eerst in twintig jaar stond hij zichzelf toe aan Cindy Shooner te denken, iets wat hij na die afschuwelijke gebeurtenis niet meer had gedurfd. Hij zag haar naakt voor zich, haar heerlijke lichaam, haar volle borsten, en hij probeerde de herinnering naar boven te halen hoe het was geweest toen ze onder hem lag, de zijdezachte ritmes, haar diepe warmte, de manier waarop ze meeging in zijn bewegingen, haar mond, haar overgave, haar onstilbare honger, haar opwindende lust.

Verderf nam hem.

De dode professor zakte in het prieel in elkaar.

Als door een poltergeist teruggedrongen, schoven de latten bij de twee poorten van het prieel van elkaar en verdwenen in de wanden van het bouwsel, waardoor Zach en Minnie bevrijd werden. Als van een afstandje hoorde John dat Nicky haar kinderen bij zich riep.

John werd kouder dan de nacht, en zijn geest stroomde vol

met afschuwelijke beelden van Marnie en Giselle die op brute wijze verkracht werden voordat ze stierven. Die eeuwige herinneringen aan Alton Turner Blackwood dreven hem naar de rand van de waanzin. Hij werd overspoeld door doodsangst, overmand door verdriet. Hij wilde het uitschreeuwen, maar er kwam geen enkel geluid over zijn lippen.

In de wild dwarrelende paarse sneeuw zag John dat hij zelf het geweer pakte. Toen hij zich naar Nicky omdraaide, merkte hij dat hij zijn vinger om de trekker spande.

Hij had het gevoel dat hij onder een dikke laag aarde lag, begraven in zijn levende lijf, begraven zoals zijn vermoorde ouders en zussen ook begraven waren, en hij viel geheel ten prooi aan een afschuwelijke angst.

Nicky hield haar pistool met beide handen vast, de loop iets naar beneden gericht om er zeker van te zijn dat ze hem ondanks de terugslag in zijn borst zou raken.

John liep zonder enige aarzeling op haar af. Ze zei dat hij het geweer moest laten vallen, maar hij bleef pas staan toen de loop van het geweer in haar buik prikte.

Ze stonden een armlengte van elkaar af, bleven elkaar aankijken, en hij werd radeloos toen hij bedacht dat hij misschien weer het verkeerde zou doen. Nu had hij weer gekozen datgene te doen waardoor zijn gezin hem zou ontvallen, zoals hij ook toen door zijn zwakte en egoïsme verkeerd had gekozen.

De kinderen stonden achter haar. Hij zag hoe verschrikt ze keken, en hij wist dat ze hun vader niet in hem herkenden.

Tranen welden in Nicky's ogen op. 'Ik kan het niet.'

Misschien maakte ze nog enige kans als ze hem om het leven bracht. Hij had hen aan de rand van een afgrond gebracht die dieper was dan hij had voorzien.

'Ik hou van je,' zei ze. 'Ik hou van je. Ik kan het niet.'

Ze liet het pistool zakken.

'Ik ben de Dood,' hoorde hij zichzelf zeggen. 'Je hebt nog nooit seks met de Dood gehad.'

Terwijl zijn vinger zich steeds strakker om de trekker spande, kwam John plotseling uit zijn levende graf omhoog, gooide het kwaad van zich af dat hem terneer had gedrukt. Hij voelde dat het tot Verderf begon door te dringen dat zijn gastheer zijn meest geheime gedachten verborgen had gehouden en zich als zwak had voorgedaan om hem te lokken. Voordat de demon de kans kreeg in te zien dat John misschien sterk genoeg was om hem uit te bannen, gooide John het geweer van zich af, rende langs Nicky en de kinderen in de richting van het gloeiende donkerrode wiel, dat geen wiel maar een poort was, zoals het altijd een poort was geweest maar nog niet als zodanig was benoemd.

John rende door de sneeuw die als bloedspetters oplichtte. Hij zag niets anders in de poort dan draaiende rode lichten in een rood waas. Misschien zou hij voor altijd door de eeuwigheid blijven vallen, maar toch sprong hij over de drempel zonder zich te bedenken...

... en komt terecht in zijn donkere slaapkamer in zijn ouderlijk huis, een ogenblik nadat hij het raam heeft dichtgeschoven. De geuren van Cindy Shooner hangen nog om hem heen... haar parfum en de vage muskusachtige geur van seks.

Hij ziet zijn donkere gestalte in de spiegel boven de ladekast, maar iets klopt er niet. Hij doet een stap dichterbij en ziet dat hij het gezicht heeft van toen hij veertien was.

Dit is geen droom noch een visioen. Het lijkt in geen enkel opzicht op een hallucinatie, maar het confronteert hem met de grimmige textuur van een afschrikwekkende realiteit. Dit is de werkelijke plek, dit is de avond waar het om draait, de drukkende stilte zwaar van moordlust.

Hij wacht, verwacht zilveren belletjes te horen, en die rinkelen inderdaad.

Als John naar de deur loopt, hoort hij de belletjes weer.

Hij doet de deur open. Stapt de gang op. Er komt licht uit de slaapkamers van zijn ouders en zijn zussen.

Op de grond de zwarte rugzak. Ernaast het pistool met een zelfgemaakte geluiddemper.

Dit is geen herinnering. Dit is het moment zelf. Dit is het verleden dat zijn toekomst gevormd heeft.

Hij snapt niet waarom hij hier is. De belletjes doen vermoeden dat ze allemaal dood zijn, net als toen. Hij kan ze dus niet meer redden.

En als dat wel kon, zou zijn toekomst daardoor veranderen, en dan zou hij Nicky misschien nooit tegenkomen, en dan zouden zijn eigen kinderen nooit geboren worden.

Bevreesder dan toen bukt hij zich, raapt het pistool op, haalt de geluiddemper eraf.

De openstaande slaapkamerdeur van zijn ouders. Daar: het met bloed doordrenkte bed, de lege eieren in bleke dode handen.

Wanneer de belletjes weer rinkelen, beukt zijn racende hart wild tegen zijn ribbenkast.

Hij loopt zijwaarts door de gang, houdt het pistool voor zich, met zwetende handen, iets waar hij destijds geen last van had. Hij aarzelt als hij bij de slaapkamer van zijn zussen komt, hoort weer het gerinkel van de belletjes.

Hij gaat in de deuropening staan, in het hatelijke licht dat op de geliefde doden schijnt.

Blackwood zit ineengedoken als een hongerig roofdier, als een raaf met een scherpe snavel die zich aan uiteengereten zangvogels tegoed doet. De mond rood en vochtig en genadeloos.

Zijn ogen zijn zwarte gaten die van de weerloze slachtoffers naar John glijden. De sinistere grafstem zegt hetzelfde als toen: 'Dit meisje zei dat je deze week bij oma was.'

John beseft dat hij hier is om iets anders te doen dan twintig jaar geleden. Maar wat? In godsnaam: *wat*?

Als een soort prehistorische missing link tussen uitgestorven reptielen en de mens komt Blackwood bij het meisje overeind, het meisje dat voor altijd uit het leven is weggerukt, en zegt: 'Die lekkere zus van je. Giselle. Ze had van die mooie, kleine, ont-luikende borstjes.'

Zijn hart gaat als een razende tekeer, en zijn hand beeft zo heftig dat hij niet goed kan richten. John probeert tijd te win-nen om na te kunnen denken en zegt met de trillende stem van een jongen: 'Ga daar weg. Ga bij ze weg.'

Blackwood blijft bij de gezegende overblijfselen zitten, als de gebochelde Dood met een bloederige grijns.

'Ga daar nu bij ze weg, klootzak!'

Blackwood doet een stap naar voren, John deinst achteruit, de gang op, en Blackwood komt achter hem aan.

Zonder te weten hoe hij het weet, weet John dat hij echt zal sterven als Blackwood hem nu vermoordt, en dan zal het leven dat hij hierna heeft geleid nooit gebeurd zijn. Nicky zal met ie-mand anders trouwen. Zach en Naomi en Minnie zullen nooit geboren worden. Alles staat op het spel, en er is geen ruimte om fouten te maken.

De doden kunnen niet door één enkel persoon tot leven ge-wekt worden. Wat hij aangereikt krijgt, is niet een verleden dat wordt uitgewist, maar in plaats daarvan een kans om de geest met rust te laten die hij door zijn schuldgevoel, zijn obsessie en zijn voortdurende angst heeft opgeroepen.

Blackwood kijkt hem met een brede grijns aan en lijkt niet onder de indruk van het pistool te zijn. Hij komt op John af, die over de gang achteruitloopt en wanhopig probeert te bedenken wat hij nu moet doen.

'Luister naar me, jongen. Later zul je een gezin stichten,' zegt Blackwood...

... en dan weet John als in een flits dat hij moet voorkomen dat de Belofte wordt uitgesproken, de Belofte die in zijn hoofd is gaan zitten, die hem achtervolgde, die een obsessie werd en hem vatbaar maakte voor de onsterfelijke woede van deze mee-dogenloze geest en voor het ding dat Verderf heet.

Hij roept: *'Hou je kop!'*

Blackwood doet een stap naar voren, John een naar achteren, Blackwood naar voren, John naar achteren, op de rugzak. Hij struikelt, komt ten val. Blackwood snelt toe, buigt zich over hem heen.

John schiet schuin omhoog, het is een ongericht schot dat weinig kans van treffen heeft, maar toch treft de kogel doel en wordt de moordenaar in de buik geraakt. Blackwood strompelt naar voren en valt boven op John, tientallen kilo's aan pafferig vlees en vervormde botten.

Ze kijken elkaar aan, en Blackwood zegt met een rauwe fluisterstem, zo dichtbij dat John zijn hete adem op zijn lippen voelt: 'Later zul je een gezin stichten...'

Het pistool zit tussen hen in geklemd, nog steeds in Johns hand. Er is niet te voorspellen wie geraakt zal worden, maar toch haalt hij de trekker over. Na het gedempte schot zet Alton Blackwood grote ogen op, en plotseling lijkt de man twee keer zo zwaar te worden.

Met ingehouden adem, terwijl zijn lippen uit angst en afschuw woorden vormen zonder dat er enig geluid uit zijn mond komt, kruipt John onder Blackwood uit, krabbelt overeind, kijkt omlaag en ziet in het vale schijnsel dat er nog steeds leven in die angstaanjagende ogen te bespeuren is, en dat de lippen zich bewegen om weer iets te zeggen.

John schiet zijn pistool leeg, waardoor Blackwoods gezicht van de ene afgrijselijke staat in de andere overgaat.

De Belofte was een vloek. Die vloek is nu voor eens en altijd opgeheven.

Als John een stap achteruit doet, zweeft de schaduw van Alton Turner Blackwood omhoog, doorzichtig en in een stille razernij, verschrompelt en is verdwenen. Een tweede wezen stijgt uit het lijk op, veel afschrikwekkender dan Blackwood zelf: asymmetrisch, verwrongen, gebocheld, met gele ogen. Deze gruwel, Verderf genaamd, zweeft even over het lijk en glijdt net als de schaduw van Blackwood de vergetelheid in.

Het is doodstil in huis. Wat toen verloren is gegaan, is nog steeds verloren, hoewel niet voor eeuwig, en er is ook iets gewonnen. De krachten van het hart zijn sterker dan de krachten van de nacht.

John laat het pistool vallen, draait zich om, en net als in die memorabele nacht loopt hij snel de trap af. Toentertijd voelde hij zich genoodzaakt een ander pistool op te halen, dat te laden en zichzelf van kant te maken. Maar nu... op het moment dat hij van de onderste traptree stapt, komt hij niet in de hal terecht, maar loopt hij door de poort een nacht in, waarin rode sneeuwvlokken omlaag dwarrelen.

Zijn vrouw en kinderen waren ongedeerd en stonden op hem te wachten. Achteraf gezien had hij toch het juiste gedaan, hij had zichzelf voor hen opgeofferd, een daad van boetedoening die uiteindelijk zin gaf aan de afgelopen twintig jaren van zijn leven.

Achter hem doofde het spookachtige licht tot de poort verdwenen was. Ook het wiel was nergens meer te bekennen. In vroeger tijden, als engelen op aarde kwamen of er een struik brandde zonder door de vlammen verteerd te worden, bestonden er nog geen videocamera's om alles vast te leggen. Ook nu bleef er niets achter waarmee kon worden bewezen dat het wiel ooit bestaan had, misschien met uitzondering van de geulen in het gras en de kapotgedrukte flagstones. *Machina ex deus*.

Een golf van vreugde spoelde alle angst weg, en hij zag zijn geliefde gezin door een waas van tranen. Hij liep op hen af, en zij liepen naar hem toe. Tegelijkertijd kwam Lionel Timmins in het nachtelijk donker in de dwarrelende sneeuw aangelopen, met zijn ijsmuts op en zijn donkerblauwe duffelse jas aan, en keek sprakeloos en met grote ogen om zich heen. Hij stond midden tussen de op elkaar aflopende Calvino's in, wat op dat moment een magische, emotionele, gigaschrandere plek was om te zijn.

Melody Lane kwam met snode bedoelingen de keuken binnen, met het slagersmes in de hand. Aan de klap waarmee ze tijdelijk was uitgeschakeld, had ze hoofdpijn overgehouden, en ze bleef staan toen ze de draad voelde knappen. De etherische lijn tussen haar en het wezen dat haar bereden had, het wezen dat ze steeds had gediend, ook al bereed hij haar op dat moment niet, was verbroken. Ze wachtte tot de draad weer verbonden zou worden, omdat ze ernaar uitzag om de levensadem uit de mond van de stervende jongen op te zuigen. Maar na een minuutje legde ze het mes neer en verliet ze het huis via de voordeur, omdat het hier zonder de bescherming en leiding van de geestruiter te gevaarlijk was geworden.

Melody ploegde door de sneeuwstorm naar haar auto, startte de motor, zette de ruitenwissers aan om de sneeuw van de voorruit te vegen. Toen ze optrok, nam ze zich voor te gaan verhuizen. Er waren tienduizenden steden en dorpen waar ze naartoe kon, waarin op dit moment miljoenen kinderen leefden, geheel ten onrechte. Melody voelde zich niet verantwoordelijk voor toekomstige generaties maar wilde die juist elimineren. We hebben allen onze verantwoordelijkheden. Sommigen deinsden daarvoor terug, maar zij niet.

Onderweg genoot Melody van de magische omgeving, de stad die in juwelen en een mantel van sneeuw gehuld ging. Met haar lieve, zachtaardige stem zette ze heel toepasselijk een lied in: 'Winter Wonderland'.

50

IN DE VIJF MAANDEN NADAT JOHN ALTON TURNER
Blackwood voor de tweede keer naar de hel had verbannen, be-
woonden de Calvino's een gehuurd pand en werd hun huis vanbinnen opgeknapt, geverfd, van nieuwe vloerbedekking voorzien, en van boven tot onder schoongemaakt.

Op de dag dat ze weer teruggingen, kwam pastoor Angelo
Rocatelli langs, de priester uit hun nieuwe parochie, om elke kamer in het huis officieel te zegenen. Hij kroop zelfs op de mezzanine tussen de eerste en tweede verdieping om die ruimte te
zegenen. Minnie was net zo dol op hem als op pastoor Albright,
en haar mening werd binnen het gezin hooggeacht.

Al op de eerste dag van het onderzoek ontdekte Lionel Timmins een verband tussen Preston Nash en Roger Hodd. De
vrouw van de journalist, Georgia, bleek Prestons therapeut in de
afkickkliniek te zijn. Waarom de twee mannen samen besloten
het huis van de Calvino's binnen te dringen om het gezin te ter-
roriseren kon niemand precies zeggen, al deden er heel wat theo-
rieën de ronde. Georgia Parker Hodd opperde dat wijlen haar
man net als Preston aan de drank verslaafd was, maar ze trok
daar verder geen conclusies uit. Men vermoedde dat Sinjavski

door Nash of Hodd was neergestoken en naar het prieel was gesleept toen de professor de twee mannen met duidelijk kwaadaardige bedoelingen het huis had zien betreden. John had in elk geval uit noodweer gehandeld, en hij werd niet in staat van beschuldiging gesteld.

Walter en Imogene Nash accepteerden een betrekking als hoofd van de huishouding op een prachtig landgoed in Californië van meer dan dertig hectare. Ze werden node gemist door de Calvino's, maar Lloyd en Wisteria Butterfield, die hun plaats innamen, waren harde werkers die altijd goedgehumeurd waren. Meneer Butterfield had bij het korps mariniers gezeten, en mevrouw Butterfield breide mutsen en bijpassende sjaals.

Een maand nadat ze in hun nieuwe oude huis waren getrokken, haalden de Calvino's een eenjarige golden retriever uit het asiel. Minnie noemde hem Rosco en zei dat Willard hem een goede hond vond.

Nicky maakte het groepsportret van de kinderen naar voldoening af. Ze hing het doek in de woonkamer, op de plek van de barokke spiegel. Ze ging door met het schilderen van taferelen die ze zelf verzon, en zou dat tot in lengte van dagen blijven doen.

Een jaar nadat ze Blackwood ervan weerhouden hadden zijn hatelijke belofte na te komen, vlogen John en Nicky terug naar de stad waar John geboren was en waar hij eenentwintig jaar niet meer geweest was. Drie dagen lang liepen ze in buurten rond die hij als jongen had doorkruist. Het huis waar hij met zijn ouders en zussen had gewoond, was gesloopt, en op die plek was een ander pand verrezen, zo op het oog een prettig huis. Elke dag gingen ze naar de begraafplaats waar de vier graven naast elkaar lagen en waar ze op een deken in het gras gingen zitten. Elke zerk was voorzien van een porseleinen medaillon met daarop een foto van de overledene. De zon had ze niet verbleekt, en ook was het glazuur niet door het weer aangetast. John vond de kracht om zijn vermoorde familieleden om vergeving te vragen, en daarna voelde hij zich gelouterd. Hij was niet langer bang voor het moment waarop hij hen zou weerzien, buiten deze wereld en buiten de tijd, omdat hij zich nu kon voorstellen dat zo'n ontmoeting maar over één ding zou gaan: liefde.

Hij was eindelijk tot rust gekomen en vloog met Nicky terug naar huis, waar ze op hun plek waren.